7.9⁰

HANS SELYE
OU
LA CATHÉDRALE
DU STRESS

*A Colette, en gage
d'une amitié qui
traverse les orages*

André

15 novembre 1992

Remis le 6 mai 1993 !

Conception graphique de la couverture: Violette Vaillancourt
Photographie: Institut de médecine et de chirurgie expérimentales
Photographie de l'auteur: Les Paparazzi
Coordonnatrice de l'édition: Linda Nantel
Révision et correction: Jocelyne Dorion et Diane Martin
Infographie: Solange Savoie

DISTRIBUTEURS EXCLUSIFS:

- Pour le Canada et les États-Unis:
  LES MESSAGERIES ADP*
  955, rue Amherst, Montréal H2L 3K4
  Tél.: (514) 523-1182
  Télécopieur: (514) 939-0406
  * Filiale de Sogides Ltée

- Pour la Belgique et le Luxembourg:
  PRESSES DE BELGIQUE S.A.
  Boulevard de l'Europe 117
  B-1301 Wavre
  Tél.: (10) 41-59-66
       (10) 41-78-50
  Télécopieur: (10) 41-20-24

- Pour la Suisse:
  TRANSAT S.A.
  Route des Jeunes, 4 Ter
  C.P. 125
  1211 Genève 26
  Tél.: (41-22) 342-77-40
  Télécopieur: (41-22) 343-46-46

- Pour la France et les autres pays:
  INTER FORUM
  Immeuble ORSUD, 3-5, avenue Galliéni, 94251 Gentilly Cédex
  Tél.: (1) 47.40.66.07
  Télécopieur: (1) 47.40.63.66
  Commandes: Tél.: (16) 38.32.71.00
                   Télécopieur: (16) 38.32.71.28
                   Télex: 780372

Andrée Yanacopoulo

HANS SELYE
OU
LA CATHÉDRALE
DU STRESS

Vienne 1907
Montreal 1982
mort d'André - 10 juillet 1987

Gong. p. 2 °7
Robion Donal B -

le jour, éditeur

Données de catalogage avant publication (Canada)

Yanacopoulo, Andrée

    Hans Selye ou la cathédrale du stress

    Comprend des références bibliographiques et un index

    ISBN 2-8904-4482-1

    1. Stress. 2. Selye, Hans, 1907-1982. I. Titre.
II. Titre: La cathédrale du stress.

BF575.S75Y26 1992   155.9'042   C92-097144-X

Dépôt légal: 4ᵉ trimestre 1992
Bibliothèque nationale du Québec

ISBN 2-8904-4482-1

J'ai consacré toute ma vie à la recherche sur le stress. Ce fut, comme je le dis souvent, la construction de ma cathédrale personnelle.

HANS SELYE, *La sagesse du stress*

Le stress, c'est ma cathédrale à moi!

HANS SELYE, *Le stress de ma vie*

Mont d'André — 10 juillet 87
(page 232)

À Suzanne Lamy et à André Selye, in memoriam

Je remercie du fond du cœur le professeur Roger Guillemin pour sa lecture si attentive et si pénétrante de mon manuscrit. Les sept heures que nous avons passées à le commenter dans son bureau du Whittier Institute (San Diego, Californie), le 8 avril 1991, ont sonné l'heure de la quasi-naissance officielle de ce livre. Si des maladresses ou des erreurs en déparent encore le texte, c'est à moi seule qu'il faut le reprocher.

Je ne saurais oublier ceux et celles qui m'ont si aimablement guidée dans mes recherches documentaires, et plus particulièrement M. Denis Plante (archives de l'Université de Montréal), sans pour autant oublier M. Robert Michel et Mme Phebe Chartrand (McGill University Archives), le Dr Faith Wallis (Osler Library, McGill University), Mme Maryse Odesse (archives de l'institut Armand-Frappier), Mme Lucile Landry (archives de la Faculté de médecine de l'Université de Montréal) et Mme Diane Clerk (bibliothèque de la santé de l'Université de Montréal).

Je suis reconnaissante au Conseil des Arts du Canada d'avoir bien voulu, et à deux reprises, m'accorder une bourse d'un an et pallier ainsi l'insuffisance de mes moyens financiers.

Je veux aussi remercier tous ceux et toutes celles qui n'ont pas craint de me consacrer un temps précieux en acceptant de me rencontrer, de répondre aux innombrables questions de mes lettres ou de mes coups de téléphone. Je leur suis redevable du noyau dur de cet ouvrage, et j'espère qu'ils se retrouveront sans trop de mal dans la présentation que j'offre ici de leur apport.

Enfin et surtout, j'exprime toute ma gratitude à Mme Gabrielle Selye. Elle m'a en quelque sorte accompagnée tout au long de mes quatre années de travail solitaire, me donnant généreusement accès à ses souvenirs et à ses documents, prenant pour finir la peine de lire avec grand soin mon texte et de me faire part de ses judicieuses remarques.

PROLOGUE

Plus qu'à la biographie totale de l'homme, qu'il serait d'ailleurs prématuré de vouloir établir, car sa mort est récente et ses proches toujours vivants, c'est à la biographie du chercheur et à son idée maîtresse que je me suis intéressée. Comment a pris corps sa notion d'un syndrome non spécifique précédant et annonçant une maladie, elle, spécifique? Dans quel contexte général, selon quelles modalités s'est mise en place la longue suite d'expérimentations destinées à comprendre le mécanisme de ce qui devait recevoir le nom de *stress*? Quelle a été la réception par la communauté scientifique de ce nouveau concept dont la fortune semble aller grandissant — dans le grand public tout au moins?

À partir d'entrevues avec les chercheurs, les techniciens et le personnel administratif de l'Université McGill et de l'Institut de médecine et de chirurgie expérimentales (Université de Montréal), à partir de fonds d'archives médicales ou autres, à partir enfin des publications scientifiques et vulgarisatrices de et sur Selye, j'exposerai pour commencer les données biographiques et factuelles dont je dispose. Ce premier temps, diachronique, de *mise en situation,* tentera de dégager la progression et la ramification du concept de départ. Je pourrai alors, dans un second temps, surtout synthétique, de *mise en regard,* faire le bilan de l'héritage de Selye. Quel est, au regard de l'histoire des sciences, l'apport propre de Selye? Quels sont, dans l'état actuel de la recherche, les travaux dont on est en droit de penser qu'ils ont été, directement ou non, inspirés par lui?

PREMIÈRE PARTIE

Mise en situation

DONNÉES BIOGRAPHIQUES

L'enfance
1907-1924

Selye a beaucoup écrit: sur ses travaux, sur sa démarche, sur son enfance, sur ses recherches, sur sa philosophie. Dans ses livres, ses articles, scientifiques et autres, et dans les entrevues qu'il a accordées à des quotidiens d'information ou à des périodiques, il s'est livré, il s'est même répété, donnant de lui et des moments importants de sa vie des portraits quasi stéréotypés qui illustrent à merveille ce qu'il a écrit: *Nous avons tendance à oublier les événements eux-mêmes et à ne nous souvenir que des images idéalisées que nous en avons formées à force de les raconter. Autrement dit, nous n'avons en mémoire que des souvenirs de souvenirs**.

Tout n'est pas vérifiable, encore moins la vision que chacun a gardée de ses premières années, de ses parents, de son milieu scolaire. Cette perception même, toutefois, est éclairante car constitutive — «natura naturans» — de la personnalité. Par ailleurs si, en dépit des drames politiques et des tourmentes qui ont balayé les lieux où Selye a vécu, des archives subsistent, toute sa famille d'origine a disparu, y compris sa cousine et amie d'enfance Anne-Marie von Bülow, sa cadette de quatre ans, avec laquelle il passait ses vacances d'été et qui fut son *premier grand amour*[1].

C'est donc surtout en m'appuyant sur ses écrits que j'évoquerai ses années de jeunesse, dégageant ainsi le presque portrait

---

* Les passages empruntés aux écrits de Selye, et donnés en italiques, proviennent tout particulièrement de: *Le stress de ma vie, The Stress of My Life, Stress sans détresse, Le stress de la vie, Du rêve à la découverte, The Story of the Adaptation Syndrome, In Vivo, La sagesse du stress.*

de Selye par lui-même, quitte à le retoucher pour les besoins de l'exactitude — mais sans jamais faire appel à l'imagination pour en combler les failles ou en résoudre les contradictions.

Sous l'aile de l'aigle à deux têtes

22 novembre 1916. Juché sur son tabouret, un petit garçon de neuf ans attend comme chaque jour qu'on procède à sa toilette. Sa gouvernante du matin, Mme Totier — une Française d'Avignon qui, son mari étant mort, est venue s'installer à Vienne —, commence par débarbouiller les joues poupines, le front haut à moitié caché par une frange, et s'apprête à onduler au fer les longs cheveux blonds. Bavardant de choses et d'autres de sa voix que relève un soupçon d'accent méridional, et sur le ton dont elle aurait demandé: Savez-vous qu'il pleut? elle enchaîne: *Savez-vous que l'empereur François-Joseph est mort [hier soir]?* Le petit garçon est sidéré. Par la gravité de la nouvelle, mais plus encore par la désinvolture de l'annonce. Comment peut-on parler aussi légèrement d'une telle catastrophe, comment peut-on faire preuve d'une telle irrévérence envers l'empereur? *Cet homme n'était pas un homme, c'était un Dieu.* Un profond ressentiment, presque de la haine, envahit le jeune Hans. Il se sent, pour l'heure, bien loin de sa gouvernante française; pour lui, *mourir pour François-Joseph eût été un honneur.* Mais, ajoutera-t-il devenu adulte, *la mentalité impériale est difficile à saisir.*

Il est vrai, François-Joseph Ier, aimé et respecté de ses sujets, «personnifia la majesté du trône en un temps où partout en Europe s'effritait le prestige monarchique». Le «dernier roi de l'Histoire» sera aussi le dernier de la dynastie à être, sous l'Empire, inhumé dans le traditionnel caveau des Capucins selon l'antique rite. Il appartenait à l'illustre maison des Habsbourg (d'origine suisse) laquelle régna avec des hauts et des bas sur l'Autriche de 1278 à 1308 et de 1438 à 1918 — se rendant maîtresse de Vienne en 1490. Il n'en reniait certes pas l'orgueilleuse devise *AEIOU, Austriae est imperare orbi universo.* Choisi comme nouveau souverain après l'abdication de Ferdinand et au lendemain de l'écrasement des révolutions de 1848, sa jeunesse (dix-huit ans) en faisait «le symbole de la reconstruction». Le 2 décembre

1848, François-Joseph Ier héritait donc d'un titre, empereur d'Autriche, que sa famille détenait depuis 1804, et des «rêves de puissance» qui depuis toujours la hantaient. Son empire comprenait pour l'essentiel, outre l'Autriche, la Hongrie, la Bohême (partie occidentale de la Tchécoslovaquie), la Galicie (située au nord des Carpates et aujourd'hui divisée entre la Pologne et l'Ukraine), la Croatie et la Slavonie (hier encore républiques fédératives de Yougoslavie) et le nord de l'Italie.

Mais les crises allaient sous son règne se succéder, crises sociales et économiques, crises politiques aussi, les peuples non allemands de l'empire (Magyars, Tchèques, Slaves du Sud) se refusant à l'assimilation, se dressant les uns contre les autres et revendiquant la reconnaissance de leurs différences linguistiques et de leurs droits nationaux. C'est en effet le problème des nationalités qui domine la scène politique à partir de 1894. Et vint un temps où François-Joseph ne put plus faire face aux forces de désintégration ni surtout, après la révolution hongroise qui éclata le 15 mars 1848, se dérober aux exigences de la Hongrie. Il conçut un compromis par lequel l'empire et le royaume seraient désormais sur un pied d'égalité et signa en 1867 l'acte de naissance de la célèbre monarchie double dont l'aigle bicéphale sera l'emblème: l'Autriche-Hongrie. François-Joseph et Élisabeth de Bavière ajoutaient donc à leur couronne impériale celle, royale, de Hongrie. Le centralisme cédait le pas au dualisme — on serait tenté de dire à «deux centralismes», étant donné la complexité et l'ambiguïté politiques qu'il autorisait et la cascade d'événements auxquels il allait donner naissance. L'assassinat à Sarajevo, capitale de la Bosnie-Herzégovine, de l'archiduc François-Ferdinand, neveu de François-Joseph et héritier présomptif du trône, par un jeune Bosniaque de nationalité serbe, Gavrilo Princip, suivi de la déclaration de guerre de l'Autriche-Hongrie à la Serbie marquèrent, comme on sait, le déclenchement de la Première Guerre mondiale (28 juillet 1914 — 11 novembre 1918).

Le «vieil empereur chauve aux favoris blancs», dont l'image à la fois familière et vénérable touchait «à la légende, au folklore», rendit l'âme le 21 novembre 1916, deux ans avant le soixante-dixième anniversaire de sa vie d'empereur, deux ans avant l'effondrement de son empire (1918). Il avait quatre-vingt-six ans. Cette vie, «austère, presque monacale» — celle d'un grand travailleur —

avait été assombrie par plusieurs tragédies: son frère cadet, l'archiduc Maximilien, pendant quelques années empereur du Mexique, fusillé avec ses partisans par Juàrez le 19 juin 1867, et sa femme Charlotte de Belgique sombrant dans la folie — elle mourra très âgée, en 1927 —; son fils unique, l'archiduc Rodolphe, découvert le 30 janvier 1889 en compagnie de la jeune baronne Marie Vecsera, tous deux la tête fracassée, dans le pavillon de chasse de Mayerling — double mort qui n'est toujours pas vraiment élucidée —; sa femme Élisabeth, promenant dans l'Europe entière sa douleur et poignardée à mort sur les bords du lac de Genève, le 10 septembre 1898, par l'anarchiste Luigi Luccheni; enfin, le 28 juin 1914, son neveu et héritier présomptif Charles-Ferdinand et sa femme Sophie assassinés à Sarajevo. C'est Charles Ier, fils de l'archiduc Otto et de la princesse Maria Josepha, qui succédera à son grand-oncle. Charles et sa femme Zita de Bourbon-Parme n'occuperont guère le trône que pendant deux ans. Le désir sincère de paix de Charles ne pourra compenser son manque d'expérience politique. En dépit de ses tentatives pour constituer un État fédéral, Charles Ier devra renoncer au pouvoir, mais n'abdiquera pas. Le 12 novembre 1918, cependant que la victoire des Alliés amorçait la chute des Empires et le remodelage de l'Europe, l'Assemblée nationale provisoire proclamait à l'unanimité la république de l'Autriche allemande — l'Autriche souhaite alors se rattacher à l'Allemagne. Le traité de Trianon, signé le 4 juin 1920, disloquera en sept morceaux l'empire des Habsbourg, et la famille royale s'exilera (Charles mourra en 1922; l'impératrice Zita s'éteindra à quatre-vingt-dix-sept ans en Suisse, le 14 mars 1989, après avoir vécu dans plusieurs pays étrangers, dont le Québec — à Sillery —; on ressuscitera le rituel traditionnel pour ses obsèques en Autriche et elle sera inhumée dans le caveau des Capucins). La république fédérale d'Autriche sera proclamée le 1er octobre 1920. Quant à la Hongrie, perdant les deux tiers de son territoire et de sa population, elle s'engagera dans une difficile politique de revendications et connaîtra les régimes politiques les plus divers[2].

Hans Selye est né le 26 janvier 1907, dans une clinique de Vienne. C'était la veille de la saint Chrysostome, écrit-il, et, *comme c'était la coutume, on me baptisa, le lendemain de ma naissance, du nom de Jean Chrysostome.* De fait, saint Jean Chrysostome est fêté le 27 janvier (et non le 13 septembre, comme l'indique *Le Petit Robert 2,* 1988). Docteur de l'Église et patriarche de Constantinople, Jean Chrysostome vit le jour vers l'an 347 de notre ère à Antioche, métropole religieuse dont saint Pierre aurait été le premier évêque, et mourut à Cappadoce en 407. (Ces deux villes d'Asie mineure appartiennent aujourd'hui à la Turquie.) D'une famille riche, il fut, au même titre que d'autres futurs grands orateurs chrétiens comme saint Basile et saint Grégoire de Nazianze, un élève du renommé rhéteur grec Libanios. Il mena une vie d'ascète, se consacrant à la prédication, et son éloquence abondante et colorée lui valut le surnom de Bouche d'or. Le nouveau-né aurait donc reçu les prénoms de *Hans (Jean en allemand)* et *Chrysostome, qui est synonyme de «bouche d'or».* Par la suite, on le taquinera souvent, écrit-il, en attribuant sa réussite à sa parole. *Mais allez donc savoir jusqu'où le nom d'un saint patron peut influencer votre élocution et votre vie professionnelle...*

Son extrait de baptême et acte de naissance, délivré par le ministère fédéral de l'Intérieur de la république de l'Autriche, indique qu'il est effectivement né le 26 janvier 1907 à Vienne, province de Basse-Autriche, dans le premier arrondissement[*], mais qu'il a été baptisé le 7 février 1907. Il a reçu comme prénoms: Hans, Hugo, Bruno. Ses parrains sont: le lieutenant-colonel impérial et royal Hugo Hubbrich et sa femme Ludovica née von Gedeon, et le Dr Bruno Langbank, médecin (son oncle maternel). Il a été baptisé selon le rite catholique romain. La cérémonie a eu lieu dans la chapelle privée des Habsbourg[3].

Vienne, l'ancienne station militaire de Vindabona fondée par les Romains au premier siècle de notre ère... Quelle floraison d'images ce nom ne suscite-t-il pas en nous! Que de noms, que de personnages, et que de légendes! Toute une civilisation se déploie, éblouissante, sans cesse renaissante, conciliant la têtue observance des valeurs traditionnelles et les radicales remises en

---

[*] L'accouchement a été effectué par une sage-femme, Ludmilla Rothamayer, domiciliée à Vienne, dans le dix-huitième arrondissement. L'administrateur du baptême est Theodor Weigert, révérend supérieur général impérial et royal.

question, le culte du baroque architectural et l'avant-gardisme des formes. Nous restons nostalgiques et songeurs devant l'immensité de notre dette culturelle à l'endroit de celle qui fut un exceptionnel creuset non seulement de peuples mais aussi de créateurs. En ce début de siècle, la vie viennoise est synonyme de légèreté, de plaisir et de féerie. Certes, l'époque n'est plus celle, si brillante, du Vormärz qui, après le Congrès de Vienne (1814-1815), avait vu l'apothéose de la capitale autrichienne. Mais on est à la Belle Époque, et dans la plus belle des capitales. Depuis que François-Joseph a mis à bas les anciennes fortifications et percé le Ring (1865), Vienne étire à l'envi ses vastes perspectives d'édifices et ses jardins superbes. Centre artistique et intellectuel incomparable, elle est la capitale du spectacle, de la musique et de la valse, celle qu'aristocrates et riches bourgeois ont élue pour y passer la saison hivernale. Guinguettes, cafés, théâtres, grande Roue du Prater, opéra, pâtisseries: il y en a pour tous les goûts et toutes les frivolités. Plus encore, elle est un centre politique et de pouvoir. La dynastie y réside, le Parlement d'empire y siège et la ville reste une «place-forte de la catholicité dont les Habsbourg sont les fidèles défenseurs»: aux XVIe et XVIIe siècles déjà n'a-t-elle pas, bastion de la Contre-Réforme, écrasé sans pitié ces protestants qu'étaient les Tchèques? Vienne enfin est un important centre d'affaires; le grand essor commercial et industriel qu'elle connaît l'amène à faire de plus en plus appel aux populations des provinces voisines; à la veille de la Première Guerre mondiale, elle comptera deux millions d'habitants. Elle réussit toutefois à conserver un équilibre harmonieux entre les divers peuples de la monarchie et à maintenir une atmosphère de libéralisme qui hélas, nous dit Karl Popper dans son autobiographie scientifique, *La quête inachevée*, sera «à jamais détruite» par la Première Guerre mondiale.

Cette gaieté cependant, cet hédonisme, ce tourbillon incessant, même une fois faite la part du cliché, ne doivent pas trop faire illusion. La légèreté viennoise, pour certains observateurs, «n'est plus tant l'évanescence et la vanité de toutes choses que l'ultime jouissance avant la fin». Faut-il alors voir en elle, à l'orée du XXe siècle, une ville décadente, une ville en état de crise? Que non. Vienne a vécu «un authentique âge d'or», et «le mouvement était si puissant qu'il s'est prolongé au-delà du désastre de 1918 et n'a que lentement succombé à la misère et à l'instabilité de la petite Autriche des traités». Cet âge d'or, encore, se poursuit en chacun de nous, de par la vertu des forces de renouvellement et d'invention dont il a été porteur[4].

De souche hongroise, les Selye sont gens fortunés; l'effondrement de l'empire (1918) réduira leur aisance, mais ils en garderont pour quelque temps de beaux restes. Hans aura *ce qu'on peut appeler une jeunesse protégée*. D'où son admiration pour les «self-made-men», et un certain doute à l'endroit de ses qualités intrinsèques: *je frémis à l'idée de ce que je serais devenu si j'étais né de parents pauvres et sans instruction*. Chez les *Selye, être médecin, c'est une tradition de famille*. C'est plus précisément la spécialité chirurgicale qui attire ces hommes puisque l'arrière-grand-père de Hans était barbier et chirurgien. Hans sera, à la quatrième génération, le dernier à prêter le serment d'Hippocrate.

Son père, Hugo, a presque trente-deux ans[*], et il est *chirurgien militaire dans l'armée de Sa Majesté l'empereur d'Autriche et roi de Hongrie*. Son statut officiel: médecin impérial et royal de première classe du 85e régiment d'infanterie. Il appartient donc au corps des officiers de l'armée K. u. K («Kaiserlich und Königlich»). Il a été, selon son fils, l'assistant du professeur E. F. von Eiselberg, au service de chirurgie de l'Université de Vienne. Il y a, à mon avis, de fortes chances pour qu'il s'agisse plutôt du baron Anton Freiherr von Eiselberg, longtemps professeur de chirurgie à l'Université de Vienne, considéré comme le chef de file de la neurochirurgie en Autriche, vanté pour son habileté de chirurgien et reconnu aussi pour des travaux dans un domaine qui ne recevra son nom qu'en 1915 et qui sera celui-là même de Hans Selye: l'endocrinologie. A. F. von Eiselberg montra en effet, en 1892, que l'implantation d'une seule parathyroïde (il y en a quatre, situées tout près de la thyroïde) prévient l'apparition des contractures musculaires et des convulsions au cours des crises tétaniques; il apportait ainsi, disent les historiens de la

---

[*] Il est né le 2 mars 1875 à Pruszka, province de Trencsen, alors partie de la Hongrie (mais qui, à partir de 1918, sera rattachée à la Slovaquie).

médecine M. Bariéty et C. Coury, la preuve que ces glandes ont une activité propre, distincte de celle de la thyroïde.

La famille vit à Komarom. Lieu de naissance de l'écrivain hongrois Mor Jokai et du célèbre compositeur d'opérettes Franz Lehar, *Komarom est une petite ville hongroise située à égale distance de Vienne et de Budapest,* au confluent du Vah et du Danube. En dépit de deux tremblements de terre qui, en 1767 puis en 1783, la détruisirent en partie, elle porte encore les traces de l'occupation romaine et des fortifications édifiées au XVIe siècle contre les Turcs.

Hugo Selye est un homme renfermé, *un peu timide* et qui *n'avait pas beaucoup les pieds sur terre.* Mais il *avait bon cœur et était assez sentimental.* Son fils éprouvera rétrospectivement pour lui *à la fois de l'admiration et un peu de compassion* [...]. *Il travaillait très dur comme médecin militaire.* En dépit de cinq années d'absence dues à la guerre — Hans ne le verra qu'une fois entre sept et douze ans —, son éducation, ses conseils portèrent fruit. *Il m'a laissé des leçons que je n'ai jamais pu oublier.* Hugo était *très fier de ses origines;* son *intense nationalisme magyar* eut sur son fils *un effet marquant.* Notons l'emploi du mot «magyar»: telle est en effet l'appellation ethnique que revendiquent ceux qui pour nous sont les Hongrois. Ils veulent, ce faisant, se démarquer de ces peuples turco-asiatiques connus sous le nom de Huns et réputés pour la sauvagerie de leurs hordes, et nous rappeler leurs origines finno-ougriennes. Bien qu'à l'aise en allemand et en français, c'est au seul hongrois que s'intéressait Hugo et c'est dans cette langue qu'il s'exprimait avec tous.

Avec tous sauf avec sa femme, Felicitas, qui ne comprend ni ne parle un mot de hongrois. Felicia Maria (Felicitas pour ses parents et amis) est la fille du Dr Heinrich Langbank, avocat aux Cours de l'Empereur et de Justice. Autrichienne, née à Vienne (le 10 avril 1884), elle est apparentée à la grande famille allemande von Bülow. Hugo et Felicitas se sont mariés le 29 avril 1906, et elle n'a pas encore vingt-trois ans à la naissance de son fils. *Du côté de ma mère, on était avocat* ou dans la finance. *C'est une femme très cultivée,* qui *lisait indifféremment dans un grand nombre de langues. Ma mère était impulsive, comme moi. Elle était très active, très intelligente, ambitieuse.* C'était surtout une femme du monde, une fervente de la vie artistique, intellectuelle et politique, qui *aimait beaucoup assister aux bals de la Cour et à des soirées sociales.* Énergique, ambitieuse, *elle administrera de main de maître,* en des temps difficiles, la clinique chirurgicale de son mari.

Elle a, pour s'occuper de son fils à qui elle veut prodiguer *la meilleure éducation* possible, engagé deux gouvernantes. L'une, Mme Totier, est chargée de son *«éducation française»* — il faut rappeler qu'*en Autriche-Hongrie, le français faisait partie de [la] culture —,* et l'autre, miss Johnson, qui vient l'après-midi (ou plutôt quelques après-midi par semaine[5]), converse avec lui en anglais. *À l'âge de quatre ans, je parlais quatre langues.* C'est sa mère qui lui a transmis *l'amour des langues étrangères.* De miss Johnson, curieusement, il se souvient mal; c'était un bon professeur mais sur le plan humain, *une vieille fille desséchée, dépourvue de personnalité et de sentiments.* Mme Totier, plus spécialement chargée de Hans, sera pour lui *une seconde mère, elle [l]'avait adopté;* son fils René étant du même âge, les deux enfants seront élevés ensemble (bien que René, mis en pension, n'habite pas avec Hans[6]). C'est à elle qu'il confie ses malheurs, elle qui l'en console, elle qui le soigne lorsqu'il est malade. Mme Totier devait mourir en France, à l'âge de quatre-vingts ans, *et aujourd'hui je perpétue les liens familiaux qui nous unissaient en maintenant une correspondance avec son fils René.* Cette correspondance est taxée d'«imaginaire» par la seconde femme de Selye, Gabrielle: «Tout au plus une ou deux lettres*». Et sa première, Frances L. Drew, qui a eu l'occasion de rendre avec lui visite à Mme Totier et à René en Avignon, est du même avis: «J'ai l'impression qu'il s'est agi d'un échange de cartes de Noël, témoignage d'une amitié nostalgique entre deux hommes devenus adultes qui n'ont plus rien à partager que de lointains souvenirs.» René Totier était «drôle et avait beaucoup d'esprit, mais ce n'était sûrement pas un intellectuel». Il n'a pas fait d'études supérieures, est devenu syndicaliste, politiquement engagé — «domaine qui ne présentait pour Hans aucun intérêt», ajoute-t-elle.

---

* Gabrielle Selye précise que c'est à elle qu'incombait la charge d'envoyer des photos des enfants et des nouvelles de la famille à Mme Selye mère et à Mme Totier.

Selye considère devoir beaucoup à sa mère: une *discipline rigoureuse*, l'ambition, la motivation, l'amour *de l'excellence pour elle-même* — ce pour quoi il admire indifféremment Gœthe, Napoléon, Pasteur, Al Capone, *le Grand Canyon, l'Amazone, le Saint-Laurent* — et de *la grandeur*: elle avait un goût *pour le dépassement, la perfection*, qui l'a à jamais marqué. Il se dira d'ailleurs très *influencé par les principes sur lesquels s'appuyait [s]a famille; on y admirait la qualité véritable, les talents supérieurs de tout ordre; on y pratiquait le dédain du médiocre et du veule* [...]. De son père, il reconnaît tenir deux qualités importantes pour un futur chercheur, *l'entêtement et la vigueur*: l'enfant s'étant cassé le bras en tombant de cheval, il l'a obligé à remonter dès son bras plâtré, lui expliquant que *«quand on souffre d'une défaite, on ne se laisse pas abattre!»* Il lui a donné un *autre conseil précieux* [...]. *Celui de ne pas gaspiller [ses] efforts.* [...] *Construire une seule grande cathédrale plutôt que cent maisonnettes.*

Issu d'un père hongrois et d'une mère autrichienne, portant un prénom allemand et un patronyme hongrois, Hans Selye, né à Vienne et élevé en Hongrie, est donc bien *l'enfant des deux nations* [...], *au confluent de ces deux cultures*, dont le pays natal est l'Autriche-Hongrie. Cette dualité, comment la vivra-t-il? En effectuera-t-il une synthèse originale? Ou s'en servira-t-il comme d'un paravent pour mieux se situer à part des autres et être celui qui, libre de tout préjugé, plane au-dessus de la mêlée?

M. et Mme Selye quitteront (au moment de la guerre?) leur maison-clinique de Komarom, qui sera quelques années plus tard (1948) occupée par les Russes[7]. Ils s'établiront à Budapest, où ils finiront leurs jours. Hugo Selye mourra brutalement en 1945, alors qu'il se promenait dans un parc, d'une hémorragie cérébrale ou d'une crise cardiaque, on ne sait. Non pas, donc, *à un âge avancé*, mais à soixante-dix ans. Gabrielle proposera à plusieurs reprises à Hans d'inviter alors sa mère à venir vivre avec eux. Il refusera obstinément. Par contre, il lui versera jusqu'à sa mort une pension mensuelle (qui se montait à soixante dollars dans les années cinquante). Et chaque fois qu'il publiera un ouvrage, il lui en enverra un exemplaire. Comme ces livres sont interdits dans la

Hongrie communiste, elle les prêtera aux médecins qui la soignent pour obtenir en échange la gratuité de leurs services[8].

Peu de temps après la mort de son père, Hans — profitant vraisemblablement d'un voyage en Russie — ira se recueillir sur sa tombe, à Komarom. Il trouvera sa maison dans un triste état; le grand vitrail de la cage d'escalier brisé, l'emblème médical qui ornait le linteau de la porte, mutilé. Incapable de supporter ce spectacle, il rentrera sans plus tarder à Montréal, renonçant aux deux jours qu'il avait prévu de consacrer à ses souvenirs d'enfance[9]. L'immeuble, aujourd'hui toujours aussi délabré, est situé au 3 de la rue Pohranicna; il a été converti en huit appartements. Un vieux monsieur interpellé dans la rue répond en français, sans hésiter, à ma question: «Mais oui, c'était là, la clinique Selye» (prononcer «Selye» à la hongroise: «Shaliai»); un autre passant s'arrête et se mêle à la conversation: «Ah, dit-il en anglais, il y a longtemps que le fils du Dr Selye est parti au Canada[10]»!

Felicitas Langbank sera tuée en 1956 d'une balle *en plein front* alors qu'elle *regardait de sa fenêtre l'évolution des troupes soviétiques qui se battaient contre les Hongrois* [...]. *Elle avait 76 ans* — en fait soixante-douze. Mme Sara (équivalent français de Charlotte) Kontra, veuve de Kalman Kontra, colonel de l'armée royale hongroise, qui vit maintenant à Montréal, l'a bien connue. Dans un français net et précis, elle raconte:

> Mon père était à la tête d'une entreprise, il avait sous ses ordres plusieurs directeurs. L'un d'eux, M. Katona, avait pour femme la sœur de Hugo Selye, il était donc le beau-frère par alliance de Félicie. C'est ainsi que j'ai eu le plaisir d'avoir Félicie comme amie maternelle [il y a entre les deux femmes une grande différence d'âge].
>
> La révolution d'octobre a commencé le 23 octobre, et les chars russes ont défilé dans les rues de Budapest du 1er au 4 novembre[11]. Un jour que Félicie regardait par sa fenêtre dans la rue, un soldat russe a tiré sur elle; elle a reçu la balle en plein front et elle est morte sur le coup.
>
> Le lendemain — ou le surlendemain, je ne sais plus —, je vais, comme à l'habitude, rendre visite à Félicie. Elle habitait son ancien domicile mais n'avait droit qu'à une chambre. Différents locataires occupaient les autres pièces, la cuisine

et les toilettes étaient communes (la suspicion entre colocataires est telle que certains se refusent à laisser leurs casseroles à la cuisine et les emportent chaque fois dans leur chambre). Cette maison était située au coin de la route Ferenc Jozsef [cours François-Joseph] et de la rue Mester. C'était un magnifique édifice, avec un petit balcon arrondi en coin, sur lequel devait avoir vue la chambre de Félicie.

Je trouve le concierge et les colocataires en train de faire l'inventaire des biens de Félicie. Ils me racontent qu'un soldat est entré à l'improviste dans la cuisine et a tué Félicie. Connaissant les lieux, je juge qu'il est impossible que le crime ait eu lieu dans la cuisine. Par contre, il est possible que cette maison possède un balcon d'apparat. Mais je peux dire aussi que Félicie n'avait pas gardé de robe d'apparat; elle s'habillait de façon élégante mais fort simple car elle n'était pas riche. C'était une grande dame, qui a su accepter une vie plus pauvre tout en gardant sa dignité.

Le numéro 1 de la rue Mester correspond encore de nos jours (14 octobre 1990) à la description qu'en donne Mme Kontra. Selye a appris la mort de sa mère par l'ambassade du Canada à Budapest. La nouvelle l'a profondément attristé et il l'a d'abord gardée pour lui. C'est seulement après le souper, alors qu'en compagnie de sa femme il se rendait à pied au cinéma, qu'il lui en a fait part. Compatissante, Gabrielle propose de rentrer. «Non, dit-il, ça me changera les idées.»

L'année suivante, deux étudiants hongrois lui apportent ce qu'ils disent être la balle meurtrière. Cette visite laisse Selye perplexe et circonspect quant aux motifs de leur geste. Hans héritant par testament de tous les biens de Felicitas, il recevra un jour les meubles de sa mère — ceux parmi lesquels il avait vécu et qui avaient survécu au pillage de Komarom. Ils arrivent en très mauvais état; il faudra le travail obstiné d'un ébéniste de talent pour les restaurer. Leurs tiroirs contiennent toutes les photos des enfants qu'au fil des ans Gabrielle avait envoyées à sa belle-mère. Quant à l'argenterie que Felicitas avait réussi à sauver — bien peu en comparaison de ce que possédait la famille —, personne ne sait ce qu'elle est devenue[12].

Les derniers beaux jours

On a toujours un «premier souvenir». Que vaut-il aux yeux de la vérité historique? Les psychanalystes parlent de souvenir-écran, de mythe du premier souvenir. Quoi qu'il en soit, nous éprouvons tous le besoin de nous prévaloir d'un événement/origine, d'un repère dans le temps qui signe notre inscription comme acteur sur la scène du monde — un souvenir annonciateur de la lente cristallisation de notre propre personne.

Le premier souvenir de Selye remonte à 1910. Il a trois ans. La famille passe des vacances à Abbazia, station climatique très en vogue, située sur l'Adriatique, au fond du golfe de Fiume, et appartenant à la Slovénie. Hugo a juché son petit sur ses épaules en entrant dans la mer, pour lui éviter le choc d'un contact brusque avec le flot. Loin de se sentir rassuré, l'enfant est saisi d'épouvante en se voyant *entouré par une immense masse d'eau*, et cette peur ne le quittera que bien longtemps après. À quatre ans, on lui enlève les amygdales. Autre souvenir lointain: il a cinq ans, il revient d'Abbazia où, les cheveux tombant jusqu'aux épaules, il étrennait un beau costume marin. À ceux et celles qui lui demandent comment s'est passé son séjour, il déclare fièrement: *Je dois vous dire que j'étais le monsieur le plus élégant d'Abbazia.*

Le petit Hans est un enfant vif et remuant — même si, comme le veut l'époque, il est habillé en fille! Sur une photo le représentant à l'âge de trois ans avec son père et sa mère, il tient dans la main une friandise. Au dos de cette photo qu'elle envoie à sa mère, Felicitas écrit: *Comme d'habitude, petit Hans ne tenait pas en place, pas même le temps de prendre la photo. J'ai dû lui donner un morceau de chocolat pour qu'il reste tranquille.*

Deux années plus tard, la guerre est déclarée. Son père, qui commande à Komarom l'hôpital militaire Fünf-Fünf (5/5), défile à cheval en tête de son régiment, arborant *une écharpe rouge-blanc-vert, qui étaient les couleurs royales hongroises.* Felicitas le regarde passer de son balcon, revêtue de son *écharpe noire et jaune — aux couleurs impériales autrichiennes.* À ses côtés et ne perdant pas une seconde du spectacle, un petit garçon de sept ans, Hans; il porte *deux petites écharpes*, chacune d'une des deux couleurs. Très rapidement, Hugo est envoyé sur le front russe, *avec son hôpital, à quelques kilomètres derrière le champ de bataille.* Il ne retrouvera les siens que cinq ans plus tard, en 1919. Felicitas retire alors son fils du couvent de la Congrégation des sœurs Marie (où il avait fait sa maternelle et commencé ses études primaires) et l'emmène à Vienne, chez ses parents. Un tuteur hongrois se charge de lui fournir un enseignement aligné sur celui des bénédictins de Komarom. Hans se souviendra surtout des cours de «czimbalum», *instrument populaire hongrois,* qu'il s'efforcera vainement de maîtriser pour complaire au patriotisme de son père. Il commencera aussi, sur les instances de sa mère et bien à contrecœur, à apprendre le piano. Lorsque, deux ou trois ans plus tard, on lui annonce que son professeur vient de mourir, il ne manifeste aucune émotion mais se sent, dans son for intérieur, très soulagé[13]. Mère et fils resteront ainsi à Vienne pendant les quatre années de guerre, le jeune étudiant *faisant deux années en une* et allant de temps en temps à Komarom pour des examens.

Les vacances d'été se passent souvent, en partie du moins, dans la résidence de Dornbach, près de Vienne, qui appartient aux parents de Felicitas. C'est une superbe maison de deux étages, avec de grandes loggias enfouies sous les plantes grimpantes jouxtant sur toute sa hauteur le corps principal. De beaux arbres égayent le parc. Deux autres bâtisses sont destinées aux invités. À l'été de 1950, Hans y retournera, avec sa femme Gabrielle et sa cousine Anne-Marie von Bülow. La propriété, occupée par des Russes, était mal entretenue, l'herbe haute, les murs dégradés. Il tint néanmoins à se faire photographier avec Gabrielle au pied du grand chêne où sa cousine et lui jouaient, enfants. À la mort de Felicitas, la maison d'été de Dornbach échoira en partage à Anne-Marie et à Hans, mais ce dernier, installé au loin, se désistera en faveur de sa cousine[14].

Lorsque Hugo est parti pour la guerre, il n'a emmené avec lui que l'une de ses deux ordonnances, confiant à l'autre, un jeune hussard hongrois nommé Marton, le soin de veiller sur les siens. Marton a lui aussi laissé sa marque sur le jeune garçon. Non seulement Hans admire la façon dont Marton remplit son rôle d'homme de la maison, assurant le ravitaillement au-delà même du nécessaire, mais il ne se lasse pas de l'entendre, à la fois écœuré et fasciné, raconter ses exploits à la guerre (Marton avait été pendant deux ans au front).

Il a une dizaine d'années lorsqu'on l'emmène au front voir son père. *Ce fut une grande aventure.* La ligne de bataille se trouvait alors en Pologne. Le pays, ravagé, laisse une terrible impression de désolation à l'enfant qui, du train, ne voit que des villages en ruine et des trous d'obus. Hugo lui offre pour l'occasion *un beau poney arabe d'un noir de jais* — qui deviendra, dans un texte ultérieur rapportant la même anecdote, *un superbe pur-sang arabe d'un noir de jais.* Poney ou cheval, la bête reçut le nom de Kouitchka à cause du bruit étrange qu'elle faisait en sautant inopinément en l'air tout en hennissant. C'est en la montant que Hans, comme nous l'avons vu, s'est un jour cassé le bras. Kouitchka n'est pas le seul compagnon de Hans — les enfants uniques aiment s'entourer d'animaux. Son *meilleur ami* quand il avait cinq ans était un canard noir et blanc, Couac, et à seize ans une photo le montrera en compagnie d'un chien berger allemand.

Il entre alors au Gymnasium (collège classique) des bénédictins de Komarom pour y faire ses études secondaires. Il y restera de 1916 à 1924, soit de dix à dix-sept ans. Il n'est pas *très bon élève*, il est même *un très mauvais élève*, mais a le bonheur de s'attacher à celui de ses maîtres qui lui enseigne la philosophie; professeur et élève s'engagent dans d'interminables discussions tout en se promenant sur les bords du Danube. Le père Cecil Bognar a eu sur lui une influence marquante; il est, en ces années où Hugo est au front, un *second père* pour Hans à qui manquait justement, entre sept et onze ans, une présence masculine. Lui et Mme Totier seront pour l'adulte les deux figures qu'il évoquera toujours avec gratitude. Il répondra sans hésiter à leurs demandes lorsque, quelques dizaines d'années plus tard, réduits à la misère par les aléas de régimes politiques successifs, ils feront financièrement appel à lui[15]. Par les soins d'un collègue tchèque, le Dr Rohan[16], il enverra chaque mois une cinquantaine de dollars à son vieux professeur, jusqu'à la mort de ce dernier, et vers 1949, il faisait régulièrement parvenir un chèque mensuel de soixante dollars à Mme Totier, atteste Gabrielle

Selye. Les autres *bons Pères de Komarom* n'arrivent pas à le motiver. Les matières lui *paraissent privées de réalité* — et de toutes, c'est la biologie qu'il aime le moins. Par contre, il excelle en philosophie, ce qui se comprend par son attachement au père Bognar, et en gymnastique, *par nécessité*. Hans est en effet un petit garçon *gras et mou* (il semble en cela tenir de son père) qui, stimulé par les moqueries de ses camarades, s'est décidé à raffermir son *misérable corps trop flasque* et à lui donner une forme convenable. Comme Hugo est le médecin attaché à leur maison, les bénédictins n'osent pas trop le décevoir et s'efforcent de limiter les dégâts.

À l'hiver 1916-1917 apparaît à Vienne un mal protéiforme qui fait des ravages et s'étend rapidement, atteignant les dimensions d'une pandémie mondiale. Le peuple y voit une forme grave d'influenza; on saura rapidement, grâce au médecin autrichien Constantin von Economo, qu'il s'agit d'une encéphalite épidémique due à un virus inframicroscopique. Dans les dix premières années seulement, elle tuera près d'un million de personnes. Celles qui survivent présenteront de graves troubles parkinsoniens[17]. Hans a la chance d'échapper à la maladie, mais autour de lui parents, amis et connaissances y succombent.

L'aigle effondrée

Les difficultés de la vie quotidienne qu'entraînent les hostilités à partir de 1914 s'aggravent rapidement de querelles intestines qui minent de l'intérieur l'empire austro-hongrois. La survenue du conflit mondial et la mort de François-Joseph en 1916 ont en effet accéléré le processus d'émancipation des peuples soumis à la monarchie des Habsbourg. L'agitation est surtout le fait de la Bohême, mais elle s'étend rapidement. «La dissolution avait commencé.» Des soldats italiens, tchèques ou slovaques de l'armée autrichienne désertent, dit-on[18]. Le 6 janvier 1918, Tchèques et Slovaques conviennent de s'unir; quelques mois plus tard, la république de Tchécoslovaquie voit le jour. Tomas Garrigue Masaryk (1850-1937) puis Edvard Benes en seront les présidents. Du côté de la Hongrie, socialistes et communistes proclament ensemble, le 21 mars 1919, la République hongroise des

Conseils, que dirigera Béla Kun (1886-1937). L'Autriche aussi est secouée. Elle se constituera en république fédérale le 1er octobre 1920, et ce régime durera jusqu'à l'Anschlüss (15 mars 1938). Ces données sèches et faussement simples ne doivent pas masquer la réalité du quotidien, lequel ignore les frontières et les catégories. Car à l'agitation s'ajoute la rareté des denrées alimentaires; la pénurie n'a cessé de croître depuis 1916 et bientôt elle se transformera en famine. Les populations civiles, à l'arrière du front, commencent à souffrir cruellement de la guerre; la lassitude et le découragement s'emparent de tous. «C'était une époque de grands bouleversements, et ils n'étaient pas de nature politique seulement», écrit le philosophe et épistémologue Karl Raimund Popper qui, vivant à Vienne où il était né en 1902 et donc contemporain de Selye, a comme lui connu la peur, l'incertitude, le danger et la faim.

Komarom est située sur le Danube. Plus précisément, la ville est partagée par le fleuve en deux moitiés, nord et sud, reliées par des ponts. La partie nord, où habitent les Selye, sera rattachée en 1918 à la Tchécoslovaquie et prendra le nom de Komarno (28 octobre 1918), conférant du même coup à ses habitants la nationalité tchécoslovaque et instaurant l'unilinguisme tchèque.

Hans devient donc citoyen tchécoslovaque à l'âge de onze ans. Il appartient maintenant à *une minorité, et une minorité détestée*[19]. Quant à Hugo, il revient dans un bien triste état de la guerre. Son fils a assisté, silencieux, à ce retour, et l'image restera à jamais gravée en lui de cet homme amaigri, flottant dans un uniforme mis à mal par des éléments gauchistes de l'armée, et affecté d'une jaunisse dont il tardera à se remettre. Le moral ne se porte guère mieux. Hugo est accablé par la défaite de son pays. Il refuse, cela va sans dire, de servir l'armée tchèque et abandonne sa charge de médecin militaire après vingt-cinq années de bons et loyaux services. *Il a donc perdu son rang.*

Les temps sont très durs. On se bat dans les rues encombrées par des corps d'hommes et de chevaux, morts ou blessés. Lorsque se produit une accalmie, le jeune Hans sort ramasser des cartouches vides, dont il fait collection. Et comme la nourriture manque, il dépèce les chevaux qui viennent de mourir: *[j]e décou-*

*pais des morceaux de viande et je les apportais glorieusement
à la maison. Nous mangions cette viande.* Par précaution,
médecine oblige, on nettoie la viande avec du permanganate de
potassium, un liquide désinfectant qui lui confère une teinte
mauve. C'est depuis ce temps-là que Selye déteste le mauve sous
toutes ses formes[20]. Par contre, après un temps d'interruption, il
se remettra à manger de la viande de cheval.

Un jour, sans s'en rendre compte, il risque sa vie *pour un
geste pas tellement dangereux: il avait osé porter une cocarde
à la fête nationale hongroise, le 15 mai.* Notons que la fête
nationale hongroise est en réalité le 15 mars (jour de la révolution
pour l'indépendance, en 1848) et que c'est d'ailleurs bien ainsi
qu'elle est indiquée dans un de ses autres ouvrages. Il est arrêté
pour provocation à la révolte et passe en jugement devant un tribunal militaire. Comme il ne parle pas encore le tchèque, on fait
appel à un interprète. Celui-ci, qui se trouve être un bon ami de
son père, lui dicte sa conduite, et ses conseils lui évitent d'être
fusillé. *À neuf ans!* s'exclame-t-il. En fait, il en avait au moins
presque douze; la République tchécoslovaque datant d'octobre
1918, cet incident n'a pu se passer au plus tôt qu'à ce moment-là.

Pour pouvoir loger les activités chirurgicales de son mari et
acheter tous les instruments nécessaires, Felicitas a vendu la
plupart de ses bijoux — une collection de grande valeur. Rapidement, la clinique est devenue *florissante*; elle est d'ailleurs la
seule de la région. Cette «*Clinique chirurgicale Selye*», comme
on l'appelle, Hugo espère bien que son fils, son seul enfant, en
prendra un jour la direction. Et comme elle ne suffit pas totalement aux besoins de la famille, Hugo gagne aussi de l'argent en
soignant les paysans de la région, faisant payer les riches pour
pouvoir traiter gratuitement les pauvres — quitte à finalement
ne pas y gagner grand-chose, mais «*noblesse oblige*». Son fils
l'accompagne parfois dans ses visites. *Je me souviens être allé
en calèche avec mon père pour mettre un enfant au monde.*
Sa constance dans l'épreuve donne là encore au jeune Hans
une leçon, car elle lui apprend [l']*aspect incertain et la relative
insignifiance de la propriété personnelle.* De la perte de ses
biens, de la déchéance de son statut, de la désintégration d'un
empire qui, aux yeux de l'enfant, semblait impérissable, Hugo
tire ainsi parti au bénéfice de son fils: *La seule chose qui soit*

vraiment à toi, c'est ce que tu peux apprendre. Personne ne peut te le prendre sans prendre en même temps ta vie, et si tu dois perdre la vie, peu importe que tu perdes aussi le reste.

Quand j'avais 5 ans, j'étais — je crois — un enfant très heureux. Quand j'avais 25 ans et que j'étais étudiant à l'université, j'étais aussi très heureux. Et maintenant, j'ai 73 ans, je suis vieux, et je suis très heureux.

Ne soyons pas dupes du masque social. Dire que Selye est soucieux de son image est un euphémisme, il serait plus juste de dire qu'il se fabrique un personnage. D'où, à l'évidence, les limites de l'autoportrait que, faute de mieux, je tente de présenter. Peu à peu, au fil des ans et de la gloire, il a choisi d'offrir à jamais le modèle du savant dont la vie est l'exemple même de la réussite, de l'homme dont le bonheur, ne faisant qu'un avec le succès professionnel, a été sciemment mis au point et entretenu. Il est vrai que l'«inventeur du stress» ne saurait avoir échoué à appliquer les règles de conduite qu'il a édictées, ce «code de comportement» (*adapté à notre biologie et à notre société*) dont l'observance, dit-il, réduit les effets néfastes du stress.

Une enfance heureuse? Les premières années, tout au moins, sans nul doute. Enfant unique, il a grandi entouré de ses parents, de sa gouvernante et de domestiques, tous occupés de sa personne. S'il a, dans les faits, passé beaucoup plus de temps avec *le substitut de sa mère*, Mme Totier, qu'avec sa véritable mère, il dit n'en avoir pas souffert tant étaient grandes la chaleur et l'affection que sa gouvernante lui portait. Et il constate avec étonnement qu'en fin de compte c'est son professeur qui a tenu auprès de lui le rôle maternel traditionnel, tandis que sa mère a été sans conteste son meilleur professeur. Mais il a vite été confronté à la rude école de la vie; il a sept ans seulement lorsque la guerre et l'effondrement de la monarchie bouleversent à jamais les repères dont il tirait son identité. C'est, me semble-t-il, avec cran et courage qu'il fait face à l'épreuve — même si toutes ces choses, comme il le fera remarquer, sont moins dures à vivre pour un jeune qu'il n'y paraît à les évoquer. D'ailleurs, il est ainsi fait, ajoute-t-il, qu'il a tendance à écarter ou à ignorer tout ce qui est désagréable, fidèle en cela au vieux proverbe autrichien: «Fais

comme le cadran solaire, ne tiens compte que des journées enso-
leillées[21].» Ses parents lui ont fortement inculqué le sens du
devoir et du travail. Sa mère lui a enseigné la dureté; il ne se souvient pas qu'elle l'ait jamais serré dans ses bras, contrairement à
Mme Totier; elle ne pleurait jamais et *ne pouvait tolérer les lar-
mes chez les petits garçons.* Son père, bien que plus sentimental, tout de même *détestait les «poules mouillées».* Hans, lui
aussi, se montrera dur, intransigeant et exigeant, autant pour lui
que pour les autres.

Il part dans l'aventure de sa vie avec beaucoup d'atouts en
main: pétri d'ambition, de discipline et de principes moraux,
confiant en lui, animé de la volonté d'utiliser au mieux ses dons
intellectuels, *d'être un meneur plutôt qu'un suiveur,* et surtout
*d'une motivation peu commune quant aux buts qu'[il s'est]
fixés* — [...] *cette motivation de l'homme qui ne se laisse pas
abattre* et qui s'accompagne aussi, c'est l'envers de la médaille,
du *goût de la vantardise* et de *l'ambition d'être toujours le premier.* Enfin peut-être, en dépit de sa jeunesse mais à cause de ce
qu'il a connu, a-t-il le sens de la relativité des choses — ce qu'on
pourrait appeler une certaine maturité. Il ne faudrait pas oublier
non plus ce qui me paraît être un avantage exceptionnel: il parle
très couramment quatre langues, le hongrois, l'allemand, l'anglais
et le français, auxquelles vont très bientôt s'ajouter le tchèque et
le slovaque; et la liste n'est pas close.

En somme, un jeune homme plein de promesses. Saura-t-il
les tenir?

Les années de préparation
1924-1933

Ses études secondaires achevées, c'est tout naturellement vers les études de médecine que se dirige le jeune Hans: *Je suis «programmé» comme cela depuis ma naissance*. Ou encore: *Je n'ai jamais décidé que je deviendrais médecin! [...] Les Selye «étaient» médecins. Ils ne le «devenaient» pas!* Un irrépressible besoin de soigner, de guérir, donc, qu'il ne sert à rien d'interroger.

En raison des circonstances (la guerre n'est pas loin), on l'a *autorisé à achever [s]es études médicales préparatoires dans le minimum de temps* et, grâce aux leçons particulières d'un excellent professeur, il entre très jeune à la Faculté de médecine. Plus exactement, le recteur, qui pendant la guerre avait servi comme officier sous les ordres de Hugo, a fermé les yeux sur sa date de naissance et l'a laissé s'inscrire malgré qu'il n'ait pas l'âge requis. Hans a choisi, pour ses études, la ville de Prague. On a spontanément envie de se demander: pourquoi pas Vienne qui, à toutes ses qualités mondialement reconnues, joint celle d'être, pour le jeune étudiant, à la fois familiale et familière? Sans compter que son université, la plus ancienne de langue allemande (elle a été fondée en 1365 par le duc Rodolphe IV), est à ce point renommée dans toute l'Europe qu'on l'appelle la «Mecque de la médecine». Je ne pense pas qu'il faille chercher une explication particulière. Même si c'est sans le vouloir qu'il a acquis la nationalité tchécoslovaque (*je n'ai pas fui la Hongrie communiste. C'est la Hongrie qui m'a quitté [...]*), il se comporte dorénavant en citoyen de son nouveau pays — un pays qui ne le cède en rien à l'Autriche pour l'ancienneté de son histoire et de sa civilisation.

Médecin avant tout

L'université de Prague est l'œuvre de Charles IV, empereur et roi de Bohême. Élevé à la Cour de France, remarquablement intelligent et instruit, Charles a voulu que ses bons et loyaux sujets «ne soient pas obligés de mendier l'aumône à l'étranger». Il a fondé cette université en 1348, sur le modèle de celles de Paris et de Bologne. Il emploiera d'ailleurs les trente-deux années que durera son règne, soit de 1346 à 1378, à stimuler l'économie et à faire de Prague une capitale intellectuelle et artistique. À la vieille ville du IXe siècle il ajoutera une ville nouvelle, qu'il dotera d'un archevêché; il érigera la cathédrale Saint-Vit (Saint-Guy), le château de Karlstejn; il fera construire le pont qui porte son nom et que les statues du grand sculpteur Mathias Braun transformeront en chef-d'œuvre. Ajoutons cependant, pour la vérité de l'histoire, qu'il sera aussi responsable de l'une des plus sanglantes persécutions qu'aient connues les Juifs.

Des étudiants de toutes nations vinrent s'inscrire à l'Université Charles. «Les Tchèques, les Polonais, les Bavarois, les Saxons avaient chacun une voix au Conseil de l'université» — si bien que, paradoxalement, les Tchèques se trouvaient en minorité. En 1409 et grâce à Jan Hus, recteur de l'université, ils devinrent majoritaires, à trois voix contre une. Mais dès le XVe siècle, la politique de germanisation des Habsbourg et l'intolérance religieuse provoquèrent l'exil en masse des Tchèques, portant durement atteinte à l'importance de Prague. Parce qu'on la jugeait «centre d'expression du protestantisme», l'institution fut incorporée en 1654 à l'école des jésuites, prenant le nom d'Université Charles-Ferdinand (Kaiserliche Königliche Karl-Ferdinands Universität) qu'elle gardera jusqu'en 1918. Et sous Joseph II, à la fin du XVIIe siècle, l'allemand remplacera le latin comme langue d'enseignement. C'est seulement en 1881 que les Tchèques obtiendront que l'université soit divisée en deux sections, allemande et tchèque[1]. Une loi promulguée en mai 1945, au lendemain de la Seconde Guerre mondiale, mettra fin à l'existence de l'Université allemande de Prague, qui fermera définitivement ses portes le 17 novembre 1945.

Prague — le plus beau joyau sur la couronne du monde, aurait dit Gœthe —, c'est entre autres la ville de Kafka, le grand écrivain tchèque d'expression allemande, qui mourut en 1924, l'année même où Selye s'apprêtait à faire sa médecine. «Ni de l'Est ni de l'Ouest, ni du Nord ni du Sud», elle est un véritable centre d'attraction, un «carrefour» économique, culturel et commercial — mais aussi un lieu de tension et d'écartèlement entre les trois traditions historiques qui y coexistent et s'y affrontent: tchèque, allemande et juive. Prague a été l'âme de la lutte des Tchèques contre l'empire austro-hongrois. Elle est maintenant l'emblème de leur indépendance, la nouvelle capitale de la jeune et dynamique République tchécoslovaque, qu'embrase la fièvre de l'union et du travail.

De Prague, Selye ne nous laissera que cette seule impression: *je devais parler couramment le tchèque puisque la majorité de mes malades parlaient cette langue.* Chose certaine, s'il fut minoritaire à Komarno parce que Hongrois, il le sera encore à Prague parce que germanophone. Sa fiche d'inscription pour le premier semestre de médecine à la Deutsche Universität in Prag est tamponnée du 14 février 1925. Il déclare se nommer Johann Selye, avoir comme langue maternelle le hongrois, détenir un diplôme d'études secondaires (équivalent du baccalauréat français) du gymnase des bénédictins de Komarom (18 juin 1924) et demeurer au 27 de la rue Slovensak[2].

Hans s'inscrit donc à l'université allemande où l'enseignement se donne dans sa langue maternelle, qu'il connaît infiniment mieux que le tchèque. Il a dix-sept ans et il *[brûle] d'enthousiasme pour l'art de guérir.* D'élève paresseux et de presque cancre qu'il était chez les bénédictins, il deviendra du jour au lendemain premier de classe et s'attachera à développer son intelligence, sa mémoire, son attention: [...] *à Prague, lorsque j'étais étudiant en médecine, j'attachais tant d'importance au pouvoir de concentration que je faisais exprès d'étudier dans le tramway ou dans les cafés les plus bruyants pour m'entraîner.* De plus en plus *passionné par les possibilités de recherches sur la vie et la maladie,* il débordera rapidement le cadre de l'année scolaire; pendant les vacances universitaires, il se lèvera *chaque matin à 4 heures pour étudier dans le jardin,* avec de rares interruptions, jusqu'à dix-huit heures, encourant les reproches de sa mère qui, comme toutes les mères, a peur qu'il n'y laisse sa santé — prenant aussi un pli qu'il gardera sa vie durant.

La première année sont étudiées les matières fondamentales: cours de biologie générale, de chimie expérimentale, de physique expérimentale, d'anatomie systémique; travaux pratiques de physique, d'anatomie et de physiologie. Le cours complet dure cinq ans, soit dix semestres[3]. Les heures les plus nombreuses auront été consacrées, par ordre décroissant, à l'anatomie, à la chirurgie, à la médecine interne et à la chimie. Selye semble avoir eu d'excellents professeurs, dont plusieurs mondialement connus: le chimiste et pharmacologiste Hans-Horst Meyer (1853-1939), l'histologiste Alfred Kohn (1867-1959), spécialiste des parathyroïdes, l'anatomo-pathologiste Anton Ghon (1866-1936), enfin von Jacksh.

Il est difficile de situer de façon certaine l'épisode suivant. À lire Selye: *Je me rappelle très nettement [...] l'une des premières conférences en médecine interne à laquelle j'ai assisté, en 1925 [...]*, écrit-il en 1952. Ce qu'il redira quelques années plus tard: *En 1925, j'étais étudiant à la faculté de médecine de l'ancienne Université allemande de Prague. Je venais de terminer mes études d'anatomie, de physiologie, de biochimie et autres matières cliniques indispensables avant toute consultation d'un malade.* Dans un autre ouvrage, publié dix-huit ans après: *[...] en 1926, alors que j'étais en seconde année de médecine [...]*. Ailleurs encore, deux années plus tard, il précise: *Pendant les deux premières années, nous n'avions eu aucun contact avec les malades, nous n'avions eu droit qu'à une série de cours théoriques sur l'anatomie, l'histologie et la biochimie. Ce n'est donc qu'à la fin de la deuxième année d'études qu'est arrivé le grand moment [...]: celui où on [...] présente des malades pour la première fois. Et enfin: [...] quand j'étais étudiant de seconde année à l'Université de Prague.*

Or, s'il fait bien sa première année à Prague, il n'y fera pas la seconde. Les étudiants avaient alors (1925-1927) le droit, et on les encourageait fortement à s'en prévaloir, de passer un ou deux ans à l'étranger, dans une bonne université, leurs études étant reconnues par Prague. Hans ira d'abord à Paris, où Hugo viendra le voir. Père et fils, côte à côte, regarderont opérer le professeur Hartmann, à l'Hôtel-Dieu. Tout en travaillant, le chirurgien se tournera vers eux: «*Le père et le fils, à l'évidence. Chirurgiens?*» Henri Hartmann est, à soixante-cinq ans, une des gloires chirurgicales de la France. Il a, conjointement avec un autre chirurgien de renom, Paul Lecène, grandement contribué à la compréhension clinique de l'excès de fonctionnement de la corticosurrénale (association d'une hypertrichose, d'une obésité et d'une tumeur suprarénale). Cette même année, Hans suivra régulièrement les cours de physique de Marie Curie, même s'il ne comprend pas grand-chose à ce qu'elle dit. *Elle me fascinait justement dans la mesure où elle s'arrangeait pour rester totalement féminine, en dépit d'une intense activité scientifique et d'un âge avancé.* Le jeune étudiant en médecine admire tout en elle: ses robes noires, classiques mais *extrêmement élégantes*, la manière qu'elle a de s'exprimer d'une façon strictement scientifique mais sur un ton doux et caressant. Il aurait bien aimé lui poser quelques questions à la fin du cours, pour le seul plaisir de s'adresser à elle et de la voir de près. Malgré les cinquante ans qui le séparaient d'elle et malgré les cinquante autres qui ont passé, il se dira toujours amoureux d'elle — ou en tout cas de sa façon d'être femme.

En 1926-1927, Selye sera à l'université de Rome, pour sa troisième année de médecine[4]. Il reviendra à Prague terminer ses études et, après deux ans, soit en 1929, obtiendra brillamment le titre de docteur en médecine. Ce serait donc au cours de l'année scolaire 1927-1928 (en prenant au pied de la lettre l'expression «deuxième année à Prague») que j'aurais tendance à situer cette première présentation de malades, cette *première leçon de médecine interne*, initiation au passage *de la théorie à la pratique*.

Le grand jour est arrivé. Enfin, de la vraie médecine! Enfin des malades! Bien sûr, ce n'est pas encore le contact direct, on ne touche pas, on regarde, le cours est toujours magistral. Mais il n'empêche, LE malade est là. On se rapproche de cette merveilleuse vocation: soigner, guérir. Ce jour-là, c'est *un éminent hématologiste de l'époque* qui officie: le D[r] von Jacksh. Rudolf von Jacksh (1855-1947) est un médecin biologiste dont les travaux s'inscrivent dans le domaine de la pathologie interne, plus particulièrement de la néphrologie et de l'exploration fonctionnelle du rein. En 1898, poursuivant les recherches de Charles Achard sur l'utilisation de colorants urinaires dans l'évaluation du fonctionnement rénal, il a mis en évidence une notion importante: celle d'acidose rénale. Il n'est donc pas hématologiste, tout au plus connaît-il les maladies infectieuses. Par contre, c'est à l'histologie hématologique qu'est resté attaché le nom d'Anton J. Ritter von Jacksh (1810-1887). Tous deux d'origine allemande, peut-être parents, ils ont pratiqué à Prague.

Le professeur von Jacksh présente *plusieurs cas de maladies infectieuses à leur premier stade.* À mesure qu'on amène les patients dans l'amphithéâtre, il décrit les symptômes que chacun d'eux accuse. L'un des patients se plaint d'une perte de l'appétit, de maux d'estomac et de douleurs articulaires; plusieurs présentent une éruption cutanée accompagnée de fièvre, d'une hypertrophie du foie ou de la rate, etc. Vingt années plus tard, la description sera plus précise: *cinq malades choisis intentionnellement dans cinq services différents de l'hôpital universitaire* [...] *cinq diagnostics précis* [...]. L'un souffre d'un cancer de l'estomac, un autre d'une maladie infectieuse, un autre encore de brûlures... Mais on le sait, précision n'est pas justesse, il s'en faut même parfois. Et quoi qu'il en soit, l'essentiel n'est pas tellement là que dans la réaction du jeune étudiant à l'exposé du professeur.

Le professeur procède à un examen clinique minutieux: réflexes pupillaires, réflexes cutanés, examen de la muqueuse buccale à la recherche des taches de Koplik (petites taches blanches pathognomoniques de la rougeole). Il énumère les symptômes propres aux affections en cause, expliquant que la plupart des signes caractéristiques faisant pour le moment défaut, il faudra attendre qu'ils se manifestent pour pouvoir poser un diagnostic sûr et mettre en train le traitement approprié.

La sûreté de la méthode et l'expérience du professeur impressionnent Hans, mais il reste insatisfait. *Il était clair que les symptômes visibles le [le professeur] laissaient indifférent parce qu'ils étaient «non spécifiques» et donc «inutiles» pour le médecin.* Or tous ces malades avaient quelque chose en commun: *ils avaient tous «l'air malade»:* [...] *pâles, faibles,* en perte de poids et d'appétit, fatigués, sans aucun goût pour le travail. En attendant de présenter les symptômes caractéristiques du mal qui couvait en eux, ils offraient à voir un ensemble de signes, les mêmes d'un patient à l'autre et sans lien avec la cause pressentie de l'affection — bref, ils présentaient *un syndrome polyvalent constatable dans n'importe quelle maladie*, à savoir «*le syndrome général de la maladie*» ou encore «*le syndrome d'être malade*».

C'est donc, pense le jeune homme, que les mêmes agents qui occasionnent les maladies les plus diverses *ont aussi la propriété de provoquer les manifestations non spécifiques* indiquées plus haut. Dit autrement, *il devait bien y avoir un mécanisme derrière ces manifestations communes*. Hans s'ouvre de ces réflexions à son professeur de physiologie. Il sent bien qu'il vient de mettre le doigt sur quelque chose d'important. Il écrira: *[j]e crois que c'est véritablement à ce moment précis que l'idée du «stress» est née dans mon esprit*. Mais son professeur* l'écoute à peine et lui conseille de plutôt préparer ses examens; il trouva cette idée si *puérile qu'il ne valait pas même la peine d'en discuter*: si quelqu'un est malade, il a l'air malade, si quelqu'un est gros, il a l'air gros, et après? Hans renonce par conséquent à demander le petit coin de laboratoire qui lui aurait permis d'étudier «son» syndrome.

Ainsi, il n'avait pas *dix-huit ans* ni *dix-neuf ans* mais, me semble-t-il, vingt ou vingt et un ans quand se produisit cet épisode que l'on peut qualifier de «moment fécond» — moment princeps de ce qui devait devenir la description de la réaction d'alarme, moment maintes et maintes fois repris par son auteur au cours des nombreuses entrevues accordées bien plus tard: *Je me rappellerai toujours [...]*.

Dermatologue distingué, exerçant depuis de nombreuses années à Montréal, le Dr Frederick Kalz a fait ses études à l'Université allemande de Prague. Il y a connu Hans Selye, dont

---

* C'est seulement dans *The Stress of My Life* que Selye donne l'identité de ce professeur. Il donne au complet son nom et ses titres: Hofrat (Conseiller à la Cour impériale) professeur docteur Armin Tschermak Edler (Noble) von Seysenegg. On se devait de s'adresser à lui en l'appelant «Monsieur le Conseiller» mais, ignorant de cet usage, Hans lui dit *«Monsieur le professeur»* — s'attirant la réplique: «*Puisque vous êtes si liant, pourquoi ne pas m'appeler par mon prénom, Armin?*»

il était l'aîné d'un an. Ses quatre-vingt-quatre ans semblent fragiles et, ô paradoxe, ses mains sont la proie d'une dermatose sévère. Mince, d'une taille assez élevée et droite encore, son regard bleu fixant le lointain pour, de temps à autre, revenir sur moi, il commence par me prévenir, dans un excellent français, que ses souvenirs ayant été vécus en allemand, il serait plus à l'aise en anglais. J'ai essayé d'éclaircir avec lui ce mystère calendaire.

Il est très possible que Selye ait fait une partie de ses études à Rome et à Paris, je ne peux pas vous dire. Mais je crois bien que lorsqu'il est allé à Rome, ça n'a été que pour deux ou trois mois. Moi-même, je suis resté six mois à Paris, pendant mes études de médecine, ce qui allait à l'encontre des choses attendues, mais je l'ai fait. Si on se remettait à niveau pour les examens, personne ne trouvait à redire. On avait beaucoup plus de liberté.

Entrée principale de l'hôpital général de Prague construit en 1839. Les trois premières fenêtres du rez-de-chaussée, à droite de l'entrée, correspondent aux anciens laboratoires où Selye a fait ses premières expériences.

Collection du Dr Otto Kuchel.

Le goût de la recherche

Selye, de fait, est depuis quelque temps piqué par *le virus de la recherche. En 1927* [...] *(j'avais atteint l'âge respectable de vingt ans) je m'embarquai dans la recherche.* Déjà il assiste son père pour des interventions chirurgicales mineures, et de son côté son père lui donne des *conseils techniques* et l'aide à mener à bien ses expériences. On lui a pour cela cédé le sous-sol de la maison — en dépit des protestations de sa mère. Voilà pour le laboratoire. Mais qui dit expérimentation dit animaux. Comment s'en procurer? Hans a essayé d'avoir des chiens à la fourrière municipale, mais en vain. Il se contente donc de poules et de grenouilles. De rats aussi: il s'est procuré *quelques vieux rats* — plus exactement des rates — auprès du concierge du Département de pathologie. C'est sur des rats qu'il étudie l'action de la vitamine D sur la coagulation sanguine. Ce sera la matière de son premier article.

Il publie en effet sa découverte dans *un journal médical allemand fort respectable, le «Klinische Wochenschrift», en septembre 1928, avec la mention «De la Clinique chirurgicale du docteur Hugo Selye».* Cet article figurera en cinquième place dans la liste chronologique de ses publications, bien que portant sur ses premières expériences.

Hans continue ses recherches. Il mêle à la nourriture des rats une *préparation très impure de vitamine D* et a la surprise de constater que les calcifications ne se produisent pas sur la muqueuse intestinale mais *en divers organes éloignés*: cœur, vaisseaux sanguins, reins et poumons. Chez les rates qui étaient pleines ou qui allaitaient, et chez leurs petits, le tableau est différent: des fractures spontanées se sont produites, dues à la *résorption de la matière osseuse*, et il observe une perte d'élasticité de la peau avec adhérence aux plans sous-cutanés; donc, là encore, des dommages indirects. *Cette calcification est non spécifique ou non sélective, en ce sens qu'elle ne peut être dirigée à volonté vers aucune région particulière du corps.* Il rapporte toutes ces observations *devant la «Verein Deutscher Arzte in Prag» le 26 octobre 1928* — sa première communication. Il a bien en tête l'avertissement de son maître, le professeur Artur Biedl: *«Ne vous servez jamais, pour une conférence, de plus de trois pour cent de vos connaissances sur le sujet.*» Conseil judicieux, dont il se souviendra toujours.

Une grande ambition l'habite: travailler sous la direction de son maître Biedl. Directeur depuis 1914 de l'Institut de pathologie expérimentale à l'Université allemande de Prague, Artur Biedl approche de la soixantaine. Il est, avec le biophysicochimiste W. Pauli et le spécialiste du rajeunissement sexuel E. Steinach, le plus connu des physiologistes autrichiens. Son maître avait été l'anatomo-pathologiste hongrois Salomon Stricker, qui mena à Vienne des travaux importants sur la structure tissulaire des organes sensoriels et de la peau, et sur la physiologie des capillaires. La contribution de Biedl à la connaissance des glandes dites à sécrétion interne (endocrines) est importante. En 1908, il a, comme précédemment Anton von Eiselberg, montré qu'en implantant dans l'organisme une parathyroïde, on prévient l'apparition des contractures tétaniques chez l'animal privé de ses parathyroïdes. En 1910, il s'est intéressé à cette petite glande pinéale encore appelée épiphyse, a procédé à son ablation chez le lapin et a cru pouvoir conclure qu'elle avait une action frénatrice sur le développement somatique et génital. Deux historiens de la médecine, M. Bariéty et C. Coury, font remarquer à ce propos que Selye pourra «dire de la fonction de l'épiphyse: «Elle «n'est guère mieux connue de nos jours qu'au temps de Galien.» Cette citation, antérieure à 1948, est encore valable; tout ce qu'on sait, c'est que l'épiphyse inhibe la maturation des organes génitaux jusqu'à la puberté. Biedl a, dès 1913, reconnu l'importance vitale de la corticosurrénale. Parallèlement à Cushing, il a montré, entre 1910 et 1914, que le diabète insipide était lié à un dysfonctionnement du lobe postérieur de l'hypophyse. En 1922 enfin, il a présenté trois patients atteints d'un syndrome rare, associant arriération mentale, baisse du métabolisme de base et obésité, hypogénitalisme, rétinite pigmentaire, polydactylie et syndactylie. On donnera le nom de syndrome de Laurence-Moon-Biedl-Bardet à cet ensemble en apparence disparate de manifestations.

Biedl est «un homme vivant, hautement intelligent», excellent professeur. Outre ses travaux, on lui doit deux énormes volumes

Institut de physiopathologie de l'Université Charles, ancien institut d'Artur Biedl où Selye a travaillé comme assistant.

Collection du Dr Otto Kuchel.

Détail de l'entrée de l'ancien institut d'Artur Biedl.

Collection du Dr Otto Kuchel.

sur les sécrétions internes, parus en 1910, qui, traduits en anglais, connurent une renommée mondiale et devinrent un classique: *Die Innere Sekretion*. Selon V. C. Medvei, à qui nous sommes redevables d'une histoire de l'endocrinologie, on lui reconnaît pour élèves Bernhard Aschner, Max Reiss (avec qui Selye écrira trois articles) et Hans Selye. Bernhard Aschner étudia au début du siècle les syndromes hypophysoprives chez le chien, réussissant à maintenir longtemps en vie ses animaux de laboratoire, montrant que, chez l'animal en croissance, l'ablation de l'hypophyse entraînait le nanisme (1906), l'atrophie de la thyroïde et une atrophie génitale (1912). Il décrivit le réflexe oculo-cardiaque ou phénomène d'Aschner (ralentissement du cœur par pression oculaire), puis se spécialisa en gynécologie. Il était fortement intéressé par les médecines traditionnelles et l'acupuncture. L'occupation par Hitler de l'Autriche l'obligea à quitter son pays; il travailla à New York sur les rhumatismes et l'arthrite, et y mourut en 1960. Quant à Max Reiss, l'histoire retiendra de lui ses intérêts pour les relations entre le fonctionnement endocrine et le comportement anormal; il disait les études cliniques inappropriées à la recherche dans ce domaine et préconisait qu'on s'emploie à trouver d'autres sources de données. Il mourra en 1970, à Bristol (Angleterre).

(Selye semble s'être fortement identifié à Biedl tout au cours de sa vie, publiant un manuel d'endocrinologie, rachetant à sa mort sa bibliothèque, bâtissant un système de classification sur les bases de celui imaginé par son maître.)

Biedl accepte de prendre le jeune étudiant comme assistant volontaire, c'est-à-dire sans appointements. Hans est au septième ciel. Le voilà assistant en pathologie expérimentale. C'est à ce titre qu'il continuera ses recherches en biochimie. Celles-ci feront l'objet de publications dans les journaux médicaux — inaugurant une liste qui, en 1970, atteindra mille trois cent vingt-cinq entrées. L'année 1928 verra la parution de ses cinq premiers articles.

Le premier porte sur deux cas de carcinosarcome. Le second est écrit en collaboration avec un endocrinologue que ses travaux sur les rapports entre l'activité des surrénales et celle de l'hypophyse sont en train de révéler à la communauté scientifique: Erik Johannes Kraus. Dans cet article, Kraus et Selye font état des modifications rénales constatées à la suite d'un coma diabétique, traité par l'insuline et accompagné d'urémie. Rappelons que l'insuline, découverte en laboratoire en 1922, n'a été utilisable cliniquement sous une forme pure et cristallisée que quelques années plus tard, et que le coma hypoglycémique consécutif à l'insulinothérapie n'est guère lui non plus reconnu comme tel, à l'époque, que depuis sept ou huit ans.

Le troisième article concerne les modifications osseuses observées chez de jeunes animaux traités à l'ergostérol, le quatrième, les changements morphologiques observés chez des rats blancs alimentés avec de l'ergostérol irradié. Quant au cinquième — nous avons vu qu'il représentait en réalité ses premières recherches —, il porte sur les effets de la vitamine D sur la coagulation sanguine chez le rat.

Hans Selye a maintenant trouvé sa voie. Évidemment, choisir la recherche, c'est renoncer à *voir une mère, dont on a sauvé l'enfant, vous regarder avec une infinie reconnaissance.* Mais il finit par s'en consoler: *Y a-t-il quelque chose de plus grand, de plus noble que la recherche, dont le but est de lutter contre la maladie, le cancer, par exemple?* Lorsqu'il annonce son intention de se consacrer à la recherche pure, sa famille *frémit* — ce qui ne saurait étonner, étant donné l'espoir qu'avait Hugo de voir son fils lui succéder à la tête de la clinique Selye. Peut-être n'ont-ils pas compris, sur le moment, les véritables ambitions de leur fils. Il était difficile, à l'époque, d'admettre qu'un enfant puisse vouloir ne plus être le fils de son père, ne plus être *Hans, le petit garçon du Dr Selye.* Voici le portrait que nous trace du jeune homme le Dr Kalz:

> Nous étions collègues à Prague — et amis, dans la mesure où Hans Selye pouvait avoir un ami. Ce n'était pas quelqu'un qui avait des amis, il tenait les gens à distance. Je l'admirais beaucoup, car il était le meilleur étudiant qu'on ait jamais vu. Nous faisions quatre ans d'études, et la dernière année, nous passions par écrit nos examens. Il y en avait dix-huit et habituellement il fallait six mois pour tout passer — moi, il m'a même fallu davantage. Eh bien, Selye, lui, a eu fini avant Noël. Ça ne s'était jamais produit depuis la fondation de l'université, c'est-à-dire que depuis le XIVe siècle,

jamais personne n'avait réussi à faire ses examens avant Noël. Lui, il y est arrivé.

Selye a effectivement passé ces dix-huit examens, en fait trois séries de six examens, qui se nomment les «Rigorosa». Chaque série porte sur six matières. (Premier «Rigorosum»: physique médicale, biologie générale et génétique, chimie médicale et biochimie, histologie et embryologie, anatomie normale, physiologie normale. Deuxième «Rigorosum»: anatomie et histologie pathologiques [et peut-être microbiologie], pharmacologie, physiopathologie, médecine interne, neurologie, psychiatrie. Troisième «Rigorosum»: chirurgie générale et spécialisée, obstétrique et gynécologie, ophtalmologie, dermato-vénérologie, hygiène et santé publique, médecine légale. Le Dr Pavel Rohan, à qui je dois ces précisions, m'a fait toutefois remarquer qu'en réalité, seuls les deux derniers «Rigorosa» se passaient à la fin des études. Le premier, qui correspondait aux matières des cinq premiers semestres, avait lieu à la fin du cinquième semestre; on ne pouvait s'inscrire au sixième semestre [soit au semestre d'hiver de la troisième année] tant qu'on ne l'avait pas réussi. L'exploit de Selye concernerait donc les douze derniers examens.)

Il était habité par une ambition dévorante, on l'aurait dit conduit par une dizaine de démons. Il m'avait dit que sa mère voulait qu'il devienne un Prix Nobel. Il était vraiment brillant. Et il avait une mémoire incroyable. Il lisait très vite — moi aussi; il regardait une page, le lendemain il la savait par cœur. Il connaissait presque par cœur tous les manuels, c'était le type de mémoire qu'il avait. Il y a des gens doués d'une mémoire phénoménale, et lui en était. Quand il voulait apprendre une langue étrangère, il regardait la grammaire pendant une ou deux semaines; puis, chaque soir et chaque matin, il lisait cinq pages du dictionnaire, et il lui suffisait de les parcourir une fois! Un jour — c'était bien des années après — il m'a demandé s'il ne devrait pas donner tel article en portugais. Je lui ai dit: «Mais, Hans, est-ce que tu sais le portugais?» Il m'a répondu: «Non, mais j'ai quelques mois devant moi.» Alors il a appris le portugais avec la méthode dont je viens de vous parler. Après, il utilisait les disques Linguaphone pour la prononciation et pour finir, il parlait la langue. C'était comme ça.

Oui, il était incroyablement ambitieux — une ambition dont vous n'avez pas idée. À Prague, lorsque je l'ai connu, il jouait vraiment très bien du violon. Lorsqu'il est venu ici, il a épousé sa première femme. C'était une musicienne professionnelle. Il a vu qu'il ne pouvait pas rivaliser avec elle, alors il a nié tous ses liens avec la musique. Et il m'a déclaré: «La musique ne m'intéresse pas et ne m'a jamais intéressé.» J'ai dit: «Mais Hans, rappelle-toi...» Alors, il m'a regardé droit dans les yeux: «Je n'ai jamais joué du violon.» Cela allait jusque-là. Il a eu très peu d'amis, et il a éveillé l'hostilité de beaucoup de gens. S'il n'a pas eu le prix Nobel, c'est en partie parce que tout simplement les gens qui le décernaient ne l'aimaient pas. Parce qu'il le méritait.

À Montréal, on ne se voyait pas souvent, parce que, comme je l'ai dit, il n'était pas du genre à se lier avec quelqu'un. Quand on se voyait, c'était pour des raisons professionnelles. Il s'intéressait à certains phénomènes dermatologiques, alors de temps à autre, nous avions des discussions scientifiques. J'ai été presque aussi proche qu'il est possible de l'être de lui. Mais il n'avait pas besoin de moi, il n'avait besoin de personne. Un peu avant sa mort, il est venu me voir. Il voulait évoquer le passé, il voulait parler allemand, ce qu'il n'avait pas fait depuis cinquante ans. Moi, je l'avais oublié dans l'intervalle, mais lui, avec sa mémoire, n'oubliait jamais rien. Et c'est la première fois que je me suis senti proche de lui, que j'ai éprouvé un contact humain avec lui.

En somme, je dirais: un homme très intelligent, très ambitieux, doué d'une mémoire phénoménale. Mais sur le plan privé, j'en sais trop peu pour vous donner la moindre date. (Frederick Kalz.)

Par delà l'Atlantique

Sous la monarchie austro-hongroise, et dans tous les pays issus de son démantèlement dont la Tchécoslovaquie, les futurs médecins n'avaient pas à soutenir une thèse pour obtenir leur

titre. Il leur suffisait de réussir aux trois séries d'examens termi-
naux. Selye est promu docteur en médecine le 9 novembre
1929. Il quitte alors Prague pour Vienne. A-t-il suivi son professeur? On sait que Biedl a travaillé, après Prague, à Vienne (puis à
Berlin). Quoi qu'il en soit, ce dernier est très satisfait de son assistant volontaire, qui se révèle intelligent et actif.

Selye continue à publier. En 1929 paraîtront l'analyse d'un
cas de surcharge en calcium et, en collaboration, celle d'un cas de
bradycardie sinusale au cours d'une thrombose de l'artère sinusale. En 1930, ce sera une étude sur l'alimentation vitaminée; en
1931, trois articles (en collaboration) sur les hormones sexuelles,
et un quatrième sur la désintoxication de l'organisme animal
après anesthésie. Un séjour à l'étranger — aux États-Unis et au
Canada très exactement — lui permettrait de consolider ses assises et d'obtenir à son retour un poste officiel à l'université. Biedl
demande donc à la fondation Rockefeller une bourse postdoctorale pour son élève, qu'il recommande très chaleureusement, en
parlant comme d'«un chercheur scientifique qui promet beaucoup
et devrait bientôt être nommé «privatdozent» [maître de conféren-
ces]». Bien que très jeune, fait-il valoir, Selye a déjà réalisé un travail considérable et original, et ses publications, nombreuses, ont
un intérêt certain. Son élève tirerait profit d'un stage dans deux
universités américaines, de préférence sous la direction du
Dr McCollum, d'une part, et du Dr Mendel, d'autre part.

Le 22 mai 1931, une bourse («fellowship», bourse de troisième cycle) Rockefeller lui est accordée, pour un an à partir
d'octobre. Comme demandé, il travaillera d'une part avec le professeur E. V. McCollum sur des questions de nutrition et de vitamines à l'École d'hygiène de Johns Hopkins, d'autre part avec le
professeur Lafayette B. Mendel, lui aussi spécialiste des questions
de nutrition, à la Faculté de médecine de Yale. L'Université Johns
Hopkins, située à Baltimore dans le Maryland, doit sa renommée
à son centre de recherche médicale; elle a été fondée par un phi-
lanthrope américain, Johns Hopkins (1795-1873). Quant à l'Université Yale, qui tient son nom d'un riche commerçant de Boston,
Elihu Yale, elle est la troisième université américaine pour l'ancienneté (1701) et l'une des plus importantes aux États-Unis.

Hans Selye défend sa thèse de chimie, intitulée «Studien über Carotinoidfarbstoffe» (Étude sur les pigments caroténoïdes), devant les professeurs Kirpal et Meyer, le 7 octobre 1931. Le voilà docteur en sciences (R. N. D^r) de l'Université allemande de Prague. Il n'a pas l'intention de se servir de ce titre mais, juge-t-il, cela complète bien sa formation. L'Université Johns Hopkins l'enregistrera comme Dr. Rer. Nat. en biochimie. Tout se précipite alors, il est maintenant libre de rejoindre les États-Unis. Son voyage est compris dans la bourse accordée. Il embarque sur le *Président Harding,* un petit bateau qui jauge dans les quinze mille tonnes et dont le roulis et le tangage feront de sa traversée une suite ininterrompue de haut-le-cœur et de vomissements. Mais qu'importe, sa destination est New York — cette porte *par laquelle est entré plus d'un jeune homme qu'aucun prestige n'illustrait mais qui était résolu à prouver que si on lui donnait sa chance, il saurait faire honneur à son pays d'adoption.* C'est dans ces dispositions qu'il arrive... *en transit vers le Canada.* Reconstruction du souvenir à partir de ce qui devait se produire? Ou constat ponctuel, puisque la bourse accordée mentionne des «études en biochimie aux États-Unis et au Canada»?

Il met le pied sur la terre d'Amérique le 22 octobre. Quatre jours plus tard, il sera à Baltimore et commencera son stage. Ce même jour, il recevra le premier versement mensuel de sa bourse, soit cent cinquante dollars. Il restera à Baltimore jusqu'au 26 mars 1932. Il se sent riche. Il loue deux très modestes pièces, chambre et cuisinette, près de l'Université Johns Hopkins. Il pourra ainsi manger chez lui (la nourriture ne le préoccupe pas outre mesure) et économiser suffisamment pour, de retour à Prague, se procurer les animaux et le matériel expérimental nécessaires. Il est sans doute parvenu à ses fins puisqu'il avouera s'être nourri de conserves et de sardines.

Il est inscrit comme «étudiant spécial», au Département de biochimie (parallèlement à son travail de laboratoire, il suivra des cours de «Chemical Hygiene 3, 4 et 6»). Il y est appelé parfois Dr John Selye (on se souvient que Hans est l'équivalent de Jean en français, de John en anglais). Le registre des étudiants de l'École d'hygiène et de santé publique de l'Université Johns Hopkins porte, à la date du 26 octobre, mention de son nom et de ses diplômes supérieurs, de son adresse (411 North Broadway) et d'un montant de cent dollars à acquitter. Trois semaines plus tard, dans sa réunion du 19 novembre, le comité des admissions donnera suite à la demande du Dr W. S. Carter, directeur adjoint de la division des sciences médicales de la fondation Rockefeller, et acceptera d'exempter le jeune boursier des frais habituels d'inscription — à la condition que cette exonération ne constitue pas un précédent. La Fondation prend également à sa charge les frais de laboratoire (cent dollars) et les autres dépenses éventuelles (animaux, fournitures, etc.).

    Selye veut se consacrer à la question des vitamines puisque c'est le domaine dans lequel il a jusque-là mené la plupart de ses travaux. Mais comme il s'est aussi intéressé au domaine des hormones, il aimerait trouver une occasion pour travailler par la suite avec le Dr Collip, à McGill.

    Elmer Verner McCollum, dans le laboratoire duquel il commence son stage, est à cinquante-deux ans un biochimiste réputé, spécialiste du métabolisme et de la nutrition. On lui doit l'isolement, en 1921, de la vitamine D (qui a également été réalisé par Pappenheimer la même année), et, avec Davis, l'identification de la vitamine A, dite antixérophtalmique (1913, 1922). Dans son laboratoire, Selye poursuivra les recherches de son maître Biedl sur les hormones parathryroïdiennes. Le 3 mars 1932, il écrit au Dr Carter qu'il estime avoir terminé ce qu'il avait entrepris. Il en a tiré la substance de deux articles, déjà acceptés par deux revues américaines. Un troisième, rendant compte des matériaux restants, est en préparation; il sera publié en allemand, dans la prestigieuse revue *Virchows Archiv (Virchows Archiv für pathologishe Anatomie und Physiologie und für klinische Medizin)*. Ces archives d'anatomie pathologique, de physiologie et de médecine clinique ont été lancées en 1847 par le grand anatomo-pathologiste et homme politique allemand Rudolf Virchow (1821-1902), le fondateur de l'histololologie pathologique. Et «elles lui ont survécu comme un symbole permanent de son œuvre monumentale» (Bariéty et Coury). De nos jours, toujours produites dans leur pays d'origine, ces archives sont cependant publiées en langue anglaise — nom y compris.

Montréal, Québec

Selye poursuit son programme. Le 28 mars 1932, il arrive à Montréal. Il a l'intention de continuer à travailler sur la sclérodermie expérimentale. La justification qu'il donne de son séjour ne correspond pas tout à fait à ce que nous apprennent les documents. Il écrit que *le choc culturel entre la vie européenne et la vie américaine* ayant été très fort, il avait bien envie de rentrer chez lui. Mais la bourse dont il bénéficiait était *une bourse très difficile à obtenir*, et même si elle était valable pour tous les pays, la chose aurait été malaisée, surtout pour *un étudiant originaire de l'Austro-Hongrie*. De plus, ajoute-t-il, *mon pauvre professeur avait travaillé si fort pour me l'obtenir que je n'ai pas eu le cœur de lui dire non*. Rencontrant des étudiants canadiens à Baltimore et se sentant *beaucoup plus proche d'eux* (que des Américains), il demande l'autorisation d'utiliser sa bourse à Montréal. C'est aussi ce qu'il expliquera près de trente ans plus tard aux journalistes curieux de savoir les raisons de sa venue au Canada: *[...] quelques Canadiens qui me disent que le Canada est beaucoup plus européen du fait de sa double tradition culturelle française et anglaise. Comme j'avais grande admiration pour le Pr J. B. Collip, l'un des plus éminents biochimistes du Canada, je demande mon transfert à l'Université McGill pour y terminer, sous sa direction, le second cycle de la bourse d'études. À ma grande satisfaction, cela me fut accordé sans difficulté.* Il est bien possible que les deux raisons se soient conjuguées mais que seule la première ait été déterminante.

La bourse obtenue couvrait une année — du 26 octobre 1931 au 26 octobre 1932. Selye a donc sept mois encore devant lui. Et un prolongement de cinq mois lui sera accordé le 5 août 1932, sur la recommandation même du professeur Collip. Il restera onze mois, jour pour jour, dans le laboratoire de biochimie de ce dernier (du 28 mars 1932 au 28 février 1933), continuant à suivre des cours à McGill. Il occupera le dernier mois, mars, à visiter d'autres institutions de recherche aux États-Unis.

C'est par le moyen de transport le plus économique, l'autobus, qu'il franchit pour la première fois la frontière canadienne. Ce séjour montréalais commence mal: le 9 avril, soit une dizaine de jours après son arrivée, il attrape les oreillons et doit passer une semaine à l'hôpital. Il reprend son travail quinze jours après. Il devra payer les frais dus à sa maladie.

Évoquer la figure de Collip, c'est retracer la longue et tortueuse histoire de la découverte de l'insuline à laquelle il a été si intimement lié — une histoire que Michael Bliss a reconstituée d'une façon exemplaire et dont je m'inspire dans ces lignes. Ce fut une aventure scientifique pleine de rebondissements, de péripéties et de controverses, et qui pourrait se résumer par ces deux questions: quand l'insuline a-t-elle été découverte et qui l'a découverte?

Lorsque Frederick Grant Banting fait sa connaissance, James Bertram Collip est professeur à Edmonton, à l'Université de l'Alberta — une province de l'ouest du Canada, située entre la Saskatchewan et la Colombie-Britannique. Il a fait ses études à l'Université de Toronto, y obtenant une maîtrise en arts (M.A.) en 1913, puis un doctorat en sciences (Ph.D.) en 1916. Comme beaucoup de ses confrères à l'époque, il s'intéresse aux glandes endocrines et aux produits de leurs sécrétions que, depuis une quinzaine d'années, on appelle les hormones[5]. Il vit alors (1921) à Toronto, car il bénéficie d'une année sabbatique, et poursuit des travaux au Département de chimie pathologique de l'université. Au courant des recherches de Banting et de Best, qui se font dans le laboratoire de John James Richard Macleod à l'université, donc près de l'endroit où lui-même travaille, il est très désireux de s'y associer et accepte avec plaisir leur offre. De petite stature mais râblé, avec une complexion de blond et des joues colorées[6] qui lui garderont toute sa vie un air juvénile, timide et modeste, très aimé de ses collègues et de ses amis, il est, en dépit de ses vingt-neuf ans, un chercheur expérimenté et respecté. Il a pour mission de purifier l'extrait pancréatique dont se servent Banting et Best et dont on sait qu'il contient le principe curatif du diabète sucré. Un premier essai, en janvier 1922, se révèle cliniquement efficace, bien que l'extrait utilisé demeure très chargé d'impuretés. Collip s'applique, dans les mois qui suivent, à mettre au point son procédé. Au début de juin, son contrat avec Toronto terminé, il retourne en Alberta où il continue à préparer les lots d'insuline destinés aux premiers malades bénéficiaires, tant canadiens qu'américains. Il est assez amer; ses compatriotes albertains mis à part, nul ne songe à mettre en lumière sa contribution, pourtant déterminante, et à célébrer en lui le codécouvreur de l'insuline. De fait, en 1923, le prix Nobel sera attribué à Banting — mais pas à Best — et à Macleod — et pas à Collip. Banting partagera néanmoins sa part du montant avec Best, et Macleod avec Collip.

Rétabli de ses épreuves, Collip se remet à suivre des cours; il obtient un doctorat en sciences (D.Sc.) en 1924, puis un doctorat en médecine en 1926, à l'Université de l'Alberta. En même temps, il se consacre à la purification de la parathormone, à laquelle est attaché son nom: en 1925, pour la première fois, et grâce à ses travaux et à ceux de Douglas Burrows Leitch, un patient atteint de tétanie est traité avec succès par ce qu'on appelait alors la parathyrine, c'est-à-dire l'hormone de la parathyroïde. En 1927 ou 1928 (les données varient d'un document à l'autre), il accepte la chaire de biochimie que lui propose l'Université McGill — après avoir refusé une offre très intéressante de la clinique Mayo, de New York. Banting et Best rendront à leur collègue un bel hommage, le 27 février 1930, à l'Université de Toronto, devant plusieurs centaines de personnes. Collip semble plutôt mince alors, observe le journaliste, il a perdu une vingtaine de livres du fait de son travail.

Lorsque Hans Selye arrive, en 1932, le département est une pépinière de jeunes chercheurs qui, sous la direction de l'infatigable et à peine moins jeune (il a trente-quatre ans) Collip, sont sur le point d'illustrer à jamais, dit V. C. Medvei, l'endocrinologie canadienne. Sous la direction de Collip, Selye travaillera non pas, comme l'indique le rapport de la fondation Rockefeller, sur la parathormone, mais sur le rôle du lobe antérieur de l'hypophyse. En quelques mois, Collip est à même d'apprécier les grandes qualités de son assistant; il est très désireux de le voir continuer à travailler au département.

À la fin de février 1933, Selye considère en avoir terminé. Il part pour une douzaine de jours, dans le but de faire un certain nombre de contacts dans l'État de New York et en Nouvelle-Angleterre: à Rochester, puis à Buffalo, où il rend visite, le 3 mars, à un grand endocrinologue, Frank A. Hartman, spécialiste des surrénales et du traitement de la maladie décrite par Addison au milieu du XIXe siècle et liée à une insuffisance corticosurrénale. La maladie d'Addison, caractérisée par une pigmentation bronzée de la peau, une très grande asthénie (fatigue) neuro-musculaire et une hypotension artérielle sérieuse, était alors mortelle à plus ou moins longue échéance. Selye se rend ensuite à Boston où il ira, les 6 et 7 mars, voir entre autres deux importantes personnalités: George Richards Minot qui, depuis quelques années, se concentre avec ses collègues sur le traitement de l'anémie dite pernicieuse en administrant du foie cru d'abord, puis des extraits hépatiques purifiés — et ce avec d'autant plus d'ardeur que, ayant bénéficié en 1923 de la découverte de l'insuline alors qu'il souffrait d'un grave diabète, il a une confiance illimitée en l'organothérapie. Il partagera avec W. P. Murphy et G. H. Whipple le prix Nobel de physiologie et de médecine en 1934. La seconde visite sera pour le diabétologue Otto H. O. Folin qui, au début du siècle, a mis au point une technique colorimétrique de dosage de la glycémie et étudié la dégradation des protides.

À New Haven, il verra le Dr Lafayette B. Mendel, qui travaille à la Faculté de médecine de l'Université Yale et dans le laboratoire duquel il aurait dû, selon les conditions de sa bourse, faire un stage. Lafayette Benedict Mendel mène, au sein de l'Université Yale, des recherches assez proches de celles de McCollum. Passionné par la structure physicochimique des protéines, il a, avec son collaborateur Thomas B. Osborne, entrepris des recherches conjointes entre 1911 et 1925 sur la croissance osseuse et les carences alimentaires. Ils ont montré, en 1912, l'importance de certaines carences en acides aminés (le kwashiorkor afroasiatique), puis, en 1913, celle de certaines vitamines (l'organisme, pour croître, a absolument besoin de ces deux substances que sont la vitamine A, liposoluble, antixérophtalmique, et la vitamine B, hydrosoluble, dont la carence cause le béribéri); en 1914, ils ont démontré que la lysine et le tryptophane, deux acides aminés, sont indispensables à la croissance. Mendel a constitué, à la Sheffield School, une véritable dynastie intellectuelle de biochimistes. Il professe l'importance des «petites choses» dans la nutrition.

À New York enfin, du 9 au 11 mars, Selye rendra visite entre autres à un Américain d'ascendance huguenote française, l'hygiéniste David Marine, connu pour avoir mis au point, après

Adolphe Chatin, une prophylaxie alimentaire collective du goitre hypothyroïdien — laquelle sera développée à l'échelle mondiale à partir de 1960 par l'Organisation mondiale de la santé (OMS); Marine, qui mourra en 1977 à quatre-vingt-dix-sept ans, demeure, avec W. B. Cannon et H. W. Cushing dont nous aurons à reparler, une des grandes personnalités de l'endocrinologie américaine, celui qui a été surnommé le «Nestor de la thyroïdologie» (James Howard Means). À New York également, Selye verra le physiologiste Stanley Rossiter Benedict dont les travaux sur la mesure de la calorimétrie, de l'hyperglycémie, du métabolisme de base (consommation d'énergie par un organisme au repos) font autorité.

Selye revient alors à Montréal. Il y passe une dernière semaine, du 13 au 20 mars, aux frais de McGill. Le 21 mars, il part à destination de New York; c'est de là qu'il s'embarquera pour l'Europe. En chemin, il s'arrête à Princeton, le temps de faire la connaissance du Dr Wilbur Willis Swingle; Swingle et J. J. Pfiffner ont préparé des extraits corticosurrénaux grâce auxquels il a été possible, pour la première fois, de guérir un malade atteint de la maladie d'Addison. À New York, il rencontre l'endocrinologue et physiologiste Philip E. Smith qui, après des travaux remarqués sur les syndromes hypophysoprives expérimentaux (il a montré, en 1926, que l'hypophysectomie entraînait l'atrophie des surrénales) et la thyréostimuline, s'intéresse depuis quelques années aux hormones gonadotropes, et Earl Theron Engle, son collaborateur; tous deux ont montré, en 1927, l'importance du lobe antérieur de l'hypophyse dans le développement et le maintien de l'activité gonadique. La tournée est terminée.

Le lendemain, ce n'est plus la route que prendra le jeune et dynamique chercheur, mais la mer, à bord de l'*Europa*. Il rentre à Vienne. Mais il sait que ce n'est pas pour longtemps. Son séjour dans le Nouveau Monde a été fructueux, et il a lieu d'en être satisfait. Tout s'est bien passé côté profession: recherches, contacts, publications. Il a à son actif dix-sept articles dont onze signés de son seul nom, tous publiés dans des revues fort cotées, et une bonne douzaine d'autres à venir. À vingt-sept ans, c'est assez exceptionnel. Concernant le quotidien, il a pu venir à bout des difficultés qui guettent tout nouvel arrivant — et pour commencer celles de la langue. Miss Johnson lui ayant appris un anglais châtié, britannique pour tout dire, l'américain lui a réservé bien des surprises. Quant au français de Mme Totier, il s'est révélé tout aussi inadapté à la vie montréalaise. Les difficultés qu'il a rencontrées avec les autorités canadiennes au moment de se présenter devant les Services des douanes et de l'immigration, à la frontière du Québec, lui fourniront la matière d'anecdotes inépuisables dont le professeur F. C. MacIntosh de McGill, entre autres, se souvient très bien: Selye ne comprend pas la moitié de ce qu'on lui dit et il a l'impression de parler un langage affecté. Il reconnaîtra par la suite que la langue en usage au Québec est une variante du français, tout comme le viennois qu'il parle est *un dialecte qu'un Prussien trouverait plutôt étrange,* mais qu'il persiste à utiliser même s'il est capable *de parler à la perfection le Hochdeutsch.* Bref, il a réussi à surmonter le *choc culturel.* Il se sent maintenant *prêt à retourner en Tchécoslovaquie et complètement adapté à l'Amérique du Nord, tant au-dessus qu'au-dessous de la frontière canadienne.*

Le rêve de la découverte
1933-1945

Le 20 mars 1933, soit le dernier jour que Selye passait à Montréal, le Dr W. S. Carter, de la fondation Rockefeller, rencontrait à New York le Dr Charles-Ferdinand Martin, doyen depuis 1923 de la Faculté de médecine de McGill (il le restera jusqu'en 1936). C.-F. Martin lui a fait part de la possibilité que Selye soit intégré au Département de biochimie, avec un salaire annuel de deux mille cinq cents dollars. Depuis que Collip a travaillé avec ce dernier, en effet, il ne rêve que de voir son jeune et brillant stagiaire s'associer à son équipe. Déjà, en janvier, Collip avait, en prévision, demandé à son doyen d'obtenir des autorités canadiennes la résidence permanente pour Selye. C.-F. Martin avait sur-le-champ écrit à Ottawa, aux services de l'immigration. Une semaine plus tard, il en avait reçu une réponse, qui n'a pas été conservée, les Archives nationales du Canada (section immigration) n'ayant pas gardé les dossiers antérieurs à la Seconde Guerre mondiale, sauf dans les cas controversés; elle devait être favorable puisque, le 28 février, Martin avait pu adresser à Selye une lettre chaleureuse, lui offrant un poste de chargé d'enseignement («lecturer») pour l'année 1933-1934; après quoi, avait-il ajouté, Selye pourrait, avec l'accord de Collip, être promu au rang de professeur adjoint.

Un retour prémédité

Les choses ne sont pas en fait aussi simples. En réponse à sa remarque, le docteur W. S. Carter prévient le doyen Martin que Selye ne peut s'attarder davantage aux États-Unis: sa bourse d'études est arrivée à expiration, son permis de séjour aussi; il lui faut rentrer à Prague. Il ne pourra accepter le poste de McGill que si l'Université allemande de Prague est dans l'incapacité de lui faire une offre convenable. Alors, et seulement alors, la fondation Rockefeller de Paris pourra, après vérification bien entendu, autoriser Selye à revenir à Montréal. D'où le télégramme que, dès la fin de l'entrevue, Martin envoie à Collip: «Il serait important que vous rencontriez Selye aujourd'hui car la fondation Rockefeller ne donnera pas son consentement au projet de Selye tant que ses bureaux de Paris ne pourront lui certifier que Selye n'a à Prague aucune perspective d'avenir. D'après Carter, les engagements des deux parties stipulaient qu'un préavis de six mois au moins devait être donné à Prague avant un retour à Montréal, advenant le cas où les bureaux de Paris n'auraient pas cette assurance. Il faudrait que Selye voie Carter avant de prendre le bateau.»

Selye est donc passé, à New York, au bureau du directeur adjoint de la fondation Rockefeller. Il a fait valoir au Dr W. S. Carter que, lorsque la bourse lui a été accordée, le professeur Artur Biedl pensait pouvoir lui promettre à son retour un poste d'assistant («privatdozent») dans son service; Selye aurait ainsi continué à travailler avec son professeur dans le domaine même auquel ce dernier l'avait initié et qui est celui qui l'intéresse, l'endocrinologie. Assez âgé (soixante-quatre ans), Biedl avait eu l'année précédente un accident d'auto qui l'a laissé très handicapé; il est incapable de marcher, d'enseigner et, a fortiori, de reprendre ses fonctions de directeur de l'Institut de pathologie expérimentale. Mais, même handicapé, Biedl ne pourra pas obtenir sa retraite avant soixante-dix ans. C'est le numéro deux de l'Institut, le professeur adjoint Riehl, qui a pratiquement tout en main depuis l'accident de Biedl. Or Riehl est cardiologue et l'endocrinologie ne l'intéresse pas. Selye sent bien qu'il pourra difficilement obtenir, dans ces conditions, le soutien financier nécessaire à ses recherches. Autrement dit, toute la formation qu'il a acquise auprès de McCollum et de Collip ne lui sera d'aucune utilité s'il retourne s'établir à Prague.

Là-dessus, Selye est rentré chez lui. Le 12 avril (il est à Prague depuis trois semaines environ), le directeur adjoint de la division des sciences médicales de la fondation Rockefeller en Europe, Robert A. Lambert, estime toujours qu'aucun changement important n'est survenu dans les conditions qui prévalaient à Prague au moment de son départ pour les États-Unis. Par conséquent, à moins qu'il ne perde véritablement son poste, ce qui ne semble pas être le cas, Paris ne saurait libérer Selye de l'engagement que ce dernier avait pris de retourner travailler dans son pays.

À Montréal, le processus enclenché suit son cours, et le 19 avril, le Conseil des gouverneurs de McGill nomme officiellement Selye chargé d'enseignement en biochimie. Dès le lendemain, le secrétaire du Conseil écrit à l'intéressé pour l'en informer.

Le 24, le professeur Biedl communique avec Paris pour l'informer que, contrairement à ce que pense le bureau, la situation a changé depuis que Selye a quitté l'Europe. Les possibilités financières de l'université de Prague sont pour l'heure infimes, et si Biedl a bien obtenu pour son élève un poste d'assistant, c'est à titre bénévole; il lui est impossible, dans les conditions actuelles, de songer à lui offrir quelque rémunération que ce soit. Or Selye a besoin de gagner sa vie. Il a donc conseillé à son élève d'accepter l'offre de McGill. Biedl meurt peu de temps après, perclus de douleurs et plongé dans une profonde dépression. Nous l'avons vu, il est exclu pour Selye de *travailler avec son successeur.* Plus rien par conséquent ne s'oppose à ce qu'il retourne au Canada.

Ce n'est donc pas, ainsi qu'il l'écrira plus tard, une fois rentré à Vienne que Selye a reçu, comme par surprise ou par coïncidence, l'invitation de McGill, mais trois mois auparavant, et sur place, à Montréal; en outre, le poste offert n'est pas un poste d'assistant professeur (professeur adjoint), mais de chargé d'enseignement.

Ses papiers sont en règle. Il a un passeport tchécoslovaque, rédigé en deux langues, tchèque et français, signé et tamponné par le président de police. Identité: «Dr Jan Selye, médecin». Signalement: «visage oblong, yeux bleus, cheveux bruns». Sa photo porte l'estampille, non datée, de la police de la République tchécoslovaque à Prague. Il s'embarque à Anvers le 17 mai 1933, après avoir, sur place, fait viser son passeport par l'Immigration canadienne. Le jeudi 30 mai, il est de retour au Québec, par un temps chaud et orageux qui se restabilisera et se rafraîchira un peu les jours suivants. Il fait savoir au Dr Carter qu'il a accepté le poste de McGill. Son absence aura duré un peu plus de deux mois. Il s'installera à Montréal, dans une maison de chambres de la rue Sherbrooke (entre les rues McGill College et University), et y demeurera jusqu'à son mariage.

Le Québec des années trente

Au Québec comme partout ailleurs, «la décennie 1930 est marquée par la grande crise économique». Latente depuis les années vingt, la crise a explosé avec le krach boursier du 24 octobre 1929, affectant tous les pays bien qu'à des degrés divers. Parce qu'il est un grand exportateur en denrées agricoles, le Canada est très durement touché, et plus spécialement les provinces de l'Ouest, celles qu'on appelle les Prairies (Alberta, Manitoba, Saskatchewan), immenses zones céréalières tributaires au premier chef du marché mondial. Au Québec, à Montréal surtout, «dont l'économie est liée au commerce international», la dépression a été grave aussi, et plus tenace qu'ailleurs. Les aliments, les produits manufacturés ont vu leurs prix s'effondrer, mais seuls les heureux qui avaient pu conserver leurs revenus — souvent au prix d'une forte baisse de salaire — ont pu en profiter. Les faillites ont acculé les commerçants de quartier à la misère, les ouvriers de l'industrie et du bâtiment sont en chômage et les petits propriétaires ont dû renoncer à leurs logements. Des organismes de charité, peu à peu relayés par l'État, se sont mis en place, distribuant des repas populaires, prêtant des petites sommes, fournissant des vêtements. Bref, c'est une «période troublée» que cette décennie des années trente, et il y règne un fort «climat d'insécurité» et d'instabilité. Lorsque Selye arrive, en 1933, le pays commence tout juste à remonter graduellement la pente. Il faudra une dizaine d'années pour que soit retrouvé le niveau de vie d'antan.

«Si les années 1930 sont celles de la résignation, elles sont aussi celles de la recherche de solutions nouvelles.» À cet état de grande dépression économique la société va réagir. On voit naître en son sein des forces de contestation, sur le plan social aussi bien que sur les plans politique et idéologique, aussi bien à droite qu'à gauche. La province de Québec est à la fois le terrain d'attaques du système capitaliste et la proie d'«un regain de ferveur religieuse», qui n'est d'ailleurs pas sans liens avec les «forts courants d'anti-communisme, de xénophobie et même d'antisémitisme» qui traversent aussi la province. Le Québec amorce «l'une des périodes les plus mouvementées de son histoire et sans aucun doute l'une des plus fertiles en transformations de toutes sortes[1]».

Ville-Marie, appelée plus tard Montréal, fut fondée en 1642 par Paul de Chomedey de Maisonneuve. Simple comptoir à l'origine, Montréal était devenue un important nœud d'activités commerciales lorsqu'il lui fallut capituler devant le général Murray (18 septembre 1760). Cette reddition, s'ajoutant à la défaite des Plaines d'Abraham et à la prise de Québec, mit fin au régime français. Le traité de Paris (1763) consacra la cession de la Nouvelle-France à l'Angleterre — ce qu'au Québec on continue d'appeler «la Conquête». Montréal n'a cessé de grandir. Accentuant son caractère commercial, s'imposant comme un gros centre financier et industriel, développant ses activités portuaires, elle est devenue la métropole du Canada. Mais sa croissance étant fonction de la migration, tant internationale qu'interne, il n'est pas étonnant de constater qu'en ces temps de récession, son développement, tout comme celui de la province, marque un temps d'arrêt. Les chiffres des années trente sont à peu près ceux des années vingt: soixante pour cent des gens vivent en milieu urbain, quarante pour cent en milieu rural. La population du Montréal métropolitain augmente à peine entre 1931 et 1941, passant, en gros, de un million à un million cent cinquante âmes. Par contre, la proportion des Canadiens français augmente de façon constante par rapport à celle des Canadiens anglophones d'origine britannique ou autre: ils représentent alors soixante-cinq pour cent environ des Montréalais[2].

Montréal est constituée de deux secteurs — on pourrait dire de deux villes: l'une riche, anglophone, c'est l'ouest; l'autre plus pauvre, francophone, c'est l'est. Le boulevard Saint-Laurent, qui s'étale d'un bout à l'autre de l'île dans le sens nord-sud, forme la frontière entre les deux mondes; on l'appelle la «Main» (prononcer à l'anglaise). Les numéros des immeubles commencent à 1 de part et d'autre de cet axe, et doivent donc forcément, si l'on veut spécifier ou libeller une adresse, être suivis de l'indication «Est» ou

«Ouest» pour toutes les rues perpendiculaires au boulevard et se prolongeant au-delà de lui.

Les échanges sont rares entre les deux communautés, francophone et anglophone. Que ce soit à Montréal, au Québec ou au Canada, c'est bien à «deux solitudes» que l'on a affaire*. Chacune a ses institutions, sa culture, sa religion. Mais le monde des affaires, le marché du travail sont aux mains des anglophones. Entre 1860 et 1890, l'essor de la révolution industrielle a amené les riches bourgeois canadiens-anglais à occuper ce que l'on appelle depuis le «Square Mile End», un quadrilatère délimité par la rue McTavish à l'est, l'avenue des Pins au nord, la Côte-des-Neiges à l'ouest et la rue Sherbrooke au sud — ou mieux encore le «Golden Square Mile». Les Canadiens anglais peuvent passer toute leur vie sans jamais établir le moindre contact avec la culture française. C'est par contre très souvent en anglais qu'il faut gagner son pain lorsqu'on est canadien-français.

L'Université McGill occupe un immense campus en plein cœur de la ville, jouxtant sur toute sa hauteur le Square Mile. C'est par Sherbrooke que l'on accède à l'entrée principale, mais l'Université dispose de nombreux autres bâtiments ou de maisons reconverties tout autour de l'édifice principal; des secteurs entiers des rues voisines lui appartiennent. Quand Selye annoncera son départ pour l'Université de Montréal, ses collègues de McGill s'exclameront: *«N'allez pas chez les Français. Ça ne vaut rien. Ils n'ont pas de culture scientifique. Vous allez avoir des difficultés avec eux. Ils ne savent pas organiser les choses.»* Selye ne s'y trompera pas, qui toujours s'adressera à un public anglophone — canadien-anglais et surtout américain. Il n'est en cela nullement exceptionnel, telle est la politique suivie par tous les scientifiques francophones du pays. Lorsqu'il sera à l'Université de Montréal, il publiera quelques articles en français, mais la plupart seront destinés aux revues américaines. Il en ira de même pour ses livres: les ouvrages scientifiques, non traduits, sont rédigés en anglais (le seul qui sera traduit sera publié en France); ceux qui visent le grand public seront traduits de l'anglais. Et lorsque, comme dans le cas de *Le stress de ma vie*, c'est d'abord une ver-

---

* Référence courante au roman de Hugh MacLennan, *Two Solitudes,* Toronto, Collins, 1945.

sion française qui paraîtra, il rédigera par la suite un texte anglais beaucoup plus fourni, plus élaboré, plus approfondi, plus précis.

James McGill était né le 6 octobre 1744, d'une famille de forgerons depuis longtemps établie à Glasgow. Il vint, comme beaucoup de ses compatriotes, chercher fortune dans les nouveaux pays. Il la trouva en se livrant au trafic de la fourrure[3]. À sa mort, en 1813, il laissa par testament une somme de dix mille livres à la Royal Institution for Advancement of Learning (Montréal) afin qu'elle fonde une université. Cette Royal Institution for Advancement of Learning avait été acceptée dans son principe par un acte du parlement provincial au début du siècle, mais ne devait être constituée en société qu'en 1818. Trois ans plus tard, elle se voyait accorder la Charte royale l'autorisant à fonder le McGill College, et, en 1829, les premiers diplômes étaient décernés.

La Faculté de médecine est la plus ancienne faculté non seulement de McGill mais aussi du Canada — «l'aînée des universités», selon le mot du Dr Édouard Desjardins. Elle est issue de la Montreal Medical Institution, fondée par les administrateurs du tout nouveau Montreal General Hospital, dont la première pierre fut posée en 1821 et qui deviendra le plus important hôpital de la ville. La Montreal Medical Institution faisait, depuis 1824, fonction d'école de médecine. Le premier cours fut donné le 28 octobre 1824, au 20 de la rue Saint-Jacques. L'École compte alors quatre professeurs et vingt-cinq étudiants. Elle se greffera sur l'Université McGill et deviendra faculté en 1829. La première session de la Faculté de médecine s'ouvrira cette même année. «Établie sur le modèle des universités écossaises», elle offre l'avantage de compléter l'enseignement magistral par «des séances de dissection et des cours de clinique» au Montreal General Hospital[4]. Le premier diplômé sortira en 1833. Elle remettra en 1872 un doctorat à un jeune Canadien promu à un bel avenir, William Osler — l'un des plus grands médecins de son temps. Son influence fut marquante et durable. Un siècle plus tard, de nos jours donc, son «ombre continue de planer» sur les deux institutions (hôpital et faculté). L'ensemble du corps médical reste en effet fidèle à sa conception d'une recherche médicale expérimentale étroitement associée aux travaux des cliniciens. Par ailleurs, les chercheurs continuent à entretenir de nombreux contacts avec leurs collègues européens et américains, suivant ainsi «de près les progrès scientifiques de l'époque[5]».

La Faculté de médecine, tout comme l'ensemble de l'Université McGill, a connu un développement impressionnant grâce aux dons et legs de la communauté canadienne-anglaise; à ces donations, il faut, depuis les années 1920, ajouter les substantielles subventions de la fondation Rockefeller. Elle a également bénéficié de l'adjonction au réseau universitaire de l'hôpital Royal Victoria, bâti grâce au don d'un million de dollars fait par deux Montréalais à l'occasion du jubilé de la reine Victoria, inauguré en décembre 1893 et deuxième hôpital anglophone en importance[6]. La faculté comprend, en 1932, de nombreux départements: médecine (l'institut de médecine regroupant les départements de physiologie, d'histologie et de pathologie), anatomie, chirurgie, obstétrique et gynécologie, anatomie, pharmacologie, botanique, jurisprudence médicale, hygiène et santé publique, ophtalmologie, zoologie, histoire de la médecine, bactériologie. En font également partie la neurologie et la neurochirurgie dont, en 1932, la chaire vient tout juste d'être fondée pour le Dr Penfield.

Wilder Graves Penfield (1891-1976), Américain d'origine, avait étudié à Princeton, au College of Physicians and Surgeons à New York, à Harvard, à Oxford comme boursier Rhodes, puis à la Johns Hopkins University où il obtint son doctorat en médecine. Il exerça à Boston et enseigna la chirurgie à la Columbia University. Il travaillait à l'hôpital presbytérien de New York comme directeur du service de neurochirurgie, lorsqu'il fut invité à s'installer à Montréal. Il s'intéressait alors aux manifestations atypiques de l'épilepsie et à ses dits équivalents, plus spécialement à l'épilepsie traumatique, tout en mettant au point avec le Dr William Cone une nouvelle méthode de traitement de la spina bifida. De 1927 à 1934, il enseigne la neurochirurgie à McGill. Son grand désir, créer un institut neurologique, est enfin réalisé le 27 septembre 1934, à Montréal. Il en sera le directeur jusqu'en 1960[7]. Les travaux qu'il poursuivra à Montréal, sur les correspondances entre les données de la chirurgie cérébrale et celles de la neurophysiologie, le feront connaître du monde entier et lui vaudront de nombreux disciples qui, à la fois, compléteront et poursuivront ses travaux.

Enfin, le Département de chimie comprend une chaire de biochimie, fondée en 1920 pour A. B. Macallum, qui l'occupa jusqu'à sa retraite, en 1928. Il sera alors nommé professeur émérite. (Les universités de langue anglaise distinguent entre «émérite» [«emeritus»], titre que continue à porter le professeur retraité et correspondant à celui qu'il avait lorsqu'il était actif, et «honoraire» [«honorary»], titre conféré sans qu'en soient exercées les fonctions et obligations.) Archibald Byron Macallum s'est fait un nom en étudiant la chimie de l'activité nerveuse et certains problèmes physicochimiques cellulaires (tension de surface). Il sera remplacé par Collip, dont le dynamisme et les découvertes feront du département un des chefs de file de la recherche, dans un domaine lui-même en pleine expansion.

Naissance de l'endocrinologie

De fait, les sciences fondamentales, et plus spécialement la biologie, connaissent un grand essor. Le XIXe siècle leur a été particulièrement propice, et le XXe s'annonce lui aussi très fécond. L'histologie pathologique, inaugurée par Leeuwenhoek et Malpighi, a acquis son autonomie avec la grande figure allemande de Rudolf Virchow (mort en 1902); elle ne cesse de s'enrichir au fur et à mesure du perfectionnement des instruments, particulièrement le microscope électronique, et des apports de la physiopathologie, de la chimie biologique, de la bactériologie. Quant à la physiologie expérimentale et à la physiopathologie, elles bénéficient du développement de la physiologie générale et de la neurologie auquel François Magendie, son élève Claude Bernard et celui qui succéda à ce dernier à la chaire de médecine expérimentale du Collège de France, Charles-Édouard Brown-Séquard, ont à jamais attaché leurs noms.

Si l'on observe l'évolution, dans le temps, des disciplines cliniques, on constate, disent Bariéty et Coury à l'ouvrage desquels j'emprunte l'ensemble de ces considérations, que les chercheurs commencent par isoler des tableaux symptomatiques et tentent de mettre en rapport les signes cliniques observés avec des lésions anatomiques; ils peuvent alors s'appliquer à comprendre, d'un point de vue expérimental, le fonctionnement de l'organe et les mécanismes des perturbations qu'il subit. Ces étapes franchies, il reste le plus difficile: la recherche et la mise au point des moyens thérapeutiques susceptibles d'agir. Mais si toutes les disciplines cliniques passent, et de façon immuable, par ces trois phases, certaines prennent plusieurs siècles pour ce faire, tandis que d'autres parcourent très rapidement le cycle vital qui les conduit de la naissance à la maturité. Ainsi de l'endocrinologie qui, en cinquante ans, comme le dit André Lucien de Gennes, médecin français connu pour ses travaux sur la maladie d'Addison, «est passée de l'empirisme le plus grossier à une précision quasi scientifique [...]. [Elle est] le plus bel exemple de l'histoire du progrès médical».

C'est en 1855 que Claude Bernard atteste en quelque sorte la naissance de la future endocrinologie. («Le terme d'endocrine apparaîtra en 1909 et celui d'endocrinologie en 1912», écrit Christiane Sinding, tandis que Jean-Didier Vincent attribue à l'Italien Nicola Pende la création, en 1909, du mot «endocrinologie» pour désigner l'étude des sécrétions internes[8].) «L'histoire du foie, dit Claude Bernard, établit maintenant d'une manière très nette qu'il y a des sécrétions internes, c'est-à-dire des sécrétions dont le produit, au lieu d'être déversé à l'extérieur, est transmis directement dans le sang.» Bernard désignait ainsi la fonction glycogénique du foie, qu'il venait d'établir et qu'il opposait à une autre fonction, externe, de sécrétion de la bile (laquelle est déversée dans le tube digestif). Quatre ans plus tard, en 1859, il étendait cette notion, fondamentale, «à une série de glandes dites sanguines (rate, thyroïde, surrénales, etc.) dont les fonctions sont encore alors indéterminées[9]». Il revenait à Charles-Édouard Brown-Séquard de concevoir le rôle général de «messager chimique» — appellation due à William Maddock Bayliss et Ernest Henry Starling, deux physiologistes anglais du début du siècle. C'est Starling qui, dans une conférence donnée dans le cadre des «Croonian Lectures», introduisit en juin 1905 le terme tout nouveau d'hormone, c'est-à-dire de messager chimique. Cette définition, explique V. C. Medvei, était destinée à transcender la simple notion de sécrétion interne. Bayliss et Starling avaient découvert en 1902 que la sécrétion externe du pancréas ne peut se faire sans une substance produite par la muqueuse duodénale, qu'ils appelèrent «sécrétine». Il est clair que la notion de sécrétion interne ou de glande endocrine ne rendait pas compte de ce type de produit et de mécanisme depuis dévolu à ce qu'on appellerait les hormones et, par le fait même, était impuissante à mettre en évidence dans l'organisme des corrélations non plus nerveuses mais sanguines.

Les hormones ont pour fonction de *stimuler et [de] coordonner les organes éloignés. La croissance corporelle, le métabolisme, [...] et les fonctions sexuelles sont en grande partie réglées par des hormones.* Elles agissent à très faible concentration, et à distance, sur des organes récepteurs spécifiques. Leur structure chimique est celle, parfois, des acides aminés mais le plus souvent, comme l'a montré un biochimiste allemand, Adolf Windaus (1876-1959), Prix Nobel 1928, leur formule est voisine de celle des stérols; ce sont «des stéroïdes proches du cholestérol», comme dans le cas des hormones génitales ou corticosurrénaliennes — d'où le nom d'hormones stéroïdes qu'on leur donne parfois, soulignent Bariéty et Coury.

«L'endocrinologie [...] est née du rapprochement et de l'assemblage patient d'une série de constatations isolées», continuent ces mêmes auteurs. Chaque glande endocrine a été étudiée systématiquement, et d'un quadruple point de vue: «clinique, anatomo-pathologique, physiologique expérimental, puis chimique». Les troubles cliniques sont, en gros, rapportés à deux types de dysfonctionnement: excès (hypertrophie de la glande, tumeur) ou insuffisance (atrophie, destruction); on tente ensuite de les reproduire expérimentalement en effectuant des greffes ou en administrant des extraits glandulaires d'une part, en procédant à une destruction totale ou partielle d'autre part. On essaie alors d'isoler l'élément actif, de le purifier afin de pouvoir en étudier avec précision les effets et, dans une étape ultérieure, l'utiliser en thérapeutique humaine. Idéalement, on arrivera à en réaliser la synthèse, ce qui autorisera une posologie franche; dans certains cas, on réussira même à mettre au point de nouvelles substances, chimiquement et physiologiquement proches du produit naturel. L'endocrinologie enregistrera un des premiers triomphes de la médecine; c'est en 1892, nous dit Christiane Sinding, que sur les conseils de Horsley, un médecin anglais nommé Murray injectera à une malade affligée d'insuffisance thyroïdienne des extraits correcteurs qui lui permettront de survivre pendant vingt ans.

Sir Victor Horsley (1857-1916), un des pionniers de la neurochirurgie expérimentale et pathologique, fut le premier (1888) à guérir (en opérant sur les indications de William Richard Gowers, neuro-histologiste qui a donné son nom à un faisceau médullaire) une tumeur rachidienne.

C'est bien à ce schéma de «raisonnement endocrinologique» que répondent les travaux du Département de biochimie de McGill — travaux honorablement connus et reconnus par la communauté scientifique. Le principal objet d'étude de l'équipe de Collip, sa spécialité en quelque sorte, est la glande pituitaire — *cette petite glande endocrine sise dans les os du crâne juste sous le cerveau. On l'appelle aussi hypophyse.* L'hypophyse est en quelque sorte le chef d'orchestre du système neuroendocrinien. Son histoire, disent Bariéty et Coury, «nous apporte un des exemples les plus saisissants de la précession des identifications morphologiques sur les regroupements physio-pathologiques».

Que sait-on, en ces années trente, des fonctions de cette glande? Dans une première étape avaient été identifiés sur le plan clinique au moins trois ensembles morphologiques: l'acromégalie (gigantisme des quatre membres et du visage), par Pierre Marie, en 1886; le syndrome adiposo-génital (obésité, développement insuffisant des caractères sexuels secondaires, baisse de l'activité génitale), par Babinski et Fröhlich, en 1900-1901; la maladie de Cushing (obésité du tronc, de la face et du cou, hirsutisme, hypertension artérielle, décalcification osseuse, hyperglycémie), par Harvey Cushing, en 1912 puis en 1932. À l'autopsie, on constate selon les cas une tumeur (adénome) ou une nécrose ischémique. Les chercheurs sont alors rapidement passés à l'étape de vérification expérimentale et ont procédé à l'ablation de la glande. Ils ont constaté l'arrêt immédiat de la croissance physique — sauf chez le très jeune animal. Mais la destruction de l'hypophyse a d'autres effets encore. Elle retentit sur la thyroïde, responsable du métabolisme général, entraînant sa réduction puis son atrophie, et par la suite le ralentissement de tous les processus vitaux. Elle affecte enfin le fonctionnement des capsules surrénales, par là entravant la circulation sanguine. L'équipe de Collip, plus particulièrement Collip, Selye et Thomson, a pu également vérifier que l'hypophysectomie avait en plus des effets néfastes sur la lactation et, de façon générale, entraînait la dégénérescence de l'appareil sexuel. Mais c'est surtout, bien entendu, à la troisième phase que travaille le laboratoire de McGill: l'isolement des produits actifs. Toutes ces modifications peuvent, en effet, être prévenues ou corrigées par l'administration d'extraits pituitaires préparés à partir de glandes d'animaux de ferme. Avec des doses supérieures à celles normalement demandées par l'organisme, on peut, selon la fraction utilisée, obtenir une hyperactivité de la thyroïde, un excès de croissance physique, ou encore un développement précoce et excessif des caractéristiques sexuelles. Voilà, ajoute le rapport fait en juin 1933 pour l'Université par le Département de biochimie, qui ajoute grandement aux connaissances sur le fonctionnement de l'organisme, à la compréhension des diverses affections et, par là, aux possibilités d'action thérapeutique sur ces dernières.

C'est dans le rapport annuel de McGill de 1932 (année universitaire 1932-1933) que l'on peut lire pour la première fois, et au chapitre des publications du Département de biochimie, le nom de Selye. Des treize articles dans lesquels il apparaît, douze ont été écrits en collaboration. Celui qu'il signe seul, et qui est daté de septembre-octobre 1932, rend compte des travaux poursuivis dans le laboratoire du D^r McCollum, à Johns Hopkins, sur la parathyroïde. Il montre que des injections prolongées de petites doses de parathormone, provoquant la multiplication des ostéoblastes, accélèrent la formation des os, tandis que l'injection de doses subléthales chez le rat entraîne, de par la stimulation des ostéoclastes, la résorption osseuse et un tableau d'ostéite fibreuse généralisée; mais une fois l'animal devenu tolérant à l'endroit de l'hormone, l'os se consolide très fortement, trop pourrait-on dire («os de marbre»), et les ostéoclastes voient leur nombre diminuer. Il ajoutait ainsi à la connaissance des parathyroïdes, dont l'extrait actif avait été préparé pour la première fois à Washington (1924), par Adolph Melanchton Hanson, puis, de façon indépendante, par L. Berman à New York (1924) et par Collip à Montréal (en 1925).

Les douze autres publications sont écrites en collaboration avec Collip et David Landsborough Thomson. Ce dernier est arrivé en 1928 au département, donc en même temps que Collip; après deux années comme chargé de cours en biochimie, il est passé professeur adjoint — c'est le poste qu'il occupait lorsque Selye a fait sa connaissance. Ces articles résultent du travail de stagiaire accompli sous la direction de Collip, au sein de son équipe, entre le 28 mars 1932 et le 28 février 1933, c'est-à-dire lors de son premier séjour. Ils portent sur les rapports unissant le lobe antérieur de l'hypophyse et les caractères qui sont sous la dépendance des glandes sexuelles femelles: les effets de l'hypophysectomie sur l'ovaire, sur la grossesse, sur la lactation chez la souris, le rôle gonadotrophique de la glande pituitaire, ainsi que la préparation d'extraits purifiés de l'hormone de croissance. En montrant que l'hypophysectomie entraînait l'arrêt immédiat de la lactation, Selye (avec Collip et Thomson) fournissait, après les travaux de H. Allen et de P. Wiles en 1932, la preuve expérimentale de l'existence de la prolactine, qui stimule l'activité fonctionnelle des glandes mammaires — cette prolactine dont S. Stricker, le maître d'Artur Biedl, et Grueter avaient pressenti l'existence en 1928 (chez des lapines ovariectomisées en état de pseudogravidité, l'administration d'extraits du lobe antérieur peut provoquer la lactation) et dont on sait aussi qu'elle stimule la formation du «lait de pigeon» («pigeon's milk»), ce produit nutritif que les pigeons, aussi bien mâles que femelles, régurgitent pour alimenter leurs petits.

L'ordre selon lequel apparaissent les noms des auteurs n'est pas le même dans l'annuaire de McGill et dans la liste qu'en donne la brochure de l'Institut de médecine et de chirurgie expérimentales (édition de 1970). Dans le premier, l'ordre hiérarchique est respecté (Collip, Thomson, Selye); il est permis de penser que, dans le second, on a voulu rendre compte des mérites de chacun (Collip, Selye, Thomson, ou Selye, Collip, Thomson). Je m'appuie, pour ce dire, sur le commentaire du Dr Charles-Philippe Leblond: «Une série de petits articles, avec Collip et Thomson, pour lesquels Selye avait fait le gros du travail, et qui vraiment l'ont fait remarquer.» Notons que le Département de biochimie est, avec ceux de chimie et de médecine, celui dont le nombre de publications est le plus grand. Cette caractéristique se maintiendra jusqu'au départ de Selye, en 1938, et de Collip, en 1941.

L'hypophyse, de fait, est alors un sujet d'études fascinant. Les hormones qu'elle sécrète sont nombreuses et souvent encore mystérieuses. Tapie dans son minuscule recoin, en arrière du sinus sphénoïdal, «appendu[e] à la partie inférieure du cerveau dans sa région moyenne» par la tige pituitaire, se présentant comme un petit organe ovoïde gris-rougeâtre de la grosseur d'un pois chiche (elle pèse cinq cents milligrammes chez l'homme, six cents chez la femme — et jusqu'à sept cents chez les primipares[10]), elle envoie des antennes dans tout l'organisme, en reçoit des messages, contrôle et régule. On lui reconnaît trois lobes: antérieur, intermédiaire et postérieur. En 1933, le lobe intermédiaire, d'ailleurs pratiquement absent chez l'humain, est mal connu et le lobe postérieur (neurohypophyse), à peine mieux. Le morceau de choix, c'est le lobe antérieur, ou adénohypophyse. Aux recherches qu'il a inspirées sont avant tout attachés les noms de l'équipe de Berkeley (Californie), Herbert MacLean Evans en tête. On a identifié au moins cinq hormones, dont chacune est le produit de l'activité de groupes de cellules particulières à qui on a donné des noms en rapport avec leur comportement vis-à-vis de certains réactifs: basophiles ou acidophiles, plus un suffixe alpha, bêta ou gamma selon leur sous-groupe. Parmi ces hormones, citons l'hormone de croissance ou somatotrophine, qui stimule la croissance du corps en général; les gonadostimulines, non encore isolées à l'exception de la prolactine dont on sait qu'elle stimule l'activité de la glande mammaire; la thyréostimuline, indispensable au métabolisme de l'iode dans l'organisme et donc au bon fonctionnement de la thyroïde; enfin, toute dernière venue mais promise à un grand avenir, *l'hormone hypophysaire qui stimule la croissance et le fonctionnement du cortex surrénal*, à savoir l'adrénocorticotrophine, mieux connue comme ACTH. Non encore isolée (elle le sera en 1942 par l'équipe de Berkeley: Choh Hao Li, H. Evans et Myriam Elizabeth Simpson), son existence est pressentie dans la mesure où, à la suite d'une hypophysectomie, on constate une régression des surrénales, tant anatomique que fonctionnelle. Reste à savoir si sont en cause un ou plusieurs produits, et quelle est leur nature.

Ce qui intéresse l'équipe de Collip, nous l'avons vu, ce sont avant tout les liens entre l'hypophyse et l'appareil de reproduction. C'est sur la compréhension intime des mécanismes en jeu,

sur la physiologie et la chimie des produits pituitaires que porteront encore ses travaux, pendant les années à venir. Le département accueille d'ailleurs, en cette année universitaire 1933-
1934, cinq étudiants en doctorat, qui eux aussi participeront aux
recherches. Comment s'effectue, sur le plan neuro-hormonal, la
régulation de la lactation? Quels sont les changements histologiques induits par l'administration prolongée d'extraits hypophysaires? Quels effets les extraits de lobe antérieur entraînent-ils
chez le rat hypophysectomisé? Quelles sont, sur l'ovaire de rates
impubères, les conséquences de l'hypophysectomie? Que signifie la perte de réceptivité à l'endroit des hormones pituitaires
observée lors de la gestation? Comment, s'agissant de la production de l'œstrus (ovulation), peut-on concevoir les relations entre
les principes actifs du placenta, de l'urine de la femelle en gestation et de son sang, et les principes actifs du lobe antérieur de
l'hypophyse? Telles sont les questions auxquelles vont tenter de
répondre Collip, Thomson et Selye. Et l'histoire retiendra deux
dates: 1932, pour la description qu'ont donné de la thyréostimuline (Thyroid Stimulating Hormone ou TSH, dont l'existence
avait déjà été établie entre autres par Max Raymond Aron, de
Strasbourg, France) Collip et Evelyn Anderson, jeune chercheuse
en biochimie; et 1933, pour l'isolement, par Collip et son
équipe, d'une hormone «adrénotropique», encore impure — ce
sera la corticostimuline, ou ACTH (Adrenocorticotropic Hormone). *Je suis toujours rempli d'admiration pour mon ancien
maître, le professeur J. B. Collip, qui a découvert que
l'ACTH était une hormone particulière.*

Collip avait donc besoin d'un assistant pour ovariectomi-
ser, thyroïdectomiser, surrénalectomiser et hypophysectomiser.
Avant de repartir en février 1933 pour Prague, Selye avait
rendu visite à Philip E. Smith, professeur d'anatomie à la
Columbia University (College of Physicians and Surgeons) bien
que non-médecin. Smith était «un homme modeste, silencieux,
timide mais plein de gentillesse, qui possédait un talent exceptionnel pour hypophysectomiser les têtards et les rats», écrit
Medvei. Mais sa méthode d'extraction de la glande pituitaire,
pour extraordinairement habile qu'elle soit, juge Selye (bien
formé en chirurgie expérimentale), prend beaucoup trop de
temps, sans compter qu'elle n'est pas sans risquer de fausser les

observations biologiques ultérieures dont les rats doivent faire l'objet. Aussi a-t-il, pendant les années 1932 et 1933, mis au point une technique très simple — aujourd'hui toujours utilisée — répondant parfaitement aux exigences des recherches alors en cours au département.

Frank Campbell MacIntosh, physiologiste distingué, a connu Selye à cette époque:

> Il était, comme chirurgien, d'une habileté extraordinaire pour travailler sur les petits animaux. Il avait développé une méthode rapide pour faire les hypophysectomies, et je crois qu'il a été le premier à procéder ainsi. C'était comme une usine; en très peu de temps, il pouvait vous sortir une douzaine ou une vingtaine de rats hypophysectomisés. C'est ce qui a permis à son patron, J. B. Collip, de faire des progrès considérables dans la connaissance du rôle de la glande pituitaire. Je ne connais pas vraiment les recherches personnelles de Selye à cette époque, mais chose certaine, tout le monde était d'accord pour dire que si ce n'avait été de ses rats hypophysectomisés, toute la recherche aurait été grandement ralentie.

> Il comptait parmi les cinq ou six, je dirais, de toute l'Amérique, qui savaient faire des hypophysectomies chez les rats. À voir M. Selye opérer, sa technique était même plutôt un art. (Kenneth Savard.)

Roger Guillemin précise:

> Il utilisait cette technique de P. E. Smith d'une façon merveilleuse. Selye était un organisateur né, il savait tout organiser, y compris la petite chirurgie. Il avait dessiné des forceps spéciaux qu'il avait fait fabriquer par une maison d'instruments chirurgicaux. Il fallait deux personnes pour faire les hypophysectomies: une technicienne, qui à un certain moment tenait les deux forceps, et Selye, qui ajustait la vrille au centre, avec un petit système de succion qu'il avait mis au point. C'est là où j'ai appris à faire des hypophysectomies. Collip disait que, sur les petits

animaux de laboratoire, Selye était le chirurgien le plus extraordinaire qu'il ait jamais vu*.

D'autres chercheurs, comme Pugsley et Anderson, étudient les relations entre hypophyse et thyroïde, le rôle de la parathyroïde dans la teneur en calcium de la salive parotidienne du chien ou le métabolisme calcique chez le rat.

Sur quoi portent les recherches personnelles de Selye? À part quelques travaux sur les surrénales et les parathryroïdes, il se cantonne de plus en plus dans le domaine des hormones sexuelles. On connaît à ce jour la folliculine, encore appelée œstrone (1923-1924), et la progestérone (1929); on vient d'isoler (1931) la première hormone mâle, l'androstérone. Mais d'autres restent à découvrir. Dans le grand public, on se souvient encore, même si cela remonte à 1889, de Brown-Séquard qui, s'injectant à soixante-douze ans des extraits de testicules de chien et de cobaye, se vantait de connaître une revigoration musculaire, intellectuelle et générale — bref, une seconde jeunesse. L'organothérapie, c'est l'avenir! Aussi les travaux de l'équipe sont-ils surveillés de près par les journalistes, qui ne manquent pas de gonfler le moindre petit espoir en un extraordinaire progrès. De temps à autre se lisent des titres comme: «Un scientifique de McGill trouve un produit rajeunissant — La «molécule maîtresse» du Dr J. Bertram Collip contrôle tous les événements importants de la vie — Tests sur les rats décisifs», ou «Découverte de Collip: le chercheur montréalais trouve de nouvelles substances dans le sang — Un champ nouveau est ouvert en médecine, disent les médecins», ou

---

* «Il existe maintenant, ajoute Guillemin, une technique encore plus rapide et plus astucieuse: par le canal auriculaire.» En clinique humaine, d'autre part, il faut, parlant d'hypophysectomie, retenir le nom de Harvey Williams Cushing, un des grands pionniers de l'endocrinologie. Cushing a contribué à faire accepter l'idée que le fonctionnement de nos organes est contrôlé par des messagers chimiques, les hormones, et que si les sécrétions endocrines sont multiples, c'est l'hypophyse seule qui mène le bal — alors même qu'elle n'est pas, stricto sensu, essentielle à la vie. Mais, presque plus que ses observations anatomo-cliniques, c'est sa merveilleuse habileté de chirurgien qui a rendu Cushing illustre. Grâce à sa «main prestigieuse», il a, au début de ce siècle, mis au point l'ablation chirurgicale de la glande hypophyse, jusqu'alors très incertaine, et sauvé bien des malades atteints de tumeur. (Bariéty et Coury.)

encore «La découverte de Collip saluée à McGill comme un événement qui fera date — Une femme et trois hommes ont assisté le biochimiste dans son travail», etc. (l'article mentionne les noms d'Anderson, Thomson, Selye et Kutz[11]).

Collip rêvait, de fait, d'isoler «une autre hormone merveilleuse», et s'y employait de toute son énergie. Mais il est difficile de découvrir deux fois l'insuline. Il ne devait faire, au cours de son séjour à McGill, que quelques petites trouvailles — mettant au point plusieurs médicaments non dénués d'intérêt. Quoi qu'il en soit, sa carrière scientifique restera remarquable; elle servira d'exemple et d'inspiration à de nombreux chercheurs. En 1937, il sera nommé sénateur de l'Université. (Les deux corps directeurs de McGill sont représentés par le Conseil des gouverneurs, chargé de la conduite des affaires de l'Université, universitaires ou non, et par le Sénat, responsable de tout le domaine universitaire relevant du Conseil — dont cinq des membres sont élus par ce dernier, et qui est présidé par le principal.) Quatre ans plus tard, l'Université McGill créant le Research Institute of Endocrinology, Collip en sera nommé directeur. Il le restera jusqu'en juin 1947, date à laquelle il quittera McGill pour occuper le poste de doyen de la Faculté de médecine de la University of Western Ontario. Un doctorat honoris causa de l'Université de Montréal ès sciences médicales lui sera remis le 29 mai 1959. Il prendra sa retraite et mourra à London, Ontario, le samedi 19 juin 1965, à l'âge de soixante-douze ans, d'une attaque d'apoplexie qui survint au retour d'un voyage harassant à Vancouver où il avait assisté à une réunion. (Collip aimait énormément la conduite automobile; la distance entre Vancouver et London représente approximativement cinq mille kilomètres.)

À partir de septembre 1933, Selye fera officiellement partie du corps enseignant du Département de biochimie et chimie pathologique. Mais lorsqu'il rentre à Montréal, ce 30 mai, les cours sont terminés. Je n'ai aucune trace de ses activités entre mai et septembre, moment de la rentrée universitaire mais, connaissant son ardeur au travail, on peut penser qu'il aura voulu sans tarder retourner à sa paillasse. Pourraient peut-être en faire foi deux articles parus, l'un le 28 juillet, le second en octobre, voire trois autres, publiés en novembre 1933. D'ailleurs, la recherche, contrairement à l'enseignement, ne prend pas ou presque pas de vacances. Il a donc repris contact avec l'équipe de McGill à peu près telle qu'il l'avait connue entre mars 1932 et février 1933. Le professeur et directeur du département, J. B. Collip, et les collègues: Thomson qui vient d'être promu professeur agrégé, et les autres, soit E. H. Mason et Israël Mordecai Rabinowitch, toujours chargés d'enseignement en chimie pathologique, ce dernier enseignant également au Département de médecine où il finira par faire une carrière remarquée; Russel Lawrence Kutz, qui vient d'obtenir un doctorat avec un travail sur la physiologie du cortex surrénal, et L. I. Pugsley, toujours chercheurs boursiers, E. H. Bensley qui, à la rentrée, sera assistant démonstrateur. John Simon Lyon Browne, antérieurement boursier stagiaire, quittera à la rentrée le Département de biochimie pour celui de médecine, où il sera chargé d'enseignement. En septembre toujours, une nouvelle venue, Evelyn M. Anderson, stagiaire en recherche puis chargée d'enseignement en biochimie (elle a fait sa médecine en Californie et prépare un Ph.D. en attendant de retourner à l'Université de Californie occuper le poste qui l'attend), et un nouveau membre, Peter T. Black, se joindront à l'équipe comme chercheurs boursiers pour la quitter au bout de deux ans. Quant à C. W. Chapman, que Selye avait connu comme préparateur, il a quitté le département l'année finie.

De tous ses collègues, le seul avec qui Selye entretiendra sa vie durant des rapports amicaux est John S. L. Browne. Entré comme démonstrateur au Département de médecine, il y gravira successivement tous les échelons du professorat, puis dirigera à la fois le département et la clinique universitaire de l'hôpital Royal Victoria, et sera enfin élu au Sénat de l'université. Lorsqu'en 1974 l'Université de Montréal lui décernera un doctorat honorifique, c'est «en vertu d'une étroite amitié et d'une collaboration scientifique de plus de 40 ans» que le Dr Selye sera prié de le parrainer. Selye rappellera qu'à une époque, 1945, où l'on ne parlait pas beaucoup de bilinguisme, tous deux ont organisé et assuré des cours d'endocrinologie avancée donnés en anglais à McGill et en français à l'Université de Montréal pour les mêmes étudiants. Et cela marchait très bien. Toutefois, son plus grand mérite aura été *de mettre au service de la clinique l'endocrinologie théorique ou de laboratoire.* Une quasi-cécité le contraindra à abandonner toutes ses activités, mettant fin à sa carrière[12]. Il ne survivra que d'un an ou deux à son collègue de toujours.

Arrive le mercredi 20 septembre, et commencent ce jour les cours de médecine et d'art dentaire. Les études de médecine sont étalées sur cinq ans. Les deux premières années sont dites d'enseignement préclinique: anatomie, histologie, embryologie, biochimie, physiologie et pharmacologie. Viennent ensuite les trois années de clinique, consacrées à la bactériologie, la pathologie, la santé publique et la médecine préventive, la médecine (pédiatrie, neurologie, psychiatrie, dermatologie et diagnostic de laboratoire), la chirurgie (urologie et orthopédie), enfin l'obstétrique et la gynécologie. Parmi ces cours, certains sont obligatoires («required»), d'autres facultatifs («elective»). La biochimie est obligatoire; le cours se donne les lundis, mercredis et vendredis à neuf heures du matin, pendant les deux semestres d'automne et d'hiver. Chaque cours est suivi d'un laboratoire (huit heures par semaine). S'y ajouteront, à partir de l'année suivante (1934-1935), trois heures de cours et six heures de laboratoire en chimie physiologique générale. Le cours d'endocrinologie et de métabolisme, par contre, est optionnel; il se donne les lundis et les vendredis, à quatorze heures, à raison de deux heures par semaine tout au long de l'année. En 1936, des normes nouvelles régiront la formation médicale. Les études proprement dites dureront quatre ans et se concluront par le doctorat en médecine. La biochimie sera inscrite au programme de seconde année. Une cinquième année sera consacrée à l'internat ou à des études supplémentaires.

Les cours pour les étudiants d'Arts et science (troisième et quatrième année) commenceront plus tard, le 2 octobre. Tous les membres du département participent à l'enseignement pour ces deux catégories d'étudiants, alors que les futurs dentistes, eux, ont Collip et Thomson pour seuls professeurs. Quant aux candidats à la maîtrise en sciences, ils reçoivent deux fois par semaine des cours de Collip, de Thomson, de Selye ou de Charles S. McEuen, chercheur honoraire au département. On comprend que les salles soient surchargées. Le problème s'aggravant, on finira par dédoubler les classes et les laboratoires.

Cette année-là, la première session prendra fin le 20 décembre (1933), et les cours reprendront le 4 janvier pour se terminer le 2 mai. Le 4 commenceront les examens de médecine.

En 1934, les travaux du professeur soviétique A. L. Andreïev sur la surdité, menés à partir de la théorie pavlovienne des réflexes conditionnés, sont repris par Collip, Babkin et Dworkin. Le professeur Boris B. Babkin fait, depuis 1928, de la recherche au Département de physiologie. Un de ses collègues, le Dr Frank Campbell MacIntosh, donne ce témoignage, intéressant à plus d'un égard:

Vous n'avez peut-être jamais entendu parler de Babkin, il a pourtant été pendant longtemps le premier assistant de Pavlov [dont il écrira la biographie: *Pavlov,* Chicago University Press, 1947], à Saint-Petersbourg. Il était devenu professeur à Odessa, et bien qu'il fût socialiste, il n'était pas d'accord avec le gouvernement communiste. Il lui a fallu s'enfuir pour sauver sa peau. Il est d'abord allé à Londres, puis à Halifax et enfin il s'est retrouvé à Montréal, à McGill. C'est pour cela que moi-même je suis venu à McGill, parce que je voulais travailler avec Babkin. Babkin m'a dit: «Alors, vous avez fait de la biochimie?» — et de fait, j'avais été démonstrateur au Département de biochimie de l'Université Dalhousie [Halifax, Nouvelle-Écosse], un département avec un seul homme, dont moi j'étais le second. Il me dit: «Il faudrait que vous suiviez des cours en biochimie, parce que beaucoup sont donnés par D. L. Thomson, qui est notre meilleur conférencier et un brillant initiateur à la biochimie moderne.» C'est comme ça que j'ai assisté à, je pense, une trentaine de leçons de Thomson. Fantastique comme cours. C'était de loin le meilleur professeur que j'aie jamais eu.

Et un jour, David Thomson dit: «Nous arrivons à une autre partie du cours, l'endocrinologie, mais ce n'est pas moi qui vous la donnerai. Ce sera mon collègue, le Dr Selye.» Et il nous parla un peu de Selye. Tous dans la classe, nous avons alors poussé, pas des huées, mais des soupirs de désappointement: il nous fallait renoncer à écouter Thomson. Et voilà que le lendemain on voit apparaître ce petit homme au visage rond, plein d'allant, qui allait et venait bien plus rapidement que Thomson, avec des gestes vifs — et nous n'avons pas été longs à comprendre qu'il était aussi bon professeur que Thomson, ce qui semblait incroyable. Et je pense qu'il a su rendre la biochimie très intéressante à nos yeux. Mais je ne le connaissais pas personnellement à ce moment-là, je n'étais qu'un de ses nombreux élèves — dont la plupart d'ailleurs étaient étudiants en médecine.

Quant à Simon Dworkin, entré démonstrateur au Département de physiologie en 1927, homme très activement engagé dans la vie scientifique, il y finira professeur associé en 1964 — juste récompense de son dévouement.

À la rentrée de l'année 1934-1935, quelques petits changements surviennent à l'intérieur du département: J. S. L. Browne rejoint E. H. Mason et I. M. Rabinowitch comme chargé d'enseignement en chimie pathologique, Selye est nommé professeur adjoint et, pour la première fois, se voit affecter son *premier étudiant gradué [candidat à la maîtrise], Tom McKeown*, qui enseignera plus tard la médecine sociale à l'Université de Birmingham (Angleterre ou État de New York? Selye ne le précise pas) et qu'en attendant, il réussit à intéresser à ses recherches sur les corrélations neuroendocriniennes observées au cours de la gestation. Quelques publications témoignent de cette collaboration, dont nous retiendrons, suivant ce que nous indique Selye lui-même, celle qui porte sur la physiologie du placenta chez le rat femelle. Car il travaille toujours dans le cadre de la problématique définie par son chef de département.

À cette époque, on connaissait deux hormones sexuelles féminines [folliculine, ou œstrone, et progestérone]. Je me crus sur le point d'en découvrir une troisième. Collip aussi croit en l'existence de cette troisième hormone, et il s'efforce de l'identifier. Selye reçoit de lui sa *première mission académique au Canada*: se rendre aux abattoirs de la ville et en rapporter au plus vite un plein panier d'ovaires pris à des vaches qui viennent d'être tuées. De cette mission, il s'acquitte *avec une singulière distinction*, rapportant à Collip un panier rempli à ras bords d'ovaires encore tout chauds. Après en avoir extrait diverses préparations, le patron demande au benjamin de l'équipe de les injecter à des rates ovariectomisées* puis, au bout de quelque temps, de les sacrifier et de noter tous les changements observés qui ne sauraient être imputés à l'action des hormones ovariennes déjà connues.

Selye s'attend à trouver des modifications des organes sexuels. Rien. Il procède alors à un examen minutieux de tout l'organisme, et il constate que les surrénales sont gonflées, que par contre les vaisseaux et les ganglions lymphatiques se sont ratatinés, et que l'estomac et la partie supérieure de l'intestin présentent des ulcérations. Intrigué, il répète l'expérience. Mêmes résultats. Aucune des hormones connues ne provoquait de tels effets. Pourrait-on attribuer ces résultats à *la présence dans l'ovaire de quelque(s) principe(s) supplémentaire(s) de nature hormonale, non identifié(s) jusqu'alors* — une nouvelle hormone ovarienne? Quelle joie! À vingt-huit ans! Il repense à ses premiers travaux menés avec Collip et Thomson, en 1933, sur les effets sexuels possibles de nombreux extraits glandulaires administrés à des rates ovariectomisées et hypophysectomisées. Ils avaient conclu que l'hormone de croissance ou somatotrophine et l'adrénocorticotrophine, toutes deux sécrétées par le lobe antérieur et aujourd'hui identifiées comme «les hormones de l'adaptation», *devaient être des entités chimiquement distinctes*. Rien, sur le plan théorique, ne s'oppose à ce qu'il en soit de même pour l'ovaire, c'est-à-dire à ce que, en plus de la folliculine et de la progestérone, cet organe *produise d'autres hormones ayant des actions qualitativement différentes*.

Selye se remet à l'ouvrage, mais cette fois avec des extraits placentaires. La triade se représente, toujours identique. Si c'est une nouvelle hormone, elle n'est en tout cas pas l'apanage des ovaires. Mais l'hypothèse d'une nouvelle hormone sexuelle féminine n'est pas pour autant exclue. Il recommence. Avec des extraits d'hypophyse, avec des extraits de rein, de rate, de n'importe quel organe. Les résultats sont les mêmes. Si hormone il y a, ce doit être *une sorte d'«hormone tissulaire», produite*

---

* Cette précision, «ovariectomisées», est importante; or elle n'est donnée que dans *Le stress de ma vie*, p. 39.

indistinctement par presque toutes les cellules, qui donc serait responsable des modifications suivantes:

1. L'hypertrophie de ces deux petites glandes longtemps appelées «capsules surrénales» parce qu'on les croyait remplies d'atrabile. Leur fonction était encore inconnue du temps de Claude Bernard. Chacune est constituée d'une partie interne, la médullosurrénale, et d'une écorce, la corticosurrénale. Les extraits *semblaient stimuler le cortex sans modifier le noyau médullaire.*

2. L'atrophie de l'ensemble du système lymphatique: vaisseaux (diminution des globules blancs de la lymphe), ganglions, rate, thymus. Un examen du sang montre que les leucocytes et les éosinophiles, eux aussi, ont fortement diminué.

3. L'existence d'ulcères profonds, saignants, au niveau de l'estomac et du duodénum.

Ces trois types de lésions sont interdépendants, on ne peut obtenir l'un sans voir les deux autres apparaître. On est donc en présence d'*un syndrome bien défini*, d'une triade plus précisément.

Vous imaginez volontiers mon bonheur! À l'âge de vingt-huit ans, j'étais déjà sur la piste d'une nouvelle hormone [...].

Les 3, 4 et 5 juin 1935 se tient à Montréal le LXIe congrès de l'American Neurological Association. Le département a été invité à organiser, le matin de la première journée (lundi), un symposium sur «The Anterior Pituitary Gland and its Neuro-endocrine Relationships» (Le lobe antérieur de la glande pituitaire et ses relations neuroendocriniennes). Collip ouvre la séance en rappelant les principaux effets de l'ablation du lobe antérieur: arrêt de la croissance, sauf chez le très jeune animal; atrophie de la thyroïde, avec chute du métabolisme; atrophie des gonades, et donc retentissement secondaire sur les organes accessoires de la reproduction; atrophie de la corticosurrénale; arrêt de la lactation; incapacité marquée à produire des corps cétoniques dans le cas d'un diabète pancréatique; susceptibilité accrue à l'insuline, et une certaine baisse de l'hyperglycémie et de la glycosurie dans les diabètes pancréatoprives. En fractionnant des extraits bruts d'hypophyse, on a pu mettre en évidence des hormones distinctes qui, chacune, pallient les effets de l'ablation de la glande. Mais leur administration prolongée finit par rendre l'animal réfractaire à leurs effets, ce que Collip explique par l'accumulation de substances spécifiques, dont la nature et l'origine sont encore inconnues, et qui bloquent l'action des hormones pituitaires. Il les appelle des anti-hormones. Elles ne sont toutefois en rien comparables à ce qu'en immunologie on appelle les anticorps.

E. Anderson, D. L. Thomson, J. S. L. Browne, ainsi qu'Hector Mortimer (qui vient d'entrer au département comme assistant de recherche en biochimie et se spécialisera bientôt en endocrinologie), Eleanor M. Hill Venning, qui n'est pas membre du département mais qui enseignera dans quelques années la médecine expérimentale à McGill après avoir commencé une très belle carrière comme biochimiste et endocrinologue avec ses travaux (1937) sur le prégnandiol, une hormone présente dans l'urine des femmes enceintes — travaux qui feront d'elle «vraiment la mère des stéroïdes» (Otto Kuchel) —, y vont tous de leur exposé. Et Selye aussi, qui explique que l'hypophyse ne fait pas qu'influencer le fonctionnement d'autres organes, et plus particulièrement des glandes endocrines; elle-même reçoit de la périphérie des stimulations soit hormonales, soit nerveuses. Si les voies hormonales commencent à être connues, les voies nerveuses restent, elles, obscures, et le rôle des centres nerveux supérieurs n'a pas encore reçu d'explication satisfaisante.

En août a lieu en URSS le XVe congrès international de physiologie. Les journaux parlent tantôt de Moscou, tantôt de Leningrad. On ne sait s'il y a confusion, ou s'il faut comprendre que le congrès se passe à la fois à Moscou et à Leningrad. Peut-être se déroule-t-il officiellement à Moscou, la section «Advances in Modern Biology», dans laquelle sont inscrits Collip et Selye, siégeant à Leningrad. Dans le but de préparer ses membres à ce séjour dans un pays étranger, la Montreal Physiological Society, dont Selye et ses collègues suivent assez fidèlement les activités, avait projeté lors de sa réunion du 18 février des films sur les conditions de vie en URSS. (À cette même séance, le Département de biochimie a montré des diapositives illustrant le rôle des différentes hormones dans l'organisme.)

Collip n'est pas allé au congrès, il est resté à Montréal[13]. C'est Selye, délégué officiel de McGill, qui parlera à Leningrad des travaux effectués au Département de biochimie. Il est accompagné de J. S. L. Browne, du Département de médecine[14]. La communication qu'il fera en son nom propre s'intitule «Endocrine Interrelations During Pregnancy and Lactation» (Interrelations endocriniennes au cours de la grossesse et de la lactation). Quant à Collip, il a donné pour titre à son papier: «Studies on Anterior Pituitary Physiology, Hormone-Antihormone Mechanisms, Oestrogenic Substances, Placental Hormones, and Endocrine Interrelationships» (Étude sur la physiologie du lobe antérieur de l'hypophyse, les mécanismes hormone-antihormone, les substances œstrogènes, les hormones placentaires, et les interrelations endocriniennes) — sujet qu'il avait déjà amorcé en 1934 avec son article «Anti-gonadotropic Substances» (Substances antigonadotropes) et, plus récemment, lors du symposium au congrès de l'American Neurological Association. Un quotidien montréalais le rapporte en mettant en évidence ce que Collip appelle donc l'antagonisme hormonal: chacune des hormones qui contrôlent la croissance du corps voit son action contrebalancée par celle d'une hormone dont l'action est contraire[15].

Ce congrès fut l'occasion pour le gouvernement de l'URSS de rendre les plus grands honneurs au physiologiste et médecin Ivan Petrovitch Pavlov[16], et pour Selye de rencontrer ce savant qu'il admire. («Selye m'a dit textuellement, raconte le Dr Guillemin: «Les Soviétiques avaient sorti Pavlov avec toutes ses «médailles.») Pavlov, en 1904, avait reçu le prix Nobel pour ses travaux sur les réflexes conditionnés — travaux qui devaient avoir un retentissement considérable sur le développement ultérieur de la physiologie et de la psychologie du comportement. Le Dr André Robert, ancien élève de Selye, qui poursuit des recherches sur la cytoprotection dans les laboratoires de la compagnie Upjohn, à Kalamazoo, Michigan (et qui mourra le 20 mai 1991), raconte:

Je me souviens que lorsque Selye prenait une paire de ciseaux de dissection, il les tenait par le pouce et l'annulaire, jamais par le majeur. Je lui ai demandé pourquoi. «Lorsque je fais cela, m'a-t-il expliqué, je peux, avec les trois doigts qui restent — dont l'index et le majeur, qui sont des doigts très fonctionnels —, saisir d'autres objets, soit un autre instrument, soit

Le Dr Selye en train de disséquer.

Coll. Gabrielle Selye.

un animal, soit un... un crayon, n'est-ce pas, très facilement, tout en retenant les ciseaux dans ma main.» J'ai dit: «C'est très intéressant, ça, c'est une bonne technique, je vais l'utiliser! — Ah, je l'espère bien parce que moi-même, je l'ai apprise de Pavlov. J'ai rendu visite à Pavlov (je ne sais pas s'il m'a dit en 1934 ou 1935, ni pourquoi il est allé le voir ni dans quelles circonstances) et c'est comme ça qu'il tenait une paire de ciseaux.»

Depuis, je l'ai enseigné à plusieurs autres personnes; et j'ai toujours soin de leur dire: ce que vous faites maintenant, ça vient de Pavlov, puis Selye, puis Robert...

Selye et Browne ne sont pas les seuls médecins canadiens à s'être déplacés. Dans leur biographie consacrée au Dr Bethune, Sydney Gordon et Ted Allan précisent que F. Banting (découvreur de l'insuline) et le Dr Norman Bethune se trouvent également à Leningrad. Je n'ai relevé nulle part trace de la présence — si présence il y a eu — de Banting en URSS. Selye, disent-ils, «se rendait à Leningrad pour rencontrer Pavlov». Quant à Bethune, il «voulait surtout voir sur place le fonctionnement d'un système de médecine «socialisée», et s'il obtint de Pavlov de le rencontrer en privé («Il m'a rappelé Georges Bernard Shaw, physiquement», écrira-t-il à un ami de Montréal), c'est à ses intérêts médico-sociaux qu'il consacra le plus clair de son temps: «Je suis allé avant tout pour voir les Russes.» Chaque Montréalais fera un compte rendu de sa visite en URSS devant la Société médico-chirurgicale, le 20 décembre 1935.

«Le docteur Selye parla le premier, ne traitant que de questions scientifiques qui avaient été soulevées au Congrès de Leningrad. Le docteur Browne le suivit et, sur un ton badin, parla non seulement de ce qui s'était dit au congrès, mais aussi de la tuyauterie défectueuse, des guides de l'Intourist qui tentaient de parler anglais sans le savoir, de la paperasserie et de la difficulté de prendre un billet de chemin de fer. Il raconta sa mésaventure de façon fort amusante et reprit son siège aux applaudissements de la foule. Bethune savait depuis longtemps que Selye ne parlerait que des travaux du congrès et Browne que de ses démêlés avec les bouchons de baignoires et le papier de toilette russe[17]».

Bethune, quant à lui, n'est pas «allé en Russie pour assister à un congrès de physiologie» mais «pour des raisons beaucoup plus importantes», à savoir «premièrement pour voir les Russes, et deuxièmement pour voir comment ils s'y prenaient pour faire disparaître celle qui, de toutes les maladies contagieuses, était la plus facile à supprimer: la tuberculose». Ce sont ses propres termes[18].

Selon les minutes de la Société médico-chirurgicale de Montréal, quatre des médecins canadiens qui avaient suivi ce congrès: J. S. L. Browne, David Slight, H. Selye et N. Bethune, prirent la parole, ce soir de décembre 1935 — les deux derniers, sur invitation car non membres. Cette séance, la sixième pour la session 1935-1936, avait pour l'occasion pris la forme d'un symposium sur le statut des sciences médicales en Russie (*sic*), ce qui attira un auditoire relativement nombreux (cent vingt-huit personnes). H. Selye traita de «The Position of the Medical Sciences in the USSR» (La position des sciences médicales en URSS). D'excellentes perspectives sont offertes aux médecins, dit-il. Ils disposent de services hospitaliers modernes et de laboratoires bien équipés pour la recherche. Cependant, étant donné qu'ils sont employés de l'État, ils peuvent à tout instant être affectés à un nouveau poste, aussi la recherche a-t-elle plutôt tendance à prendre une dimension pratique, grâce à quoi ils obtiennent un meilleur traitement et une plus grande reconnaissance. Il est malheureux de constater qu'immédiatement après la Révolution, le manque d'organisation a fait que les étudiants en médecine ont été mal formés; cela se ressent encore dans les laboratoires: il manque aux diplômés d'aujourd'hui, même s'ils sont bien formés, ce qu'on appelle la tradition. Autre aspect important, le public est tenu au courant des progrès de la science, et dans une langue accessible à tous. Enfin, tous les efforts possibles sont faits pour améliorer la recherche scientifique et le statut des médecins.

J. S. L. Browne discourut sur les «Events of the Congress» (Événements du congrès) — s'appesantissant sur les banquets. D. Slight, professeur de clinique psychiatrique à McGill (il quittera son poste l'année suivante pour une position plus avantageuse à l'Université de Chicago[19]), qui s'intéressait à la «Social and Psychological Medicine» (La médecine sociale et psychologique), se déclara heureux des résultats obtenus en médecine du travail, mais déplora les ravages de l'alcoolisme — tout en notant l'absence de l'usage de drogues. Dans tout le pays, dit-il pour finir, il est un nom que tous vénèrent: celui de Pavlov. Quant à Bethune, il prit par exprès la parole le dernier, commentant avec mordant (non par méchanceté mais au nom de la vérité, précisa-t-il) les remarques de ses «camarades léningradués» («fellow Leningraduates»). Sa causerie, intitulée «Reflections on a Return from "Through the Looking Glass"» (Réflexions sur un retour ou la traversée du miroir), fut, nous dit Libbie Park. très remarquée. Il termina par ces mots: «La création n'est pas et n'a jamais été un geste de bon ton. C'est quelque chose de rude, de violent, de révolutionnaire.» Quelques jours plus tard, Bethune s'inscrivait au Parti communiste. Le sort en était jeté[20].

Bethune est peu connu en Europe. En Chine, il est un héros national, et sur son monument viennent, nombreux, se recueillir jeunes et vieux. Né à Gravenhurst, Ontario, d'une famille protestante du nord de la France qui émigra en Écosse vers le milieu du XVIᵉ siècle, puis au Canada deux cents ans plus tard, fils d'un prédicateur, petit-fils d'un chirurgien célèbre de Toronto dont, à huit ans, il décida d'adopter le prénom, Norman (il était prénommé Henry Norman), Bethune obtient au printemps de 1933 le poste de chirurgien thoracique à l'hôpital du Sacré-Cœur (Montréal). Il déclare la guerre à la tuberculose; il sait que les connaissances scientifiques ne suffisent pas pour lutter contre ce terrible fléau. «Il [faut] trouver une solution à la morbidité générale provoquée par sept années de crise et de dépression, par l'avarice et la bêtise.» La solution est simple: socialiser la médecine. C'est ce à quoi il s'emploie de toutes ses forces.

En 1936, il s'attaque à une autre «lèpre»: la «lèpre fasciste». Il part en Espagne se battre avec les républicains. «L'Espagne est une cicatrice sur mon cœur. Une cicatrice qui ne guérira jamais.» Il est, dit Song K'ing-Ling (Mᵐᵉ Sun-Yat-Sen) dans la préface de l'ouvrage de Gordon et Allan, «le premier médecin à effectuer des transfusions de sang sur les champs de bataille» (il serait plus juste d'ajouter: en Chine à tout le moins). En 1938, il part en Chine rejoindre Mao-Tsé-Toung et ses compagnons de la Longue Marche. C'est en Chine, dit encore Song K'ing-Ling, qu'«il a imaginé et pratiqué le mot d'ordre: «N'attendez pas les blessés! Allez les «secourir au front!» Avec l'aide de Mao, il met sur pied le premier hôpital de campagne de la Chine. Souvent obligé, dans son unité mobile, d'opérer sans gants de caoutchouc et sans antiseptiques, il mourra de septicémie le 13 novembre 1939, à quarante-neuf ans. Ne trouvant pas de drapeau canadien, les Chinois l'envelopperont dans celui des États-Unis. Pionnier d'une médecine généreuse, Bethune a fondé les Hôpitaux internationaux de la Paix. Devant l'un d'eux, à Chi-Cha-Touang, s'élève sa statue. Le Parc des tombes des martyrs, dans la région militaire de la Chine du Nord, abrite la tombe et une autre statue de ce grand médecin[21].

Un film lui a récemment rendu hommage: «Bethune — The Making of a Hero», une coproduction sino-canadienne, de Phillip Borsos d'après un scénario de Ted Allan, ami de Bethune, qui sur l'insistance de Bertold Brecht réfugié à New York pendant la guerre a entrepris en 1941 cette biographie d'un homme qu'il détestait et admirait tout à la fois.

Selye ne parlera jamais de Bethune non plus que de sa rencontre avec Pavlov à sa première femme. Il fera la connaissance de l'Américaine Frances Love l'année suivante, au cours du festival de Salzbourg. La jeune fille, étudiante en musique de Vassar College (alors très huppé — la famille de Frances appartient à la *«haute société» des industries houillères de Pittsburgh*), visitait l'Autriche en compagnie de sa mère. Selye l'emmènera faire la connaissance de ses parents, à Komarno, et la présentera comme venant de Pennsylvanie. Mme Selye avait vu une voiture automobile immatriculée dans cet État porter sur sa plaque l'abréviation «Penna». À la vue de la jeune fille, elle s'exclama: *«Oh, Penna».* Le surnom lui restera. Ils se fréquenteront pendant *très peu de temps, dans [s]on Autriche natale* et se marieront aux États-Unis le 5 décembre 1936 dans des conditions que, rétrospectivement, il jugera *chargées d'émotion, très romantiques.* J. S. L. Browne sera son garçon d'honneur. Leur union durera treize ans[22].

J'ai rencontré Hans à l'été de 1936, à Salzbourg. J'y étais allée pour étudier la musique, et lui s'y trouvait avec ses parents pour assister au festival. Nous nous sommes fiancés à la fin de l'été et c'est à titre de fiancée que je me suis rendue avec lui et ses parents à Komarno [connue sous le nom de Komarom avant 1918].
À propos de Pavlov, j'aimerais commencer par quelques considérations générales. L'expérience que j'ai des hautes sphères de la recherche [en médecine] m'autorise à dire que les scientifiques chevronnés adorent que des jeunes néophytes viennent les trouver et, tels les membres d'une famille royale, ils les accueillent avec grâce. Mais cela n'a rien à voir avec la façon dont ils traitent, au sein de leur propre département, les jeunes hommes et femmes qu'ils connaissent

bien (et à qui ils font la vie dure). Ceci dit, Hans ne m'a jamais parlé de Pavlov, pas même pour me le décrire physiquement. À mon avis, il s'est métaphoriquement agenouillé aux pieds du savant, lui a posé des questions à propos d'une ou deux techniques, puis le savant a fait un signe de la tête et on l'a renvoyé. Vous savez, la Russie, c'était alors nouveau, et tout le monde voulait en entendre parler; tout le monde connaissait Pavlov aussi. Hans excellait à tirer un discours du moindre événement, et c'en était sûrement un. Il ne manquait jamais non plus une occasion de serrer la main d'un grand homme. Entre parenthèses, j'ai bien envie d'ajouter que les réflexions d'un jeune de vingt-huit ans à propos d'un sujet aussi vaste que «La position des sciences médicales en Russie» ont dû être assez superficielles.

Hans ne m'a non plus jamais parlé de Bethune. Pourtant, je savais beaucoup de choses sur lui grâce à Frank et Marian Scott, qui étaient de très bons amis à moi. D'ailleurs, les Scott m'avaient donné deux pages d'un ancien manuscrit de plainchant que Bethune leur avait envoyé d'Espagne et dans lequel il expliquait laconiquement qu'il traitait des malades dans un monastère et qu'il en était réduit à utiliser des parchemins comme bandages. J'avais fait encadrer le manuscrit et l'avais accroché au mur chez nous, mais Bethune n'est pas devenu pour autant un sujet de conversation... Je n'avais même pas réalisé qu'ils avaient été ensemble en Russie — il faut dire que Bethune a été très en vue à partir du moment où il s'est engagé dans la guerre civile espagnole [1936], et peut-être que Hans avait peur de se voir voler la vedette (car il n'aimait pas partager les feux de la rampe, c'est sûr). (Frances Love.)

Francis Reginald Scott a laissé le souvenir d'un homme extrêmement compétent, cultivé et engagé. Il enseigne à l'époque le droit civil à McGill et vient d'être nommé secrétaire de la Faculté de droit. Il en sera doyen de 1961 à 1963. Homme de lettres (il a publié de nombreux essais et poèmes), il est aussi homme d'action, entre autres «membre fondateur du mouvement socialiste au Canada» et l'on considère qu'«il influence profondément l'évolution culturelle et politique du Canada moderne». Sa femme, Marian Mildred Dale, est peintre, et ses toiles ne tarderont pas à apparaître aux murs des grands musées du Québec et d'Ontario. Elle connaît très bien Norman Bethune (Beth pour ses amis) qui, lui aussi, fait de la peinture, «audacieuse et inspirée, comme sa sculpture d'ailleurs. La critique montréalaise fut unanime à louer la qualité de son exposition de l'automne 1935». À la même époque, il fonde une école d'art et de créativité pour les enfants des taudis, le Children Art Center, et demande à Marian d'en assumer la direction, conjointement avec le peintre Fritz Brandtner, qui a fui le régime nazi et dont on juge qu'il a introduit l'expressionnisme allemand au Canada; les fresques murales qu'il a peintes se trouvent à Saskatoon et à Boston[23]. L'école fonctionnera jusqu'en 1938. L'année suivante, Bethune discutera longuement avec son amie Marian des plans d'une ville idéale où les rues, les logements, les parcs, les édifices publics répondent avant tout aux besoins des citoyens et assurent à tous une très grande qualité de vie.

À sa seconde femme, Gabrielle, Selye ne parlera pas non plus de Bethune, et tout ce qu'il lui dira à propos de la Russie, c'est: «Ils sont drôles, là-bas, ils désinfectent localement les rats avant de les piquer, alors que c'est inutile.»

Enfin, n'est-il pas étonnant que cet homme, si avide de gloire et d'honneurs, n'ait jamais mentionné sa visite à Pavlov à ses élèves (du moins à ceux que j'ai interviewés) — à l'exception d'André Robert et de Roger Guillemin? Et qu'il ne s'en soit jamais vanté devant les journalistes ni dans ses écrits — à l'exception de *The Stress of My Life* (p. 214) où le nom de Pavlov est simplement cité parmi six autres biologistes qu'il a soit rencontrés, soit fréquentés?

Pavlov devait mourir le 27 février suivant, à Moscou. Il était alors dans sa quatre-vingt-septième année. S. Dworkin prononcera en hommage au grand homme un éloquent plaidoyer en faveur de ce qu'il appelle la tolérance des Soviétiques, par comparaison avec le régime nazi. Pavlov, dira-t-il, bien que politiquement suspect aux yeux de son pays, a pourtant été constamment soutenu par lui dans ses travaux scientifiques. Et même si le manque d'électricité à Leningrad l'obligeait à travailler à la chandelle, les conditions dans lesquelles il poursuivit ses recherches étaient fort satisfaisantes; il disposait à sa mort de cinquante assistants et de toutes les installations nécessaires[24].

Un homme nommé Hans Selye

Il est temps que le lecteur ou la lectrice ait en tête une image physique plus précise de Selye. J'ai demandé à sa seconde épouse, Gabrielle, de le décrire:

> Il mesurait cinq pieds dix environ... plus grand que moi, disons cinq pieds dix et demi [ce qui ferait un mètre soixante-dix-huit. Gabrielle surévalue la taille de son mari. Ceux et celles qui l'ont connu parlent de cinq pieds sept ou huit, soit à peu près un mètre soixante-dix]. La forme de sa tête était remarquable. Il avait le front très haut et les yeux très clairs, très brillants. Des yeux gris, disons gris bleu. Mais ses yeux, vraiment, c'est ce qu'on remarquait en premier, avec son port de tête, vous savez. Et sa façon de marcher aussi: quand il avançait c'était un peu... pas saccadé mais sautillant. Il marchait en sautillant un peu. Au début de notre mariage [1949], il pesait dans les cent cinquante-cinq à cent soixante livres [soixante-douze kilos]. Ça ne paraissait pas, parce qu'il avait de très petits os pour un homme, des os très légers. Il avait la main très fine. De très belles mains. C'est une chose que j'avais vraiment remarquée dès le début... Parce que pour moi la main d'un homme, c'est très révélateur. Il avait une très belle main, et il le savait. À part cela, il y avait sa manière de s'exprimer et de rire. Il riait très fort — les gens trouvaient cela curieux —, d'un rire très jovial. Sinon, il avait toujours un petit sourire moqueur. Et après, ce que les gens remarquaient, je crois, c'était sa façon de s'exprimer. Il parlait, en français, avec un petit accent — un petit accent qui était agréable tout de même, qui était mélodieux. En anglais aussi, et il parlait très bien l'anglais, aussi bien que le français. Il avait une voix douce, mais basse. Quand il chantait, il avait une très belle voix de basse. Pas une basse profonde, une basse normale, d'homme... Il avait une très belle voix, chantée et parlée. Une voix

enjôleuse (rire), oui. Moi, pour résumer, je dirais que ce sont ses yeux qui vous captaient en premier; c'était ça, la première impression que vous pouviez garder de lui.

Autre portrait, à l'opposé et pourtant convergent, par une bibliothécaire qui l'a connu en 1957:

> Il devait faire cinq pieds sept, mais il avait l'air plus grand parce qu'il avait un corps gracile: de petites épaules, de petites mains d'enfant, un visage d'enfant... Il marchait comme une souris. Lorsqu'on frappait à son bureau, il demandait de sa petite voix d'enfant: «Qu'est-ce que c'est?» — et non pas «Qui est-ce?» Il ne bougeait pas de son fauteuil de cuir; il regardait le visiteur par-dessus ses petites lunettes dont le verre de droite se prolongeait d'un oculaire pour mieux voir les photos des préparations anatomiques. Dans la vie courante, il arborait un sourire suffisant, vaniteux, qui allait bien avec le cynisme marquant de ses paroles. Il a eu la chance de trouver un aréopage suffisamment longtemps pour le maintenir en place. Ce qui prouve, indéniablement, qu'il dégageait par ailleurs un certain magnétisme. Il avait des mains remarquables pour un homme: des mains d'artiste, intelligentes, des mains de chercheur, très belles. (Denyse Doucet.)

Il avait aussi, selon Roger Guillemin, «une façon curieuse, efféminée — vraiment, c'est le mot qui me vient — de tenir la main pendante. Cela m'avait toujours frappé».

Ses goûts alimentaires sont simples. Frances Love dite Penna est formelle: avant de se marier, «il vivait très parcimonieusement — les sardines étaient bon marché et nourrissantes». Par la suite, quand il aura plus de moyens financiers, il retrouvera toujours avec plaisir le saucisson hongrois et le pain noir autrichien tartiné de moelle osseuse qui lui rappellent son enfance; pour le petit déjeuner, des œufs au bacon. En plus des mets hongrois et autrichiens, un des aliments qu'il préfère est la viande de cheval — autre souvenir de ses jeunes années! Il se vante de n'avoir aucun préjugé alimentaire; il goûte et, s'il trouve cela bon, il mange.

Sa couleur préférée est le vert. *Est-ce en souvenir des colli-*
nes verdoyantes qui entouraient Vienne? En musique, ses goûts
sont *loin d'être éclectiques.* La musique tzigane le rend sentimental, *Bach, Beethoven et Wagner* lui procurent du plaisir,
mais aucun art plus que la découverte des *chefs-d'œuvre de la*
création, que le contact direct et *sans interprète* avec la nature
— la Nature *crue,* pour ne pas dire *nue.*

Dans une maison confortable de Westmount me reçoit une
charmante vieille dame de quatre-vingt-quatre ans, menue et souriante, fermement appuyée à une marchette sans laquelle elle
serait incapable de se déplacer. Les murs sont couverts de ses
œuvres: c'est Marian Scott, veuve depuis 1985 de son mari
Frank. Tous deux ont, pendant une dizaine d'années, fréquenté
très assidûment Frances et Hans Selye.

    Quand j'ai rencontré Hans, il venait d'épouser Frances.
C'est chez les Thomson que nous avons fait connaissance —
David s'arrangeait toujours pour prendre soin des nouveaux
venus à Montréal et les aider à s'acclimater. Je crois que lui
et sa femme Mary avaient une affection particulière pour
Hans Selye. Hans était quelqu'un de très courtois, de très
civilisé — un merveilleux danseur, et nous aimions tous danser... Les Thomson habitaient tout près des Selye, juste en
haut de la rue de l'Université, ils étaient vraiment voisins.
Nous nous retrouvions assez souvent le soir pour faire un
bon repas et danser. Frances était très sociable, elle recevait
très bien. Je ne crois pas que Hans tout seul se serait lancé
dans ce genre de choses, mais elle, elle avait toujours un tas
de nouveaux scientifiques spécialement intéressants, et des
Canadiens qui arrivaient à Montréal.
    Je le trouvais charmant, très raffiné... je pense que les
grands scientifiques sont aussi des artistes, tout comme les
artistes sont intéressés par la science, aussi. Je sentais chez
lui cette sensibilité artistique et créatrice, dans la façon qu'il
avait de faire les choses ou les idées qu'il pouvait avoir ou les
cadeaux qu'il pouvait offrir.
    On se voyait à quatre. Mon mari aimait bien Penna, il
jouait du piano, comme elle, et tout ça; mais il ne comprenait

pas trop Hans. Je crois que moi, je le comprenais jusqu'à un certain point. C'est difficile de véritablement parler de lui parce que je le trouvais très charmant — il a toujours été très bien avec moi, mais ce qui me dérangeait, c'est que je voyais trop à quel point, même au début, il était à certains égards égotiste et... vraiment cruel. Je m'en rendais bien compte. Il aimait dominer les autres. Et comme je l'aimais beaucoup, j'étais attristée de penser que je pourrais avoir à lui dire: «Je ne veux plus rien avoir affaire avec vous.» Vous savez, beaucoup de mes amis avaient de gros défauts, mais je les aimais pour leurs qualités...

Quant au reste de la personnalité de Selye, reposons-nous pour l'essentiel, à nouveau faute de mieux, sur un autoportrait — rassurés peut-être par cette mise en garde tirée de l'avant-propos de son livre *Du rêve à la découverte*: *J'ai tenté de pratiquer sur mon esprit une autopsie impitoyable; j'ai voulu décrire et analyser toutes ses caractéristiques aussi objectivement que possible, qu'elles aient ou non mon approbation. Ce livre ne sera donc pas toujours agréable à lire. Certains traits de ma personnalité apparaîtront comme des défauts. On sera même choqué, et sans doute à juste titre. Mais mieux vaut savoir d'emblée que, dans la vie réelle, les hommes de science sont pleins d'imperfections pieusement éliminées de leur nécrologie et parfois même de leur biographie.*

Il *tient peu aux biens matériels*; il serait prêt à soutenir sa recherche de ses propres deniers s'il n'était pas possible de faire autrement. (Il refusera pourtant de financer les études universitaires de ses enfants, exigeant d'eux qu'ils les fassent à McGill et non à l'Université de Montréal où ils n'auraient pas eu à payer de frais d'inscription.) Il aime les choses simples et confortables, ce qu'il appelle *la vie «épicuro-spartiate»*. Le lieu où il travaille n'a pas besoin d'être luxueux ni très spacieux, mais par contre doivent y régner *l'ordre et la beauté*. Car c'est là que le savant passe le plus clair de son temps, et par ailleurs, comment pourrait-on prétendre, comme chercheur, vouloir ordonner le chaos si l'on ne commence pas par tenir propre et bien rangé le lieu où l'on s'affaire? Il n'aime pas non plus — autre désordre — laisser traîner les choses. *Le problème pour chaque homme de*

science, c'est ce qu'il pourra accomplir au cours de son exis-
tence. Il faut faire sans tarder ce qu'on a à faire, le bien faire —
ce qu'il appelle *le professionnalisme: s'en tenir à ce que l'on*
fait bien —, et être persévérant si l'on veut *qu'un grand rêve*
devienne réalité. Le temps est donc une denrée précieuse, à
ménager à tout prix. C'est ainsi que, pour éviter d'en perdre chez
le barbier, il continue *à garder les cheveux très courts en arrière*
et sur les côtés, comme au temps où il était étudiant. Il se les
coupe lui-même — sa femme Gabrielle se souvient du jour où elle
lui a offert un miroir afin qu'il puisse parfaire son ouvrage; il utilise pour ce faire la tondeuse électrique avec laquelle, à l'Institut,
on rase les rats. Et il coupera les cheveux à ses enfants tant qu'ils
seront petits, lorsque le dimanche il les emmène à l'Université de
Montréal. Il fait aussi un effort conscient pour ne pas surcharger
sa mémoire de choses sans importance, la gardant *libre pour des*
faits vraiment essentiels.

Il se dit, non sans coquetterie, *condamné* à une *irrésistible*
curiosité pour les desseins de la nature. Ce qui lui apporte le
plus de joie, c'est *la simple contemplation des lois naturelles.*
Et la vue d'ensemble l'intéresse plus que les détails. *[N]ul roman*
n'est aussi intéressant que la vie, cette vie qui bat chaque jour
dans mon laboratoire. Tout cela est vrai, le reste n'est qu'imi-
tation. Son enthousiasme pour la nature, il le fait partager à ses
étudiants par tous les moyens: en les faisant rire, en mélangeant
la science avec des blagues, en les réveillant par des comportements inattendus, comme dessiner des deux mains en même
temps, même si cela n'a rien de scientifique! Car le professeur
doit savoir intéresser ses élèves et retenir leur attention.

J'étais en première année de médecine à McGill, en
1942. Bien qu'un tout petit peu plus âgé que la moyenne
des étudiants de médecine, j'étais encore au stade où l'on
est comme fasciné par le génie et tout cela. Hans Selye était
un maître professeur, capable avec sa matière de captiver
ses élèves. D'abord, son sujet était très intéressant. La
matière qu'il traitait était tout à fait nouvelle et passionnante
— ces changements hormonaux associés à des modifications des caractères sexuels secondaires, etc. Et il savait
introduire habilement des éléments dramatiques, même si,

comme bien souvent, l'exposé n'en comprenait pas. Par exemple, il nous citait une expérience dont il avait entendu parler par son propre professeur, et il commençait ainsi: «Nous étions assis là, tous les trois, à surveiller l'anus d'un énorme chien noir...» Il ajoutait une touche d'humour; quand il dessinait au tableau et qu'il avait à figurer des structures symétriques, il utilisait invariablement ses deux mains. J'ai découvert par la suite qu'il est plus facile de faire des figures symétriques si on se sert en même temps des deux mains, mais à l'époque nous ne le savions pas, et cela nous impressionnait beaucoup. De fait, ses schémas étaient excellents. Et bien sûr, comme ce domaine du stress et de l'adaptation était neuf, pas seulement pour nous mais en science, nous gobions pour ainsi dire tout.

Mais même s'il aimait créer un sentiment de drame et d'intensité, il reste que c'était un professeur excellent parce qu'il savait mettre en valeur les points essentiels. Il pouvait bien embellir ses cours avec toutes sortes de choses, ce qui était important, il ne manquait jamais de nous l'enseigner. Et nous avons tous bien tiré profit de ses cours d'histologie et d'endocrinologie. (Martin Entin.)

André Robert, qui après un doctorat en médecine (1950) devait obtenir un doctorat en sciences à l'Institut de médecine et de chirurgie expérimentales de l'Université de Montréal (1957), a également gardé un bon souvenir de l'enseignement de Selye:

J'étais étudiant en médecine en deuxième année (1946). Nous avions eu, pendant presque trois ans (la première année, prémédicale, puis la seconde année, qui était la première année de médecine), plusieurs professeurs mais un seul de bon: le Dr Georges Préfontaine, en génétique. Il donnait ses cours d'une façon vivante, et on voyait qu'il connaissait bien sa matière. Les autres étaient plutôt médiocres. Et voilà que surgit Selye, un homme qui parle très bien, qui s'exprime clairement, dont la pensée, donc, est claire et qui, en cinquante minutes, nous donne tout ce qu'il sait sur un sujet. Il enseigne d'une manière extrêmement précise, en faisant au tableau des dessins d'une grande simplicité, de sorte que nous pouvons le suivre et le comprendre. C'était une révélation. Et ce qui ajoutait à la qualité de ses cours, c'est que nous savions que ce qu'il nous enseignait ici, c'était ce qu'il avait vu au septième étage. Il nous parlait de l'hypophyse: il connaissait l'hypophyse, il en avait vu des centaines soit à l'autopsie de ses animaux, soit sur des coupes histologiques. Et quand il nous disait que de l'hypophyse, on peut extraire des hormones telles que l'ACTH, les hormones gonadotropes, la corticotrophine, nous le croyions parce que nous savions qu'il avait des extraits d'ACTH, que lorsqu'il les administrait, les surrénales des animaux augmentaient de volume, etc. Aucun de nos autres professeurs n'avait cette crédibilité, je dirais cette honnêteté intellectuelle. Cela a été mon premier contact avec Selye.

Et après presque chaque cours, plusieurs d'entre nous le retenaient pour lui poser des questions — sur ce qu'il avait dit, ou sur des sujets de biologie beaucoup plus généraux, qui dépassaient le sujet de son cours. Et chaque fois, nous étions émerveillés par ses réponses. Elles étaient simples, il n'essayait pas de faire de l'éclat. Et tout comme ses cours, elles étaient crédibles. Nous avions une grande confiance en lui.

Selye reconnaît qu'il aime beaucoup rire, et *à grands éclats*: des autres, quand ils s'y prêtent — mais sans méchanceté —; des caricatures, des blagues des journaux, des histoires drôles — mais attention, s'il *apprécie l'humour britannique et l'esprit français*, il ne goûte pas, parce que *trop gros, le genre «tarte à la crème»*. Son rire, parfois, est si bruyant qu'il s'entend *à l'autre bout du couloir*, et ses collègues s'exclament: *«C'est encore le patron qui hennit!»* Il juge *très important, cette faculté de l'ironie*.

On aura compris, à lire les commentaires du Dr Bethune, que Selye, *incorrigible individualiste*, préoccupé d'abord et avant tout de science, ne donne guère de temps aux problèmes sociaux et politiques. C'est ainsi qu'il conseille *le compromis* à un savant en proie à de graves problèmes de conscience: pourquoi dénoncer ouvertement le dictateur féroce qui règne sur son pays et s'exposer à de graves représailles, alors qu'il pourra être tout aussi efficace et faire passer son message en continuant ses activités de recherche et d'enseignement? Quoi qu'il en soit, ajoute-t-il prudemment, en de telles circonstances, *chacun doit écouter sa propre conscience*. Par contre, les chercheurs sont tenus de ne pas *se dérober au devoir de discuter les responsabilités de la science à l'égard de la société*.

Ce qui le stimule le plus, c'est de se voir reconnu à sa juste mesure. Il a *soif d'approbation* et reconnaît *être aussi orgueilleux qu'un paon quand [il] recueille des approbations méritées*. Ou encore: de tous les diplômes, *le titre le plus utile est la réputation attachée à votre <u>nom</u>*. Il est *extrêmement exigeant*, tant pour lui que pour les autres, quitte à se faire des ennemis. Chez les autres, il prise avant tout *la chaleur et la compassion — les plus hautes qualités humaines —*, ce qui laisse songeur quand on sait combien peu lui-même offre aux autres sur ce plan. Par contre, il est vrai qu'il n'en manque pas à son propre endroit: *Je me rappelle combien ma petite Marie (10 ans alors) avait été bouleversée par la réflexion d'un de ses professeurs, qui n'était pas destinée à ses oreilles: «Cette petite Marie fait ce qu'elle peut mais en science elle ne tient certainement pas de son père!» Du haut de ses 10 ans, elle m'en a voulu un moment et cela me fit mal. [...] Alors, le cœur endolori, on se demande: «Est-ce au père de ne pas se distinguer pour justifier la faiblesse des enfants?»*

Le trait le plus persistant, celui qui s'inscrit au nœud même de sa personne et qui la constitue, c'est son amour du travail. *Ce que j'ai fait dimanche dernier? C'est probablement ce que je ferai dimanche prochain: j'ai travaillé! [...] j'ai choisi un métier qui est un «jeu» pour moi*. Il dit n'avoir jamais réussi à s'adonner aux charmes de la flânerie: *je suppose que ce n'est pas dans mon tempérament*. Un jour qu'il était en veine de confidences, rapporte le Dr Paul Dontigny, un de ses très anciens étudiants,

Il m'a confié que son grand-père lui avait dit: «Écoute, il y a une chose importante dans la vie, c'est ta carrière. Le reste, c'est secondaire». C'est ce qu'il m'a dit. D'ailleurs, il l'a appliqué: sa femme, sa famille, les amis, les réceptions... tout cela, c'était très secondaire. Il y avait son travail, point. Il était très fier et il aimait beaucoup les honneurs. Et il l'avoue, d'ailleurs, très franchement dans ses livres: ce sont des récompenses, et on a besoin de récompenses.

Je n'ai jamais eu vraiment de «vie privée» parce qu'habituellement, on entend par vie privée ce qui est à part de ce à quoi on s'occupe et on travaille, tandis que dans mon cas les deux ont toujours été mêlés. On ne saurait mieux dire.

La scène médico-scientifique

L'activité scientifique n'est pas le seul fait du laboratoire, du département ou de la pratique hospitalière. Chercheurs et médecins éprouvent le besoin de déborder les frontières institutionnelles et de se regrouper en fonction de leur spécialité et de leurs intérêts, à seule fin de se retrouver entre pairs, de faire part à leurs confrères de leurs travaux, d'en discuter de vive voix, de s'informer et d'échanger sur ce qui, pour l'heure, fait événement dans leur domaine — ce qu'on appelle parler boutique. Ces sociétés dites savantes jouent, de par la stimulation intellectuelle qu'elles procurent — stimulation d'ailleurs non étrangère aux rivalités et discordances qui, autant que la volonté de partage, contribuent à leur cohésion interne —, un rôle important dans la diffusion du savoir et le progrès des idées; les historiens des sciences et de la médecine le savent bien. Je ne traiterai ici que des sociétés dont Selye a été membre ou de celles aux séances desquelles il lui est arrivé soit d'assister, soit de présenter une communication[25], à savoir (par ordre d'ancienneté décroissant): la Société médico-chirurgicale de Montréal, la Montreal Neurological Society, la Société médicale de Montréal, la Société de biologie de Montréal, la Montreal Physiological Society et la Société canadienne d'endocrinologie.

La Medico-Chirurgical Society of Montreal ou Société médico-chirurgicale de Montréal, constituée en 1846, vécut ses premières années sous la présidence du Dr Andrew F. Holmes, futur doyen de la Faculté de médecine de McGill. Incertaine à ses débuts, moribonde dans les années 1850, elle refit surface en 1865, élisant le Dr G. W. Campbell (alors doyen, depuis quatre ans, de la Faculté de médecine de McGill) comme président, s'attachant à recruter les membres de son bureau dans les deux communautés, francophone et anglophone, et à utiliser l'une et l'autre langue dans la présentation des communications[26]. On se souvient que c'est devant cette société (toujours active en 1990) que Selye fut invité avec d'autres à faire part des impressions que lui avait laissées son voyage de 1935 en URSS. Ce ne fut pas sa seule contribution aux activités de celle que les anglophones appellent affectueusement la «Med-Chi», mais la première.

Le programme scientifique des réunions consiste surtout en la présentation, suivie d'une discussion, de cas cliniques. Diverses sections ont été formées: neurologie, oto-rhino-laryngologie, anesthésie, pédiatrie, psychiatrie, chirurgie orthopédique, rhumatologie, tuberculose, dermatolologie et syphiligraphie. C'est ainsi que Bethune a fait à deux reprises (novembre 1932 et mars 1933) un exposé sur des malades atteints d'infections ou de maladies pulmonaires, Penfield et Cone ont, en mars 1934, présenté un cas d'encéphalomyélite — Penfield assistera très fidèlement à ces rencontres. Parfois, les communications sont plus générales ou portent sur des recherches fondamentales: l'obésité, le diabète (I. M. Rabinowitch), les sécrétions gastriques (B. Babkin), l'origine psychique de certaines affections organiques (D. Slight). Le 2 décembre 1932, Collip a exposé la question des fonctions du lobe antérieur de l'hypophyse et des interrelations hormonales placenta/hypophyse; reprenant la parole le 2 avril 1937, il présentera une revue des travaux en cours au département pendant les quatre dernières années. J. S. L. Browne, très actif (il fera partie du Comité des experts en 1943 et sera élu président pendant l'année 1949-1950), fera à plusieurs reprises des exposés sur des questions hormonales.

Il n'y a aucune trace de l'adhésion de Selye à la Société. Il fera toutefois plusieurs interventions. Le 15 mai 1942, il présentera, devant une quarantaine de confrères, un film en couleurs sur la tournée qu'il a effectuée l'année précédente en Amérique du Sud. Ce voyage, fait à l'invitation du second congrès panaméricain d'endocrinologie, l'a amené à New York, Miami, Cuba, Port-au-Prince, Saint-Domingue, San Juan, Port-of-Spain, Belem, Rio,

Buenos Aires et Montevideo. On a beaucoup remarqué les images prises dans la jungle brésilienne et panaméenne, et les portraits d'indigènes[27]. Le 19 novembre 1943, il traitera des corrélations entre la périartérite noueuse, l'hypertension rénale et les lésions rhumatismales. Suivra une conférence de Penfield, de retour d'URSS, sur l'état de la chirurgie dans ce pays. Le 3 février 1950, il ouvrira la discussion après la communication que vient de lire J. S. L. Browne sur «ACTH, cortisone et maladie», et fera de même le 19 janvier 1961, à la suite d'un exposé sur les relations entre le cortex surrénalien et certaines maladies expérimentales fait par le physiologiste américain Dwight J. Ingle (*qui découvrit [...] le mécanisme d'autorégulation qui permet aux surrénales de se protéger elles-mêmes contre une hyperstimulation*). N'ont pu être consultées que les années 1932 à 1964, déposées aux archives de la bibliothèque Osler. Les dossiers postérieurs à 1964, éparpillés dans les mains des membres de la société, sont à toutes fins utiles inaccessibles.

La Montreal Neurological Society, beaucoup plus récente, a vu le jour avec l'arrivée, à l'hôpital Royal Victoria, des Drs Penfield et Cone, en 1928, écrit un de ses anciens secrétaires-trésoriers, le Dr Jean Saucier; «ses traditions s'inspirent de l'école de Londres et de celle de la Salpêtrière pour la neurologie médicale; de l'école de Cushing pour la neurochirurgie». Elle offre «cette particularité intéressante de constituer un complément de l'enseignement qui se donne à l'Institut» neurologique de Montréal[28]. Le Dr William Feindel, ancien secrétaire de cette Société et aujourd'hui conservateur des Penfield Archives, a pu retrouver dans un programme de la première rencontre annuelle de la Canadian Neurological Association* (l'exemplaire est annoté de la main de W. Penfield) la mention d'un exposé donné à l'Université de Montréal par Selye, le 20 mai 1949, sur les «Psychosomatic Problems Related to the General Adaptation Syndrome» et suivi d'une visite des laboratoires de son Institut. Il a sûrement fourni d'autres contributions (l'article du Dr Saucier le cite parmi les

---

* Troisième avatar de la Montreal Neurological Society, dont par ailleurs il a été impossible de déterminer quand elle est devenue cette Montreal Neurological Association.

conférenciers invités), mais les archives consultées n'en ont pas gardé la trace. Selye apparaît au titre de membre associé dans les listes publiées par la Société canadienne de neurologie entre les années 1957 et 1960. Ce même article mentionne qu'en «1934 ou 1935», la Montreal Neurological Society s'est affiliée à la Medico-Chirurgical Society, mais tout en gardant une relative autonomie et en continuant à vivre «de sa propre substance» — ce que dément le Dr Feindel: seules ont été prises quelques petites ententes informelles, précise-t-il.

Née du besoin de se rencontrer entre médecins de langue française, l'Association médicale canadienne avait été fondée en 1867 — et donnait naissance, en octobre 1871, à la Société médicale de Montréal qui, dans sa première réunion régulière du 8 novembre 1871, élisait le Dr J. E. Coderre comme président. Les buts qu'elle se fixait, tout en reflétant la mentalité de l'époque, traduisaient la volonté de répondre à des besoins à la fois corporatifs et scientifiques: cimenter l'union entre les membres de la profession médicale, leur fournir l'occasion de se réunir et de fraterniser, s'instruire mutuellement par des lectures, discussions et conférences, et inciter ses adhérents à l'honneur et à la fraternité. Dès sa première année d'existence, la toute jeune Société partait en lionne: elle faisait admettre le principe d'une direction médicale pour le Bureau de santé de la ville de Montréal (jusque-là entre les mains des hommes d'affaires) et mettait sur pied un programme d'assainissement des égouts, des viandes et des eaux; elle créait un organe, *L'Union médicale,* mensuel dont le premier numéro sortait le 1er janvier 1872 et devait paraître sans discontinuer; elle s'employait à vaincre la résistance populaire à la vaccination contre la variole[29]; elle proposait une législation provinciale destinée à mieux protéger la formation et la pratique médicales; enfin, elle faisait adopter un Code d'éthique professionnelle médicale.

Pour faire partie de la Société médicale de Montréal, il fallait détenir un doctorat en médecine. La Société admettait trois types de membres: actifs (résidents du Grand Montréal), honoraires et correspondants. Hélas, elle ne fit pas long feu: elle disparut en 1887, victime de l'ardente polémique qui divisait la profession sur le sujet de l'implantation, en 1878, de l'Université Laval (de Québec) à Montréal et de la fondation, à Montréal toujours, d'une faculté de médecine succursale de celle de Laval. Mais elle renaquit en 1892, sous un autre nom — la Société de médecine pratique de Montréal. Pour disparaître à nouveau. Puis revenir, tenace, sous l'appellation de Comité d'études médicales, en 1897. Enfin, après trois ans de vie ralentie, elle retrouvait le 30 octobre 1900 son nom de Société médicale de Montréal, pour être officiellement incorporée (constituée en société) le 25 novembre 1929. Elle fêtera joyeusement son quarantième anniversaire en organisant au Ritz-Carlton un banquet conjoint avec la Medico-Chirurgical Society qui, elle, tenait son huitième colloque annuel; ce banquet réunira cent soixante-quinze convives. Mais elle sombrera à nouveau, en 1970, et cette fois ne s'en remettra pas: elle se sabordera en 1981[30]. (En 1902 a été également fondée à Québec l'Association des médecins de langue française, très vivace, soucieuse de maintenir des liens étroits avec la France et qui, d'emblée, s'est dotée d'un bulletin. Très prospère de nos jours, c'est elle qui, à partir de 1976, gérera *L'Union médicale du Canada.*) En dépit de ses avatars, la Société médicale de Montréal (SMM) aura pleinement rempli son mandat: la tâche réalisée est impressionnante.

Selye n'a jamais été membre de la SMM, mais en a longtemps été très proche. Il participera notamment, et à plusieurs reprises, à ses activités scientifiques, qui revêtent deux formes: les Travaux scientifiques (cliniques ou académiques) présentés sous les auspices de la Société et récapitulés par le secrétaire général dans son rapport annuel, et les Journées médicales, annuelles, réparties sur trois jours jusqu'en 1958, réduites à un ou deux par la suite, et réunies autour d'un thème ou d'une spécialité. Les Journées médicales seront lancées en 1940 sur l'initiative des Drs Albert Jutras, radiologiste, Paul Letondal, pédiatre et Oscar Mercier, urologue et cousin de Letondal. Elles feront appel aux grands noms, tant locaux qu'internationaux, de la profession. Selon les cas, c'est dans l'un ou l'autre de ces cadres que Selye prononcera ses conférences: le 22 octobre 1945, sur la médecine expérimentale; le 19 octobre 1948 et sous la coprésidence des Drs L. Henri Gariépy et Hans Selye, une séance consacrée aux travaux de l'Institut de médecine et de chirurgie expérimentales que Selye inaugurera par un exposé sur le syndrome général de l'adaptation et qu'il répétera, ou à peu près — du moins, si l'on se rapporte au titre —, le 1er mai 1951; le 2 janvier 1959 et en collaboration avec Serge Renaud, sur le stress et l'infection; le 26 mars 1963, sur la calciphylaxie; le 25 février 1969 enfin, sur les rapports entre le stress et la pathologie cardiaque, la séance se terminant par la visite des laboratoires et par des entretiens avec les responsables des différents projets de recherche.

Les Journées médicales s'achevaient toujours sur une note distrayante — des comédies ou des divertissements choisis pour leur qualité et leur inspiration plus ou moins esculapienne. Celles de 1949 ont, entre autres, amené sur scène «Les duettistes André Roche et Charles Aznavour»!

C'est sur l'initiative de Louis-Janvier Dalbis, professeur de biologie à l'Université de Montréal, qu'a été créée le 16 février 1922 la Société de biologie. Six médecins, professeurs à l'Université de Montréal, dont la plupart ont grandement contribué à faire avancer la cause de l'institutionnalisation de la médecine au Québec, et un frère des Écoles chrétiennes tout aussi hors de l'ordinaire, présidaient à cette fondation. Citons d'abord et avant tout Louis de Lotbinière-Harwood (1866-1934). Tête de file d'une nouvelle génération de médecins, ce brillant professeur de gynécologie a été élu, en 1918, doyen de la Faculté de médecine d'une institution ancienne mais fraîchement dégagée de sa tutelle de Laval: l'Université autonome de Montréal. Il restructura en profondeur la formation des médecins dans son ensemble, lui constituant de solides assises, l'obligeant à s'aligner sur des critères de niveau international. Parallèlement à ses activités d'universitaire et de praticien, il multiplie ses engagements dans des mouvements d'ordre social, paramédical, intellectuel, etc. La médecine moderne du Québec lui doit beaucoup[31]. Georges-H. Baril, professeur de chimie organique à la Faculté des sciences et à la Faculté de médecine (Université de Montréal), était lui aussi très engagé dans ce mouvement scientifique des années vingt, indiscutablement connoté d'un certain nationalisme canadien-français. Arthur Bernier, du Département de bactériologie, l'anatomo-pathologiste Eugène Latreille, qui devait mourir six ans plus tard, à quarante-neuf ans, et un certain Larouche étaient également présents. Enfin — dernier nommé mais sûrement pas le moindre — venait le frère Marie-Victorin, un botaniste dépourvu de diplômes universitaires mais dont les travaux font autorité et que sa *Flore laurentienne* rendra à jamais célèbre au Québec (1935); il mourra accidentellement en 1944. Dès sa deuxième réunion, la Société de biologie fut rejointe par un professeur de radiologie connu pour l'infatigable activité qu'il déployait à diffuser la science et pour son non-conformisme, le Dr Léo Pariseau. La plupart de ces personnages avaient, sous la direction du Dr Joseph-Ernest Gendreau, alors professeur de chimie à l'École des hautes études commerciales, participé en 1920 à la fondation de la Faculté des sciences de l'Université de Montréal; un an après avoir constitué la Société de biologie, soit le 15 mai 1923, les mêmes avaient mis sur pied l'Association canadienne-française pour l'avancement des sciences (ACFAS), destinée à encadrer toutes les sociétés vouées au développement des sciences, que ce soit par le biais de l'enseignement, de la recherche ou de la vulgarisation.

La Société, qui comprenait des médecins, des naturalistes, des biochimistes, des bactériologistes et des botanistes, s'était très rapidement affiliée à la Société de biologie de Paris, vieille de plusieurs décennies, sur laquelle elle s'était modelée. Elle s'était fixé trois objectifs: 1) l'étude et la vulgarisation des sciences biologiques; 2) le développement des travaux de recherche; 3) l'établissement de rapports scientifiques entre les biologistes canadiens et étrangers[32].

Au bout de quelques années, comme cela arrive souvent, l'intérêt des membres se mit à baisser, et la Société dut interrompre ses activités le 10 février 1928. Son éclipse dura sept ans. Mais Élie-Georges Asselin, président de l'ACFAS, reprit le flambeau et annonça sa réorganisation pour le 14 juin 1935. Cette «renaissance», comme la qualifie le Dr Armand Frappier, alors secrétaire de l'ACFAS, témoigne de l'augmentation du nombre de scientifiques au Québec et de leur volonté de présence. Elle restera jusqu'en 1960, nous dit l'archiviste Gilles Janson, plus académique que populaire.

Ce 14 juin 1935 donnent entre autres leur adhésion à la Société: Armand Frappier, fondateur de l'École d'hygiène de Montréal, Georges Préfontaine, professeur de biologie à l'Université de Montréal, extrêmement actif et polyvalent dans le mouvement scientifique des années trente, Jacques Rousseau, «un des historiens les plus importants de la botanique canadienne», selon Duchesne, Chartrand et Gingras.

À quatre-vingt-trois ans, le Dr Armand Frappier fait preuve d'un esprit toujours concentré et bien organisé. De taille moyenne, mince, le dos un peu voûté, il me reçoit dans son bureau de l'institut Armand-Frappier, situé à Laval, une banlieue juste au nord de Montréal. La pièce est vaste, très accueillante, et tient surtout du salon, avec son large canapé et ses confortables fauteuils. Le bureau proprement dit est de dimension respectable, recouvert de papiers méticuleusement rangés. Tout en restant attentif à mes besoins techniques d'intervieweuse (brancher les fils, approcher une petite table de mon fauteuil), il profite du moindre moment creux pour aller rapidement porter une lettre ou donner des instructions à sa secrétaire, Mme Laplante, installée dans la petite pièce attenante. (Armand Frappier devait disparaître en décembre 1991.)

Je suis revenu de mes études au début de l'année 1933. Je gagnais ma vie comme chef de laboratoire à l'hôpital Saint-Luc, alors en pleine expansion, et on me permettait de faire aussi de l'enseignement à l'Université de Montréal, sur la rue Saint-Denis, ce qui vous explique comment j'ai rencontré Selye. À un moment donné, en 1934 ou quelque chose comme ça [14 juin 1935], nous avons eu l'idée, quelques collègues et moi-même, de ressusciter la Société de biologie — une association de gens qui s'occupaient de laboratoire et qui se réunissaient pour discuter de leurs problèmes, présenter leurs travaux, etc. C'est là que j'ai rencontré le professeur Selye, lors d'une de ces séances. Je le connaissais de réputation. Déjà, il avait une réputation d'excellent travailleur scientifique et il avait commencé ses travaux sur le stress. Il était enthousiasmé par cette hypothèse qu'il voulait travailler. Il avait assisté à une de nos réunions, et là il s'était lancé à fond de train sur la théorie du stress. Le stress apparaissait comme le maître de toutes les maladies, il avait une influence étiologique sur tout!... Alors, j'ai pris avec lui, pas une engueulade mais pas loin, et encore, je ne lui ai pas dit tout ce que je pensais sur le stress. C'est la seule fois que je l'ai entendu parler comme si le stress conditionnait des maladies spécifiques. Je ne crois pas qu'il y croyait vraiment, mais il était emporté par sa théorie. Bon. Ceci se passait avant que la nouvelle Université [de Montréal] fût bâtie.

Selye n'apparaîtra dans la liste des membres qu'en 1941 — avec J. B. Collip, D. L. Thomson, B. P. Babkin et S. Dworkin, tous désignés dans une annexe comme le groupe de McGill. Il donnera toutefois d'assez nombreuses conférences, qui seront presque toutes publiées telles quelles dans une revue médicale ou scientifique; il y retrouvera des collègues et y entraînera des élèves (nommément et toutes catégories confondues: Georges Masson, C.-P. Leblond, Roméo de Grandpré, P. Dontigny, Jean Leduc, Paola Timiras, Eleanor Beland, Helen Stone, J. C. Barsantini, Gaétan Jasmin, Pierre Bois, Claude-Lise Richer, Giulio Gabbiani, D. Marion...).

Les communications dont j'ai retrouvé la trace seront données entre 1939 et 1955 et rendront compte pour la plupart des dimensions hormonales et chimiques de divers phénomènes vitaux. Au début, Selye traitera de la résistance de l'organisme et de ses variations. À partir du 26 février 1945, les questions traitées porteront exclusivement sur les hormones hypophysaires et surrénales: leur influence sur le rein, leur présence dans le sang (31 mai 1945) et leur effet sur la lactation (9 avril 1946); le rein endocrinien (21 octobre 1947); le rôle des hormones hypophysaires et surrénales dans la tuberculose (26 juin 1952); leur influence possible sur l'hypertension artérielle (le 9 avril 1954) et ce même jour, sur un type précis d'inflammation. Le 14 février 1955, Selye, P. Bois, G. Jasmin et C.-L. Richer organiseront un symposium sur les hormones de l'inflammation.

À partir de 1948, la Société instituera des dîners-causeries, les «Heures de biologie», et Selye y sera invité à deux reprises, en 1948 et en 1949. Enfin, le 28 janvier 1953 aura lieu une visite de l'Institut de médecine et de chirurgie expérimentales (IMCE) qui sera abondamment rapportée par les médias. Selye a montré des diapositives illustrant toutes les expériences en cours à l'IMCE. Des démonstrations ont eu lieu, entre autres celle du directeur portant sur la création d'une allergie arthritique par l'injection de blanc d'œuf à un rat et l'action ultérieure bénéfique de la cortisone, et une autre sur la tension artérielle.

Selye sera porté à la présidence de la Société pour l'année 1950-1951. Cette année-là, la Société comptera un nouveau membre, le Dr Roger Guillemin, élève de Selye et futur Prix Nobel. En 1951-1952 et en 1952-1953, Selye abandonnera le poste de président mais demeurera au sein du bureau. Enfin, le 14 février 1963, il donnera une conférence publique sur le vieillissement.

Le Dr James L. Henry, qui travaille au Department of Psychiatry Research and Training de McGill, logé dans le Allen Memorial Institute, a bien voulu me donner accès aux archives de la Montreal Physiological Society, société dont il a été le président et dont il se promet d'écrire bientôt l'historique. La Montreal Physiological Society (MPS) a été fondée, m'a-t-il dit, en 1932 (me basant sur la correspondance, je pencherais plutôt pour 1931), et au début ses membres se rencontraient à Montréal. Quelques années plus tard, elle se joint à la Toronto Physiological Society; les rencontres ont alors lieu alternativement, une fois par an, à Toronto et à Montréal. Deux ou trois ans plus tard, la Société se fondra dans la Canadian Physiological Society, aujourd'hui très florissante (plus de cinq cents membres en 1990). Selon Dr Henry, il devrait y avoir une succursale montréalaise puisqu'en 1989 encore, une rencontre a eu lieu.

Le physiologiste F. C. MacIntosh se souvient avec bonheur de ces années trente:

> Nous avions dans ce temps-là la Montreal Physiological Society. Et c'était vraiment la seule société médicale scientifique à Montréal [nous avons vu que non]. Elle ne présentait pas beaucoup d'intérêt pour ceux de l'Université de Montréal parce qu'ils n'étaient pas nombreux à faire de l'expérimentation à l'époque. Mais c'était une société très vivante, avec des gens qui venaient des milieux hospitaliers. [Pierre] Masson, du Département d'anatomie de l'Université de Montréal, venait de temps en temps. D'autres aussi, des personnages colorés, comme Norman Bethune, le chirurgien, donnaient

des communications... C'était très stimulant. C'est là, en 1935 ou 1936 [20 avril 1936], que j'ai entendu Selye donner sa première description de la réaction d'alarme. Il avait fait une très forte impression sur tous ceux qui étaient là. On s'était dit: «On a un collègue pas mal intelligent, qui ira loin — il a des idées bien intéressantes.»

Le Dr Pierre Masson, né à Dijon (France) en 1880, avait, après une licence en sciences naturelles, fait sa médecine à Paris. Il était chef de laboratoire à l'hôpital Lariboisière et assistant à l'Institut Pasteur lorsque, à la demande du doyen Lotbinière-Harwood, il vint en 1927 au Québec afin de réorganiser l'enseignement de l'anatomo-pathologie sur les plans universitaire et hospitalier[33].

La MPS recrute des membres à titre individuel: les listes de 1941 et de 1942, à titre d'exemple, comprendront les noms de J. B. Collip, P. Masson, W. Penfield, D. L. Thomson, C.-P. Leblond, Kenneth Savard, J. S. L. Browne (secrétaire de la Canadian Physiological Society que Selye proposera l'année suivante comme président). Sont également membres des compagnies pharmaceutiques (près de vingt-cinq), des départements universitaires de McGill et de Montréal (une quinzaine) et quelques hôpitaux.

Dans la première liste des membres (1931-1932) apparaissent des noms qui nous sont familiers: B. Babkin (dont la Société fera l'éloge funèbre à sa séance du 22 mai 1950), S. Dworkin, C. Best, et les collègues de Selye au Département de biochimie de McGill: J. B. Collip, J. S. L. Browne, E. Anderson, R. L. Kutz. Un an plus tard s'y ajoutent H. Selye et N. Bethune. Selye adhérera à la Société au moins jusqu'en 1971.

C'est vraisemblablement devant la MPS que Selye a fait une de ses premières communications canadiennes, sinon la première: le 19 décembre 1932 (troisième réunion de la session 1932-1933) a été présenté, sous les noms de Collip, Selye et Thomson, un papier sur la stimulation des glandes sexuelles chez l'animal après hypophysectomie. Le 17 décembre 1934, il a parlé des interrelations entre ovaire et utérus au cours de la grossesse («Interrelations Between the Uterus and the Ovary During

Pregnancy»), le 16 décembre 1935, et en collaboration avec Collip et R. L. Stehle, des nouveaux aspects de la recherche sur les ulcères gastriques provoqués. Le 20 avril 1936, il y fait une communication jugée importante par le journal de la Canadian Medical Association qui la reproduira sous la forme d'un résumé consistant et détaillé, et qui s'intitule «The Alarm Reaction». Le 16 novembre 1936, il présente un article sur des effets inconnus de l'intoxication à l'atropine. D'autres encore sur l'énergie d'adaptation (25 avril 1938), sur une méthode rapide permettant de tester l'hormone corticosurrénalienne (19 décembre 1938, en collaboration avec V. Schenker), sur l'action protectrice de la testostérone contre les lésions rénales dues au sublimé (18 décembre 1939), sur l'action de la testostérone sur les organes sexuels féminins (janvier 1940, en collaboration avec S. M. Friedman), sur les effets anesthésiques des stéroïdes (18 novembre 1940), sur les changements morphologiques des systèmes cardiovasculaire et rénal observés à la suite d'un traitement à la désoxycorticostérone (29 octobre 1942), sur quelques considérations à propos de la pathogénie des maladies d'adaptation (16 janvier 1950), sur les propriétés anti-cortisol de divers stéroïdes (13 décembre 1954). Le 7 mars 1958, Journée de la MPS présentée par l'Institut de médecine et de chirurgie expérimentales, verra son après-midi consacré aux cardiopathies infarctoïdes, sur lesquelles Selye fera un exposé. La réunion du 17 mars 1964 prendra la forme d'un symposium sur le «Métabolisme du calcium» et donnera la parole à cinq orateurs dont Selye, qui traitera de la calciphylaxie.

Selye semble avoir été très actif dans la MPS. À plusieurs reprises, il proposera l'admission de collègues: Alfred Joseph Dalton, qui vient d'entrer comme chargé de cours en histologie et embryologie (15 octobre 1938), Georges Masson, professeur de physiologie à l'école vétérinaire d'Oka (15 octobre 1938, S. Dworkin agissant comme secrétaire), J. S. L. Browne, secrétaire, comme nous l'avons vu, de la Canadian Physiological Society, la société mère (15 avril 1942), C.-P. Leblond (1er avril 1942) dont il présentera la communication à la Société le 20 avril 1942. En 1939, Selye sera élu membre du Comité de la Société.

Ses élèves à l'Institut de médecine et de chirurgie expérimentales viendront aussi faire part à la Société de leurs travaux: Franco Dordoni, P. Timiras, Helen Winter, Vincent W. Adamkiewicz, etc., ou demanderont à y adhérer: Eleanor C. Hay (20 février 1948), G. Jasmin et P. Bois (30 novembre 1955), C.-L. Richer (11 décembre 1956), Plinio Prioreschi (14 décembre 1962), Pierre Jean (14 décembre 1962), Marc Cantin (16 décembre 1965), etc.

Muni d'un doctorat, F. C. MacIntosh quittera McGill en 1937, et gagnera Londres. «Mon année postdoctorale s'étira jusqu'à douze ans. Ce sont des choses qui arrivent.» Il reviendra en 1949 à Montréal, et sera nommé directeur du Département de physiologie de McGill (et élu au Sénat de l'université entre 1956 et 1960, et en 1964). Avec bonheur, il se souvient:

> Voilà que nous décidons — et cette décision était partagée à égalité par l'Université de Montréal et par McGill — d'avoir le premier congrès international de physiologie à se tenir au Canada. Et de fait, ce sera la première très grande réunion scientifique à avoir lieu à Montréal. J'ai été désigné pour présider le Comité organisateur, avec comme vice-président Eugène Robillard, qui était professeur de physiologie à l'Université de Montréal; c'était un homme très important, qui a eu une énorme influence sur le développement médical de cette province, et qui a été très sous-estimé par ses collègues québécois. Nous avons mis sur pied un comité très solide, je crois, et bien sûr, il était important d'avoir Hans Selye avec nous. Il a été excellent pour notre comité — un homme avisé et travailleur. Pour moi, ç'a été un travail presque à plein temps pendant deux ans, mais le congrès a été parfaitement réussi.

C'est au cours de sa réunion du 30 octobre 1950, présidée par le Dr Juda Hirsch Quastel*, que la MPS procédera à la constitution d'un comité chargé de préparer le XIXe congrès international de physiologie qui aura lieu en 1953 à Montréal, comité qui comportera, outre son président et son vice-président, neuf

---

* Venu d'Angleterre prendre, en 1947, la succession de Collip, Quastel dirigea, au sein du Research Institute of McGill University et du Montreal General Hospital, puis à la University of British Columbia, d'intéressants travaux en enzymologie et en neurochimie.

autres membres, dont Hans Selye et J. S. L. Browne. C'est alors
F. C. MacIntosh qui veillera au destin de la Société. Il a raison, le
comité fera du bon travail: «congrès imposant», avec ses «2024
délégués» («Montréal est devenu un immense laboratoire»), grandes photos à la une des journaux, rappel des lauréats du prix
Nobel présents — la ville tout entière vit à l'heure de la physiologie et de la gloire. Le codécouvreur de l'insuline, C. Best, préside
le congrès, et à ce titre l'ouvrira en adressant son allocution «en
six langues[34]».

Le Dr Eugène Robillard, titulaire de la chaire de physiologie
à l'Université de Montréal et dont les travaux sur l'anesthésie sont
bien connus des médecins montréalais, joua un rôle éminent dans
ces sociétés médico-scientifiques dont les activités sont indispensables à la recherche et au progrès du savoir. Outre la MPS dont
il sera vice-président en 1953 et président en 1954, il dirigera la
Société de biologie (vice-président en 1948, président en 1949,
conseiller de 1950 à 1952) et se montrera très actif dans la
Société médicale de Montréal, la Montreal Medico-Chirurgical
Society, l'ACFAS (conseiller au Conseil d'administration de 1948
à 1950, Comité exécutif en 1955), la Société canadienne
d'endocrinologie (vice-président en 1946 et 1947) et quelques
autres — tout cela, dans une période concentrée de temps[35].

La MPS établira des liens avec un nouvel institut, voué à
l'exploration de la fonction cardiorespiratoire (étude, traitement,
recherche): c'est l'Institut Lavoisier, ainsi nommé en hommage au
brillant chimiste et physiologiste français qui, le premier, comprit
la respiration comme un processus de combustion — et fut guillo-
tiné à l'âge de cinquante et un an (1794). Cet institut ouvrira ses
portes en décembre 1950[36]. Le 18 janvier 1954, le Dr Fernand
Grégoire, son directeur médical, qui est sur le point d'adhérer à la
Société (22 janvier 1954), invitera ses collègues à venir rencontrer sur place son équipe de douze médecins (cinq à temps plein,
cinq à temps partiel, deux alors en stage aux États-Unis) auxquels
se joignent un chimiste, un physicien et cinq techniciens de haut
rang, et à visiter ses installations. L'Institut Lavoisier, toujours
actif en 1968, semble avoir disparu depuis.

«La Société canadienne d'endocrinologie est la plus jeune
en date de nos sociétés médicales spécialisées», écrivait en

1944 le Dr Paul Dumas, qui en fut le premier président. Toujours vert, il exerce la médecine dans son cabinet de Montréal. Il se propose de classer un jour les archives de la Société qui sont en sa possession mais, en attendant, n'a pas de mal à faire jouer les multiples ressorts d'une mémoire imperturbable — ou presque. La Société canadienne d'endocrinologie a été fondée en 1943 ou 1944 — en tout cas, avant que Selye vienne à l'Université de Montréal, et grâce aux généreuses subventions de la très prospère (à l'époque) compagnie pharmaceutique Desbergers-Bismol, laquelle, m'explique-t-il, vendait beaucoup d'hormones en France et s'intéressait énormément à l'endocrinologie. Les recherches de Selye étaient largement subventionnées par leurs soins. L'objectif principal, la véritable raison d'être de la Société, était de promouvoir les travaux de ce dernier. Outre les cours de vulgarisation que Selye a donnés dans son cadre, la Société a invité des sommités internationales à venir prononcer des conférences. Ainsi ont pu être entendus Means, le spécialiste de la thyroïde qui a su voir dans le myxœdème un manque de stimulation hypophysaire, Charles Best, le codécouvreur de l'insuline, Atwood, de Boston, Courrier, dont Dumas se souvient comme d'un homme «très affable», et bien d'autres. Tous ces grands chercheurs, fait-il remarquer, étaient «grassement payés» (plusieurs milliers de dollars).

En 1946 ou 1947, le Dr Dumas a laissé au Dr Charles-Émile Grignon le soin de veiller aux destinées de la Société («Il ne faut pas s'accrocher quand on est président»), et celle-ci n'a pas tardé à quitter la scène. La Société canadienne d'endocrinologie, conclut-il, a donc été une association très éphémère, qui n'aura duré que deux ou trois ans.

Ainsi s'entretiennent, par le truchement des rencontres, des conférences, des échanges et discussions, et des publications, le goût de la recherche, l'émulation, l'ardeur au travail. Chacun s'expose au jugement de ses pairs et chacun est juge de ses pairs. C'est de cette incessante dialectique que, tout comme les cercles littéraires et les associations d'artistes, les sociétés scientifiques nourrissent leurs membres. Pour les savants d'hier, pour les chercheurs et chercheuses d'aujourd'hui, ces institutions sont (idéalement) bien plus que le traditionnel instrument de reconnaissance, ou de mise à l'épreuve et de diffusion de leurs découvertes. Novices ou stars, tous ou presque en attendent une évaluation critique de leurs travaux, une mise à jour de leur savoir et des théories régnantes, un renouvellement de leur inspiration — soit, pour tout dire, le sel de leur vie scientifique.

La première pierre

Revenu sur le continent américain, Selye retrouve son bureau (aujourd'hui, 31 mai 1990, occupé par le Dr Lally), mais surtout son coin de laboratoire et la fièvre de qui se sent sur le point de faire une découverte — en l'occurrence, une nouvelle, une troisième hormone sexuelle. Il reprend avec ardeur ses expériences. Repense à celles qui ont abouti à cet article, écrit avec McKeown, au début de mai 1935, «Studies on the Physiology of the Maternal Placenta in the Rat», et qui vient d'être publié (2 décembre). Ce ne sont pas les conclusions, mais bien une observation accessoire, non pertinente en quelque sorte, qui lui trotte dans la tête. *Quelques-uns de nos animaux d'expérience montraient des anomalies du cycle menstruel, après avoir reçu des préparations d'hormones hypophysaires ou placentaires,* anomalies évoquant *ce qu'on appelle un état de «pseudo-gestation».* À quoi attribuer ces résultats insolites?

Cherchant une réponse dans la littérature, Selye constate que *des doses excessives de thyroïde desséchée, des déficiences vitaminiques, la privation de nourriture, la surrénalectomie et d'autres procédés nocifs* entraînent une perturbation du cycle menstruel. Il conclut à une manifestation d'*un «stress non spécifique»* — première occurrence du mot *«stress»* dans sa connotation d'aujourd'hui, c'est-à-dire *un état de tension non spécifique de la matière vivante, manifesté par des changements morphologiques tangibles au niveau de divers organes et plus spécialement des glandes endocrines qui sont sous le contrôle du lobe antérieur de l'hypophyse.* Ces expériences, ajoute-t-il, sont passées inaperçues parce qu'elles apparaissaient dans une annexe à l'article dont le titre, par ailleurs, n'était pas fait pour attirer l'attention sur ce genre de travail. En fait, il n'y a ni appendice ni annexe à l'article en cause, et l'expression «stress non spécifique» n'apparaît pas comme telle dans le texte; «non spécifique» revient plusieurs fois (pour qualifier l'inhibition de la maturation folliculaire), «stress» deux fois (p. 13 et p. 14) et dans le sens indiqué, toutefois non associé à «non spécifique».

Mais baste! Cette non-spécificité ne présente aucun intérêt pour notre chercheur. Il faut décidément, pense-t-il, revenir à la triade observée: stimulation corticosurrénale, atrophie du thymus et des ganglions lymphatiques, ulcères gastro-intestinaux. On a vu *qu'il serait tentant d'en attribuer la cause à la présence dans l'ovaire de quelque(s) principe(s) supplémentaire(s) de nature hormonal, non identifié(s) jusqu'alors.* Sur sa lancée, Selye présente l'état de ses travaux à la 48e rencontre annuelle de l'American Physiological Society qui a lieu du 25 au 28 mars 1936, à Washington, DC. Il offre deux explications possibles à l'involution du thymus: soit la production de cortine (puisqu'on obtient également cette involution avec une dose quotidienne de deux cents unités-chien de cortine), soit *une substance dont le pouvoir de contamination ne se manifeste qu'avec de très fortes concentrations de cortine.* Les journalistes sont enthousiastes: une nouvelle hormone, autre que l'adrénaline ou la cortine, qui contrôle l'involution du thymus et dont la présence est absolument essentielle chez les jeunes enfants, est sur le point d'être découverte par un biochimiste de McGill, annoncent-ils.

Malheureusement, cette joie fut de courte durée. Car à répéter les essais, il devint *évident que des extraits d'hypophyse provoquaient aussi le même syndrome. Et [...] des extraits du rein, de la rate ou de n'importe quel autre organe [...]* faisaient de même. Pire: *toute tentative de purification des extraits provoquait une diminution de leur efficacité. Les préparations les plus grossières étaient toujours les plus actives.* Le jeune chercheur sent sa confiance diminuer. Un *après-midi sombre et pluvieux* du printemps de 1936 qu'il n'oubliera jamais, abattu, il regarde machinalement autour de lui. Ses yeux tombent sur une étagère, puis sur un flacon de formol, cette solution qui sert à désinfecter ou bien à fixer les pièces anatomiques. Est-ce qu'*un liquide toxique étranger à tout tissu vivant* ne pourrait pas, lui aussi, provoquer la triade en question? Il procède sans plus tarder et injecte le produit à des rats. Quarante-huit heures après, il a sa réponse: à l'autopsie, tous les animaux présentent le syndrome, et à un degré jamais obtenu jusqu'alors. La déception est cruelle. De nouvelle hormone, plus question, et de découverte non plus! Faisant alors contre mauvaise fortune bon cœur, il décide d'abandonner l'entreprise et de reprendre le fil coutumier de ses recherches.

Mais en dépit du découragement, la réflexion ne perd pas ses droits. À force de tourner et de retourner les mêmes pensées, il lui revient en tête cette observation faite pendant ses années de formation médicale, ce «syndrome du simple état de maladie». Tiendrait-il là un lien quelconque? Il se met alors à exposer des rats aux rigueurs de l'hiver canadien (sur le toit de son laboratoire), à les épuiser en les enfermant dans une cage tournante... Quel que soit l'agent utilisé, le résultat est le même à condition que l'animal survive assez longtemps: hyperactivité des surrénales, atrophie thymo-lymphatique et ulcérations gastro-intestinales. Et si toutes les maladies — cardiaques, mentales, rhumatismales, hypertensives, etc. — n'étaient que la conséquence d'*un déséquilibre hormonal et nerveux de l'organisme* dont l'expression pathologique serait fonction des prédispositions individuelles, des points faibles propres à tout un chacun?

Il fait *part de [s]es idées à plusieurs collègues dans le but de connaître leurs réactions*. En pure perte. Un jour, *un vieux professeur*, qui le traite comme son *fils spirituel*, se dit désireux de lui parler à cœur ouvert: qu'il vienne donc faire un tour dans son bureau. Le professeur commence par assurer Selye que ce dernier a toutes les qualités requises pour faire de la recherche en endocrinologie, lui affirme que là est sa voie, et pour finir lui demande pourquoi il s'entête à poursuivre *une recherche aussi farfelue*. Selye se lance alors avec l'enthousiasme du néophyte dans l'exposé complet de ses observations et des idées qui l'occupent. Le professeur le regarde *avec un air de tristesse infinie* [...]: «*Mais, Selye, tâchez de vous rendre compte de ce que vous faites avant qu'il ne soit trop tard! Vous avez donc décidé de passer toute votre vie à étudier la pharmacologie de la saleté!*» Ces derniers mots resteront à jamais marqués dans sa mémoire (*Personne n'aurait pu exprimer la chose de manière plus poignante*), et dix-sept, vingt ou quarante ans plus tard selon les ouvrages, ils lui feront toujours mal. Selye a raconté et consigné à maintes reprises cette anecdote. Mais il ne livre qu'en une occasion le nom de ce professeur (dans *The Stress of My Life*): il s'agit de Collip.

Il reste cependant un homme pour l'encourager et lui prodiguer son soutien dans cette période de noirceur: Frederick Banting. Alors *membre du Conseil National de la Recherche scientifique*, le codécouvreur de l'insuline a pour tâche d'inspecter les laboratoires universitaires canadiens. Lorsqu'il vient à Montréal, il ne manque jamais de rendre visite à son jeune ami. Se faufilant à travers la pièce encombrée, il s'assoit sur un coin du bureau et prête aimablement l'oreille à ses *divagations sur le «syndrome de l'état de maladie»*. Il fait d'ailleurs plus que lui apporter son appui moral: il lui accorde une bourse de cinq cents dollars. La somme est modeste mais par la confiance qu'elle manifeste, elle suffit à redonner au chercheur espoir et ardeur au travail.

Banting était retourné à son laboratoire après 1923, «se consac[rant] essentiellement à la recherche d'un traitement contre le cancer». Avec les années, il oublia ses ressentiments à l'endroit de Collip et s'en rapprocha. Mais, développant d'autres rancœurs, il se mit à haïr Macleod et Best (l'histoire de la découverte de l'insuline est complexe à bien des égards). Banting était «un homme sans prétention» et «il ne pouvait supporter l'ambition de Best» (qui le lui rendait bien: «Best ne pouvait respecter Banting en tant qu'homme de science»). Anobli en 1934, il prit très mal la chose et, selon Michael Bliss à qui j'emprunte tous ces détails, déclara, au cours d'un congrès médical en Angleterre: «Le prochain qui m'appelle «sir» se fera botter le derrière.»

Lorsque éclate la guerre en 1939, Banting se rappelle que les Alliés s'étaient laissé surprendre en 1914-1918 par l'utilisation de gaz de combat par les Allemands. Il redoute que l'ennemi fasse cette fois usage d'armes chimiques et bactériologiques, et que les Alliés soient une fois de plus pris au dépourvu. Ses pressions engageront le Canada à jouer un rôle d'avant-garde dans la mise au point de gaz, de germes et de virus (notamment celui de la maladie du charbon) à des fins offensives. Lui-même prendra part activement aux travaux. Ces aspects de la «guerre secrète du Canada» et le rôle de Banting ne seront connus que cinquante ans plus tard, lorsque les documents seront devenus publics[37]. On comprendra alors la présence, jusqu'alors difficilement explicable, du chercheur à bord du bombardier qui, le 20 février

1941, devait l'emmener de Gander (Terre-Neuve) en Angleterre. L'avion s'écrasa à Terre-Neuve et Banting fut tué dans l'accident.

Ayant repris, grâce à Banting, *force et courage*, Selye se plonge à nouveau dans «la pharmacologie de la saleté». D'ores et déjà se posent bien des questions à propos du *nouveau syndrome*:

1. Jusqu'où va sa non-spécificité?

2. S'accompagne-t-il de manifestions autres que celles observées?

3. Se déroule-t-il, à l'instar des maladies infectieuses, selon une série de stades chronologiques?

4. La nature de l'agent agresseur responsable des désordres constatés intervient-elle? Autrement dit, à une action non spécifique s'ajouterait-il une action spécifique? Et comment les distinguer?

5. Quelle est la dynamique de ces changements organiques?

La réponse à ces questions non plus qu'une *théorie de la «simple réaction suscitée par l'agression»* ne pouvaient tarder. Le 20 avril 1936, Selye fait à la Montreal Physiological Society (on se souvient que Frank C. MacIntosh y assistait) une communication jugée «importante» par le *Canadian Medical Association Journal* qui en reproduira un long résumé dans sa livraison de juin 1936. Elle a pour titre «The Alarm Reaction» (La réaction d'alarme). Le syndrome en question, y est-il dit, passe par deux phases. Six à vingt-quatre heures après l'exposition à un agent agresseur s'observent principalement *une rapide involution du thymus et des glandes lymphatiques, un œdème pleural et péritonéal, une diminution du tonus musculaire, une baisse de la température du corps, l'apparition d'ulcères aigus dans le tractus digestif*. Cette première phase (R.A.1) est suivie vingt-quatre à quarante-huit heures après de la seconde (R.A.2): le cortex surrénal s'élargit, la croissance générale du corps s'arrête, les gonades s'atrophient, de nombreuses cellules basophiles apparaissent dans l'hypophyse, la thyroïde tend à s'hypertrophier. Si l'animal allaite, la sécrétion lactée se tarit. Il semble y avoir une relâche hypophysaire dans la mesure où cesse la production des hormones de croissance et des hormones sexuelles ainsi que de la prolactine, mais qu'augmente celle des principes adrénotropes et thyréotropes. *Nous considérons que ce syndrome est l'expression de l'alarme générale que donne l'organisme lorsqu'il fait face à une situation critique — soit d'une réaction générale de défense de l'organisme, comparable en un sens à la fièvre, à l'inflammation, à la formation d'anticorps et aux processus survenant en cours d'habituation aux drogues.*

Selye précise ses vues, et le 18 mai (*à l'âge de vingt-neuf ans*) il adresse au journal anglais *Nature* le texte fondateur de la théorie du stress. L'article paraîtra sur une colonne et demie (soixante-quatorze lignes) à la page 32 du supplément de cinquante pages réservé aux «Lettres à la rédaction», le 4 juillet 1936 (fête de l'Indépendance américaine). La section des «Lettres à la rédaction», qui n'est d'ailleurs pas propre à ce journal, permet la publication rapide des textes (en leur évitant la lecture et la sélection opérées par le comité des spécialistes — ceux que les Américains appellent les «gatekeepers»). Le premier numéro de *Nature* remonte au jeudi 4 novembre 1869. C'est un hebdomadaire illustré (à l'origine tout au moins) et consacré à la science (*A weekly illustrated journal of science*), qui porte en exergue ces mots du poète William Wordsworth: *To the solid ground of Nature trusts the mind which builds for age* («C'est au sol solide de la Nature que s'en remet l'esprit qui construit pour l'éternité»). Il est édité à Londres par Macmillan and Co., et en 1936 déjà, également à New York. Pour *ne pas compromettre la véritable portée de [s]a communication par d'inopportunes querelles de langage*, le terme de «stress» ayant été très mal reçu dans les milieux anglophones, Selye le remplace par celui de *«noxious»* (*devenu sous la plume plus élégante de l'éditeur anglais: nocuous*). Son article est intitulé «A Syndrome Produced by Diverse Nocuous Agents» et, de fait, on y chercherait en vain le mot «stress».

Le contenu est proche, en substance, de celui qu'il a présenté à la Montreal Physiological Society, à cette différence que le syndrome y est décrit comme se déroulant en trois étapes. La première correspond à R.A.1, la seconde, à R.A.2. Si toutefois, ajoute Selye, l'animal continue à recevoir des doses relativement faibles de drogues ou à subir des blessures relativement légères, une certaine résistance va se manifester, qui permettra le retour à la normale du fonctionnement organique. Mais si les mauvais traitements persistent, après deux ou trois mois selon la gravité des agressions subies, la résistance s'effondre et l'animal succombe en montrant les symptômes décrits dans R.A.1. Cette phase d'épuisement constitue la troisième phase du syndrome. La première phase reçoit le nom de «réaction générale d'alarme», et *[p]uisque le syndrome dans son ensemble représente un effort global de l'organisme pour s'adapter à de nouvelles conditions, on pourrait l'étiqueter «syndrome général d'adaptation»*, qu'il appellera aussi par la suite «syndrome de détresse biologique» (schéma 1).

Selye n'est pas seul pour mener ses recherches. Il dispose *d'une seringue pour les injections de formol et aussi d'une «équipe», en la personne de Kai Nielsen.* Son jeune assistant fait plus que l'aider *à tenir les rats pendant les injections*; il lui apporte *le soutien de son amitié et de son égalité d'humeur toute nordique*. À quelques reprises, Selye exprimera sa reconnaissance à cet homme qui devait jusqu'au bout rester à ses côtés. *C'est un homme droit, digne de confiance et un excellent ami: on peut compter sur sa sûreté de jugement pour diriger un laboratoire.*

Ce qu'exprime d'une voix vibrante le Dr Charles-Philippe Leblond:

> Ah, Nielsen, c'était un homme, ça! Il a rendu des services énormes à Selye. C'était un technicien de haute intelligence et extrêmement habile. Il savait adoucir les rigueurs de l'atmosphère, et il a empêché bien des personnes de partir.

Kenneth Savard aussi rend hommage à Nielsen:

> M. Nielsen (un Danois) était toute la compagnie de M. Selye — je veux dire qu'il était à lui seul toute une équipe de techniciens car il savait tout faire: animalerie, photogra-

SCHÉMA 1.

Les trois phases du syndrome général d'adaptation (SGA)

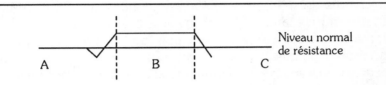

A. Réaction d'alarme. Le corps montre les changements caractéristiques de la première exposition à un agent de stress. Simultanément, sa résistance diminue et si le «stresseur» est suffisamment fort (brûlures graves, températures extrêmes), la mort peut se produire.

B. Phase de résistance. Elle s'ensuit si l'exposition continue au stresseur est compatible avec l'adaptation. Les signes physiques caractéristiques de la réaction d'alarme ont virtuellement disparu et la résistance s'élève au-dessus de la normale.

C. Phase d'épuisement. Par suite d'une exposition longue et continue au même agent de stress, auquel le corps s'était adapté, l'énergie d'adaptation est éventuellement épuisée. Les signes de la réaction d'alarme réapparaissent, mais ils sont maintenant irréversibles, et l'individu meurt.

Tiré de *Stress sans détresse*, p. 42.

phie, etc. C'était un technicien polyvalent — tous les laboratoires possèdent quelqu'un de ce type.

La lucidité critique aidant, Selye écrira à propos de ces années trente: [...] *je n'ai jamais plus été capable de découvrir quelque chose d'une importance comparable à ces expériences faites dans des conditions si précaires.*

Le «syndrome de Selye»

La description du SGA (syndrome général d'adaptation) est à peu près dressée, les symptômes identifiés et mesurés. Mais l'analyse du mécanisme intrinsèque reste à faire: qu'est-ce qui, exactement, est à l'œuvre? Comment, tout d'abord, désigner la cause des phénomènes en jeu, comment la nommer? Le terme d'«agents nocifs» *était évidemment peu adéquat.* Cherchant *un mot plus approprié,* Selye bute à nouveau sur celui de stress. Outre les autres sens que peut recouvrir ce terme dans la langue anglaise, il désigne, en mécanique, la tension, la contrainte, la force qui, agissant sur la matière (métal, bois, caoutchouc, etc.), l'amènent par réaction à se modifier, à se déformer (on dira en français que le métal ou le bois «travaille»). *Peut-être pourrait-on parler de «stress biologique»? Ce terme offrait aussi l'avantage* [...] *de ne pas être tout à fait un néologisme, même en médecine;* il avait déjà été utilisé par les psychiatres pour caractériser la tension mentale, et par Walter Cannon, un physiologiste fort connu, que Selye met au nombre de ses *idéaux,* tout comme *Claude Bernard, Louis Pasteur, Robert Koch, Paul Erhlich*. Cannon parlait aussi de façon générale du stress et des tensions résultant d'une pression de la maladie sur certains mécanismes spécifiques nécessaires à l'homéostasie, c'est-à-dire au maintien d'un état normal de l'organisme.* Ernest Starling, dans son «Allocution harvéienne sur la sagesse du corps» (1923), rappelait que l'on doit à Cannon d'avoir montré que «les sécrétions de la portion médullaire des glandes surrénales [...] sont déversées dans le sang dans les moments de stress, de colère ou de peur».

Le terme de «stress», toutefois, rencontre beaucoup d'opposition: on lui reproche d'abord d'être source de confusion avec ses propres autres acceptions. Et puis, ce stress dont parle Selye

---

* Robert Koch, plus jeune que Pasteur de vingt ans, partage avec lui «le mérite d'avoir fondé la science des microbes»; il découvrit en 1882 le bacille de la tuberculose, bacille qui porte son nom, en 1883 le vibrion du choléra dit asiatique, et obtint le prix Nobel en 1905. Paul Erhlich fit de nombreux travaux, sur les anticorps entres autres, et surtout sur la chimiothérapie dans la syphillis, ce pour quoi il obtint le prix Nobel en 1908. (Bariéty et Coury.)

à toutes ses conférences, n'est-ce pas une abstraction, quelque chose d'impossible à isoler, car seuls sont observables, mesurables et quantifiables les effets sur l'organisme d'agents agresseurs, ceux-là réels et bien tangibles? Autrement dit, le stress pourrait-il se prêter à une étude véritablement scientifique? Mais avec le temps, de moins en moins de gens se laissèrent convaincre par ces arguments, et le mot s'imposa. Après tout, *les termes «général», «adaptation», «syndrome», «alarme», «réaction», «stade», «résistance» n'étaient pas nouveaux* non plus. Et la «vie»? C'est aussi une notion bien abstraite, pourtant que feraient les biologistes sans elle? Seule concession, nécessaire: on distinguera entre l'agent en cause, dit «stressor» (stresseur), et la condition résultante, seule justiciable de l'appellation de «stress». Mais alors surgit une autre difficulté: comment faire passer le terme dans les autres langues? Comment le traduire?

La question se posera lorsqu'en 1946 le Collège de France invitera Selye à donner une série de conférences sur le SGA. *En m'accompagnant à l'estrade, mon ami Robert Courrier, secrétaire permanent de l'Académie française de médecine [en fait secrétaire perpétuel de l'Académie des sciences], me chuchota à l'oreille ce qu'il croyait être une remarque innocente: «Je ne sais pas, professeur Selye, si vous le savez, mais dans cette institution vieille de plusieurs décennies [le Collège de France a été fondé en 1530, l'Académie de médecine en 1820], la tradition veut que tous les professeurs assistent à la première conférence donnée par un invité étranger, et, à la première rangée, sont assis les plus éminents gens de lettres de France, les gardiens de la pureté de la langue française.»* Force lui sera d'avouer, devant tous ses distingués auditeurs, qu'il n'a *pas trouvé d'équivalent français au terme «stress».* Après la conférence, racontera-t-il, *ces éminents gardiens de la pureté de la langue française se réunirent pour discuter de la chose. Ils éliminèrent un à un des termes comme «dommage», «agression», «tension», «détresse»* pour finalement adopter tel quel et au genre masculin le mot anglais — les «agents nocifs» devenant, en toute légitimité, les *agents stresseurs* ou «stressants». Et toutes les langues feront de même.

En choisissant le mot «stress» dans ses publications anglaises, il a exigé, forcé l'importation ou la transposition directe de ce mot, de l'anglais dans toutes les autres langues du monde scientifique. Pour moi, c'est une indication de son génie. (Kenneth Savard.)

À l'article «stress» du *Petit Robert 1*, on peut lire: «*n. m.* (après 1950 [H.Selye]; mot angl. «effort intense, tension»).»

Selye s'est-il contenté d'un emprunt lexical? Auquel cas, il faut se souvenir que, de toute façon, «un même mot n'est pas un même concept» (Canguilhem). Ou bien est-il redevable, et à qui, d'un concept, d'un modèle expérimental? Poser ces questions ne signifie pas qu'on se rallie à la vision d'un développement scientifique réduit, comme le dit T. S. Kuhn, à «un processus d'accumulation», à une addition de découvertes et de conquêtes, et partant, qu'on s'essaie à cette recherche linéaire des précurseurs dont on peut dire: «il est rare [...] qu'[elle] ne soit pas payante, mais il est aussi rare qu'elle ne soit pas artificielle et forcée» (Canguilhem). Beaucoup plus circonstancié, mon propos vise simplement à comprendre ce qui lie un chercheur, Selye, à ses plus ou moins contemporains — ceux aux travaux desquels il a pu puiser pour effectuer une synthèse personnelle et originale.

De ceux-là, le plus important est sans conteste Cannon.

Au début, Selye ne citait pas Cannon. Quand il a appris qu'on le lui reprochait, il s'est empressé de le citer dans tous ses travaux. (Pavel Rohan.)

Comme le dit sans ambages le Dr Joaquim Ventura, «il était un peu embêté par Cannon». Et de fait, il se contente de le citer brièvement, rappelant que Cannon avait démontré que les états de peur, de faim ou de commotion nerveuse s'accompagnaient d'une décharge d'adrénaline («épinéphrine» pour les auteurs anglo-saxons), laquelle est sous le contrôle des nerfs sécréteurs de la médullo-surrénale. Il s'en acquittera par la suite, en bloc: *Il y a des hommes qui m'ont ouvert la voie, et parmi eux Walter Cannon.* Il parlera aussi de lui à ses élèves: tous attestent qu'il mentionnait souvent le nom de Cannon, son «maître et compétiteur», comme le qualifie en souriant le Dr Sandor Szabo. *J'ai fait miennes tant des idées de Cannon que je ne puis que lui vouer*

*de la reconnaissance; mais qu'y puis-je? Les fils ne peuvent
faire qu'ils ne ressemblent à leur père.*

Pavlov, par sa découverte des réflexes conditionnés d'une
part, de l'existence de stimuli psychiques dans la digestion (sali-
vaire et gastrique) d'autre part, avait ouvert de nouveaux horizons
à la recherche et renouvelé l'intérêt pour les phénomènes diges-
tifs. Trois physiologistes américains allaient s'illustrer dans l'exploration approfondie de ce domaine: Anton J. Carlson, Andrew
C. Ivy et Walter B. Cannon.

Walter Bradford Cannon, né le 19 octobre 1871 à Prairie
du Chien, une petite ville du haut Mississipi (Wisconsin, États-
Unis), obtint son diplôme de médecin et enseigna à la Harvard
University où il fut pendant longtemps le collègue et l'ami intime
du grand neurochirurgien Harvey W. Cushing. C'est pour pouvoir
étudier, chez l'animal, les mouvements gastriques au cours de la
digestion que Cannon eut l'idée (1897) d'employer des sels de
bismuth pour opacifier et rendre visible à la radiographie le tube
digestif — technique qui, quelques années plus tard, serait utilisée
en clinique humaine, et travaux qui connaîtraient un grand retentissement. Puis, définissant le rôle des noyaux gris centraux
(1925), il fut de ceux qui participèrent à l'établissement de la
carte architectonique du cerveau. Enfin, il se consacra à l'étude
de l'appareil vago-sympathique (pour laquelle il reprit à son
compte la notion de «système végétatif» héritée de Bichat), mettant en évidence les relations entre glandes endocrines et émotions, et le rôle de la «sympathine» (adrénaline), ainsi que la
médiation chimique des influx nerveux. Cannon a collaboré sur
ces questions avec Henry Dale (Angleterre) et avec Z. M. Bacq
(Belgique), venu en 1929 travailler pendant plus d'un an dans son
laboratoire de Harvard[38].

Dans son autobiographie scientifique, Cannon expose, à titre
de principes de travail, ses «articles de foi» quant à la nature de
l'organisation du corps vivant. Tout chercheur en effet, quel que
soit son domaine, fait consciemment ou pas intervenir dans les
méthodes choisies, dans les hypothèses présentées, dans les
concepts élaborés, des convictions profondes auxquelles il adhère
sans réserve. Ces «conceptions premières», le philosophe des sciences Gerard Holton les appelle des «thêmata»; leur mise en évidence,

ou analyse thématique, est une composante obligatoire de toute étude régressive de l'œuvre scientifique d'un individu. Pour Cannon, chaque partie de notre organisme agit de façon à assurer le bien-être de l'ensemble. Et de rappeler ce mot du physiologiste allemand Ernst Wilhelm von Brücke: «La téléologie est une dame sans laquelle aucun biologiste ne saurait vivre. Mais il a honte de se montrer avec elle en public.» Par le fait même, structure et fonction sont intimement reliées: c'est son second article de foi.

Les autres concernent un concept qui est l'un de ses grands apports: l'homéostasie (ou homéostase). L'homéostasie rend compte de la stabilité des grandes constantes physiologiques (par exemple, la température du corps: «Il y a quelque part dans notre organisme un thermostat sensible», responsable de la constance de cette température — donc thermostasie —, et tout particulièrement du maintien à l'uniformité des fluides organiques (eau, sel, sucre, lipides, protides, oxygène, etc. du sang). Elle implique donc une régulation, «permettant à l'organisme de se comporter comme un tout». Cette notion de régulation n'est pas nouvelle, elle a une histoire, et une «histoire difficile à exposer», dit Canguilhem, à l'article de qui je renvoie le lecteur non sans en extraire cette phrase, récapitulative: après Claude Bernard, à qui nous devons le concept de «milieu intérieur» (expression qui, selon l'historien des sciences Mirko D. Grmek, que cite Canguilhem, apparaît pour la première fois sur un brouillon sous la forme «milieu liquide intérieur») et pour qui la régulation «consiste dans un mécanisme de compensation des écarts», le terme de «régulation» devient sans conteste «un concept de biologie, après n'avoir été qu'un concept de mécanique, en attendant de devenir un concept de cybernétique, par la médiation du concept d'homéostasie». (Il est intéressant de constater, de même, que, d'un point de vue historique, «la notion et le terme de «milieu» sont importés de la mécanique dans la biologie», nous apprend encore Canguilhem. On trouverait sans doute aisément d'autres exemples, la biologie, comme concept, n'étant née qu'en 1802 — la physiologie en 1542. La biologie, en retour, a «souvent fourni aux sciences sociales des modèles, et trop souvent de faux modèles», dit toujours Canguilhem.)

Une telle constance, une telle cohérence interne impliquent l'existence de mécanismes de contrôle circulaires, autocorrecteurs, aux niveaux interglandulaire et neuroglandulaire qui, jouant de la stimulation et du freinage, assurent ainsi l'équilibre de l'ensemble. «L'être vivant, dit Cannon, est un organisme fait de telle sorte que chaque influence nocive appelle d'elle-même une activité de compensation pour neutraliser ou réparer les dommages.» Car «l'idée d'homéostasie est celle d'un équilibre dynamique caractéristique du corps vivant et nullement celle d'une réduction de tension à un niveau minimal[39]» — d'un équilibre, donc, toujours à la recherche de lui-même et qui témoigne de cette «sagesse du corps» dont parlait Starling et que Cannon donne comme titre à l'un de ses ouvrages. Notre organisme oscille entre «des limites de changement interne au-delà desquelles» la déviation devient irréversible. «Vivre entre ces limites peut être considéré comme la grande finalité de tout système», diront Jurgen Ruesch et Gregory Bateson, en généralisant à l'ensemble du vivant cette aptitude de l'organisme, révélée par Cannon, à la stabilité dynamique et à l'adaptabilité. Ainsi donc, notre équilibre intérieur résulte de la «coopération d'un certain nombre de facteurs qui entrent en jeu au même moment ou successivement»; si tel facteur s'avère susceptible de faire basculer l'équilibre de l'organisme dans une direction, c'est qu'un, ou d'autres, ont un pouvoir compensatoire inverse. Bref, «l'homéostasie n'est pas un accident, c'est le résultat d'un contrôle autonome et organisé».

On sait maintenant qu'une des caractéristiques tout à fait surprenantes de ces sécrétions endocrines, c'est qu'elles sont pulsatiles, avec des fréquences de cinq à quinze minutes, et des amplitudes considérables: le niveau peut varier de cent fois en quelques minutes. Selye aurait pu s'y intéresser, on avait déjà des évidences; quelques semaines après mon départ de l'Institut [1953], j'avais publié une série de travaux qui montraient des variations au moins nycthémérales.

Autrement dit, les grandes variations de l'homéostase de Bernard et de Cannon représentent en fait l'enveloppe des courbes, à amplitude majeure et à fréquence extrêmement élevée, que leurs méthodes de laboratoire ne leur permettaient pas de déceler. (Roger Guillemin.)

Certains psychologues estiment justifié de parler d'homéostasie (certains disent «homéostase») non plus physiologique mais comportementale — appliquant le concept de Cannon à la motivation. De nombreux comportements sont, en partie, provoqués par le besoin de soulager une tension et de restaurer un équilibre perdu: la faim oblige à chercher de la nourriture; l'accumulation d'acide lactique dans le muscle, responsable de la sensation de fatigue, pousse à réduire les activités. Enfin, un psychologue social comme Wynne-Edwards ne craint pas d'affirmer que «les processus sociaux élémentaires de la vie animale sont par nature homéostatiques, et que ce que ces mécanismes tendent à maintenir c'est un état correspondant à une dimension et une dispersion de population idéales[40]».

Dans un ouvrage ultérieur, Cannon traite du rôle de l'émotion sur la sécrétion des surrénales, des changements physiques concomitants (l'adrénaline entraîne la suspension de l'activité du tube digestif; l'accroissement de la circulation sanguine au niveau des poumons, du cœur, des membres et du système nerveux central au détriment de l'abdomen; une plus grande tonicité du cœur; l'augmentation de la glycémie) et de leur signification. De la cinquantaine d'articles dont il donne la référence, retenons, parce que directement en rapport avec notre propos, celui qui traite de la fonction d'urgence de la médullo-surrénale dans la douleur et les grandes émotions. Les changements provoqués par la sécrétion rapide et massive d'adrénaline en cas de situation fortement émouvante se résument, pour finir, en une abolition rapide de la fatigue musculaire et en la mobilisation de l'énergie glucidique — autrement dit, ils «ont une utilité immédiate puisqu'ils rendent l'organisme plus efficace dans sa lutte contre la peur ou la rage ou la douleur; car la peur et la rage préparent l'organisme à l'action, et la douleur est le plus puissant stimulant connu à un effort suprême». C. S. Sherrington (1859-1932, neurologue, prix Nobel en 1932) ne rappelait-il pas, justement, que le mot «émotion» vient de «motion», «mouvement»? Cannon dit avoir été mis sur cette voie par McDougall (un des fondateurs de la psychologie sociale), qui avait suggéré «une relation entre «l'instinct de fuite» et «la peur», «l'instinct de combat» et «la colère». (L'explication des comportements par les instincts était fort à la mode au début du siècle; vers 1920, on disposait d'une liste de quelque six mille instincts — dont celui d'éviter de manger des pommes dans son propre verger!) C'était dire que, «à l'état sauvage, [la peur et l'émotion] sont susceptibles d'être suivies par des activités (courir ou se battre)» qui, sur le plan physiologique, exigent les changements ci-haut mentionnés. On est donc en présence de «fonctions d'urgence», préparatoires à la fuite ou au combat, et à peu de nuances près toujours les mêmes, quelle que soit l'émotion en cause. Leur source se trouve dans l'hypothalamus (qui, avec le thalamus et l'épithalamus, fait partie du diencéphale, dans le cerveau anté- rieur).

De son propre syndrome, Selye écrira: *un des traits carac- téristiques du SGA est le fait que ses divers mécanismes de défense reposent toujours sur la combinaison de ces deux types de réponse: attaque et retraite,* lesquelles, bien sûr, *ne peuvent intervenir simultanément et au même point, mais les forces de progression et celles de recul peuvent être mobilisées concurremment en un lieu donné.* Et de Cannon: *il était ainsi l'un des premiers à établir le rapport entre des changements physiques et des changements psychologiques et à découvrir des traits communs à toutes les réactions d'urgence de l'orga- nisme.* Ce sont ces «traits communs» que Selye retiendra: *déclen- ché par tel ou tel signal d'alarme, le stress est le dénominateur commun des actions les plus diverses d'agents de différents types.* Ou encore: *la principale valeur du concept de stress est précisément de fournir une base commune permettant d'uni- fier toutes les observations jusqu'ici apparemment sans rap- port commun.*

D'autres chercheurs ont préparé le terrain à Selye. «Il nous parlait souvent aussi de Reilly — du syndrome de Reilly», dit le Dr Gaétan Jasmin, qui sera son assistant entre 1951 et 1957. Les Drs Henri Laborit et Armand Frappier expliquent:

> Je suis arrivé à Paris, vers 1950-1951. La notoriété
> de Selye traversait la planète, mais en France, il a été reçu
> vraiment très très mal, parce qu'il y avait là, à l'époque, un
> monsieur qui s'appelait Reilly, qui avait montré l'importance

du système végétatif, et on prétendait que Selye n'avait rien fait — alors que ce n'est pas vrai du tout. Donc il y a eu une campagne anti-Selye la première fois qu'il est venu, oh oui! Et puis, disait-on, «stress», ça ne peut pas se traduire en français! Par ailleurs, dans l'esprit de Selye et avec juste raison, le mot de «stress» recouvrait à la fois l'agression et la réaction d'un organisme à l'agression; c'était l'ensemble que cela représentait. Or maintenant, quand on parle de «stress» dans la vie courante, c'est toujours l'agression qui est vue, on ne parle pas de la réaction organique à l'agression. (Henri Laborit.)

Ce qui nous ennuyait, nous qui n'étions pas dans son laboratoire, c'est que cette idée de stress n'était pas nouvelle. Hippocrate même, le fondateur de la médecine, a laissé entendre dans ses œuvres (qui sont de lui ou de son groupe) que les dépassements des réactions de l'organisme peuvent être suivis d'ennuis physiques et de maladies. Les médecins ont toujours conseillé à leurs malades d'éviter certaines fatigues — ce qu'aujourd'hui on appelle la prévention du stress. Et la même chose est arrivée après que les maladies, ou infections, spécifiques furent découvertes: les médecins ne négligeaient pas de mettre leurs malades en garde... Ce que, moi, je trouve admirable chez M. Selye, c'est d'avoir découvert non pas le stress — je ne crois pas qu'il ait eu cette prétention — mais les effets du stress, sur l'agent surrénal en particulier. Et il a vraiment fait là une œuvre originale. C'est admirable d'avoir réussi à montrer, scientifiquement, ce qu'avant lui Reilly et d'autres vieux médecins avaient déjà expérimenté, à savoir la provocation du stress. Reilly avait injecté du bacille typhique dans les ganglions mésentériques d'animaux qui ne réagissaient pas du tout à l'ingestion massive de ce même bacille, et constaté des troubles. Et voilà qu'il s'est aperçu qu'en injectant n'importe quelle substance, il obtenait encore la même chose... (Armand Frappier.)

James Paul Marie Reilly, de vingt ans l'aîné de Selye, avait mené ces travaux au tout début des années 1930. De concert avec Pierre Gastinel (1884-1963) et une équipe de l'hôpital

Claude-Bernard, il avait montré que les atteintes spécifiques dues à un agent infectieux (fièvre typhoïde, scarlatine) s'accompagnaient de lésions auxquelles il avait donné le nom de «syndrome d'irritation»; ce syndrome, reproductible en laboratoire, ne devait rien au microbe en cause. Un tel résultat n'ébranlait en rien la position intransigeante de Pasteur voulant qu'à chaque maladie corresponde un germe spécifique, mais la tempérait en réinsérant, dans le mécanisme du tableau clinique présenté, le point de vue chimique défendu par Claude Bernard. «Partant de considérations très différentes, Selye a depuis lors groupé l'ensemble de ces «réponses non spécifiques» sous le nom de «syndrome général d'adaptation», donnant ainsi «un écho puissant» aux conclusions de Reilly, déclarent Bariéty et Coury.

Il avait d'autres modèles encore — par exemple, ce grand spécialiste mondial de la nutrition qu'il avait connu à Johns Hopkins, qui travaillait sur les électrolytes, en particulier le magnésium, et qui l'a incité à s'intéresser au calcium: [Elmer V.] McCollum. Selye a toujours porté beaucoup d'attention au fait que la régulation des tissus et des cellules se faisait évidemment par des échanges de liquides et d'électrolytes dont le calcium. Dans toutes ses recherches, vous pouvez retrouver des études sur la calcification tissulaire. (Gaétan Jasmin.)

Selon V. C. Medvei, les conclusions de Selye ont subi très nettement les influences de son professeur Artur Biedl, de Claude Bernard et de Walter B. Cannon dont, dit-il, Selye avait suivi les cours à Baltimore lorsqu'il était boursier Rockefeller. Je pense qu'il fait erreur. Cannon a travaillé à Chicago et à Harvard, pas à Johns Hopkins. Bien sûr, il aurait pu être invité à y donner des cours, mais Selye l'aurait mentionné. D'autant que, évoquant ses souvenirs du *très grand savant* et détaillant les raisons qu'il a de l'admirer, il rapporte que ce *grand professeur reconnu partout à travers le monde* l'avait convié à venir visiter son laboratoire à Harvard, alors que lui-même n'était *qu'un petit étudiant postgradué de l'Université McGill* — ce dont il s'était senti très *flatté*. Pour ce qui est de l'histoire du concept du «stress», Medvei la fait remonter à l'«homéostasie» de Cannon, au «milieu intérieur» de Claude Bernard (dont d'ailleurs Cannon se réclame) et aux travaux sur le choc des cinquante dernières années.

Bariéty et Coury, de leur côté, évoquent d'autres noms: ceux de Bichat et de Broussais. François Xavier Bichat n'a vécu que trente et un ans, de 1771 à 1802, mais il a laissé une marque importante dans les trois domaines qu'il a su simultanément maîtriser: la médecine, l'anatomie et la physiologie. Reste aussi de lui la formule «La vie est la somme totale des fonctions qui résistent à la mort», laquelle traduit sa conception générale d'un organisme dont l'équilibre physiologique dépend de mécanismes compensateurs aptes à répondre aux divers agents extérieurs de perturbation — «Selye parlerait de nos jours de «stress» et d'adaptation», remarquent les auteurs. Contemporain de Bichat, François Joseph Victor Broussais (1772-1838) s'est battu farouchement pour des idées rétrogrades dont la réalité a très vite démontré l'inanité. L'inflammation est la cause exclusive des maladies, affirmait-il. Sans prétendre vouloir réhabiliter pour autant sa mémoire, il faut reconnaître que sa «théorie de l'inflammation non spécifique trouve [...] une sorte de justification de principe, que Broussais lui-même ne pouvait entrevoir» dans la description des réactions d'alarme et d'adaptation, et le succès des thérapeutiques anti-inflammatoires.

Quant aux Russes, *qui disent toujours avoir tout découvert, [ils] m'ont tout d'abord attaqué,* allant jusqu'à faire *circuler des bulletins pour dire que ce n'était pas patriotique de citer Selye. [...] Quand Krouchtchev a pris la direction, il a [...] soutenu au contraire que Selye était une continuation de l'œuvre de Pavlov [...].*

Procédons maintenant à ce que Selye, chirurgien dans l'âme, appelle *la dissection du stress.* Cette analyse, il la présentera a posteriori, c'est-à-dire en regroupant uniment des travaux en fait étalés sur de longues années. Je suivrai plutôt la chronologie, m'aidant en cela de ce que lui-même a exposé dans *The Story of the Adaptation Syndrome.*

En 1937, nous disposions de très peu de réalités tangibles. Quels sont ces faits à partir desquels une analyse sera possible? Le SGA, nous l'avons vu, a deux caractéristiques: il se déroule en trois phases (alarme, résistance, épuisement), et il est non spécifique en cela que n'importe quel agent peut le provoquer. Ces deux caractéristiques sont aussi celles d'une autre réaction biologique tout aussi importante, tout aussi répandue que le SGA mais connue depuis toujours: l'inflammation. «L'inflammation est une réponse physiologique aiguë non spécifique de l'organisme à un dommage tissulaire causé par différents facteurs [...]. Même s'il existe des différences entre les agents causals, la localisation des lésions et l'état de l'organisme, la réponse inflammatoire aiguë non spécifique est fondamentalement semblable dans presque tous les cas[41].» Cliniquement, elle se manifeste par les quatre signes classiques: tumeur, rougeur, chaleur, douleur. Pas plus que la réaction d'alarme, cette phase initiale ne saurait se maintenir indéfiniment, et l'inflammation finit par se résorber (parfois en donnant naissance à un abcès).

La ressemblance va plus loin: les deux réactions sont *utiles*, faisant appel soit à l'adaptabilité de l'organisme (SGA), soit à ses capacités de défense (inflammation). Des corrélations peuvent être mises en évidence: des rats en phase d'alarme sont insensibles à l'injection de produits inflammatoires habituellement très actifs chez eux (le blanc d'œuf, par exemple) comme si, dans une situation stressante, *les irritants locaux étaient négligés «au profit»* des mesures systémiques de défense. Par la suite, il apparaîtra que la surrénalectomie accroît la sensibilité des rats au blanc d'œuf et l'intensité de la réaction inflammatoire, tandis que l'injection d'extraits adréno-corticaux a des effets antiphlogistiques — ce qui signale le rôle du cortex surrénalien et permettra de voir dans l'inflammation *l'une des caractéristiques les plus importantes de la réponse à des stress localisés au cours du SLA* [syndrome local d'adaptation]. SGA et SLA *dépendent étroitement l'un de l'autre.*

Le SGA donc, *obéit à un rythme caractéristique triphasé.* Des rats enfermés dans une chambre frigorifique manifestent, pendant les premières quarante-huit heures, la triade symptomatique de la réaction d'alarme (hypertrophie des surrénales, involution du thymus, ulcérations gastriques). Si, dans un deuxième temps, on les soumet à une température encore plus basse, ils résisteront moins bien qu'un second groupe de rats nouvellement introduits dans la chambre et qui, eux, affrontent pour la première fois ce froid intense. Cinq semaines plus tard toutefois, tous sont adaptés aux conditions de la chambre frigorifique, et même capables de supporter un plus grand froid: c'est la phase de résistance. Mais au bout de plusieurs mois, leur résistance s'effrite et l'épuisement les gagne, puis la mort; l'autopsie révèle alors des changements structuraux comparables à ceux que l'on observe lors du vieillissement. Il y a donc *perte d'une adaptation acquise.* Les mêmes conclusions valent si on fait varier l'agent stressant (remèdes, infections, travail musculaire forcé, etc.). *La capacité d'adaptation développée par entraînement [...] finalement s'épuise; ses ressources sont limitées.* Résultat contraire à ce qu'attendait Selye, et qui l'amène à créer *le concept d'«énergie d'adaptation»,* qu'il définit comme *le potentiel utilisé pendant que se poursuit le travail d'adaptation [...] il ne s'agit pas de la même énergie que celle que nous procure la nourriture (énergie calorique).* Il semble même qu'il existe *deux sortes d'énergie d'adaptation: une énergie superficielle, immédiatement disponible, et une autre plus profonde qui constitue une sorte de réserve.* Ainsi, *[t]out se passe comme si notre organisme possédait des réserves cachées d'adaptation [...] comme si l'enfant disposait, à sa naissance, d'un capital génétique d'énergie d'adaptation* que, dans sa vie, il pourra ou ménager ou gaspiller. Ces réserves sont finies et non renouvelables. Une fois vidées, une fois arrivées à leur terme, c'est la mort. *On pourrait comparer nos réserves en énergie d'adaptation à une fortune héritée sur laquelle nous pouvons opérer des retraits d'argent, mais sans être certain de pouvoir faire des dépôts. On a le choix entre gaspiller [...] «en brûlant la chandelle par les deux bouts», ou apprendre à [la] faire durer [...]* le plus longtemps possible.

En 1929, Cannon avait parlé de la valeur dynamogène des émotions intenses, rappelant que le philosophe William James, dans ses études sur la psychologie humaine, remarquait (1911): «Dans chaque personne, il y a des «réservoirs d'énergie» auxquels il n'est pas habituellement fait appel mais qui, néanmoins, sont prêts, si l'occasion se présente, à déverser leurs torrents de forces.» Pour Cannon, le même constat s'appliquait au niveau physiologique.

Selye adressera à nouveau, concernant l'énergie d'adaptation, une lettre (d'une quarantaine de lignes) à la rédaction de *Nature,* qui paraîtra le 21 mai 1938, et peu de temps après (le

23 mai) un article similaire à l'*American Journal of Physiology*.
Il avait au préalable fait sur le sujet et dans presque les mêmes
termes une communication à la Montreal Physiological Society,
le 25 avril 1938. S'il est relativement facile de décrire l'énergie
d'adaptation, les véritables questions toutefois demeurent sans
réponse. De quelle nature est-elle? Qu'est-ce qui s'est perdu
lorsque, l'adaptation faiblissant, l'organisme s'épuise? Nous n'en
savons, hélas, pas grand-chose. C'est là *la plus fondamentale
lacune de nos connaissances concernant le stress* et, par conséquent, *une des voies majeures de la recherche scientifique*
devra porter sur l'analyse scientifique de cette énergie d'adaptation.

Le Dr Plinio Prioreschi regrette que cette lacune soit restée
en l'état:

> C'est une observation que je trouve fascinante, et que
> lui aussi trouvait fascinante. Nous étions d'accord que c'était
> une des plus importantes et des plus intéressantes qu'il ait
> faites. Mais ça finissait là! Je lui disais: «Pourquoi ne cher-
> chez-vous pas pour savoir ce que c'est?» Il me répondait:
> «C'est que je ne sais pas quoi faire; je suis incapable de
> continuer dans cette direction, je n'ai aucune idée, je ne vois
> pas comment continuer à explorer cette voie.»

(42)

Pour Selye, rappelle Prioreschi dans un ouvrage traitant des
réactions humaines à l'endroit de la mort[42], cette théorie permettait de comprendre que des animaux soumis à un agent stressant
aient une vie plus courte que ceux de leurs compagnons qui
vivent une existence plus tranquille. Elle pourrait également expliquer la différence de longévité que les physiologistes ont depuis
longtemps observée entre petits et gros mammifères: les premiers ont, comparativement, un métabolisme plus élevé que les
seconds, et vivent moins longtemps. «Autrement dit [...] la machi-
nerie biochimique semble fonctionner à un rythme plus rapide»
chez eux. L'être humain par contre, et dans la mesure où l'on
prend aussi comme indicateur du taux de métabolisme le nombre
de battements de cœur, a quatre fois plus de réserves d'énergie
d'adaptation que les mammifères. Pourquoi? Comment? On ne
peut que spéculer sur le sens de cette constatation.

À la fin de l'année 1936 (schéma 2), il est acquis que l'agent stressant stimule directement le cortex surrénal (mais par quelles voies?), provoquant une prolifération cellulaire et une sécrétion accrue des principes hormonaux corticaux que, faute de les mieux connaître et identifier, Selye proposera dans quelques années d'appeler «corticoïdes» puisqu'ils reproduisent l'action physiologique du cortex surrénal (la cortine s'était révélée en fait un composé de plusieurs fractions); le terme est resté. L'agent stressant a également une action directe sur le thymus, dont l'involution produit également des modifications qui sont sans aucune valeur défensive mais qui signalent l'existence de dommages: ulcères gastro-intestinaux, hypotension, hypochlorémie et choc, voire mort. Ces changements s'observent lorsque l'animal est surrénalectomisé (preuve qu'ils ne sont pas médiatisés par le cortex surrénal); ils sont beaucoup plus marqués en l'absence d'extraits corticoïdes. On peut donc supposer que l'hyperfonctionnement des surrénales au cours du stress a pour rôle de prévenir ce type de lésions. Mis à part le fait que les corticoïdes ne sont pas indispensables pour produire ces changements, on ne sait rien sur leur mode de médiation.

SCHÉMA 2.

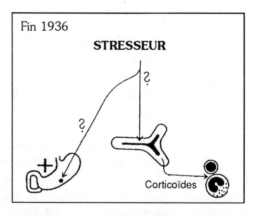

Au cours de l'année 1937 (schéma 3), beaucoup d'autres lésions non spécifiques sont découvertes: *la perte de poids, la disparition des cellules éosinophiles du liquide sanguin et un certain nombre de modifications chimiques dans la structure*

des tissus et des liquides organiques. (Il est à noter qu'il y a là une petite contradiction puisque dans *The Story of the Adaptation Syndrome*, Selye parle d'éosinopénie dès le début de 1936.) Mais surtout surgit un nouvel intervenant: l'hypophyse, plus précisément son lobe antérieur. On ne sait par quelles voies l'agent stressant réussit à l'atteindre, mais il est clair qu'elle répond par une décharge d'ACTH (adrénocorticotropine ou corticostimuline), laquelle induit la stimulation de la sécrétion surrénalienne: après ablation de l'hypophyse, on n'observe ni hyperactivité du cortex surrénal ni lyse lymphocytaire; inversement, des animaux exposés au stress et hypophysectomisés reproduisent ces manifestations après administration d'extraits du lobe antérieur de l'hypophyse contenant de l'ACTH. La réponse au stress participe donc d'une double composante, soit des dommages causés et des défenses enclenchées.

SCHÉMA 3.

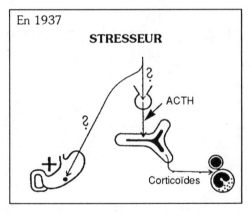

En 1938, deux chimistes travaillant à Bâle (Suisse) démontrent la présence, dans les glandes surrénales, d'une hormone corticoïde, la substance Q ou désoxycorticostérone, et en effectuent la synthèse: Tadeus Reichstein, d'origine polonaise, qui a déjà participé à la synthèse de l'acide ascorbique (1933) et isolé les composés F, H et J ou corticostérone (1936), et J. von Euw.

Sept ans plus tard, en 1944 (schéma 4), apparaissent les premiers corticoïdes proinflammatoires (CP) purifiés, dont le chef de file est l'acétate de désoxycorticostérone (DOC); son action est

Acétate te desoxycorticostérone

bien différente de celle des extraits utilisés jusque-là. L'administration de DOC entraîne des lésions rénales, évoquant l'hypertension maligne; des lésions d'artérite, évoquant la périartérite
noueuse ou rhumatismale; des lésions articulaires, évoquant le
rhumatisme articulaire aigu ou l'arthrite rhumatoïde; et des
lésions inflammatoires éparses (dans chacun des organes atteints,
le «potentiel inflammatoire» du tissu conjonctif est augmenté).
Reste à savoir *comment le stress peut influencer de façon
sélective la production de substances comparables aux extraits
corticosurrénaux ou au DOC par le truchement d'un seul type
de stimulant corticosurrénal: l'ACTH.* Une notion importante
se fait jour, par ailleurs: celle de «facteurs conditionnants». On
constate qu'*une néphrectomie partielle ou un régime riche en
chlorure de sodium augmentent de façon sélective la sensibilité des organes à l'action toxique des CP. La présence ou
l'absence de cette sensibilisation est en soi suffisante pour
modifier qualitativement la réponse tissulaire.*

SCHÉMA 4.

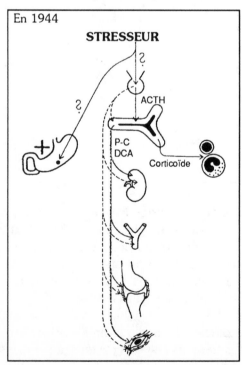

En 1945 (schéma 5), on sait que des extraits impurs du lobe antérieur de l'hypophyse (et particulièrement des extraits lyophylisés ou LAP) contiennent un principe susceptible de reproduire les effets toxiques de la DOC. Ce principe, baptisé «facteur X», voit toute son activité suspendue par l'ablation des surrénales, à l'exception toutefois de son pouvoir sur le potentiel inflammatoire du tissu conjonctif, spécialement dans les zones articulaires. Le LAP étant très riche en hormone somatotrope (STH ou GH), [il] *y a des raisons de croire que cette hormone de croissance est le facteur X; en tout cas, l'effet le plus caractéristique de ce dernier, à savoir la stimulation de la croissance, n'est pas plus que pour elle empêché par la surrénalectomie. On pourrait* envisager d'autres hypothèses. *Mais quoi qu'il en soit, la plupart des effets extrarénaux de ce «facteur X» sont relativement indépendants des surrénales et probablement directement induits.*

SCHÉMA 5.

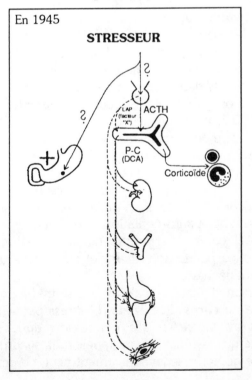

Récapitulons: *Le stress biologique représente essentielle-ment un équilibre obtenu dans le développement d'un antago-nisme entre l'agresseur et la résistance que lui oppose l'orga-nisme.* Ce qui confère à la réaction du stress son individualité par rapport aux autres réactions biologiques, c'est *qu'elle se produit d'une manière non spécifique.* On peut dire que *le stress pro-voque deux types de modifications: une modification pri-maire, non spécifique à la fois dans sa forme et dans sa cause (elle peut être produite n'importe où par n'importe quel type d'agression ou de fonction), et une modification secondaire qui a l'apparence spécifique du SGA. La première agit comme un signal général qui peut déclencher la seconde dans n'importe quelle partie de l'organisme.* Les réactions internes en réponse au stress soit stimulent, soit inhibent la défense des tissus. De la prédominance des unes ou des autres dépendront la résistance et l'adaptation de l'organisme.

Les signaux d'alarme sont acheminés *vers les centres de coordination du système nerveux et vers les glandes endocri-nes, en particulier l'hypophyse et les surrénales* [...], lesquels *produisent des hormones* dites d'adaptation parce que *combat-tant l'usure et la tension dans l'organisme.* La coordination centrale est assurée par l'hypothalamus. Quant aux hormones en cause, elles sont de deux types: anti-inflammatoires (ACTH, corti-sone, cortisol ou COL), *qui inhibent les réactions défensives excessives* et qui, parce qu'elles ont aussi la propriété d'accroître la teneur en sucre de l'organisme, sont dites glucocorticoïdes par les chimistes; proinflammatoires (STH ou hormone de crois-sance, aldostérone, désoxycorticostérone), qui ont un rôle dans le métabolisme minéral et que, pour cette raison, on nomme aussi minéralocorticoïdes. Ce sont les hormones du stress. Pendant le stress, le système d'autorégulation grâce auquel les surrénales sont protégées contre leur propre hyperstimulation (mécanisme mis en évidence par Dwight J. Ingle) est, contre toute attente, complètement dépassé.

Sur le plan clinique, ces altérations se traduisent par *l'usure et la fatigue du corps. Les effets du stress peuvent se prolon-ger bien après que le stresseur a cessé d'agir.* Tel est, pour l'essentiel, ce que dorénavant on appellera le syndrome de stress ou syndrome de Selye, lequel finalement peut, comme l'énoncera bien des années plus tard son auteur, se définir comme *la réponse non spécifique que donne le corps à toute demande qui lui est faite.* (L'Organisation mondiale de la santé, *à mon grand plaisir*, adoptera telle quelle cette définition en 1970.)

Montée en flèche

Il aura donc fallu dix ans — entre 1935-1936 et 1945-1946 — pour mettre au point et la description et l'analyse du SGA. *Cannon fut mon premier critique.* Les deux hommes eurent l'occasion d'en discuter une première fois lorsque, encore étudiant diplômé donc en 1931 ou 1932, Selye alla le voir dans son laboratoire de Boston; puis une seconde quelques années plus tard, au Faculty Club de McGill où, cette fois, la discussion fut plus sérieuse. Cannon refusa d'admettre le rôle de l'hypophyse et du cortex surrénal dans le syndrome du stress. Plus même, *il lui semblait invraisemblable qu'un syndrome général d'adaptation puisse exister.* Selye ne put jamais le convaincre 1) que la réaction de l'organisme allait bien au-delà d'une réponse aiguë, qu'elle s'organisait en un syndrome constitué de trois phases; 2) que l'hypophyse et le cortex surrénalien jouaient un rôle décisif; 3) que la réaction était non spécifique et qu'elle représentait la réponse de l'organisme à toute demande qui lui est faite, et; 4) que presque toutes les maladies résultent de la combinaison du stress et de multiples facteurs dits *conditionnants*. Commentaires francs et d'autant plus appréciés que formulés sans agressivité aucune, et qui devaient se révéler féconds: reprenant certaines expériences, Selye en arrivera à la conclusion que certaines manifestations du stress pouvaient fort bien se passer de ces deux glandes. Comme le dit le Dr Sandor Szabo,

> Leurs travaux forment une unité: ce que Cannon a fait sur la médullo-surrénale, Selye l'a fait sur la corticosurrénale.

L'entourage professionnel immédiat est, comme toujours, le premier à réagir. Certains expriment avec âpreté leur dissentiment. Un jour que Selye déjeunait à la cafétéria de l'hôpital Royal Victoria avec un groupe d'internes, de résidents et de médecins, et du professeur (non encore doyen, ce qui situe l'incident avant 1941) Jonathan C. Meakins, *auteur de l'un des manuels les plus cotés, à l'époque, dans les universités nord-américaines,* [...] *un jeune interne, qui n'avait jamais rien publié, se met à faire des remarques sarcastiques au sujet de [sa] «triade du stress» et de tout le Syndrome général d'adaptation,* concluant par ces mots: *«J'espère que vos travaux passeront inaperçus, parce que sinon, ils risquent de faire reculer notre médecine de 25 ans au moins.»* Le professeur Meakins se tourne alors vers lui, et *d'une voix calme et paternelle,* lui dit: *«Vous savez, Georges, vous ne craignez rien. On ne pourra jamais en dire autant de vous. Ce* jeune interne deviendra, dans un ouvrage ultérieur, *un collègue* dont *aujourd'hui plus personne ne se rappelle des travaux.*

D'autres, au contraire, comme le Dr C.-P. Leblond, du Département d'anatomie de McGill, sont sensibles à l'originalité de la démarche:

   J'ai rencontré une première fois Selye à un congrès, en Suisse, je crois que c'était en 1938, puis une deuxième en 1941, encore à un congrès, à Chicago, avec sa première femme — je travaillais alors à Rochester. Quelque temps après, il m'a invité à venir ici comme assistant professeur [en fait, chargé d'enseignement en histologie; Leblond sera professeur adjoint en 1944, agrégé en 1946, titulaire en 1948 et directeur à partir de 1957]. À ce moment-là, le Département d'anatomie était sous la direction du Dr C. P. Martin [Cecil P. Martin, directeur de 1937 à 1956]. Selye était le numéro deux. Il avait sa pièce dans le coin du couloir [Strathcona Anatomy and Dentistry Building, 3640 University, au premier étage, presque en face de l'ascenseur]; c'est lui qui a fait construire les meubles en chêne qu'on y trouve. Les facilités étaient assez limitées, en fait elles étaient dans les mains de Selye. Mais enfin, j'ai réussi à commencer à travailler et j'ai donné des cours... Je suis arrivé ici en septembre ou octobre 1941. J'ai donc bien connu Selye pendant deux ans, et j'ai fait un peu de travail avec lui.

   J'avais publié en France, en mai 1939, une revue sur la réaction d'alarme que Selye avait mise en route, et dans laquelle je lui donnais le crédit pour cette synthèse, cette vue d'ensemble à laquelle il avait procédé et qui a clarifié beaucoup de choses. On sait maintenant ce qu'on savait peu à ce moment-là: le contrôle de l'hypophyse et de la surrénale sur ces phénomènes. Il avait regroupé tout cela d'une façon fort intéressante et qui, au moins à ce moment-là, m'avait moi-même enthousiasmé. Et j'avais fait une série d'expériences, en France, par lesquelles j'avais pu confirmer beaucoup de ses résultats... à peu près tous. Vraiment, je n'avais pas trouvé de contradiction.

C'est en 1938 que Selye a quitté Biochimie (Division des sciences) pour Anatomie (Faculté de médecine), un gros département qui regroupe seize personnes. Outre le directeur et professeur titulaire C. F. Martin, y travaillent Horace Donough O'Brien, professeur d'anatomie, J. C. Simpson, professeur d'histologie et d'embryologie (qui partira en 1939 pour devenir adjoint au doyen, et l'année suivante succéder, pendant un an, au doyen D. Grant Fleming; ce dernier, spécialiste de santé publique et de médecine préventive avait lui-même, en 1936, remplacé Charles-Ferdinand Martin), Alfred J. Dalton, chargé d'enseignement en histologie et embryologie, neuf démonstrateurs et deux chargés de cours. Selye, lui, est professeur adjoint en histologie. *[A]u début, à l'Université McGill, j'enseignais l'histologie, une matière ni très passionnante ni très amusante en soi. En histologie, tout est déjà tellement établi, il y a très peu de nouveaux éléments à apporter. [...] C'était toujours la répétition de la même chose, et je peux vous dire qu'après certaines années scolaires j'en avais marre! [...] Mais plus tard [...] j'ai enseigné l'endocrinologie. Cela, c'était beaucoup plus intéressant.* Selye se trompe. Les annuaires de McGill indiquent l'inverse: le Département de biochimie assurait l'enseignement de l'endocrinologie, le Département d'anatomie celui de l'histologie (son appellation officielle est d'ailleurs «Department of Anatomy, Histology and Embryology»); le premier n'a jamais donné de cours d'histologie, le second jamais de cours d'endocrinologie. Après le départ de Simpson, et surtout celui de Dalton en 1940, Selye reste seul pour enseigner l'histologie: trois heures de cours et six de laboratoire par semaine, tout au long de l'année. Cet horaire changera en 1940: deux heures de cours et neuf de laboratoire. Le cours, obligatoire, porte sur la totalité de l'histologie sauf celle du système nerveux et des organes sensoriels.

Pourquoi Selye quitte-t-il le département de Collip? Très laconique, la lettre du 17 mars par laquelle C. P. Martin confirme à J. C. Simpson (alors adjoint au doyen) son transfert n'invoque aucun motif. Une autre lettre, du 13 octobre 1937, de Simpson à Martin, contient cette phrase: «Je me considère donc autorisé à prendre les arrangements prévus» — que rien, toutefois, ne permet de rattacher avec certitude à ce qui nous occupe.

> Comme Hans Selye avait publié ses articles en les signant de son seul nom, sans mettre celui de son chef de département, il s'est fait vider. Il m'avait dit que cette découverte, ce n'était pas celle de son professeur, c'était la sienne propre, celle de sa vie — c'est pourquoi il voulait qu'elle ne porte que son nom. Mais cela a tellement déplu au directeur du département qu'il l'a mis à la porte. Alors McGill, qui savait que c'était un homme très brillant, l'a placé en histologie. Mais ce n'était pas son domaine. (Marian Scott.)

Marian Scott confirme ainsi que c'est dans la deuxième partie de son séjour à McGill que Selye enseignait l'histologie, et apporte à son départ une explication intéressante. F. C. MacIntosh dit simplement:

> Quand je suis rentré de Londres, en 1949, j'ai entendu dire qu'il y avait eu des difficultés à McGill entre Selye et la Faculté de médecine, et qu'on l'avait transféré en anatomie où, avant l'arrivée de Leblond, il n'y avait pas grand-chose en recherche qui se faisait. Collip aussi avait eu des problèmes, à cause de l'exploitation qui avait été faite des recherches militaires menées par le gouvernement canadien et dans lesquelles il s'était profondément engagé.

Pour Frances Love,

> Il y a certainement eu une dispute. Les relations entre les deux hommes étaient devenues désagréables. Nous

avions passé l'été en Europe en 1937 et en 1938. *Je ne sais plus trop quand, vraisemblablement en 1938* [plutôt 1937], *nous étions à Vienne, et Hans a reçu une lettre de Collip qui l'a suffisamment perturbé pour que nous renoncions à nos projets et que nous retournions à Montréal.*

Collip était un homme brusque et dur, il avait un tempérament de bagarreur. Il avait connu des années de querelles à propos du prix Nobel pour l'insuline (les quatre hommes en cause ayant rapporté quatre histoires différentes, tout le monde racontait que Collip et Banting en étaient venus aux mains sur le terrain même de l'université à Toronto). *Aussi, même si le Département de biochimie fonctionnait avec le secours des droits d'exploitation de l'insuline* [de fait, par une lettre du 22 mai 1937, Collip autorise McGill à prélever le montant des dépenses engagées au département sur l'«Insulin Fund»] *tout comme l'institut Banting à Toronto et le Département de physiologie de l'Université de Toronto, Collip était sensibilisé aux batailles académiques, et il était sûrement devenu très habile pour défendre son territoire. Son nom n'est jamais apparu dans les articles sur la réaction d'alarme et il a bien pu penser que, étant directeur, il aurait dû y être.*

En résumé, il y a certainement eu désaccord — mais je ne suis pas sûre qu'on puisse parler de renvoi.

Gabrielle Selye s'est rappelé qu'à l'époque, Mary Thomson (la femme de David, membre du Département de biochimie) lui avait parlé de l'affaire. Elle l'avait oubliée mais à y repenser, dit-elle, «cela explique pas mal de petites choses restées obscures». Une lettre de Selye à Collip, datée du 15 avril 1940, pourrait, faute de contexte, être interprétée de façon à conforter indirectement cette version: «*Après vous avoir posté ma dernière lettre du 10 avril, je l'ai montrée au professeur Martin, qui trouve que certains faits pertinents n'ont pas été suffisamment mis en valeur. Il m'a par conséquent demandé de signaler très précisément que le travail portant sur les effets de la réaction d'alarme sur le métabolisme de base a été commencé avant le début des hostilités et indépendamment de notre travail sur le choc chirurgical, et que cette recherche n'a pas de lien direct*

avec le problème de la thérapie de choc. En conséquence,
nous considérons qu'elle n'empiète nullement sur celle qui est
menée sous les auspices du McGill Schock Committee. Bien à
vous. Ce qu'à mon sens cette lettre montre, c'est que Selye tient
à protéger ses propres recherches et à les démarquer de celles
faites avec ou par d'autres — en l'occurrence Collip. Il ne pouvait
pas ne pas sentir en Collip un rival gênant pour sa propre gloire
— et vice versa. Entre celui qui avait été et celui qui voulait être,
l'admiration et la foi réciproques des premiers temps avaient peu
à peu laissé place à la compétition et à la méfiance. L'attitude
négative de Collip reprochant à Selye sa «pharmacologie de la
saleté» a sans doute été le premier symptôme d'une divergence et
d'une distance qui, avec les années, sont allées en s'accentuant.

«Le début des hostilités» fait, bien sûr, allusion à la Seconde
Guerre mondiale. Le groupe de McGill, financé par la compagnie
pharmaceutique Ayerst, McKenna & Harrison, procédait, avec
l'accord des gouvernements, à des recherches sur la biologie
du choc au cours des traumatismes de guerre, nous dit le Dr Paul
Dumas. Assez curieusement, la première année de guerre n'a pas
entraîné de réduction des effectifs étudiants à McGill; au
contraire, les inscriptions n'ont jamais été aussi nombreuses, surtout en science et en ingénierie. On est loin des classes vides de
1914-1918, écrit, réjoui, le rapporteur. McGill facilite à ses étudiants et étudiantes l'accès au COTC (Canadian Officers' Training
Corps) en leur donnant des équivalences de cours pour leurs
stages. Dès 1940-1941 toutefois, l'ensemble de la clientèle étudiante baisse: légèrement en arts et en commerce, plus nettement
en médecine, avec une tendance à augmenter en sciences. Quant
aux membres de l'administration, du corps professoral ou des services techniques, ils seront de plus en plus nombreux à s'engager
ou à être mobilisés. C.-P. Leblond signe en 1941 ou 1942, dit-il,
avec les FFL (Forces françaises libres). On l'envoie pendant trois
mois au Brésil donner des conférences, puis il revient à Montréal
où on lui demande d'assurer la visite médicale de ceux qui veulent
rejoindre les FFL; il en verra en moyenne un par semaine. C'est
seulement quelques jours après la libération de Paris, donc en
août 1944, qu'il ira à Londres. Il reviendra à McGill au début de
1946.

Selye a acquis la citoyenneté canadienne le 15 mars 1939 (ce qui ne l'empêchera pas, lorsqu'en 1942 il voudra se rendre aux États-Unis, de rencontrer des difficultés pour obtenir son visa, car on est en guerre. Le doyen de la Faculté de médecine, J. C. Meakins, interviendra auprès de Washington). Réaction du citoyen fraîchement naturalisé qui tient à prouver sa loyauté à sa nouvelle patrie et veut, par temps de guerre, faire oublier qu'il est né «du mauvais côté»? Il envoie le 25 juin 1940 à la RCMP (Royal Canadian Mounted Police; en français, Gendarmerie royale du Canada ou GRC) une lettre dans laquelle il se plaint de recevoir régulièrement, d'une source anonyme, un journal de Hongrie, nettement progermanique, dont il se demande comment il peut échapper à la censure. *Nagymagyarorszag* s'adresse manifestement aux Hongrois émigrés au Canada. Selye attire l'attention de son correspondant sur des phrases comme: «La population française du Canada s'est réjouie des accords de Munich», «La nation canadienne a rompu avec dignité jusqu'au dernier de ses liens avec l'Angleterre», etc. Enfin, le journal sollicite de l'argent à des fins de propagande. La réponse à cette lettre n'a pu être trouvée.

On décide un beau jour d'aménager une grande salle de conférences dans le Département d'histologie. La pièce terminée, on y dispose, provisoirement, quelques meubles... mais ces grands murs blancs, tristes et froids sont insupportables! Il faut les décorer, y peindre une fresque! *Il m'apparut qu'une murale symbolisant, dans le pavillon médical, nos activités scientifiques, serait on ne peut plus appropriée. Le choix de l'artiste qui serait chargé du travail fut tout aussi évident et spontané. La composition soignée des œuvres de Marian Scott, avec des lignes bien dessinées et des proportions méticuleusement équilibrées représente, à mon sens, ce qui se rapproche le plus de la peinture et de la science.* C'est ce qu'explique Selye par la voie d'un article qui paraîtra en 1943 dans une revue d'art: «Art as an Inspiration to Science» (L'art comme source d'inspiration pour la science).

Je voulais faire une peinture murale — ce que ni Hans ni Penna ne savaient quand ils m'en ont parlé, en 1941. J'étais en train de me demander: «Comment vais-je trouver un mur sur lequel peindre?» Et voilà que, comme par magie, trois jours après mon retour, ils sonnent à la maison: «Viendriez-vous souper chez nous, nous aurions une suggestion à vous faire?» — parce que je laissais chez eux beaucoup de mes toiles, ils les aimaient et ils m'en achetaient. Et là, Hans dit: «C'est pour la salle de conférences...» Il voulait quelque chose pour le stimuler, pour leur changer les idées, à lui et à ses assistants, quand ils avaient des réunions autour de la grande table ronde, ou quand ils prenaient le thé, l'après-midi. On avait même parlé d'abattre un mur pour l'agrandir — mais cela ne s'est jamais fait. Mon mari était alors aux États-Unis, avec une bourse Guggenheim, et tous les peintres faisaient des murales, c'était une façon de rester moins dans sa tour d'ivoire. Aujourd'hui, je suis contre les murales... (Marian Scott.)

Quelques mois plus tard, F. Cyril James, principal et vice-chancelier de McGill (il occupera ces fonctions de 1940 à 1962 tout en assumant celles de professeur d'économie politique), fait savoir à John Forbes McIntosh, secrétaire de la faculté, qu'il autorise Mme Scott à exécuter une murale dans la salle de conférences du Département d'anatomie, le doyen J. C. Meakins ayant également approuvé l'opération.

Je ne suis pas très fière de cette murale, mais ç'a été une des grandes choses de ma vie. J'ai vraiment pris goût à l'endocrinologie, Hans en a été très heureux. J'ai été fascinée. Toute la murale porte sur l'endocrinologie. Mais ç'a été long parce que je n'ai pas une grande formation scolaire, j'ai commencé à peindre très jeune. Ils m'ont prêté un microscope. Le Dr Leblond me fournissait gentiment des diapositives, et il m'a beaucoup aidée. Hans m'amenait voir les rats — vous savez, on les prive de leurs hormones maternelles et ils ne s'occupent plus de leurs petits, mais si on leur donne une hormone artificielle, ils reprennent intérêt à leur progéniture. Je n'arrêtais pas de faire des dessins de tout ça, je pense qu'il m'a fallu presque un an pour arriver à une esquisse possible de la murale, afin que Hans puisse la voir et faire ses critiques avant que je me mette à travailler sur le

La fresque murale peinte par Marian Scott.

Photo Denyse Coutu.

mur. Et puis après, il m'a fallu un an pour la peindre. Donc en tout, deux ans, de 1941 à 1943 je pense.

Ç'a été une expérience! Et c'est comme ça que j'ai pu vraiment bien connaître Hans Selye.

J'ai le sentiment que, jusqu'à un certain point, tout le département y a mis du sien. [...] Il a fallu trouver un compromis entre le désir de l'homme de science de faire une exacte représentation des choses, et l'effort de l'artiste pour créer un ensemble harmonieux et équilibré. C'est parce que, des deux côtés, on a voulu accepter un tel compromis que la murale a été si bien réussie.

Je pense que Hans a été content de la murale, même s'il voulait toujours que j'ajoute des choses. Je lui expliquais qu'une fois qu'on a fait une ébauche, on ne peut pas y mettre les îles de... comment vous les appelez? [îlots de Langerhans] — en tout cas, d'autres glandes, et il disait: «Pourquoi pas, là, sur cette grosse boule!?» Il venait me voir pratiquement tous les jours pendant que je peignais en haut d'un grand échafaudage, pour me raconter ci ou ça, prendre une petite pause. Parce que je le sortais de sa routine. Le microscope avait été installé dans son bureau, mais j'étais consciente que je ne devais pas lui parler ni le gêner. C'était une grande pièce... il y avait apporté un serpent, et il le nourrissait avec un rat chaque semaine.

— Moi, je n'ai jamais été satisfaite de cette murale. Peut-être un peu sur le moment, pas après. Mais toutes ces cellules, leurs divisions, ces formes fondamentales de la vie — ç'a été pour moi presque comme une révélation religieuse.

À l'article de Selye fait suite, en contrepoint, «Science as an Inspiration to Art» (La science comme source d'inspiration pour l'art) de Marian Scott, article au titre éloquent. Quant à la salle de conférences, elle est devenue le bureau de Leblond (n° 153) — juste retour des choses. «Heureusement pour lui, commente malicieusement Marian Scott, il ne semble pas dérangé. Parce que ça peut être écrasant d'avoir ça dans son bureau.» Il y a, de fait, beaucoup de dynamisme et d'énergie dans cette fresque qui se déploie en spirale, mêlant formes chimiques et biologiques, avec à sa base un mot reproduit dans toutes les langues — celui-là même qui est au cœur de la science: POURQUOI.

Peu à peu la renommée de Selye s'étend. Un quotidien, le *Montreal Star*, signale le 8 mai 1937 qu'il reçoit chaque jour un abondant courrier, non seulement du Canada mais aussi des États-Unis. Déjà, dit le Dr Georges Masson,

en 1937, sans être un grand chef c'était tout de même un endocrinologiste de renom, qui travaillait fort et en attendait autant de ses collaborateurs et étudiants. En 1938, j'enseignais la physiologie à l'école vétérinaire d'Oka dans des conditions rudimentaires. Cherchant à agrandir le champ de mes connaissances, j'avais décidé d'assister au congrès de la Société canadienne de physiologie, à McGill. J'arpentais seul le couloir lorsque quelqu'un s'approche de moi en me parlant français. C'était le Dr Selye. Inutile de dire que j'en fus d'autant plus flatté que je ne connaissais pas l'anglais. Résultat: l'offre inespérée de travailler dans son laboratoire à titre bénévole d'abord, et peu de temps après pour préparer un Ph.D.

Il y avait la ronde le matin, dans le quartier des animaux, et les autopsies. Le reste de la journée, on pouvait toujours frapper à sa porte, consulter sa bibliothèque, le regarder opérer ou lui donner des coupes histologiques à examiner. En somme, tout un chacun se trouvait là comme dans une grande famille et travaillait avec enthousiasme. Son laboratoire comportait alors une dizaine de personnes.

En 1942, j'obtins mon Ph.D. Je quittai alors Oka et vins travailler à McGill comme chercheur [en anatomie].

C'est aussi en 1942 que le Dr Martin A. Entin (qui, bien des années plus tard, devait, avec le Dr Hamilton Baxter, opérer le dernier des fils de Selye gravement blessé à la main) obtient sa maîtrise en sciences (sur la cytologie normale et pathologique du tissu mammaire de culture):

La première femme de Selye, Penna, qui faisait sa médecine, était deux années avant moi. Je savais qu'elle obtiendrait son diplôme en 1942, en même temps que moi ma maîtrise. Et la même année, Hans devait recevoir un doctorat honorifique de McGill [en fait, un D.Sc.]. Le jour de la collation des grades, il faisait très beau. La cérémonie avait lieu sur cette partie du campus qui est limitée par les rues Sherbrooke et Milton. Les sièges étaient disposés à l'ombre du grand orme, et une tribune avait été installée pour les membres de la faculté. Cyril James, le principal, a remis les diplômes pendant que l'orchestre jouait... Ce fut une agréable après-midi. C'était vraiment impressionnant, le fait que Selye et sa femme reçoivent en même temps un diplôme, ça a fait sensation. Peu de temps après, elle est allée faire de la clinique, au Royal Victoria Hospital. Elle a travaillé sur l'hypertension. Peut-être que Hans, qui s'intéressait aussi à la question, savait — je n'en suis pas sûr, remarquez — qu'on pensait au sodium comme à une des causes possibles de l'hypertension, dans certaines populations; ils avaient donc isolé un groupe d'hypertendus pour les soumettre à un régime sans sel. Penna avait fort à faire, mais elle n'est pas restée longtemps, je crois, parce qu'elle est devenue enceinte.

Désireuse de se rapprocher de son mari et de partager plus étroitement ses intérêts, Penna s'était lancée dans des études médicales; en 1945 (l'année du départ de Selye pour l'Université de Montréal), elle entrera au Département de médecine comme préparatrice puis chercheuse en médecine clinique. Ces efforts lui vaudront, de la part de son conjoint, un constat d'échec et cette phrase dédaigneuse, pour ne pas dire méprisante: *Vous avez beau faire, vous ne pouvez pas devenir habité par la science par le simple fait de votre amour conjugal.*

Kenneth Savard, biochimiste, qui devait faire son doctorat en chimie organique sur la synthèse des acides aminés, vient de faire la connaissance de celui avec qui il travaillera à l'Université de Montréal:

> En 1941, j'étais étudiant diplômé en chimie à l'Université McGill, à la Faculté des arts et sciences. Je travaillais au laboratoire de M. le Dr Raymond Boyer, un professeur de chimie organique, spécialiste des explosifs. M. Boyer a beaucoup fait parler de lui plus tard, pour des questions d'espionnage, mais cela est une tout autre histoire. Ma thèse de maîtrise, présentée en 1942 ou 1943 à McGill, portait sur la synthèse de certains explosifs et, comme telle, a été déclarée secret de guerre, ce qui fait que je n'ai jamais pu en avoir de copie pour moi. Je crois qu'aujourd'hui encore, c'est gardé secret. Pourtant, l'invention que j'ai faite n'aurait pas pu faire gagner la guerre aux Alliés!

Raymond Boyer faisait partie d'un groupe de chercheurs canadiens qui, de concert avec leurs homologues anglais et américains, travaillaient à faciliter la production d'un puissant explosif, connu depuis le début du siècle: le RDX. Une fois la nouvelle formule mise au point et les tests au Centre de recherches pour la défense de Valcartier (près de Québec) réussis, on passe en 1942 à la production industrielle de ce qui allait être «l'explosif le plus important pendant la guerre, à l'exception de la bombe atomique». En 1945, une affaire d'espionnage scientifique au profit de l'URSS secouera Ottawa. Les douze personnes arrêtées sont presque toutes des scientifiques, et pour moitié diplômées de McGill. Raymond Boyer est l'un des douze. À son procès, en mars 1946, il reconnaîtra les faits, expliquant qu'il jugeait la collaboration avec les Russes nécessaire pour améliorer les relations entre les deux pays. Il sera condamné à deux ans de prison[43].

J'habitais dans une pension de la rue Prince-Arthur, avec des étudiants de McGill en médecine, en sciences, en génie. Et dans cette pension, il y avait une étudiante de M. Selye, une demoiselle Christiane Dosne, qui était étudiante diplômée au Département d'anatomie. C'est là que j'ai appris un peu de l'existence et des intérêts de M. Selye. (Kenneth Savard.)

Il y avait aussi, au département, une Française dont j'ai oublié le nom [Christiane Dosne], qui a épousé un Argentin [Pasqualini] et qui a continué à faire de l'endocrinologie en Argentine [Institut national d'endocrinologie, Université de Buenos Aires]. Son mari était connu, c'était, si je ne me trompe, un péroniste à l'époque. (C.-P. Leblond.)

En 1942, à la collation des grades évoquée par Entin, Christiane Dosne recevra un Ph.D. pour sa thèse sur «The Role of the Adrenals in General Resistance».

Un ou deux ans plus tard, je me retrouvai chimiste à la compagnie pharmaceutique Ayerst, McKenna et Harrison dont l'usine et le centre de recherches étaient situés dans Ville Saint-Laurent [municipalité de la Communauté urbaine de Montréal]. Cette compagnie faisait des produits endocriniens comme la Prémarine, qui connaissait alors un grand succès dans le traitement des symptômes de la ménopause [complexe d'œstrogènes, toujours sur le marché; avait été précédée par l'Emménine]. La compagnie produisait aussi toutes les autres préparations connues à l'époque: hormones pituitaires, thyroïdiennes... J'étais chargé de diriger les analyses

quantitatives destinées à contrôler la production commerciale
de toutes ces hormones. Je devais aussi, comme mes collègues, assister aux conférences scientifiques, et particulièrement à celles de McGill. C'était des séances où se retrou-
vaient des équipes ou des individus de départements divers
que réunissait leur intérêt pour l'endocrinologie. L'équipe la
plus importante était celle du Dr Collip. Il y avait aussi le
groupe du Dr Donald Heard [Robert D. H. Heard, professeur à McGill de 1942 à 1956], spécialisé dans la biochimie
des stéroïdes, celui du Dr J. S. L. Browne, du Centre
d'endocrinologie clinique du Royal Victoria Hospital. Et
puis, il y avait des individus comme le Dr Eleanor M. Venning, le Dr Martin Hoffman, et d'autres. À l'époque, il
n'existait pas de centre ou de laboratoire, ni même d'individus du Montréal francophone. Côté commercial, il y avait
des compagnies comme Ayerst, Frost, et deux ou trois compagnies francophones dont une seule me revient en
mémoire: Nadeau.

Pendant ces années de la guerre où tout le monde était
bien occupé, nous nous réunissions dans la salle à dîner du
Cercle universitaire de McGill, qui s'appelait le Faculty Club,
sur la rue McTavish, pour des «adrenodinners» — des sou-
pers surrénaliens. Ils s'accompagnaient de séminaires, de
présentations de recherches scientifiques et surtout de cours
je dirais d'auto-instruction. Comme les membres du groupe
provenaient de disciplines distinctes, il fallait qu'on
s'instruise dans la spécialité des autres. Les chimistes de
chez Ayerst, le Dr Heard et d'autres nous donnaient de
petits cours sur les stéroïdes et leur structure, la nomenclature, la stéréochimie. Le Dr Venning, le Dr Hoffman nous
faisaient l'analyse des stéroïdes urinaires, nous parlaient de
leur extraction et de leur analyse chimique. Afin de comprendre les sources des hormones, on avait des présentations sur l'histologie, l'anatomie des glandes endocriniennes,
par M. Leblond, par M. *Selye* lui-même de temps en temps,
par le Dr Masson, du Département d'anatomie de McGill.
Des physiologistes de McGill, le Dr Noble, Collip, M. *Selye*,
donnaient des cours sur les fonctions des glandes et les
actions des hormones. Et puis enfin, il y avait les présenta-

tions de l'endocrinologie humaine par le groupe du Dr J. S. L. Browne, et plus tard, par le Dr Genest qui devait s'installer à l'Hôtel-Dieu à son retour de New York [et qui fondera l'Institut de recherches cliniques de Montréal]. (Kenneth Savard.)

Le Dr Leblond, quant à lui, a rapidement abandonné les «adrenodinners», les jugeant «plutôt mondains».

Ainsi, ces années si tristes de la guerre ont été la belle époque de l'endocrinologie à Montréal. Le rôle de Montréal dans ce domaine était d'autant mieux reconnu par les chercheurs américains que ces derniers, à cause de la guerre, n'avaient pas le droit d'avoir des congrès ou des réunions annuelles.

C'était aussi, de façon générale, la grande époque de l'endocrinologie romantique, qui annonçait les précisions biochimiques de l'avenir, mais pour qui les principes, les facteurs endocrinologiques étaient encore des concepts vagues. Par exemple, on divisait les hormones en deux groupes: stéroïdes et protéines, dérivés d'acides aminés ou de polypeptides. On n'avait aucune idée de leur genèse biochimique ni de leur mode d'action, la notion de récepteur sur les membranes [aujourd'hui d'une extrême importance] n'était pas même postulée. Il faut se rappeler que les endocrinologistes des années quarante n'étaient pas des spécialistes; ils en portaient peut-être le nom mais c'est tout. Ceux qui faisaient de la recherche en endocrinologie avaient toujours un pied au moins dans deux disciplines à la fois, physiologie, médecine ou anatomo-physiologie, ou bien un chimiste faisait de la physiologie, ou encore des spécialistes en médecine interne faisaient de la chimie clinique. Ils se trouvaient, je dirais, à l'interface de deux sciences fondamentales.

C'est aussi pendant ces années-là que s'est formé le noyau qui a été à l'origine de ce qu'on connaît comme la Laurentian Hormone Conference. Les gens venaient des États-Unis, du Canada, et souvent d'Europe pour se retrouver dans les Laurentides, d'abord à Sainte-Adèle et plus tard au Mont-Tremblant Lodge, fin août ou début septembre. C'est là que, au cours de ma première année de postdoc chez M. Selye, j'ai rencontré les grands dieux de l'endocrinologie de l'époque parmi lesquels il y avait même de temps en temps des Prix Nobel. (Kenneth Savard.)

Le docteur Paul Dontigny lui aussi suivra Selye à Montréal:

J'ai été le premier élève de Selye quand il était professeur d'histologie. C'était pendant la guerre. Je l'avais connu grâce au Dr Donatien Marion, chef d'obstétrique à l'hôpital Notre-Dame et qui était un ami. Il m'avait dit: «Puisque tu vas en endocrinologie, justement le Dr Selye donne des conférences pour la compagnie Desbergers-Bismol. Il commence la semaine prochaine, au Jardin botanique je pense.» Je travaillais alors à l'hôpital de Sorel et je m'arrangeais pour monter régulièrement à Montréal. Ça m'a beaucoup plu.

Quand mon travail à Sorel a été terminé, je suis rentré à Montréal et je suis allé voir le Dr Selye pour lui demander de travailler avec lui. J'ai été quelques mois à McGill, à l'automne 1944, puis on m'a transféré avec mon dossier à Montréal.

Les années de McGill prennent fin. Elles ont été bien remplies. Outre la mise en forme du syndrome général d'adaptation, outre les quelque deux cent trente articles parus depuis 1936, Selye a publié en 1943 la première section de son encyclopédie d'endocrinologie — quatre volumes réunis sous le nom de *Classified Index of the Steroid Hormones and Related Compounds* (Index classifié des hormones stéroïdes et des composés apparentés).

Il y avait, je pense, quatre secrétaires qui travaillaient sur cette encyclopédie gigantesque. Le projet était trop vaste: trois cents volumes, il n'a pas pu le réaliser. Il était débordé. (C.-P. Leblond.)

De fait, seule par la suite verra le jour la quatrième section, soit deux volumes traitant de l'ovaire: *The Ovary* (1946).

J'ai été très impressionné par son premier volume de l'encyclopédie du stress, qui décrivait les structures et la stéréochimie des stéroïdes connus à l'époque. Il faut être conscient du niveau des connaissances en 1945. À l'époque, on décrivait, je pense, quarante-sept ou quarante-neuf substances stéroïdiques isolées à partir des surrénales de bœuf, et une quarantaine de plus, isolées par un autre groupe à New York, à partir de l'urine humaine. C'est M. Selye qui a su relier toutes ces structures en une présentation purement chimique et logique. Et cela a été admiré partout dans le domaine de la chimie organique.

Dans les années qui ont suivi, j'ai entendu des opinions scientifiques qui m'ont beaucoup amusé. Certains disaient: pour un biologiste, c'est un excellent chimiste. D'autres: pour un chimiste, c'est un excellent biologiste. Pour moi, c'étaient autant de compliments adressés à M. Selye, qui indiquaient que l'on ne pouvait pas dire à quelle discipline il se rattachait étant donné qu'il en avait plusieurs, ou plutôt, qu'il avait des connaissances dans plusieurs disciplines. (Kenneth Savard.)

Le journal *Endocrinology* pour sa part considère que cette encyclopédie «mérite de faire partie de toute bibliothèque de références importante et de tout laboratoire d'endocrinologie».

La notoriété de Selye s'est étendue. A. W. T. Franks, responsable da la parution des premiers volumes de l'encyclopédie, vient de fonder une autre maison d'édition et aimerait voir Selye siéger au conseil d'administration. Cela lui permettrait de se prévaloir de son nom pour les publications scientifiques à venir.

Bien suivis par le monde médical, les travaux de Selye n'ont pas été cependant sans parfois *provoqu[er] de nombreuses controverses*. Il a publié ses *premières observations sur le déclenchement d'une maladie rénale par les hormones*, après les avoir présentées à la Montreal Physiological Society (29 octobre 1942). Des poussins traités à la DOC (désoxycorticostérone, proinflammatoire) manifestent tous les signes du mal de Bright observés en clinique humaine, à savoir: modifications structurales des reins, albuminurie, hydropisie, hypertrophie du cœur, induration des artères, hypertension. *Le corps médical reste sur la réserve: on n'avait jamais entendu parler en endocrinologie de maladie inflammatoire ou de dégénérescence provoquée par les hormones.* Seuls sont alors connus les grands désordres liés soit à l'insuffisance, soit à l'excès de fonctionnement endocrinien; il était difficile d'admettre *l'idée «d'une participation corticosurrénale dans l'hypertension scléronéphrétique»* (on dirait plutôt «néphrosclérotique»).

Un an après (octobre 1943), dans un article écrit en collaboration avec E. Irène Pentz, alors monitrice en biochimie et physiologie, visant à mettre en évidence «les relations pathogènes étroites existant entre la périartérite noueuse, la néphrosclérose, l'hypertension artérielle et les lésions rhumatismales», Selye est arrivé à la conclusion que toutes ces maladies *sont, en partie du moins, causées par une réponse d'adaptation anormale (probablement par excès) du cortex surrénal et représentent des maladies d'adaptation.* Ces résultats servent de canevas au «Programme de recherches sur l'hypertension et les maladies rhumatismales» que Selye a soumis à McGill, accompagné d'un budget détaillé prévoyant un montant annuel de quinze mille dollars renouvelable pendant au moins quatre ou cinq ans.

Il avait son propre système de classification, dérivé de celui de son professeur à Prague, le Dr Biedl. Il l'avait raffiné — c'était un système de première classe. (C.-P. Leblond.)

Ce système très ingénieux de classification fournira la matière de *Symbolic Shorthand System for Physiology and Medicine* qui connaîtra quatre éditions successives (1956, 1958, 1960, 1964) — les trois premières avec la collaboration de M. Nadasdi et P. Prioreschi, la quatrième avec celle de G. Ember. Selye engloutira, dans le maintien d'une équipe initiée à ce système et capable de l'utiliser, beaucoup de temps, d'énergie et d'argent — alors que déjà, l'informatique faisait ses premières armes.

Mais Selye aspire à autre chose: plus d'autonomie, plus de reconnaissance, plus de pouvoir. Sa nomination, en 1941, comme professeur agrégé en histologie a été annoncée dans les journaux. Mais il veut davantage et n'arrive pas à l'avoir: on lui fait *toutes sortes de difficultés pour l'obtention d'un poste de professeur titulaire.* On ne lui donne pas, dit-il, les moyens dont il a besoin: personnel, bibliothèque, etc.

Il n'en est pourtant pas à ce point dépourvu. Il a, autour de lui, «son» groupe:

> Il y avait les techniciens, il y avait deux ou trois belles filles qui changeaient souvent, quelques étudiants diplômés, une demoiselle [Eleanor] qui est devenue Mme Béland et qui est partie en Californie avec son mari chirurgien. Elle était hongroise et s'entendait bien avec Selye. Il y avait cette Française [Christiane Dosne], Octavia et Eric Hall, maintenant aux États-Unis, qui s'entendaient moyennement avec Selye. Il y avait aussi un nommé [Sydney M.] Friedmann, qui travaillait avec Selye sur l'hypertension et qui est devenu professeur d'anatomie à Vancouver. Sa femme [Constance Livingstone] travaillait aussi un peu pour Selye. C'est là le groupe qui travaillait autour de Selye. (C.-P. Leblond.)

Modestes les premières quatre ou cinq années, les sommes (cinq cents dollars*) dont Selye dispose augmentent à mesure qu'il multiplie ses demandes: en 1943, les subventions obtenues pour les recherches qu'il dirige se montent à quarante mille trois cent dix dollars. L'argent provient de fondations américaines et de quelques firmes pharmaceutiques qui, pendant de nombreuses années, l'alimenteront généreusement et fidèlement: Desbergers-Bismol et Frank W. Horner entre autres. Selye a besoin d'*énormes quantités de corticoïdes* — et en 1941, seule la DOC est *disponible en quantités suffisantes.*

Le doyen Meakins est un peu inquiet des conditions dans lesquelles travaille Selye, plus précisément de la formation de ses collaborateurs. Il aimerait leur voir plus de maturité, plus d'expé-

---

* Estimation pour ce qui semble bien être l'année 1937-1938: animaux (lapins, cobayes, chats et chiens), instruments de chirurgie, anesthésie, atropine et autres drogues, préparations hormonales, verrerie, photographie, papeterie, blanchisserie. L'équipement est fourni par les départements d'anatomie et de biochimie.

rience scientifique, et s'étonne de ce que presque aucun d'entre eux ne soit médecin. Confiant son souci au principal James, il lui dit son intention de s'en ouvrir avec délicatesse à l'intéressé et à son directeur, C. P. Martin. Par retour du courrier, James se déclare sensible à la remarque. Aucun document cependant ne nous éclaire sur les suites de l'affaire (probablement rendue caduque par les changements qui se préparent).

Selye cherche aussi à prendre de l'extension. En subdivisant le laboratoire d'histologie, il agrandirait son propre espace. Avec l'accord du doyen John Fraser, il fait faire un devis. Sinon, il faudra trouver une autre solution, explique-t-il, car la Fondation internationale pour la recherche sur le cancer attend de lui qu'il établisse à McGill un centre de recherche sur le cancer. Il revient à la charge cinq mois plus tard, cette fois-ci dans le cadre d'une entente avec la compagnie Frank W. Horner. Il s'est rendu à Detroit, sur l'invitation du Dr Pike, de Gelatin Products, pour une rencontre à trois avec le président de la compagnie Horner de Montréal, M. Howden R. Horner (les deux firmes sont en relations d'affaires serrées). Pike lui a offert d'agir comme conseiller scientifique pour Frank Horner. Selye a suggéré plutôt d'aider à manufacturer des préparations hormonales, domaine dans lequel il est plus compétent. Il a présenté à ses deux interlocuteurs ses recherches et démontré combien mieux encore elles pourraient se développer si lui et ses collaborateurs disposaient de fonds plus substantiels. Très intéressés par l'offre, ils ont sans plus tarder avancé des chiffres pour l'immédiat et le futur. Ayant par ailleurs obtenu de la fondation Rockefeller une importante subvention, Selye est allé voir à New York le Dr Alan Gregg. Ce dernier lui a rappelé qu'en général la Fondation n'aimait pas que ses bénéficiaires négocient avec des organismes commerciaux mais que, dans son cas, une telle restriction était sans objet puisque les recherches de Selye se limitaient à des études physiologiques et pharmacologiques pour lesquelles ni l'université ni lui ne pouvaient se prévaloir de brevet d'exploitation. Il l'a assuré que ses travaux étaient assez importants pour qu'il puisse compter sur un soutien continu, voire accru, de sa part. Ainsi, conclut Selye, nous pourrons créer un excellent centre de recherche et d'enseignement (correspondant au troisième cycle) dans le domaine des hormones stéroïdes.

Et voilà que lui tombe du ciel un cadeau inespéré. Frank W. Horner vient d'acquérir une maison et d'en faire don à l'Université McGill. La maison Morgan, sise au 3619 de la rue University (presque en face du Strathcona Building où est logé le Département d'anatomie), a été bâtie en 1870; elle appartenait à la famille fondatrice d'une chaîne de grands magasins dont les succursales recouvrent l'ensemble du territoire canadien (leur raison sociale deviendra plus tard La Baie/The Bay par référence à la Compagnie de la baie d'Hudson, origine de l'entreprise). C'est un très vaste édifice de trois étages. Utilisé comme annexe du Montreal Building, il sera dans le futur immédiat mis à la disposition de Selye et de son équipe, dont les travaux sont en train de montrer que les hormones sexuelles mâles contrecarrent les effets pathologiques dus à l'hypertension et améliorent la fonction rénale. D'autres recherches portent sur les hormones dites stéroïdes; on réunit sous cette appellation divers produits de sécrétion (des glandes sexuelles et de l'hypophyse principalement, mais non exclusivement) qui, toutes, possèdent un noyau stérolique. Le nouveau bâtiment sera donc voué à la continuation des travaux sur l'hypertension, le rhumatisme et les extraits hormonaux.

En 1948, il sera occupé par des laboratoires du Montreal General Hospital et, entre 1965 et 1972, par des fraternités d'étudiants. McGill s'en départira en 1972, et la maison est aujourd'hui convertie en appartements.

Les expériences sur le rhumatisme sont *dans la bonne voie*, et leurs résultats *publi[és] aussitôt*. De fortes doses de DOC ont provoqué, outre l'hypertension et les lésions cardiorénales, *des gonflements douloureux et inflammatoires des articulations*. La STH, administrée *en quantités massives*, entraîne également *rhumatisme articulaire aigu, diabète, maladies du cœur et des artères*. Ces deux hormones peuvent être neutralisées par d'autres, antagonistes. *Tous ces travaux préludaient bien sûr à la découverte du rôle important de l'ACTH et de la cortisone, découverte qui devait se produire cinq années plus tard.*

Selye ne semble pas avoir convaincu M. Howden Horner de sa gratitude à son endroit. La veuve de ce dernier me le déclare sans ambages au téléphone:

Pourquoi se fatiguer à écrire sa biographie? C'est un homme inintéressant, mû uniquement par l'ambition, qui n'entretenait des relations amicales que lorsqu'elles lui étaient financièrement utiles. Il m'a écœurée, et mon mari aussi. Mon mari lui a beaucoup donné et je ne crois pas que Selye lui en ait jamais eu de la reconnaissance.

Ses rapports sont par contre excellents avec les médias, et il les entretiendra sa vie durant. Il soumet un jour au doyen Fraser les remarques suivantes. Ses collègues ou bien considèrent qu'il ne faut rien dire aux journalistes ou bien estiment qu'en collaborant amicalement avec eux, on sert les intérêts de l'institution. Une politique officielle a-t-elle été définie? Sinon, n'y aurait-il pas lieu d'adopter une attitude uniforme? Fraser répond qu'il est bon d'envoyer les textes à publier au principal afin d'être sûr que les règlements de l'université sont respectés. Formule pour le moins diplomatique.

Dans sa vie personnelle aussi se produisent des changements et des améliorations. En mai 1942, Hans et Penna ont quitté leur appartement du 2047 de la rue Mansfield pour la magnifique demeure dont ils viennent de faire l'acquisition au 659 Milton[44]. Le nouveau propriétaire s'est empressé de graver au fronton, dans le ciment tout frais qu'il vient d'appliquer, la formule chimique de base des stéroïdes: quatre anneaux hexagonaux de carbone intimement liés — son nouveau blason. Et le 13 août 1943, une nouvelle venue se joint au couple, une petite fille prénommée Catherine.

Il faut croire que toutes ces gratifications sont impuissantes à le satisfaire — ou alors viennent trop tard? Lorsque, le 30 août 1945, Selye informe le principal Cyril James de son départ pour l'Université de Montréal et le prie d'accepter sa démission, aucune entente formelle n'est véritablement conclue avec l'université francophone, et la Société d'administration de l'institution en est à étudier les possibilités de l'engager. Ce qui ne l'empêchera pas d'écrire: [...] *lorsque j'ai rencontré, pour la première fois, le personnel de l'Université de Montréal, tout s'est tellement bien déroulé que j'ai tout de suite signé un contrat.* Il sait, de fait, que si tout va bien (et les négociations préliminaires

Fronton du 659 de la rue Milton.

Photo Denyce Coutu.

annoncent une issue favorable), il aura — enfin! — son propre département ou institut, espoir qu'il ne peut entretenir à McGill où, depuis 1941, Collip (encore lui!) dirige le Research Center of Endocrinology fondé pour lui. *Vous savez que j'ai toujours beaucoup plus aimé faire de la recherche sur les hormones qu'enseigner l'histologie, et désiré ardemment un institut ou un département indépendant qui soit entièrement consacré aux travaux endocrinologiques*, écrira-t-il au principal. Au cours de ces derniers mois, précise-t-il, il a été approché par trois universités (il ne précise pas les deux autres), mais l'Université de Montréal ayant l'avantage de ne pas l'obliger à quitter la ville, c'est elle qu'il a choisie.

Le Dr Georges Masson a été un témoin privilégié de ce départ:

Après des tractations ardues auxquelles je fus mêlé, Selye quitta McGill pour réaliser un de ses rêves: être directeur d'un institut de médecine expérimentale comme le fut à Prague son maître le Dr Biedl. Mais il faut d'abord expliquer la situation existant alors à McGill.

Bien que le professeur C. P. Martin, qui dirigeait le Département d'anatomie, lui laissât le champ libre, cette situation de subordonné n'était pas sans irriter Selye, d'autant plus que ses deux proches collaborateurs et amis, J. S. L. Browne et D. L. Thomson, avaient réussi à devenir indépendants en tant que chefs de département. Ne voyant aucune solution immédiate à son avancement à McGill, Selye commença à regarder du côté de l'Université de Montréal. Cette dernière était alors connue pour être un immense bâtiment à moitié inoccupé plutôt qu'un lieu de recherches; il y aurait donc de la place pour fonder un institut.

Par chance, Selye avait comme ami et admirateur inconditionnel M. [Sarto] Desnoyers, administrateur de la compagnie Desbergers-Bismol, qui soutenait en partie les recherches de Selye à McGill en lui fournissant les glandes pituitaires dont il avait besoin. Il se trouvait que M. Desnoyers était l'ami d'un des membres influents du Conseil d'administration de l'Université de Montréal [vraisemblablement le Dr Donatien Marion, membre depuis 1945 de la

Société d'administration]. Après avoir tâté le terrain, Selye se rendit vite compte que la chance lui souriait, mais il ne voulait pas donner l'impression qu'il était impatient de quitter McGill.

C'est alors qu'à sa demande, je suis intervenu dans ce dialogue tout en sous-entendus, qui aurait pu durer éternellement. Je le fis sans réticence, car j'étais enchanté de pouvoir travailler dans un milieu francophone. Je liai amitié avec M. Desnoyers, et les échanges prirent dès lors un tour positif: M. Desnoyers apprit que Selye n'était pas cloué à McGill et qu'il envisagerait un déménagement moyennant certaines conditions. L'Université de Montréal se montra très réceptive. Mon rôle était terminé.

Les conversations entre les parties intéressées devinrent longues et difficiles lorsqu'il fut question de personnel, d'espace, d'aménagements et de salaires. Selye gagna sur toute la ligne, et l'Université de Montréal — soi-disant sans ressources — trouva les sommes nécessaires, ce qui ne fut pas sans créer des tensions chez ceux qui souffraient du manque de fonds. En bon diplomate, Selye finit par calmer les récalcitrants. Autant que je sache, McGill n'a jamais fait obstacle au départ de Selye, ce qui est d'ailleurs la règle dans le monde universitaire.

De fait, Cyril James, le principal, écrit à Selye qu'il comprend sa décision, que lui-même agirait ainsi s'il était lui — toutes choses que, fait-il remarquer, il a déjà eu l'occasion de dire de vive voix lorsque Selye est venu le voir dans son bureau. Restent à régler les modalités. «Bien que nous estimions que la nomination du Dr Selye à son nouveau poste soit un fait accompli», écrit le doyen Meakins au Dr Heffron (directeur médical d'un organisme subventionnaire), il est entendu que: 1) Selye continuera à donner ses cours d'histologie et d'anatomie microscopique jusqu'à la fin de la présente session ou jusqu'à ce qu'on lui ait trouvé un successeur; 2) les projets de recherche déjà subventionnés seront, dans la mesure du possible, achevés avant le transfert définitif de ses activités; 3) sinon, les sommes non dépensées seront retournées aux donataires. À son avis, si Selye part, c'est surtout pour jouir d'une plus grande liberté, mais entre également en jeu le désir d'influencer heureusement la recherche scientifique à l'Université de Montréal et, par là, de servir de lien entre les deux institutions. «Je crois profondément qu'il a été poussé par des motifs altruistes. Le temps nous dira si cet objectif a été réalisé», énonce par ailleurs le doyen en réponse à une remarque du même destinataire, qui suggérait que des raisons financières expliquaient peut-être en partie le départ de Selye. (Meakins ne fait d'ailleurs que reprendre un des arguments développés par Selye dans sa lettre du 30 août au principal James.) Dans les mois qui suivent, toutes les subventions seront transférées à Montréal.

Il y avait, selon moi, plusieurs années que Selye songeait à une décision de cet ordre. Peut-être depuis 1941, date de la fondation du Research Institute of Endocrinology de Collip? Je me suis aussi demandé la signification de ce doctorat en sciences (chimie) obtenu en 1942. Selon le registraire de McGill, J. P. Schuller, l'université a pris alors une mesure exceptionnelle, et qui restera unique, en accordant à Selye une équivalence pour le Ph.D. (chimie organique) de Prague et les travaux menés — Selye n'a pas suivi de cours ni présenté de thèse. Quelle est la véritable raison d'être de ce doctorat? Selye désirait-il avoir en main un diplôme supplémentaire, plus prestigieux et plus facilement négociable sur le continent nord-américain?

Quoi qu'il en soit, les jeux sont faits.

Pendant les deux dernières années de la guerre, j'étais tantôt à Londres tantôt à Paris. À la fin de 1945, j'ai reçu un télégramme à Paris (où je me trouvais à ce moment-là) qui disait: Selye s'en va à l'Université de Montréal, est-ce que vous voudriez avoir sa place? Alors je suis revenu [début 1946]. Quand je suis arrivé ici, Selye était en train de déménager. Il a complètement vidé tout le département, je me suis retrouvé sans rien! Mais le principal m'a beaucoup aidé, si bien que j'ai été très heureux ici depuis, vraiment heureux. (C.-P. Leblond.)

Une note de drôlerie pour finir — une fois n'est pas coutume. Au début de juin 1945, Selye part à Moscou pour une quinzaine de jours, du 15 juin au 1er juillet, selon les journaux. Délégué par le gouvernement canadien, il représentera la Royal Society of Canada au cinquantenaire de l'Académie des sciences soviétique. *Ces six semaines ont été passionnantes* (au mieux quatre, puisqu'il signale plus loin avoir *passé la ligne de changement de date international le 4 juillet*). Il a visité de nombreux centres de recherche en compagnie d'illustres personnalités scientifiques comme Harlow Shapley (astronome américain), Irving Langmuir (Prix Nobel de chimie 1932), Edgard Douglas Adrian (physiologiste du système nerveux, Prix Nobel 1932), Julian Huxley (biologiste de l'évolution et philosophe), Irène et Frédéric Joliot-Curie (physiciens atomiques et tous deux Prix Nobel de chimie 1935), Albert Szent-Georgyi (biochimiste et Prix Nobel de médecine 1937). La délégation a été pourchassée par les journalistes, mais Selye pense s'en être bien tiré. Il est fier de rentrer chez lui avec *de très belles broderies ecclésiastiques* qu'on lui avait *échangées contre un pantalon rayé*, mais déchante lorsqu'il voit les titres des journaux (anglophones): «Moscou voulait un anneau de mariage, l'homme de McGill vend aux Rouges son pantalon», «Les Russes font grand cas des hommes de science». Le sérieux *Time* lui-même relate l'incident dans un article intitulé «The Professor's Pants»; une photo de Selye est au centre, légendée (traduction) «Une âme de chiffonnier?», par allusion à un article de la *Pravda* paru la semaine précédente. La *Pravda* est outrée que «Gospodine Selier (*sic*)» («Gospodine» est le terme par lequel, dans la Russie des tsars, on s'adressait à un étranger) ait donné le pas à cette histoire de pantalon sur la dimension scientifique du jubilé: «[Selye] est un minable spéculateur qui s'est, par erreur, immiscé dans une rencontre scientifique de haut niveau. Son rang de professeur associé n'arrive pas à dissimuler une âme de chiffonnier [...]. Certains articles canadiens se sont montrés satisfaits de son entrevue et l'ont même réimprimée. Un article ne peut rougir. Mais certains Canadiens, eux, ont peut-être rougi de leur compatriote Selier.» À propos de l'échange lui-même, le *Time* parle de «deux tapisseries des Gobelins», et la *Pravda* assure de Selye qu'«il est peu probable qu'il ait pu trouver en Russie des gens aussi nigauds». La phrase que Selye mentionne avoir été écrite par le *Time*: «*la Pravda prenait à partie dans des termes orduriers le professeur Selye*» doit se lire ainsi: «Hurlant comme une poissarde, la *Pravda* a solidement éreinté le Dr Selye», et je ne crois pas qu'on puisse quoi qu'il en soit y voir que le *Time* a [pris] bravement [sa] défense. Il m'a même semblé déceler une légère ironie dans la dernière phrase: le Dr Selye, dit en terminant (abruptement) le journaliste, vient «aussi» de faire l'objet d'une «autre reconnaissance», la Sugar Research Foundation lui ayant accordé une subvention de dix mille dollars pour une recherche étalée sur trois ans.

C'est seulement trois semaines plus tard que l'on passera aux choses sérieuses; Selye explique que les scientifiques sont bien considérés en Russie, et qu'ils agissent comme conseillers auprès des hommes politiques. Par ailleurs, les aspects théoriques de la science attirent de plus en plus l'attention. En novembre, il vantera à nouveau, devant la National Research Council Science Association, le statut privilégié des scientifiques soviétiques.

La conquête du marché
1945-1976

Le 20 mai 1924, un certain Roméo Boucher, habitant le 5130, avenue du Parc à Montréal, écrit à Mgr A. Piette, alors recteur de l'Université de Montréal. «Docteur en médecine de l'Université de Montréal (1920) et de l'Université de Paris (1923)», actuellement «assistant à la clinique médicale de l'hôpital Notre-Dame», il a, dit-il, déjà fait quelques travaux dans le domaine de la physiologie. Heureux du nouveau programme de développement des sciences arrêté par l'Université de Montréal, il déplore néanmoins qu'il se restreigne au seul enseignement. «On semble négliger un côté très important, celui des recherches scientifiques [...] Il faut plus que de l'enseignement [...] Il faut un laboratoire de médecine expérimentale.» L'idée peut sembler prématurée, mais si l'on songe au temps nécessaire pour mettre sur pied quelque chose de valable, «il vaut qu'on y pense dès maintenant et sérieusement». Le Dr Boucher offre ses services: il est prêt à acquérir l'expérience et la compétence nécessaires si l'on veut bien lui assurer à son retour des locaux et un salaire convenables. S'il est encore de ce monde vingt et un ans plus tard, en cette année 1945 qui voit la fondation de l'Institut de médecine et de chirurgie expérimentales avec à sa tête le Dr Selye, et s'il est le même Roméo Boucher qui, pour l'année 1944-1945 tout au moins, siège au Conseil de la faculté de médecine, il aura eu tout à la fois le bonheur de voir se réaliser ses vœux et la frustration de ne pas en être le truchement — à moins que, le temps ayant disposé autrement de son énergie, il n'ait vivement aidé à la réalisation dudit projet. Son offre témoigne en tout cas de l'effervescence, de la fièvre qui régnait dans l'après-première-guerre mondiale, au lendemain de la naissance d'une université francophone à Montréal.

Du côté de Montréal

Les Canadiens ont depuis très longtemps ressenti la nécessité d'un enseignement supérieur, note Mgr Olivier Maurault dans son histoire de l'Université de Montréal (université dont il aura été recteur de 1934 à 1955); malheureusement, les divers projets présentés se sont toujours heurtés soit à des refus, soit à des échecs. En cédant sa propriété de Burnside et en léguant la coquette somme de dix mille livres sterling pour l'érection d'une institution d'enseignement supérieur, James McGill permettait à une université anglo-protestante d'exister quarante-sept ans avant une université française et catholique.

Mgr Ignace Bourget, évêque de Montréal (1799-1885) et chef de file de l'ultramontanisme alors triomphant, devait, tout au long de son épiscopat (1840-1876), faire preuve d'un net souci pour l'éducation de ses diocésains. En 1843, il fondait à Montréal une école médicale — la seconde de la ville (depuis 1829 existait la Faculté de médecine de McGill) mais la première à être catholique. D'autres ambitions encore l'habitaient (voir sa correspondance de 1850), tout particulièrement celle de créer, à Montréal toujours, une université qui serait, comme de juste, confiée aux jésuites. Le premier concile de Québec (1851) n'a pu que susciter en lui de l'espoir, car il exhortait les évêques à tout mettre en œuvre pour constituer un réseau de collèges et d'universités catholiques «in tota nostra Provincia». Un an plus tard, le 8 décembre 1852, on procédait effectivement à l'érection d'une université, mais à Québec. C'était l'Université Laval, ainsi nommée en l'honneur du premier évêque du Canada, François de Montmorency-Laval, et «destinée à toute la province civile de Québec». «Paradoxe», remarque Mgr Maurault: Québec avait une université sans facultés organisées, cependant que Montréal avait des facultés mais «sans la charte autorisant à conférer des grades». Mais l'évêque de Montréal ne se tint pas pour battu et, persistant autant que combatif, fit parvenir en 1865 un mémoire au Saint-Siège. Il attendra la réponse pendant neuf ans. Le 28 juillet 1874, «la Congrégation de la Propagande reconnaissait qu'une université catholique serait nécessaire à Montréal» et, le 9 mars 1876, par une lettre du cardinal Franchi, «établissait à Montréal une succursale de l'Université Laval de Québec, avec un vice-recteur nommé par Québec et un unique Conseil universitaire». (Mécontent de cette issue, sans doute las des délais endurés, déçu par ce qu'il se proposait d'appeler «l'Université Pie», Mgr Bourget offrit sa démission d'évêque le 16 mai 1876.) Comme toute tutelle, celle-ci fut mal supportée; Montréal ne cessa de réclamer son indépendance et Laval de s'y opposer. C'est seulement le 8 mai 1919 que fut établie, par la Congrégation des Études, son autonomie; l'ancienne succursale de Laval reçut «le nom d'Université de Montréal, avec un recteur nommé par Montréal et un Conseil universitaire indépendant[1]». Mgr Georges Gauthier, depuis 1918 vice-recteur, en fut le recteur; il «représente bien [le] courant moderniste en matière d'éducation». Quelques mois plus tard (24 novembre), un incendie ravagea les bâtiments de la nouvelle institution, situés sur la rue Saint-Denis (non loin de l'emplacement actuel de l'Université du Québec à Montréal). Une campagne publique de financement recueillit en un temps record quatre millions de dollars («deux viennent du public, un des prêtres de Saint-Sulpice et un du gouvernement»). C'est dire l'appui consenti par le milieu des affaires francophone à l'Université de Montréal et l'enthousiasme suscité par cet organisme qui, contrairement à Laval géré uniquement par des religieux, s'ouvrait largement aux laïcs: la présidence du Conseil universitaire était assumée par Lomer Gouin — «symbolis[ant] cette alliance du clergé et de la bourgeoisie francophone» voulue par les fondateurs[2].

Montréal n'avait pas attendu d'être indépendante pour se structurer et prendre de l'expansion. Aux quatre premières facultés, dites «essentielles: théologie (1878), droit (1878), médecine (1879) et arts (1887)», s'adjoignirent «non seulement les institutions qui préparent aux carrières libérales», médecine vétérinaire (1890), pharmacie (1906), chirurgie dentaire (1904), philosophie, lettres et sciences pures (1919), sciences sociales, économiques et politiques (1920), «mais toutes celles qui ouvrent les carrières dites professionnelles», à l'instar de ce qui se fait aux États-Unis: polytechnique et architecture (1887), agriculture (1908), hygiène publique (1911), hautes études commerciales (1915), hygiène sociale appliquée et optométrie (1925), etc. L'Université a ainsi la main haute sur l'enseignement supérieur et une grande partie de l'enseignement technique. Bientôt, elle dirigera l'enseignement secondaire de «par l'affiliation des Collèges classiques» (1922). Seul le primaire échappait à son autorité[3]. Sur sa lancée, elle vit grand et projeta de s'installer dans un vaste édifice, sur la montagne (le mont Royal, haut de deux cent trente-quatre mètres et qui domine la ville); mais on est en 1929, et la Dépression aura raison de ces rêves. C'est en 1942 seulement qu'ils pourront se concrétiser.

Le retard historique de l'université francophone (la seule alors, à Montréal) par rapport à McGill est aggravé par la disparité des moyens financiers dont disposent les deux institutions — inégalités, disent Linteau, Durocher et Robert, qui «apparaissent nettement quand on compare leurs fonds de dotation»: en 1915 par exemple, quinze mille dollars pour l'ensemble Laval et Montréal, six millions sept cent vingt mille huit cent soixante-neuf dollars pour McGill! cependant que le gouvernement répartit «équitablement» ses subventions: en 1920, un million à Montréal, un million à McGill[4]!

Quant à ses relations avec l'État, c'est-à-dire l'Angleterre (métropole), Ottawa (niveau fédéral) et Québec (niveau provincial), l'Université n'a pas cru bon de les matérialiser par une charte soit impériale (comme Laval), soit fédérale. Elle n'a sollicité qu'une charte provinciale, qui lui a été octroyée dans les mois qui ont suivi sa reconnaissance par Rome. Et son administration s'est modelée sur celle du gouvernement provincial: un Conseil universitaire (Chambre des communes) composé d'une Commission d'administration pour les questions financières et d'une Commission des études pour les questions pédagogiques — toutes deux présidées par le recteur; un Comité exécutif (ministère), chargé d'appliquer les décisions prises; et un Sénat, qui joue le rôle de chambre modératrice et de tribunal d'appel[5].

«L'on voyait dernièrement dans le bas de la rue Saint-Urbain, écrit en 1926 le professeur L. D. Mignault, une vieille maison; elle a été le berceau de notre Faculté, car c'est dans cet immeuble que se sont réunis en 1843 les fondateurs de l'École de Médecine et de Chirurgie de Montréal.» Le journal *La Minerve*, tout en annonçant l'ouverture des cours, signale que l'École dispose d'une bibliothèque d'un millier de volumes, d'un laboratoire de chimie, d'«un set d'instruments de physique et [d']un commencement de musée anatomique et pathologique. Les honoraires d'une année académique en une seule langue sont de 6 livres et 5 chelins, environ $25.00; et ceux qui suivent l'enseignement dans les deux langues doivent débourser deux livres de plus». Les fondateurs étaient au nombre de cinq: le président, le Dr Francis Thomas Arnoldi (lui et son père, le Dr Daniel Arnoldi, accompagnaient, en qualité de chirurgiens, la petite armée de Sir John Colborne, au cours de la bataille de Saint-Eustache, et pratiquèrent «une autopsie sur les restes du docteur Chénier»); le Dr Badgeley (qui, comme Arnoldi, a enseigné pendant une année la médecine légale à McGill); le Dr Pierre Munro («un excellent chirurgien» de l'Hôtel-Dieu, dont la descendante, Marie, «épousa en 1805 le dernier marquis de Lotbinière et se trouve ainsi la bisaïeule du doyen actuel de la Faculté»); le Dr William Sutherland (qui, en 1850, devenait professeur de chimie à McGill et mourut phtisique en 1872); le Dr J. McNider enfin (diplômé d'Edimbourg, qui tomba malade au bout d'un an et mourut de tuberculose pulmonaire à trente ans[6]).

L'école médicale voulue par Mgr Bourget (dont Maurault ne mentionne nullement le nom) fut incorporée deux ans plus tard (29 mars 1845) et prit le nom d'École de Médecine et de Chirurgie de Montréal. Elle sera bilingue à ses débuts — les deux premiers candidats qui, le 18 avril 1846, en sortiront médecins sont des citoyens de l'État du Vermont. Par suite de dissensions avec McGill, elle s'affiliera en 1867 à l'Université Victoria, située à Cobourg, Ontario (noyau de la future Université de Toronto[7]) et sera dès lors habilitée à décerner le diplôme de docteur en médecine. Les deux universités, Victoria et Laval, sont réunies en 1877 sous l'autorité de la seconde, comme nous l'avons vu, et l'École du même coup fusionnée, tout en restant autonome, à la Faculté de médecine de Laval et devenant l'École de Médecine et de Chirurgie de Montréal, Faculté de médecine de l'Université Laval à Montréal. Le rescrit de Sa Sainteté Benoît XV autorisant le regroupement de toutes les écoles et facultés sous le nom d'Université de Montréal, l'École se trouve depuis 1919 constituer la Faculté de médecine de cette université. Lorsque Selye entre à Montréal, le doctorat en médecine demande six années d'études dont la première, préparatoire, est dite PCN (sciences physiques, chimiques et naturelles, plus exactement biologiques — en France, PCB). Affiliée à neuf hôpitaux, la faculté espère fortement disposer bientôt d'un hôpital universitaire.

> Les premières années après mon départ [1948], je retournais de temps à autre à l'Institut, et même assez régulièrement parce que j'ai fait partie des comités qui jugeaient les thèses des candidats; Selye voulait absolument que je reste avec lui. Mais moi, je voulais toucher du patient, parce que les animaux, après un certain temps... Il me parlait de l'hôpital universitaire: «Vous serez en charge de la clinique.» Je lui disais: «Ça n'aura jamais lieu — Paul, je vous garantis que dans cinq ans nous aurons notre clinique, etc.... — Non, je connais trop l'Université de Montréal, dans cinq ans, ce n'est pas possible — Eh bien, on s'en reparlera.» (Paul Dontigny.)

En 1990, ce souhait n'est toujours pas exaucé, me dit en substance le Dr Lucien Coutu qui, après avoir fait trois ans de recherches à l'Institut (1949-1952) et être devenu doyen de la faculté (1962-1968), est retourné à la pratique médicale comme endocrinologue gynécologue:

> Je pense que si ça n'a pas marché, cette histoire d'hôpital universitaire, c'est pour des raisons de politique — de politique vis-à-vis des autres hôpitaux Chacun réagit un peu comme une prima donna, si on peut dire. Pour Notre-Dame, pour l'Hôtel-Dieu, enfin pour tous les vieux hôpitaux, l'hôpital universitaire, c'était une espèce de recul; ils se disaient: qu'est-ce qu'on devient, nous, dans tout ça? Alors qu'au fond, l'hôpital universitaire n'était qu'un simple chaînon de toute l'organisation. Mais eux ne l'ont pas vu, ils se sont sentis repoussés, mis à l'écart, et ils se sont battus pour empêcher ça. C'est la grande raison. Il y a également une question de sous, hein? Peut-être qu'à ce moment-là, le gouvernement avait du mal à trouver des sous. Et puis, un petit

peu plus tard, quand Québec et même Sherbrooke ont obtenu un hôpital universitaire, ils se sont vus en mauvaise position: pourquoi pas Montréal? Seulement, à Québec, c'est l'hôpital pour enfants qu'on a converti en hôpital universitaire, et quand on a voulu faire la même chose avec Sainte-Justine, les gens se sont élevés là-contre: on n'allait tout de même pas enlever à Sainte-Justine son nom d'hôpital pour enfants, etc. C'est vraiment une question de politique.

En conséquence, il n'y a pas d'hôpital universitaire à Montréal. Plus exactement, il y a des hôpitaux universitaires, qui ont un contrat d'affiliation avec l'Université, comme l'Hôtel-Dieu, Notre-Dame, Saint-Luc, Maisonneuve, le Sacré-Cœur, etc. et sans doute d'autres qui se sont rajoutés depuis.

L'annuaire de 1944-1945 témoigne encore de l'enveloppe religieuse de l'institution. Sous le titre «Recommandations conciliaires», on y rappelle que les «Actes» du premier concile plénier du Canada (1929) contiennent «des exhortations et des directions» destinées aux autorités et aux parents des étudiants. Sont passés en revue l'«appui financier des fidèles» (stimuler leur générosité), le «caractère des professeurs» (s'imposer autant par l'étendue du savoir que par la profondeur des connaissances religieuses), la «formation chrétienne des étudiants» (les empêcher «de se laisser séduire par des théories spécieuses et de tomber dans les filets de l'erreur» — les «théories erronées» visées étant plus spécialement «le matérialisme, le libéralisme et le modernisme») et le «recrutement universitaire» (détourner les jeunes «de la fréquentation des universités non catholiques», sinon, «seulement pour un motif grave, après le jugement de l'Ordinaire et par simple exception»).

Quelle est, dans le Montréal francophone d'alors, la situation de la recherche biomédicale? Nous avons signalé, à propos des sociétés savantes scientifiques et médicales, la grande impulsion donnée par le doyen Louis de Lotbinière-Harwood (nommé en 1918) à la Faculté de médecine. Initiateur de nombreuses réformes modernistes, Lotbinière a su, nous disent Chartrand,

Duchesne et Gingras, s'entourer de gens compétents et actifs: Amédée Marien, Joseph-Edmond Dubé, Télésphore Parizeau, Oscar-Félix Mercier, Albert LeSage, Ernest Gendreau. De ces hommes, plusieurs participeront activement, en 1945, à l'engagement de Selye. Mais si «les médecins de talent, les professeurs et les animateurs abondent [...], les chercheurs sont plus rares». À tout seigneur tout honneur: citons pour commencer le Dr Pierre Masson. Venu de France (4 janvier 1927) à la demande du doyen de Lotbinière-Harwood pour réorganiser l'enseignement, il poursuit simultanément des travaux sur les lésions nerveuses de l'appendice, sur le glomus, sur les tumeurs næviques et nerveuses, qui font autorité. Lorsqu'en 1954, il quittera l'hôpital Notre-Dame après vingt-six ans de service, il aura formé dans son domaine presque tous les chercheurs francophones. Ses travaux le classent parmi les grands noms de la physiologie cellulaire française, aux côtés des Rémy Collin, Paul Bouin, Albert Policard et autres. Claude-Laurent Pierre Masson disparaîtra le 11 mai 1959[8]. L'Université de Montréal lui rendra hommage en donnant son nom à un amphithéâtre du Département de pathologie (N 515).

Armand Frappier, élève d'Albert Calmette et de Camille Guérin (qui mirent au point la vaccination préventive contre la tuberculose grâce au BCG), de Gaston Ramon (dont les recherches sur les anatoxines diphtérique et tétanique ont permis la vaccination associée) et de Léopold Nègre (spécialiste, à l'Institut Pasteur de Paris, de la tuberculose), fait au Canada une œuvre de pionnier dans le domaine de la recherche en microbiologie et en médecine préventive. Il restera pendant trente-huit ans (jusqu'en 1974, date à laquelle il atteint ses soixante-dix ans) à la tête de l'Institut qui, autrefois École de microbiologie et d'hygiène, porte depuis 1975 son nom et qui, aujourd'hui, est une unité constituante de l'Université du Québec[9]. «Ambitieux et novateur», il «est le premier à constituer autour de lui une véritable équipe de recherche» multidisciplinaire, estiment Chartrand, Duchesne et Gingras.

Le Dr Antonio Barbeau sera, en 1939, le premier à occuper la chaire de neurologie à l'Université de Montréal. Détenteur d'un double doctorat (médecine et philosophie), élève à Paris des plus grands noms de la neurologie (Georges Guillain,

André Thomas, Joseph Babinski, Henri Claude), il est un médecin brillant et admiré qui meurt, hélas, à quarante-six ans. (Treize ans plus tard, son fils, le Dr André Barbeau, et un chercheur viennois, Hornykiewicz, découvriront chacun de son côté que les noyaux gris centraux, atteints dans la maladie de Parkinson, sont déficients en dopamine, et qu'en fournissant aux patients l'élément manquant — sous forme du précurseur de la dopamine, la L-DOPA ou lévodopa, car la dopamine elle-même ne franchit pas la barrière hémato-méningée —, on peut améliorer leur état.) Peu à peu, à partir des années quarante, commence à se constituer une recherche digne de ce nom: parmi d'autres, le Dr Eugène Robillard se spécialise en anesthésie, le Dr Louis-Charles Simard, qui a étudié à Strasbourg avec le Dr Pierre Masson, se consacre à la cancérologie et, en 1941, va jeter les bases de ce qui deviendra l'Institut du cancer de Montréal. Des individus et des initiatives émergent donc, mais dans l'ensemble, estiment les autorités de l'Université de Montréal, les branches fondamentales de la biologie en sont encore aux premiers balbutiements, d'où l'intérêt incontestable que porte l'institution à Selye.

En 1945, le chancelier de l'Université de Montréal et président de la Société d'administration est Mgr Joseph Charbonneau; son recteur, Mgr Olivier Maurault, son vice-recteur et aumônier général, M. l'abbé Georges Deniger, et son secrétaire général, Édouard Montpetit. Aux docteurs Louis de Lotbinière-Harwood, Télésphore Parizeau et Albert LeSage a succédé depuis deux ans, comme doyen de la Faculté de médecine, le Dr Edmond Dubé. Avec le Dr Oscar Mercier, vice-doyen, et le Dr Albert de Guise, secrétaire, ils représentent le personnel dirigeant de la faculté.

Le doyen sortant, le D^r LeSage, a derrière lui une belle et longue carrière; outre la pratique médicale, l'enseignement et les charges universitaires, il a été pendant quarante-quatre ans rédacteur en chef de ce journal qui, jusqu'en 1938, fut l'organe officiel de la profession médicale de langue française de l'Amérique du Nord, *L'Union médicale du Canada*. Son successeur au décanat, le Dr Edmond Dubé, est alors professeur titulaire à la clinique de chirurgie infantile et d'orthopédie, et directeur médical de l'hôpital Sainte-Justine. «Prototype de l'homme d'action», il mourra «quasi sur la brèche» (d'une crise d'angine de poitrine), en 1960, à soixante-six ans. Quant au Dr Mercier, c'est un médecin brillant, premier titulaire à quarante ans (en 1938) de la chaire d'urologie, mais qui ne remplira pas plus d'un an ses fonctions de vice-doyen, car il mourra précocement[10].

Le 24 août 1945 (six jours avant que Selye informe de son départ le principal de McGill), le Dr Dubé, qui en tant que doyen représente la Faculté de médecine au Sénat académique et à la Société d'administration, rédige à l'intention de M. Louis Casaubon, provisoirement secrétaire de ladite Société, ce que l'on peut considérer comme une première mise en forme des négociations officieuses menées entre Selye et l'Université de Montréal et des ententes verbales conclues de bonne foi: le Dr Hans Selye, professeur agrégé à l'Université McGill, est sur le point de quitter ses fonctions, l'engager serait avantageux à bien des égards. La faculté manque de chercheurs, et «monsieur Selye, très jeune encore, a apparemment une longue carrière devant lui». Il pourrait travailler dans le Département de pathologie expérimentale, dont la chaire est vacante, et enseigner l'endocrinologie (domaine dans lequel il jouit d'une réputation «internationale») aux étudiants en médecine. Bien que nouvelles, ces deux fonctions ne sauraient perturber l'organisation actuelle de la faculté. Par ailleurs, le Dr Selye serait prêt à loger au département sa bibliothèque, considérable (deux cent mille ouvrages d'endocrinologie — la plus importante au monde, précisera-t-il devant la Société d'administration, le 27 août). Enfin, il continuerait à être subventionné par les organismes qui soutiennent actuellement ses recherches. Bref, sa présence à Montréal ne pourrait avoir qu'«une grande répercussion sur notre université», et il faudrait faire tous les efforts possibles dans ce sens.

Restent les conditions d'engagement et d'occupation des locaux (une quinzaine environ). Côté budget, le Dr Selye a déjà fait connaître ses prévisions. Le salaire du démonstrateur, initialement de sept cents dollars, a été raturé pour être porté à huit cents.

Matériel, animaux, etc............................	4 000 $
Professeur	10 000
Professeur agrégé.................................	3 600
Assistant professeur	2 400
Surintendant (Chef technicien)	1 800
Secrétaire	1 200
Technicien	1 200
Démonstrateur	800
Total	25 000 $

Cette lettre, la Société d'administration (qui, outre son président, Mgr Joseph Charbonneau, comprend l'Honorable Alphonse Raymond, vice-président, Me Eugène Poirier, secrétaire, et cinq membres: Mgr Arthur Papineau, Joseph Beaubien, Me Emery Beaulieu, S. A. Baulne et le Dr Donatien Marion, dont on s'accorde à reconnaître la grande influence*) en prend connaissance trois jours plus tard, au cours de sa réunion du 27 août. On fait observer que la réorganisation de l'enseignement et de la direction est le problème numéro un de la Faculté de médecine, et que «le projet de faire venir monsieur le docteur Selyé [*sic*] [à partir de ce jour, c'est ainsi que sera orthographié ce nom, par tous et même épisodiquement par l'intéressé lui-même] soulève plusieurs problèmes qui se rattachent à la construction, au budget». Edmond Dubé et Oscar Mercier, invités pour l'occasion, reprennent leurs arguments et font valoir que la conjoncture est éminemment favorable. L'engagement de Selye à McGill prend fin le 1er septembre 1945, il faut saisir l'occasion au vol et se décider rapidement. D'ailleurs, pour «mieux assurer son œuvre», le Dr Selye souhaite un contrat à long terme. Les membres de la Société déclarent alors qu'ils ont besoin de plus amples renseignements: le candidat devra leur soumettre un projet écrit précisant ce qu'il apporte à l'Université, les travaux qu'il entend poursuivre, les services dont il a besoin et les subventions dont il dispose. En attendant, ils chargent Louis Casaubon de rencontrer «dès le lendemain» le Dr Selye, de voir comment il est installé à

---

* Chef du service d'obstétrique à l'hôpital Notre-Dame de 1934 à 1956, il franchira tous les degrés de la hiérarchie académique et fera partie du Conseil des gouverneurs de l'Université de Montréal de 1950 à 1962, après avoir été membre de la Société d'administration de 1944 à 1950.

McGill et de s'enquérir des locaux qui lui seraient nécessaires. Enfin, un comité spécial est formé (Mgr Joseph Charbonneau, l'Honorable J. E. Perrault, Me Eugène Poirier et le Dr Donatien Marion), qui étudiera le projet de la venue de Selye comme professeur à la Faculté de médecine et comme directeur d'un institut de recherche, et fera rapport à la Société.

Le 4 septembre, Selye, Casaubon et Mercier comparaissent devant la Société d'administration: [...] *lorsque j'ai rencontré, pour la première fois, le personnel de l'Université de Montréal, tout s'est tellement bien déroulé que j'ai tout de suite signé un contrat.* Tout beau, il faudra attendre près de quatre mois. Mais il est vrai, les choses vont maintenant assez rondement, car le temps presse.

Les vingt-trois membres du Conseil de la Faculté de médecine (dont O. Mercier et le Dr Roméo Boucher) que préside E. Dubé et dont le secrétaire est A. de Guise, ont accepté, au cours de leur réunion du 7 septembre, que soit fondé un Institut de médecine et de chirurgie expérimentales, et que la chaire de pathologie expérimentale et comparée devienne la chaire de médecine et de chirurgie expérimentales. Dans les éditions successives des brochures qui, par la suite, présenteront l'IMCE, c'est le seul Dr O. Mercier que l'historique considérera comme le fondateur de l'IMCE, soulignant qu'il «voulut favoriser un enseignement plus avancé des sciences médicales et suggéra la création d'un Institut de médecine et de chirurgie expérimentales» (édition du 15 septembre 1964), ou qu'il «suggéra [...] la création d'un Centre pour la recherche de base dans tous les domaines de la médecine» (édition de 1970, dans laquelle on lui donne le titre de doyen). Cela semble bien être le cas. Mais Mercier étant mort inopinément le 21 septembre 1945 (à quarante-sept ans), Edmond Dubé reste seul pour mener à bien le projet et c'est surtout son nom qui apparaît dans les documents, d'autant que les premiers temps, il remplace son ancien collègue dans certaines de ses fonctions. C'est par conséquent Dubé qui, aux yeux du Dr Édouard Desjardins et de ses confrères, est l'«un des principaux artisans» de la venue de Selye à l'Université de Montréal.

Le 18 septembre, Selye présente officiellement par écrit sa candidature au poste de titulaire pour la nouvelle chaire et le 19 septembre, dans une (dernière) lettre, Mercier fait savoir au recteur Maurault que les membres de l'exécutif «seraient désireux de soumettre, avant le 26 au soir, quelques questions à la Commission des études pour approbation» — en clair, de ratifier des décisions déjà prises par le Conseil, soit (pour ce qui nous intéresse) la création d'un Institut de médecine et de chirurgie expérimentales et la transformation de la chaire de pathologie expérimentale et comparée en une chaire de médecine et de chirurgie expérimentales. Réunie une semaine plus tard, la Commission des études (la Faculté de médecine est représentée par O. Mercier, J. Delage et H. Sanche) donne sa pleine et entière approbation aux points soumis.

M. Dubé, de son côté, s'affaire à préparer les versions définitives du budget de base du futur institut et du contrat de son directeur; il s'assure aussi des locaux qui seront mis à la disposition de la nouvelle équipe. Le budget de base comporte le traitement du Dr Selye à partir du 1er septembre 1945 (date à laquelle il cesse d'émarger au budget de McGill), les traitements du personnel, le matériel d'enseignement et l'outillage. C'est exactement le budget qu'avait soumis le candidat et que la Société d'administration avait accepté le 4 septembre. Les honoraires et les salaires se montent à 21 000 $, soit 10 000 $ pour le directeur (somme rondelette puisqu'il gagnait à peine 4 000 $ à McGill; somme «qu'il veut très exactement parce que c'est ce que Pierre Masson gagnait à l'époque», précise le docteur Roger Guillemin), 3 600 $ pour un professeur agrégé, 2 400 $ pour un assistant, plus une secrétaire, des techniciens, etc., et les dépenses pour l'outillage et les animaux, à 4 000 $, ce qui représente un total de 25 000 $. Quant au contrat, M. Dubé ne se reconnaissant pas de compétence en la matière, il en confie la rédaction à Me Emery Beaulieu, du bureau Beaulieu, Gouin, Beaulieu et Montpetit (Me Beaulieu fait également partie de la Société d'administration). Enfin les locaux du laboratoire et de l'Institut, fournis par l'Université et préparés par les soins de M. Roland Bureau, surintendant des immeubles, ont reçu l'approbation des Drs Selye et Dubé.

Le 15 octobre, un premier projet de contrat (basé sur le document rédigé par E. Dubé) parvient aux autorités de l'Université. Il doit maintenant passer devant la Société d'administration de l'université: dans sa réunion du 18 octobre, la Société décide de l'approuver à condition qu'il soit signé tel quel par les parties intéressées. Je ne suis pas arrivée à en saisir la raison, mais le fait est qu'un second et nouveau projet est élaboré qui, accepté par l'exécutif de la Faculté de médecine, est soumis pour étude à la Société d'administration le 10 novembre tandis que Selye fait part à Dubé de «certaines remarques»: 1. Des sommes intéressantes ont été offertes à l'Université pour les recherches de l'Institut (notamment quarante-sept mille dollars par la firme Horner): elle devrait remercier officiellement ces «généreux donateurs». 2. Il n'a toujours pas l'autorisation de toucher au budget d'exploitation alors qu'on l'avait assuré qu'il serait à sa disposition le 1er septembre. 3. Les subventions accordées portent à cent mille dollars le budget de l'Institut — lequel doit «être traité en fidéicommis par la Société d'administration de l'Université», d'où sans doute les retards; mais on ne saurait différer plus longtemps la paye du personnel technique, et quant à lui, Selye, il se sent responsable vis-à-vis des donateurs du retard apporté aux recherches. 4. Pourrait-on accélérer l'installation des laboratoires? 5. Enfin, il faudrait légaliser le «contrat préliminaire» entre l'Université et lui pour qu'il puisse contracter diverses assurances (accidents, bibliothèque, etc.).

En ce qui concerne les clauses du contrat, Selye soumet quelques suggestions quant au paragraphe 11. Il aimerait que soit explicitée, et incluse, la notion de permanence, et ce pour un certain nombre de raisons: obtention de subventions de recherche, nomination d'assistants sur une base de longue durée, assujettissement à ses seuls revenus universitaires puisqu'il a dû renoncer (comme tout professeur de carrière) à la pratique médicale. Pour conclure, il se dit satisfait *d'abandonner le droit accordé aux professeurs titulaires de démissionner sans donner congé pour une période définie.* Toutes considérations que Dubé approuve sans réserve.

Le jeudi 22 novembre 1945, la Commission d'administration de l'Université de Montréal, réunie à seize heures dans le salon du recteur, accepte à l'unanimité toutes les clauses du contrat dont elle désigne les signataires qui, après que ce contrat aura été approuvé par le Conseil de la faculté de médecine et la Société d'administration, la représenteront, à savoir le recteur et le secrétaire général. La semaine suivante (28 novembre) est lue devant le Conseil de la faculté l'entente entre l'Université et Selye, incluant la clause 11 modifiée, laquelle se lira dorénavant comme suit: «Cet engagement sera néanmoins continué d'année en année, toujours pour une période d'une année, à compter du 1er septembre, à moins que le Dr Selye ne manifeste son intention d'y mettre fin au moyen d'un avis écrit donné au moins six mois avant l'expiration de la période d'engagement alors en cours.» Le contrat est adopté dans sa totalité. Le 3 décembre, la Société d'administration se prononce à son tour en faveur du texte ainsi amendé.

Tout ce que je sais de l'histoire du départ de Hans pour l'Université de Montréal, c'est par ouï-dire. Il semble que les autorités de l'Université de Montréal étaient à la recherche de quelqu'un qui puisse diriger l'expérimental. Ils ont demandé à Selye si cela l'intéresserait. Même s'il n'était pas directeur du département, il recevait un tas de subventions des firmes pharmaceutiques, et le Dr C. P. Martin, le chef du Département d'anatomie, ne s'intéressait pas à la recherche. Je ne pense pas qu'il décourageait Selye de faire les siennes propres mais je ne crois pas non plus qu'il l'y encourageait beaucoup. Je ne sais pas dans quels termes ils étaient, toujours est-il que, d'après ce qu'on disait — et je ne peux pas le vérifier — Selye n'était pas malheureux à McGill, il ne brûlait pas d'impatience de partir, parce qu'à l'époque McGill jouissait d'une réputation considérablement supérieure à celle de l'Université de Montréal — qui était encore un jeune établissement. Et Hans se disait peut-être que dans quelques années, quand le Dr Martin atteindrait l'âge de la retraite, il prendrait lui-même la tête du département. L'histoire dit aussi que Hans était flatté par l'offre qu'on lui faisait.

Ils lui ont dit: «Pourquoi ne mettriez-vous pas sur papier ce que vous aimeriez avoir si vous envisagiez d'accepter ce poste?» De toute façon, il ne voulait pas dire «Non merci», et d'un autre côté, j'imagine — c'est ce qu'on disait —, il avait envie de voir en quoi cela consistait et de tester jusqu'où ils pouvaient aller. Alors, il s'est assis et s'est mis à écrire trois ou quatre pages sur ce que seraient ses exigences. Je ne peux vous en donner la teneur exacte, mais la rumeur veut qu'il ait demandé un hôpital de cinquante-cinq lits, un département pour lui tout seul, une bibliothèque pour ses tirés à part, plusieurs secrétaires pour lui, pour la bibliothèque et pour les laboratoires, une secrétaire personnelle, et un espace de laboratoire avec le personnel et tout ce qu'il fallait... Il savait bien que c'était une utopie et que, quel que soit le désir de l'Université de Montréal de l'engager, rien ne disait qu'elle puisse rencontrer toutes ces demandes. Deux jours après, ils lui ont téléphoné: «Alors, Dr Selye, quand voulez-vous commencer?» En un sens, au fond, il s'est laissé prendre au piège de son utopie. (Martin Entin.)

Tout n'est cependant pas encore à l'entière satisfaction du nouveau directeur puisque, quelques jours après, écrivant au secrétaire général Montpetit, il lui déclare qu'il retardera le plaisir de faire sa connaissance, car il désire d'abord *mettre au point un détail qui n'a pas été réglé selon l'entente convenue au mois d'août.* Soucieux cependant d'épargner au secrétaire général *des considérations d'importance secondaire,* il en discutera avec le doyen Dubé, et se présentera à lui dès que le contrat aura été établi sous sa forme définitive. Il n'est pas le seul à être mécontent. Dès 1947, l'Université travaille à en reconsidérer les conditions, ce dont on trouve régulièrement trace dans la correspondance et de plus en plus à mesure que le temps passe, en prévision du renouvellement de ce contrat, lequel expire en 1951. Voir, par exemple, les trois pages écrites à la main et intitulées «Notes re-contrat entre l'Université de Montréal et le Dr Hans Selye» du 30 juin 1947. Une lettre manuscrite de Jean Mirault, vérificateur interne de l'Université, soumettant au trésorier général (qui les lui a demandés) ses commentaires sur le contrat Selye et les problèmes qu'il soulève, permet d'attribuer au même Mirault ces notes du 30 juin. Voir encore, six mois plus tard, la réunion de la Société d'administration au cours de laquelle les membres constatent que Selye s'acquitte bien de son enseignement auprès des étudiants de seconde année de médecine et des postscolaires, que «sa réputation est telle que l'Université de Montréal retire certainement des avantages du fait qu'elle loge l'IMCE, que donc il faudrait convaincre Selye de «l'aider à maintenir et à encourager les recherches qu'il entreprend et qu'il poursuit».) Un comité spécial est formé (Alphonse Raymond, Me Emery Beaulieu et le Dr Donatien Marion) pour préparer un nouveau contrat. En mars 1950, la question refait vraiment surface et en novembre de la même année, le trésorier général, Louis Casaubon, fait parvenir au Dr Wilbrod Bonin (doyen et directeur des études de la Faculté de médecine) un document élaboré conjointement avec Me Gérard Trudel (secrétaire de la Société d'administration de l'université) indiquant «le point de vue que nous adoptons en cette affaire» (document non retrouvé), et à nouveau un comité spécialement chargé d'étudier la question du renouvellement du contrat est formé. De son côté, le Conseil des gouverneurs constitue lui aussi un comité spécial à cette fin. On fait à l'occasion remarquer, «incidemment», que «le Docteur Selye n'a pas encore attesté l'exactitude de ses comptes avec l'Université au 31 mai 1950». Les relations sont déjà et resteront toujours tendues entre la haute administration et le directeur de l'IMCE.

À McGill, la situation n'est rien moins qu'explicite. Si Selye a bel et bien donné sa démission, personne ne l'a officiellement acceptée. On a pourtant procédé aux changements structuraux et aux transferts de fonds qu'elle implique, et annoncé que l'on cherchait un remplaçant. Selye juge qu'il devrait conserver un statut officiel jusqu'à ce que les cinq étudiants diplômés (licenciés) qui travaillent sous sa direction aient obtenu leur diplôme. Le principal est d'autant plus désireux d'y voir clair que le Dr C.-P. Leblond vient d'arriver et assure la charge de Selye. Le doyen ne peut que réaffirmer, point par point et arguant de l'accord du directeur du département, qu'il revient au principal de statuer sur le cas.

Maître chez soi

Dans l'après-midi du vendredi 12 octobre 1945, le doyen Dubé annonce publiquement la création de l'Institut de médecine et de chirurgie expérimentales, et les journaux s'empressent de répandre la nouvelle. On vante à l'envi le nouvel institut: laboratoires spacieux, outillage ultramoderne, bibliothèque inestimable, et son prestigieux directeur, «polyglotte, savant et professeur» (*La Patrie*). Mais surtout se lit entre les lignes, dans la presse francophone, la délectation d'avoir «arraché» à McGill un chercheur mondialement connu. «Soucieuse de son rôle de gardienne de la culture française sur le continent nord-américain, a déclaré le Dr Dubé lors de la conférence de presse, notre université se doit de ne rien négliger pour placer au premier rang cette science d'inspiration française qui se rattache au grand Claude Bernard, le fondateur de la médecine expérimentale.» Heureuse conjoncture: invité à parler au congrès de la Société médicale de Montréal, Selye prononce dix jours plus tard une conférence sur «La médecine expérimentale»: la seule observation est insuffisante, et ce n'est que par l'expérimentation que l'on peut véritablement attester la valeur d'un traitement, affirme-t-il. Aussi les chercheurs doivent-ils établir des liens entre le médecin traitant et l'industrie pharmaceutique.

Le voilà enfin seul maître à bord. Bien que provisoires, les locaux dans lesquels il s'installe (aile est de l'université) ont été préparés en fonction de ses besoins; des crédits supplémentaires (quatre cents dollars) lui seront accordés pour les aménagements qu'il estime encore nécessaires. *Je suis arrivé au moment où l'on construisait l'édifice principal, où je fus installé directement. Ce ne fut pas dans l'aile que j'occupe aujourd'hui, la construction de cette aile n'étant point terminée.*

Nous, à l'Institut de microbiologie et d'hygiène, sommes entrés les premiers dans la nouvelle université — en août 1941 [l'Université ouvrira officiellement ses portes à la fin de 1942]. Et Selye a suivi, avec tous ses laboratoires; il a organisé son institut, qui jouxtait les locaux de l'Institut [de microbiologie] et ceux du Département de bactériologie de la Faculté de médecine. L'Institut [de microbiologie] était indépendant du Département de bactériologie mais travaillait dans la même direction. J'étais heureux d'avoir un savant comme Selye à côté de nous, et j'ai quelquefois assisté à des séminaires qui y étaient donnés. Je ne peux pas dire que j'ai fréquenté Selye dans ses travaux parce que le stress était différent de ce que je faisais; je poursuivais des recherches surtout sur la spécificité des maladies, la tuberculose en particulier, et lui travaillait sur les causes générales et le stress. (Armand Frappier.)

La présence de Selye ne fait pas le bonheur de tous. Les allées et venues liées à la mise en train de l'IMCE mettent de l'agitation dans l'air. À tort ou à raison, elles suscitent, c'est inévitable, quelques jalousies bureaucratiques. Déjà, lorsque le Dr Georges Baril, qui siège au Conseil de la faculté à titre de directeur de l'Institut de chimie, a officiellement appris (réunion du 7 septembre) l'existence d'un institut de recherche, il s'est empressé d'envoyer à M. Casaubon une lettre «personnelle» dans laquelle il exprime ses réserves quant à un projet qui «contient du bon, du moins bon et du franchement mauvais», mais surtout qui fait obstacle à la satisfaction de ses propres besoins: on refuse à l'Institut de chimie les améliorations depuis longtemps demandées (service téléphonique, achat de matériel d'enseignement et travaux) alors qu'on est capable de trouver les fonds nécessaires pour l'institut de recherche projeté. Aussi a-t-il, au Conseil de la faculté, fait amender la résolution sur le budget en y ajoutant «pourvu que le vote de tels crédits ne nuise en aucune façon à l'octroi des crédits nécessaires au fonctionnement des divers laboratoires de la faculté». La Société d'administration devra, dit-il, se montrer aussi exigeante que dans le passé et faire approuver le projet par la Commission des Études qui, en vertu de la charte (article 26), «étudie l'opportunité de créer ou non des facultés ou écoles nouvelles, d'ouvrir des cours, des chaires et des <u>laboratoires nouveaux</u>», etc.

Le Dr Baril est un homme actif, membre de nombreuses sociétés médicales et scientifiques, travailleur, dévoué à ses étudiants et respecté de ses collègues. Il fut, dira Armand Frappier dans le lyrique hommage nécrologique qu'il lui rendra, à l'origine de la vocation scientifique et de la carrière de beaucoup de médecins et chercheurs montréalais. Lui-même, Frappier, a été conquis «dès [ses] premières leçons dans cet amphithéâtre Lavoisier du vieil immeuble de la rue Saint-Denis» (cela se passait en 1933). Baril mourra subitement dans son bureau de l'université, le 8 octobre 1953. Le Dr Pierre Masson, dans son éloge, fera valoir, entre autres qualités, une «souriante et habile courtoisie» qui empêchait toute rancœur de s'immiscer entre l'homme et ses interlocuteurs[11].

A. J. Laurence, doyen de la Faculté de pharmacie, se dit lui aussi dérangé par le nouvel institut, et il le fait savoir par écrit au recteur au tout début de l'année 1946 — mais sa lettre n'a pas été conservée, et la réponse, pas expédiée étant donné «les dispositions défavorables du destinataire», lit-on en marge et au crayon, de la main d'O. Maurault:

> Cher monsieur Laurence,
> Je regrette infiniment les ennuis que vous cause l'établissement temporaire des services du docteur Selyé, dans vos laboratoires. Mais je n'ai pas à discuter la lettre de la Société d'Administration du 28 décembre dernier, qui enjoint à M. Casaubon de procéder à l'intallation du Docteur.
> Malgré votre répugnance, je vous prie de souffrir cette invasion, sans faire plus de difficulté. Vous avez toutes les garanties d'avenir que vous pouvez désirer.
>
> Le recteur

Ici, j'étais le seul qui faisait de la recherche. Ils se sont dit — avec raison je pense — qu'au début, ils n'auraient pas les fonds nécessaires pour développer à la fois un département en pharmacologie, un autre en chirurgie et un autre en physiologie. Alors l'Université a mis sur pied simplement de petits départements où l'on enseignait, mais sans faire vraiment de la recherche originale. Parallèlement, ils ont développé ce département général de recherches (à savoir l'IMCE).

En 1949, alors que l'Institut est en plein essor, un professeur agrégé de la Faculté de médecine, le Dr Mercier Fauteux, demande à organiser un laboratoire de recherche en chirurgie expérimentale — projet qui sera refusé par le Comité exécutif de la Société d'administration de l'Université de Montréal. Il soumettra alors, pour mieux convaincre, «un bref mémoire concernant le projet de l'établissement d'un laboratoire de chirurgie expérimentale». Ayant, dit-il, travaillé à McGill de 1935 à 1941, puis à Harvard de 1941 à 1946 et, enfin, à McGill de 1946 à 1948, son expérience dans le domaine de la chirurgie expérimentale est incontestable. «Le laboratoire du Dr Selye n'est pas organisé pour la chirurgie expérimentale» et d'ailleurs «le Dr Selye est prêt à ce que je me charge de la chirurgie expérimentale, vu qu'il n'est pas essentiellement intéressé dans ce domaine». Fauteux essuiera à nouveau un refus et son projet ne sera jamais réalisé.

Rattaché à la Faculté de médecine, l'Institut est voué au développement de la recherche, à l'enseignement de l'endocrinologie expérimentale auprès des étudiants en médecine et à la formation postscolaire. Au terme de leurs études et de leurs recherches, les élèves de l'Institut peuvent obtenir soit une maîtrise ès sciences (M.Sc.), soit un doctorat (Ph.D.) en médecine et chirurgie expérimentales. De 1945 à 1948 en fait, seuls des doctorats seront accordés, la Faculté de médecine «ayant omis de demander en même temps» que le doctorat (accordé le 25 novembre 1945 par la Commission des études) «l'autorisation d'émettre un diplôme de Maîtrise pour le même Institut». L'étudiant s'inscrit à la Faculté de médecine; il doit posséder le titre de docteur en médecine («cum laude»: avec distinction) de l'Université de Montréal, ou un baccalauréat ès sciences spécialisé (avec distinction) de l'Université de Montréal, ou un équivalent de l'un ou de l'autre. La durée des études est d'au moins un an pour la maîtrise et trois ans pour le doctorat. Pour ce dernier diplôme, le candidat doit avoir une bonne connaissance de deux langues étrangères (on recommande l'anglais, l'allemand et l'espagnol); horaire et programmes sont fixés par le Conseil de la faculté de médecine; un examen général, portant sur toutes les matières jugées indispensables pour la formation scientifique, a lieu la seconde année. Deux échecs consécutifs entraînent l'interruption des études. La thèse est évaluée par un comité, à savoir le professeur qui a dirigé les recherches du candidat, un professeur de l'Université de Montréal nommé par le doyen, et un professeur de l'extérieur choisi par le doyen sur recommandation du directeur de l'Institut; quant au jury de thèse, il comprend le doyen ou son représentant (qui préside), le directeur de la thèse, le directeur de l'Institut ou son délégué, et le professeur de l'Université de Montréal qui a examiné la thèse. Les frais d'inscription sont fixés à cent soixante dollars par année.

L'Institut fonctionne, sans attendre que soit signé (cela se fera au printemps de 1946) le contrat entre l'Université, représentée par M⁰ʳ Charbonneau et Mᵉ Poirier, et la compagnie Damien Boileau, contrat par lequel l'entrepreneur s'engage à construire l'IMCE pour le 1ᵉʳ septembre 1946 (selon les plans de l'architecte Ludger Venne). Une petite équipe de sept personnes est en place depuis le 1ᵉʳ septembre 1945. Georges Masson, docteur en médecine de Paris et docteur en sciences:

> Je suivis Selye à l'Université de Montréal et devins professeur agrégé [avec un salaire de trois mille six cents dollars]. Après le déménagement dans les quartiers temporaires, la situation se détériora rapidement. Chacun avait l'impression d'être abandonné à lui-même sans pouvoir y remédier. Un exemple de l'état d'esprit existant fut la création, à la blague, de la «Société des Inadaptables*». Au bout de deux ans, six de ses collaborateurs immédiats, y compris moi-même [31 juillet 1947], avaient quitté l'Institut. C'était au moment de l'aménagement dans les nouveaux locaux.

M. Kai Nielsen remplit les fonctions de surintendant général du département avec le titre d'assistant (et un salaire de deux mille quatre cents dollars). Mᵐᵉ Eleanor Clarke Hay, docteur en sciences, est démonstratrice (mille huit cents dollars, dont huit cents fournis par la Commonwealth Foundation, qui subventionne ses recherches), Mˡˡᵉ Marguerite Guay, secrétaire-archiviste, et Mˡˡᵉ Helen Stone, secrétaire-technicienne (mille deux cents dollars chacune), et MM. François Desilets et William Calvert, techniciens assistants (huit cent quarante dollars chacun). Tous viennent de McGill et travaillent depuis plusieurs années avec Selye.

> Avant de partir pour Montréal, Selye envisageait un institut pluridisciplinaire. Dans un premier pas, il engagea deux chimistes fortement recommandés de Suisse pour travailler, l'un sur la synthèse des stéroïdes [Dʳ August Prins], l'autre sur les dérivés de l'héparine. Au bout d'un an, tous les deux étaient partis. (Georges Masson.)

---

* L'appellation «Société des Inadaptables» répondait à l'ex-libris de Selye *Semper adaptabilis*.

Ils sont partis parce que Selye refusait d'acheter un spectrophotomètre. (Roger Guillemin.)

Le 8 mai 1946 arrive à l'Institut un biochimiste que connaît bien Selye: Kenneth Savard. Il a rang d'assistant de recherche.

Kenneth Savard

Il y avait là le Dr Georges Masson, du Département d'anatomie de McGill, que j'ai retrouvé plus tard à la Cleveland Clinic Foundation. Deux Européens, le Dr Ben [August] Prins, un Hollandais, et le Dr Roger Jeanloz, un Suisse, qui plus tard a travaillé au Massachusetts General Hospital de Boston — c'était un grand expert en biochimie des polysaccharides, notamment du collagène. Tous deux venaient du grand laboratoire du Dr Reichstein, à Bâle, un centre de recherche sur la structure des stéroïdes [Tadeus Reichstein, après avoir participé à la réalisation de la synthèse de l'acide ascorbique, a isolé la corticostérone en 1936, l'adrénostérone en 1937, et a effectué la synthèse partielle, en 1938, de la désoxycorticostérone, démontrant le rôle de cette hormone dans le métabolisme de l'eau et du sel, et son action thérapeutique dans la maladie d'Addison. Il partagera en 1950 le prix Nobel avec Hench et Kendall]. Il y avait aussi un Algérien, dont j'ai oublié le nom; deux scientifiques de Sao Paulo, [José] Léal Prado et son épouse; M. Nielsen. Et moi, j'étais le seul Canadien dans cette compagnie internationale. En plus, il y avait deux étudiants francophones gradués: le Dr Jacques Léger (aujourd'hui décédé) et le Dr Paul Dontigny, en train de préparer leur thèse de doctorat en sciences; et deux ou trois autres étudiantes graduées anglophones. Finalement, il y avait le bureau et la bibliothèque du Dr Selye, des jolies filles, y inclus la secrétaire en charge, Mlle Gabrielle Grant, qui devait devenir Mme Selye; ma belle-sœur, Ruth Kelly, était là aussi comme sténographe.

J'avais pour mandat de créer et de diriger un laboratoire de chimie clinique. Je devais mettre au point des tests microchimiques permettant d'effectuer toutes les mesures possibles, et plus particulièrement de déterminer les taux en électrolytes dans le sérum des animaux (les rats surtout) qui provenaient des expériences de M. Selye. En plus, je devais mes inspirations biochimiques, mais toujours dans le cadre des travaux de M. Selye lesquels, à l'époque, concernaient les maladies du stress et l'hypertension.

J. Léger et P. Dontigny seront les deux premiers étudiants à obtenir de l'IMCE un Ph.D. (1948), avec des thèses respectivement intitulées «Contribution à l'étude des phénomènes d'hypersensibilité» et «Contribution à l'étude de l'hypertension d'origine hormonale». Pour compléter l'ambiance, dit K. Savard,

il y avait des séances chez Selye, à leur maison de la rue Milton, tous les dimanches soir. On se réunissait: des groupes, ou des individus de McGill, des hôpitaux ou des laboratoires universitaires. C'étaient des soirées très agréables, avec de grandes discussions au sein de ces assemblées internationales: sur la philosophie proprement dite, la philosophie de l'art, de la musique et surtout de la science, de la méthode scientifique dans les différentes disciplines. Si je me rappelle bien, il y avait rarement des discussions politiques; M. Selye n'acceptait jamais les discussions purement politiques comme nous en avons aujourd'hui sur le Québec et le Canada. S'il y en avait, c'était sur les grands problèmes mondiaux, et plutôt au niveau de la philosophie que de la politique proprement dite. C'est là aussi que j'ai connu la première Mme Selye, une dame très distinguée, très vive et, comme disait ma première épouse, très belle et très à la mode.

Dontigny a lui aussi connu ces soirées:

Selye donnait souvent chez lui des petits buffets. On appelait ça des «sterages» [de «stérol»]. Cela arrivait régulièrement, ou à l'occasion du passage d'artistes célèbres ou de Prix Nobel. On mangeait un petit buffet froid avec de la bière. À dix heures, il disparaissait. Qui que ce soit qui était là, à dix heures il disparaissait. C'était Penna, sa femme d'alors, qui s'occupait des gens — certains restaient tard! Ça a été comme ça toute sa vie. Je vous le dis, il travaillait trois cent soixante-quatre jours par année!

Il y a un côté drôle, quand même. Je l'ai amené un soir aux Gaietés voir le strip-tease de Lili Saint-Cyr. Quand on est sortis, je lui ai demandé: «Comment la trouvez-vous?» Il m'a répondu: «Elle est très intelligente.» J'ai aussi reçu Selye et sa famille à la campagne, dans les Laurentides, un endroit qui appartenait à mon beau-père, et sur son yacht également. C'est le côté amusant d'un homme qui ne voulait pas perdre son temps. Parce que tout de même, quand on allait au camp, à Saint-Alexis, c'était pour le week-end; et le yacht, c'était toute la journée. Il acceptait. À part ça, vous savez, il n'allait nulle part.

Chargé par McGill de recevoir le physiologiste et endocrinologue parisien Courrier pendant son séjour montréalais en novembre 1945, Selye emmène chez les Dontigny celui qui, en 1946, l'accueillera à Paris et le réconfortera lorsque, *tremblant de terreur*, il attendra son tour pour prendre la parole au banquet qui clôt sa série de conférences sur le stress au Collège de France:

> Après la guerre, j'ai reçu chez moi des scientifiques français, par exemple Courrier. Il était professeur au Collège de France et il donnait des conférences à McGill. J'habitais Westmount [municipalité du Grand Montréal, riche et à prédominance anglophone], j'avais un sous-sol fini, avec un bar — c'était très bien. Il n'en revenait pas. Pour un Français, recevoir dans un sous-sol, comprenez-vous, c'est quelque chose d'extraordinaire! (Paul Dontigny.)

Les travaux de Robert-Marie Courrier sont à cheval sur deux domaines: l'endocrinologie et la radioactivité. Collaborant avec Irène et Frédéric Joliot-Curie, les deux physiciens français qui découvrirent la radioactivité artificielle et se virent décerner le prix Nobel de chimie en 1935, Courrier, comme le fera remarquer Selye à son auditoire, est le premier à avoir préparé une hormone radioactive. (Grâce à un marqueur radioactif qu'on lui incorpore, l'hormone peut être suivie dans tout l'organisme; c'est dire l'intérêt de cette technique pour l'établissement du diagnostic clinique.) Notons que C.-P. Leblond avait, de juin 1937 à 1940, étudié l'iode et le phosphore radioactifs au Laboratoire de Synthèse atomique de Paris, sous la direction des professeurs Antoine Lacassagne et Joliot-Curie. Venu poursuivre ses recherches à McGill (dans le laboratoire de Selye), il put se procurer à Boston un iode radioactif dont la période de désintégration plus longue lui permit de réaliser les premières images autoradiographiques de la thyroïde et de montrer que c'est dans le colloïde, cette substance protéique qui remplit les follicules (ou vésicules) de la glande, que pénètre l'iode. (La technique dite de l'autoradiographie consiste à impressionner directement l'émulsion photographique avec les molécules de l'élément radioactif captées par les cellules étudiées.) On sait aujourd'hui que le colloïde est la forme de stockage des hormones thyroïdiennes.

Venant directement de Paris, Courrier arrive le dimanche 2 décembre 1945 à Montréal, où il est accueilli par Selye et quelques autres membres de la Faculté de médecine. Il est en mission officielle, chargé par le gouvernement français d'enquêter sur l'état de la recherche dans le pays, car la France, qui depuis le début de la guerre ne reçoit plus aucune revue spécialisée, se trouve coupée de la communauté scientifique. Il donne, le jour même de son arrivée, sinon une conférence du moins une causerie. Après avoir fait remarquer que l'alimentation reste encore très aléatoire, que les provisions de charbon allouées pour l'hiver sont très insuffisantes, etc., il raconte comment les scientifiques français ont déjoué les plans des Allemands en refusant de leur expliquer l'usage du cyclotron logé au Collège de France (le seul que possédât l'Europe) — usage dont la connaissance aurait pu les aider à percer les secrets de l'énergie atomique. La conférence publique qu'il présente le jeudi soir suivant son arrivée est la première des sept (prononcées en français) qui seront données sous le patronage de McGill. Deux autres auront lieu à l'Université de Montréal, sous le patronage de la Faculté de médecine, enfin une à la Société canadienne d'endocrinologie, et une ou deux à Québec. Toutes traiteront de l'application de la radioactivité artificielle à la médecine. Il déclare aux journaux: «Le Dr Selye qui m'accueille ici au nom de McGill possède une organisation bibliographique admirable dans laquelle je n'ai qu'à puiser.» Montréal accueille au même moment un autre délégué officiel du gouvernement français, le Dr Simonnet, venu enquêter sur les méthodes utilisées dans diverses villes nord-américaines par les responsables de l'inspection du lait, qui, au banquet clôturant l'hommage rendu à Pasteur à l'occasion du cinquantenaire de sa mort, prononcera l'éloge du célèbre fondateur de la microbiologie. Henri Edmond Simonnet, vétérinaire et biologiste, est connu par ses recherches sur les endocrines, entre autres sur cette [toujours] mystérieuse glande qu'on appelle l'épiphyse; il a, avec Brouha, montré en 1928 que des extraits de testicules entraînaient la kératinisation du vagin, résultat qui converge avec ceux obtenus par d'autres chercheurs.

Je n'ai pas trouvé de document permettant de dater le transfert des locaux de l'équipe de Selye dans l'aile ouest de l'université — lieu d'occupation définitive de l'IMCE, aux septième et huitième étages. L'emménagement a dû se faire à la rentrée de l'année universitaire 1947-1948, et de toute façon avant la fin d'octobre puisque le directeur des services d'entretien des bâtisses et des terrains mentionne à cette époque «un commencement d'incendie dans le bureau du Dr Selye (D-708)». Le feu, signalé par le gardien «dans la nuit du 28 octobre 1947», a endommagé un panneau de bois et «un meuble en merisier fini noyer». Il a été causé par une chaufferette électrique laissée allumée tout près dudit meuble. On avait donné aux couloirs de l'aile ouest, comme à ceux de l'aile est, les lettres A, B, C, D, etc. Le Dr Jean Leduc, depuis longtemps à la Faculté de médecine, se rappelle que pour les différencier on avait affecté les lettres de l'une des ailes (mais laquelle?) du signe prime. Le procédé s'étant révélé à l'usage source de confusions, on finit par adopter l'appellation aujourd'hui en vigueur: de A à L pour l'aile est, de M à Z pour l'aile ouest — D devenant S, E devenant P.

Ce début d'incendie aurait dû être pour Selye un avertissement. Quinze ans plus tard, le feu mettra à mal sa bibliothèque et ses fichiers, et l'on s'apercevra qu'aucune assurance ne les couvre.

L'inauguration officielle de l'Institut aura lieu le samedi 10 avril 1948. La cérémonie, présidée par Mgr Maurault et ouverte par le Dr Edmond Dubé, s'honore de la présence de deux cents invités de marque, représentant le monde médical et universitaire de Toronto, Kingston et Montréal. Elle est suivie de la visite des locaux et d'une conférence prononcée en anglais par Selye sur le syndrome d'adaptation et sur les maladies de l'adaptation.

Les nouveaux locaux occupent trente-deux pièces, de dimensions variées. Au septième étage sont logés les bureaux, le laboratoire de photographie, la bibliothèque et le laboratoire privé du directeur; au huitième, les salles d'opération et d'autopsie, l'animalerie en réserve et les cages d'animaux en expérience: [...] *c'est moi qui ai conçu, avec l'aide d'un architecte, les plans des deux étages [...]. J'ai pensé à l'organisation d'ensemble et aux détails qui me facilitent la tâche.*

L'Institut comprend plusieurs départements, chacun dirigé par un de ses membres aidé d'un ou plusieurs techniciens ou techniciennes: chimie (E-703), histologie (E-710), physiologie normale et pathologique, chirurgie expérimentale et bibliothèque; plus tard s'y ajouteront pharmacie, microscopie électronique, documentation et rédaction. Louise Dubé Laquerre, entrée comme technicienne en 1963, sera chef de laboratoire lorsqu'elle quittera, en 1969, l'Institut:

> Il y avait six laboratoires, et dans chaque laboratoire, trois ou quatre techniciennes, ça dépendait. Ces six laboratoires étaient répartis pour moitié sur un étage, et pour moitié à l'étage supérieur. Dans chaque groupe de trois ou quatre techniciennes, il y en avait une qui était responsable du travail de la salle; et à chaque étage il y avait une technicienne, prise dans un des trois groupes, qui était responsable de l'étage. À la fin de la journée, on devait rendre compte, non pas à un subalterne, mais au Dr Selye lui-même, du travail qui s'était fait dans la journée. C'était très stimulant.

Un local réservé à la reliure (E-707) permet de brocher et de découper les tirés à part, pour les amener au format standard propre à leur conservation en bibliothèque.

> Selye avait un sens de l'organisation que je n'ai jamais trouvé nulle part ailleurs, et il l'appliquait jusqu'aux moindres petits détails. C'est ainsi qu'il avait découvert ou fait faire, je ne sais plus, une machine pour arrondir les coins des tirés à

part — parce que quand on lit des tirés à part, les coins s'abîment. (Roger Guillemin.)

Une salle de conférences (D-715) donne aux membres et aux conférenciers invités l'occasion de se retrouver et de se parler de leurs travaux. La bibliothèque est logée en D-716. Son fonds remonte à plus de cent ans puisqu'il se composait, initialement, de la collection du professeur Stricker. Salomon Stricker (1834-1898), anatomo-pathologiste et histologiste hongrois de renom, s'était fait connaître par ses observations microscopiques des tissus des viscères et par ses travaux sur la fonction des vaisseaux capillaires (1865). Sa bibliothèque passa au professeur Biedl — du maître à l'élève. Biedl avait constitué *la plus grande collection de littérature en endocrinologie* jamais vue, car il était en train d'*écrire la première encyclopédie d'endocrinologie, laquelle il publia en 1913.* En 1933, à la mort de celui qui, à son tour, avait été son maître, Selye la racheta à sa veuve avec de l'argent durement gagné, alors qu'il venait de terminer ses études médicales. *Je l'ai augmentée considérablement en 1938 grâce à un don personnel de mon deuxième maître, le professeur J. B. Collip, de McGill*, précisera-t-il en 1967, à l'occasion d'une réunion administrative ayant pour objet le sort de cette collection. Les douze mille entrées qu'elle comptait au départ ne cesseront d'augmenter pour atteindre les trois cent mille en 1953: «c'est la bibliothèque la plus complète au monde sur l'endocrinologie», affirme un document du 25 août 1953, qui fournira le texte de l'«Opuscule sur l'Institut de médecine et de chirurgie expérimentale» imprimé en 1953 à l'intention des membres du XIXe congrès international de physiologie. En 1979 (trois ans avant la mort de Selye), elle comprendra *un million d'entrées pour l'endocrinologie et plus de 150 000 pour le seul domaine du stress.*

Le bureau, ou mieux le cabinet de travail du directeur, est situé au D-708. *J'ai fait faire ce bureau avec un plafond, des portes insonorisées, un tapis parce que j'accorde fréquemment des conférences et des entrevues à la télévision. Aussi, parce que j'aime beaucoup la tranquillité.* Les murs, lambrissés de bois sombre, supportent des étagères bourrées de livres et de dossiers bien rangés. Quatre photos y sont accrochées: celles de son maître à Prague, Artur Biedl, de Walter B. Cannon, dont les travaux lui préparèrent la voie, de Claude Bernard, dont il admire les préceptes de médecine expérimentale, et de celui qu'il juge être le plus grand des hommes de science: Louis Pasteur[12]. Meublée d'un pupitre creusé en S, d'un fauteuil et d'un sofa de cuir sombre, la pièce dégage une atmosphère feutrée de confort et de travail assidu. À portée de la main sur son bureau, deux carrousels (un de chaque côté) supportent les dossiers du classeur général de la bibliothèque, grâce auxquels il peut très rapidement obtenir l'information désirée; sur la gauche, des crayons impeccablement aiguisés et un râtelier à pipes, sur la droite un pot à tabac attendent le bon plaisir du maître. Enfin, disséminés avec goût, des bibelots, souvenirs d'enfance (ainsi, la pendule Boulle de Felicitas Langbank Selye, seule rescapée du désastre) et de voyage (matriochkas, etc.), et quelques photos de sa femme Gabrielle (puis de leurs enfants plus tard) agrémentent la pièce. C'est là que, légèrement renversé en arrière dans son fauteuil, jambes allongées à la verticale et pieds appuyés sur un dictionnaire posé sur son pupitre, avec, fixée sur l'accoudoir droit, une écritoire amovible spécialement conçue pour lui, il s'adonne en toute relaxation à son activité favorite, le travail. De son bureau, le directeur accède à son laboratoire privé (D-709) par une porte au-dessus de laquelle il a accroché, à droite, une toile en noir et blanc de Marian Scott (visages très allongés de femmes, marqués par la mort), et à gauche la reproduction d'une gravure sur bois de Fritz Eichenberg, «The Light», qui illustrera un de ses ouvrages, *Stress*. C'est dans ce petit laboratoire privé qu'il accumulera les exemplaires de ses propres ouvrages à mesure de leur parution soit en langue originale, soit en traduction — constituant ce qu'il appelle en riant sa section d'«épatologie». C'est là aussi que, dans quelques années, Mlle Marthe Dussault, puis Mme Elfriede Staub lui prépareront son repas de midi. De son bureau, le directeur communique également avec son secrétariat (D-707).

> Il avait un coin qu'on appelait la Floride. Seule Mme Staub pouvait y entrer. Moi j'y suis entrée après que j'ai eu laissé l'Institut. Il allait là pour travailler, pour ne pas être dérangé. (Yolande Côté.)

Je suis venu le voir plusieurs fois quand j'étais de passage aux États-Unis, avant de m'installer à Montréal. Il m'invitait en Floride — je l'ai vu s'exposer sans chemise au soleil, dans son solarium. (Otto Kuchel.)

Officiellement laboratoire R-724, ladite *petite Floride* remplace pour son heureux propriétaire tous les soleils du monde. Dès que brillent les rayons du midi, il s'expose à leur bienfaisante chaleur — tout en prenant son repas et en répondant au courrier au dictaphone. L'été, c'est carrément sur le toit de l'édifice qu'il prend ses bains de soleil. Il se détend d'autant mieux dans sa Floride qu'il n'y est jamais dérangé que par ceux ou celles qu'il a expressément invités à s'y rendre, et qu'il n'y a pas de téléphone.

Les couloirs de l'Institut reflètent l'attachement fervent de Selye à la science et à la recherche. Avec les années, leurs murs se couvriront de photos: en S, celles, dûment dédicacées, des invités de l'Institut — les plus grands noms de la recherche scientifique internationale, et en T, celles de ses anciens étudiants — ceux qui ont fait carrière au pays. Lorsque Selye quittera son poste, ces cadres seront empilés à la hâte dans des cartons. On les retrouvera presque tous brisés et endommagés. Le Service des archives de l'Université de Montréal, en la personne obstinée de Mme Denise Pélissier, récupérera, parmi les quelque cinquante boîtes, les portraits des Québécois (une cinquantaine) alors que, faute d'espace pour les entreposer, tous les autres seront détruits! Une grande carte géographique du monde, piquée de drapeaux, indique les pays d'origine des étudiants venus se former ou se spécialiser auprès de Selye, et, tout près du bureau de la réception, une imposante plaque commémorative en bronze porte gravée la liste des conférenciers dits «Claude-Bernard» (toutes deux étaient encore en place en 1990). Au-dessus de l'ascenseur principal, le credo du directeur est affiché en lettres gothiques:

Lutte farouchement
Pour ce que tu crois un noble but
Mais abandonne tout effort
Quand tu te sais battu

UNIVERSITÉ DE MONTRÉAL

Institut de médecine et de chirurgie expérimentales

"Lutte farouchement
Pour ce que tu crois un noble but
Mais abandonne tout effort
Quand tu te sais battu."

"Fight for your highest
Attainable aim
But do not put up
Resistance in vain."

Hans Selye

UNIVERSITÉ DE MONTRÉAL

Institut de médecine et de chirurgie expérimentales

Devise pour la recherche IN VIVO

Ni le prestige de ton sujet
Et la puissance de tes instruments
Ni l'étendue de tes connaissances
Et la précision de tes plans
Ne pourront jamais remplacer
L'originalité de ta pensée
Et l'acuité de ton observation

Motto for IN VIVO research

Neither the prestige of your subject and
The power of your instruments
Nor the extent of your learnedness and
The precision of your planning
Can substitute for
The originality of your approach and
The keenness of your observation

Hans Selye

L'Institut de médecine et de chirurgie expérimentales

Les inscriptions au programme de médecine et de chirurgie expérimentales progressent: deux en 1945 (Paul Dontigny et Jacques Léger), six en 1946 (Dontigny, Léger, Francisco Moya, José-Léal Prado, Carlos Schaffenburg et Peter Ziegler), neuf pour la première session de 1947 (Paris Constantinidès, Roméo de Grandpré, Dontigny, Claude Faribault, Jacques Leduc, Helen Martin, Schaffenburg, Floyd Regimbald Skelton, Marcel Vanden Bossche). Mme Paola Timiras, qui vient d'obtenir à Rome son doctorat en médecine, est entrée comme technicienne, le 20 octobre 1947. En janvier 1948 se joindront à l'équipe le Dr Roger Guillemin, M. Paul Koch, le Dr Harry B. Mann, le Dr André Robert et M. Paul Lemonde. Le Dr Claude Fortier, aussi était là, même si son nom ne figure pas dans les documents consultés; parce qu'il a été important et qu'aujourd'hui il n'est plus de ce monde, j'ai demandé au Dr Pierre Bois, qui l'a bien connu, d'en tracer un rapide portrait:

Oui, Claude a eu une présence extrêmement forte. Il était chez Selye dans les années quarante. Par la suite, il a passé huit ou dix ans au Texas, puis est revenu à Laval [comme directeur du Département de physiologie]. À la fin des années soixante-dix, il était au Conseil des sciences d'Ottawa [président du Conseil des sciences du Canada jusqu'en décembre 1981]. Mais la lobectomie qu'il avait subie avait amoindri ses capacités respiratoires, et avec le temps une fibrose pulmonaire s'est installée. Il est mort vers 1986 [mai 1986 selon Gabrielle Selye].

De tous les élèves de Selye, il est celui qui a le mieux conçu, et de la façon la plus pure possible, la notion de stress — celui qui y a touché de plus près ainsi qu'à ses effets chez l'animal. Il a eu par exemple l'idée d'utiliser le bruit des sirènes comme agent extérieur non invasif (par opposition aux infections et agents nocifs dits invasifs). Mais surtout, il s'est penché sur la grande question: comment l'hypophyse est-elle informée qu'il y a stress? Il n'est pas arrivé à identifier les messagers chimiques — ce que Guillemin, lui, a fait.

À la fin de cette même année, le directeur pourra écrire: *Cet Institut comporte environ 1500 pieds carrés de laboratoires modernes et spécialement adaptés aux recherches morphologiques et biochimiques. Le personnel se compose de 40 personnes à plein temps dont 12 médecins, des techniciens, bibliothécaires, administrateurs, etc.*

S'il est un point sur lequel tous et toutes s'entendent, c'est bien, outre la grande capacité de travail de Selye, sur le fait qu'il était «extrêmement bien organisé» (Paola S. Timiras). La journée, fort longue pour certains et certaines, est jalonnée par des activités précises. Madeleine Barath qui, de 1956 à 1962, a tour à tour travaillé aux départements d'expérimentation, de pharmacie, d'histologie et de photographie, se souvient avec fierté des prouesses accomplies:

Madeleine Barath

Quelquefois la journée commençait très tôt. Pendant un certain temps, je montais à l'Université à cinq heures et demie le matin. Je commençais, seule ou avec une autre, par ratisser toutes les cages sans exception, pour noter ce qui s'était passé pendant la nuit. On recueillait les animaux morts de façon à les préparer pour l'autopsie du matin qui pouvait avoir lieu très tôt, quelquefois à sept heures et demie ou huit heures et demie. À neuf heures, le personnel administratif arrivait; les retards étaient très mal vus, il fallait signer des papiers, etc. Chacun se mettait immédiatement au travail. Et le personnel chargé de l'expérimentation revêtait une blouse blanche. On se mettait à nourrir les animaux, à les nettoyer, et puis on attaquait les traitements. Pour ça, on avait ce qu'on appelait des protocoles, fixés sur des «clipboards».

À neuf heures trente, c'est la tournée générale ou, comme on dit dans les hôpitaux, la ronde — pour Selye *la partie la plus importante de la journée:*

Selye arrivait très tôt à son travail: vers sept heures, sept heures et demie, je pense. Et vers les neuf heures, il commençait la journée en faisant la tournée des animaux à l'étage supérieur, où était l'animalerie. (Paulette Letarte.)

Tout le monde est sur la brèche, chercheurs et étudiants compris. André Robert en a été, de 1950 à 1955:

> Chaque matin, c'était la visite des expériences en cours sur les animaux — ce qu'il appelait la ronde. La ronde durait environ une heure, et elle consistait à passer d'un laboratoire à l'autre, le sien y compris, car il était essentiellement un biologiste travaillant avec des animaux, un morphologiste. Chaque chercheur avait ses cages, qui lui appartenaient, et c'est dans la pièce qui les abritait qu'il faisait ses expériences; la pièce pouvait être occupée par plusieurs chercheurs. Chacun à tour de rôle, nous présentions ce qu'il y avait de nouveau ce jour-là: des animaux dont le poids avait changé, d'autres qui étaient morts, ou encore un état clinique qu'il fallait surveiller: par exemple, Selye avait développé une méthode pour produire expérimentalement une arthrite chez les rats, alors nous visitions ces animaux comme si c'étaient des malades, et nous discutions sur l'interprétation des résultats obtenus.

Dans ces rondes, dit le Dr Jean-Paul DuRuisseau, «vous aviez facilement des gens de quatre ou cinq pays différents. Et lui se mettait à converser en italien, puis en russe, puis en anglais ou en français. Ça m'impressionnait beaucoup».

Techniciens et techniciennes ne sont pas moins actifs:

> On entre au laboratoire à neuf heures le matin. Dans chaque salle, il y a de sept à dix expériences en cours, avec chacune son protocole expérimental. Disons que l'expérience correspond à cinq cages d'animaux et qu'il y a cinq animaux par cage, eh bien, chaque protocole va être placé à côté des animaux concernés. En arrivant, on fait un tour de salle, on vérifie ce qui s'est passé en fonction des traitements qu'on a donnés. On note tout. S'il y a des animaux morts, on les ouvre, puis on les envoie à la salle d'autopsie avec tout bien indiqué — il fallait que ça soit à la salle d'autopsie avant dix heures.
> C'était un peu comme à l'époque des monarques: il y avait un gong qui sonnait, pour avertir tout l'étage que le

Dr Selye se pointait. On arrêtait ce qu'on faisait. Il entrait dans chaque salle, accompagné de ses étudiants chercheurs, et puis, avec eux, il examinait les animaux avant l'autopsie. Il vérifiait en même temps le travail technique. Nous, les techniciennes, on accompagnait la responsable [Mme Mècs, technicienne, puis directrice de l'expérimentation de 1959 à 1977], qui prenait les notes sur le plan technique, tandis que le médecin chargé de la recherche en prenait sur le plan scientifique. Nous étions donc toujours vraiment en contact avec la recherche. (Louise Dubé Laquerre.)

Les observations sur le vif sont rituellement suivies de celles sur le mort: «J'accompagnais Selye dans les rondes qu'il faisait — et dans cette espèce de cérémonie qu'était l'autopsie matinale, où il réunissait tous ses étudiants et les visiteurs venus assister à la chose.» (Madeleine Barath.)

Après la tournée, on allait à la salle d'autopsie, où les animaux morts ou sacrifiés pendant les dernières vingt-quatre heures étaient examinés par Selye. Tout cela était très instructif parce que c'était un pathologiste de grande valeur, qui nous expliquait clairement ce qu'il voyait. (André Robert.)

J'arrivais à l'Institut [janvier 1954] toute neuve et pleine d'enthousiasme, et je garde encore présente dans mon esprit une scène qui s'est produite le premier matin. On m'avait amenée dans une salle conçue pour les autopsies en assez grand nombre de petits animaux. Il y avait une table en acier inoxydable, en forme de fer à cheval, et Selye était là, au milieu du fer à cheval, à l'intérieur, entouré d'animaux (des rats blancs), avec, tout autour et de l'autre côté de la table, des chercheurs en sarrau blanc. Je me souviens beaucoup de l'élégance de cet homme. Il s'exprimait d'une voix, me semble-t-il, légèrement chantante et avec un accent. Il avait la voix douce, et le regard doux, également — du moins il m'est apparu comme ça à ce moment-là. C'était vraiment le maître, hein? Au milieu de ce fer à cheval, il trônait. Je l'ai follement admiré alors. (Paulette Letarte.)

Les expériences étaient pratiquement toutes décidées par Selye, soit qu'il en ait eu l'idée lui-même, soit que les étudiants soumettent leurs idées: on en débattait lors de l'autopsie du matin, et Selye disait oui ou non. Donc tout était vraiment dirigé par lui, personnellement. Il les notait sur des petits cartons format 75/125. Au temps où j'étais chargée de l'expérimentation, c'est à moi qu'il remettait les schémas d'expériences. C'était très simple — par exemple: six groupes, traitement dihydrotachystérol; trois groupes, chlorure de sodium; deux groupes, autre chose, etc.; l'expérience durera dix jours, premier jour tel traitement, deuxième, troisième... C'est tout. Moi, je mettais ça en forme, je le faisais taper, et ça donnait les protocoles d'expérimentation, à réaliser sur tant de couples ou d'animaux pesant tant, débutant tel jour, confiés à telle personne, avec tout le suivi technique à prévoir pour réunir en pharmacie les produits nécessaires, réserver la salle d'opération, etc. Tout cela était décidé lors de l'autopsie.

Lors de l'autopsie aussi, on discutait pour déterminer le cours de chaque expérimentation: fallait-il modifier le traitement, fallait-il sacrifier tels animaux plus tôt que prévu ou au contraire les prolonger puisque aucun effet ne semblait se manifester? On prélevait également les organes pour le département d'histologie. Ça, c'était une partie extrêmement importante parce que Selye utilisait énormément son département d'histologie. Ses statistiques étaient très élémentaires: les chutes pondérales ou des choses comme ça. Par contre, le département d'histologie était très, très important. Selye procédait beaucoup par examen direct: tous les animaux étaient ouverts et leurs organes internes examinés. Il regardait à l'aide de ce qu'il appelait ses loupes, ou ses lunettes de dissection, qu'on lui voit souvent sur les photos. Il en avait de plusieurs sortes: certaines clippées sur ses lunettes, qui formaient des lunettes secondaires qu'il pouvait baisser, ou d'autres comme des jumelles de théâtre, qu'il portait directement sur le front. Il faisait tout un cirque en les abaissant ou en les mettant; ça lui allait très bien d'ailleurs et je pense qu'il le savait. Ce qui est intéressant, c'est que par une espèce d'entente tacite parmi les étudiants, ces lunettes étaient réservées au patron — personne en sa présence n'en utilisait. Il y avait un plateau où tout était préparé à son intention, alors si ses loupes n'étaient pas dans sa poche, il en trouvait là. (Madeleine Barath.)

Nous, les responsables de salles, on se rendait avec Mme Mècs à la salle d'autopsie. Là, Dr Selye voyait tous les animaux qui étaient morts. Souvent durant la ronde, on décidait de faire l'autopsie de telle expérience, parce que c'était le temps d'observer de façon je dirais plus scientifique les résultats, et que le meilleur diagnostic se faisait à l'autopsie, toujours. Mme Mècs recevait du Dr Selye tous les protocoles des expériences qu'on devait mettre en train cette journée-là. Quand elle quittait la salle d'autopsie, qu'elle avait pris tout ce qui la concernait sur le plan technique, elle répartissait dans les salles le travail de la journée — selon ce qu'on avait à compléter, ce qui était déjà en train et ce qu'on pouvait prendre pour le travail d'une journée. Ça, du travail, il y en avait beaucoup. Elle distribuait à un étage les mêmes protocoles qu'à l'étage supérieur. Disons qu'il y avait les salles 1, 2 et 3 au septième et les salles 1, 2 et 3 au huitième. Toutes faisaient les mêmes expériences: c'est ce qu'on appelle un contrôle. Tout était identique sauf le matériel humain, les techniciennes. Si les résultats étaient les mêmes, ça allait. Sinon, on se posait des questions. (Louise Dubé Laquerre.)

La discussion avec des collègues peut être enrichissante sur plusieurs plans [...] Même un non-spécialiste est capable de nous soumettre des suggestions intéressantes.

Quand on faisait la ronde, il invitait souvent les gens qui nettoyaient les cages ou qui travaillaient dans les laboratoires. Et il les écoutait, il leur demandait leur avis sur certaines choses. Il me disait: «Paul, vous ne savez pas comme ces gens-là m'ont appris de choses.» Il était très démocrate à ce point de vue, quoi qu'on dise. (Paul Dontigny.)

Il aimait discuter, oui, mais enfin, pas trop quand même. Pour moi, la discussion, c'est un échange, on essaye de se mettre au même niveau. Alors que là, c'était du genre:

«Est-ce que vous avez remarqué quelque chose? — Ah bien, ce rat-là, il est plus fort que les autres.» Ce n'est pas vraiment une discussion. (Madeleine Barath.)

La ronde, «initiation [...] aux techniques et aux principes de la recherche créative», occupe une place importante dans l'enseignement donné aux étudiants diplômés. «À l'Institut, nous insistons donc sur une collaboration très étroite entre maître et élève», spécifie la brochure de l'IMCE. Dès son arrivée, l'étudiant se voit assigner un directeur de thèse et fixer des recherches expérimentales personnelles. L'après-midi, le directeur pratique à leur intention des autopsies, leur montre au microscope des coupes histologiques et en discute avec eux. Après quoi, de nouvelles expériences sont élaborées et les détails de leur réalisation mis au point.

Tous les jeudis, [a lieu un] «séminaire» au cours duquel chaque étudiant diplômé a dix minutes pour exposer l'état de ses travaux. Ce bref rapport est suivi de cinq minutes de discussion. Ces réunions «préparent l'étudiant à l'atmosphère des congrès scientifiques auxquels il aura à participer plus tard et entretiennent le dynamisme du travail d'équipe encouragé à l'Institut». Les rapports ainsi présentés font l'objet de discussions plus approfondies lors des conférences bihebdomadaires dites «de protocole» qui réunissent le directeur et ses collaborateurs les plus proches.

Avant de nous accepter comme étudiants, il nous faisait passer dans les différents départements de l'Institut. Et premièrement la pharmacie: on apprenait à peser une substance — ce qui, pour un médecin par exemple, est loin de la réalité, à faire des émulsions, une solution standard, une solution tampon. Ensuite, on faisait les manipulations avec les animaux, et petit à petit, la revue de la littérature — pour lui, la bibliographie était quelque chose de très important. C'était une formation inouïe. (Rosemonde Mandeville.)

L'après-midi est consacré à l'expérimentation, à la gestion, aux prestations scientifiques et à la routine générale.

Vers quatre heures et demie, cinq heures moins le quart, Dr Selye venait avec Mme Mècs faire une ronde d'une dizaine de minutes pour s'assurer qu'on avait bien compris le plan expérimental. On lui rendait compte de ce qu'on avait fait dans la journée. Puis, s'il y avait des choses qu'il n'avait pas aimées sur le plan technique, il nous le faisait observer. Comme Mme Mècs venait quinze minutes avant pour tout préparer et ne pas lui faire perdre de temps, on n'allait qu'à l'essentiel. (Louise Dubé Laquerre.)

Des moments de détente sont ménagés:

Le matin et l'après-midi, nous avions quinze minutes de pause: café, thé et biscuits à volonté. Ça se passait dans le grand solarium. Le Dr Selye y assistait, pas le matin, parce qu'il était sur sa ronde et qu'après il avait son autopsie, mais presque toutes les après-midi. Et il ne se tenait pas avec ses médecins, il conversait avec l'une et l'autre de ses techniciennes. Il parlait à tous, même aux hommes d'entretien. Une fois, il y en a eu un qui est tombé malade, et il s'est occupé de lui, pour voir s'il pouvait améliorer son corps et tout. Moi je trouvais ça formidable.

Ces pauses-café avaient été instaurées par le Dr Selye pour qu'on se retrouve tous comme une grande famille et qu'on puisse fraterniser, depuis les plus hautes secrétaires jusqu'à ceux qui nettoyaient les cages des animaux. Et là, vraiment, on se parlait, il n'y avait plus de monsieur le docteur. C'était très important. (Paulette Blaizel.)

Il y avait effectivement le petit quart d'heure du thé, mais attention: les médecins étaient dans un coin, les techniciens dans un autre, ceux qui s'occupaient des animaux encore ailleurs. J'ai une amie qui, un jour (c'était après mon départ) n'a pas respecté les règles du jeu; elle est allée, technicienne, discuter avec les médecins: elle s'est fait un peu rembarrer. Ceci dit, c'est vrai qu'il y avait une convivialité un peu à l'anglaise, qui était très agréable, c'est sûr. (Madeleine Barath.)

Journées donc bien remplies, dûment ordonnées — trop, peut-être?

> La cloche n'arrêtait pas de sonner: à neuf heures pour commencer la journée, à neuf heures et demie pour la ronde, à dix heures et demie pour l'autopsie, à onze heures pour la pause-café, à onze heures et quart pour la reprise du travail, à midi pour le déjeuner, à une heure pour le séminaire [...] C'était très dérangeant quand on était engagé dans un travail continu. À l'époque, je ne savais pas que ce n'était pas représentatif des institutions scientifiques nord-américaines. (Milos Krajny.)

> On était près de cent cinquante employés [1964]. Il fallait bien signer en arrivant le matin, avoir des cloches — un règlement, quoi. Les gens trouvaient ça rigide, mais ce n'était presque pas possible de faire autrement. (Yolande Côté.)

> J'avais des amis qui travaillaient dans d'autres labos et qui me racontaient leur journée: ils arrivaient, oh, vers neuf heures et quart, neuf heures et demie, et en cas de tempête de neige, ils ne venaient pas. Ils prenaient bien le temps de manger, puis ma foi, à quatre heures il n'y avait plus personne. Et le vendredi, bien souvent, ça n'était pas très fourni comme présence. Alors que chez Selye, l'horaire c'était l'horaire, et plutôt plus que moins. On travaillait énormément, c'était vraiment très dur, comme conditions de travail. (Madeleine Barath.)

Les animaux continuant à vivre les fins de semaine, il faut assurer un roulement. Mme Mècs en sait quelque chose:

> Quand il revenait de voyage, il m'attendait toujours avec une liste. Et la première question, c'était: qu'est-ce qui est arrivé en fin de semaine? Une fois, une seule, j'ai osé dire: «Mais, Dr Selye, je n'y étais pas.» Il m'a répondu: «C'est votre responsabilité d'organiser les fins de semaine pour que tout marche comme il faut. Le reste ne m'intéresse pas!» Je devais penser à tout. Quand il opérait en fin de semaine ou qu'il s'entraînait à une technique, il pouvait me demander n'importe quoi, jusqu'à du papier de verre. À la fin, ma boîte de chirur-

gie, c'était plutôt une boîte de plombier, j'avais de tout, tout, tout. Et si je n'étais pas là et que la pauvre fille de garde ne pouvait pas lui donner ce qu'il voulait, c'était de ma faute.

On travaillait une fin de semaine ou deux par mois, et quand la fille de pharmacie ne pouvait pas être là, on devait être capable de préparer les médicaments. Pour l'histologie, automatiquement, il y avait toujours des pièces en rotation. Alors, le samedi ou le dimanche, il nous arrivait d'aller à l'histologie mettre en train des pièces pour que le personnel qui entrait le lundi les trouve prêtes.

J'étais — je le dis sans modestie! — la seule technicienne qui faisait son anesthésie. S'il devait opérer un samedi ou un dimanche, je rentrais spécialement puisqu'il voulait absolument que ce soit moi qui fasse l'anesthésie. Parce que le rat, il fallait qu'il dorme, et puis à point, hein? (Paulette Blaizel.)

Selye est également soucieux de (bien) former son personnel non médical:

Quand je suis entrée, le 3 octobre 1960, je n'avais aucun titre. Le Dr Selye préférait prendre une technicienne non qualifiée pour pouvoir la former à sa main. Mais il aimait que ses techniciennes ne restent pas seulement techniciennes, qu'on fasse des stages dans les différents départements de l'Institut, qu'on connaisse l'histologie, la pharmacie, la chimie, tout ça. (Paulette Blaizel.)

Chose certaine, on était toujours encadrés. Un encadrement qui pour certains semblait étouffant, mais quand on s'en sert comme outil de travail pour développer une certaine originalité, c'est excellent comme formation. Pour moi, ç'a été LA grande école. (Louise Dubé Laquerre.)

Le secrétariat est également à la fois bien structuré et pleinement mis à contribution:

Les secrétaires, c'était comme nous disions les esclaves. De mon temps, il y avait Mme Staub, quelqu'un de tout à fait exceptionnel et qui s'est investie à cent pour cent: elle est entrée dans les ordres à partir du moment où elle a pris le bureau qui jouxtait celui de Selye. Elle a travaillé d'une façon extraordinaire. Ça fait partie de ce don qu'avait Selye de fanatiser certaines personnes, les femmes notamment, pour qu'elles travaillent pour lui de façon incroyable. (Madeleine Barath.)

Yolande Côté a été la secrétaire particulière de Selye (de 1964 à 1970):

Mon bureau était juste à côté du sien, mais je n'y avais pas d'entrée particulière. Mon travail consistait d'abord à filtrer toutes les communications: aucun appel téléphonique ne se rendait au Dr Selye sans que moi j'aie parlé à la personne qui le demandait, et aucun visiteur, aucun employé même n'entrait dans son bureau sans que j'aie vérifié ce qu'on lui voulait. Tout passait par mon bureau. Le Dr Selye avait un système de lumières à sa porte — les gens qui ont travaillé avec lui s'en souviendront. Il y avait deux lumières. L'une nous disait qu'il était au téléphone; donc, personne ne le dérangeait. L'autre, il la mettait quand il ne voulait pas être dérangé, même par moi! Parfois des collaborateurs venaient et me disaient: «Écoutez, il faut absolument que je lui montre ces résultats.» Je répondais: «La lumière est là, c'est inutile d'insister; dès qu'elle s'éteindra, je vous appellerai.» Elles étaient toutes les deux rouges, c'est d'après leur position qu'on savait ce qu'elles indiquaient.

Il me disait: «Dites aux gens de ne pas me parler dans les couloirs...» Parce qu'il s'en allait avec une idée. Il avait ce coin, «la Floride», un petit bureau où il mangeait, où il allait aussi pour dicter tranquillement (Dr Selye dictait son courrier au dictaphone plutôt qu'en sténo). Mme Staub lui apportait son cabaret.

Quand je suis arrivée, le chef de secrétariat était Mme Elfie Staub. Mme Staub parlait allemand et anglais, mais pas un mot de français. Donc tout ce qui se faisait de français à l'Institut, c'est moi qui en avais la responsabilité. L'anglais, c'était Mme Staub qui le relisait, le français, c'était moi.

On était deux dans mon bureau, la réceptionniste et moi, pour la permanence. Dr Selye avait, juste à côté de son bureau, un petit laboratoire avec un frigo, un réchaud, tout ce qu'il fallait pour cuisiner parce qu'il prenait son repas du midi à l'Institut. C'était Mme Staub qui le lui faisait. Ça sentait bon! Je n'ai jamais eu sa recette de choucroute, mais Dieu que j'aurais eu envie d'en manger! (Yolande Côté.)

Tous ceux et celles qui ont travaillé à l'Institut se souviennent avec émotion de Kai Nielsen. Ainsi, Mme Szachanska:

Le Dr Selye a fait la connaissance de M. Nielsen au Danemark, je crois. Il lui a proposé de travailler avec lui et M. Nielsen est venu ici avec sa famille. Ils ont tout fait à deux depuis McGill, et ils sont restés ensemble jusqu'à la fin, c'est-à-dire jusqu'à la première crise cardiaque de M. Nielsen [1971], quelques années avant sa retraite officielle. M. Nielsen s'occupait des animaux vivants, faisait les injections, installait les régimes spéciaux, préparait les façons de mettre les rats en état de stress, puis prélevait les organes. Et tout le travail d'histologie, il le faisait avec Dr Selye. M. Nielsen s'intéressait également à la photographie médicale.

L'appartement dans lequel elle me reçoit, à Ottawa-Vanier, est rempli de bibelots, de tableaux et de vieux meubles européens, polonais surtout (elle est originaire de Lwow, en allemand Lemberg parce qu'alors partie de la monarchie austro-hongroise; redevenue ensuite polonaise, la ville a été en 1939 rattachée à l'Ukraine, donc à l'URSS). Elle marche avec peine — et j'apprendrai au cours de la conversation qu'elle et son mari (décédé) ont connu les camps de concentration nazis. Elle me montre la photo de son père, médecin militaire, de sa mère, dont l'institutrice était la sœur de Marie Sklodowska Curie, et quelques dessins signés par une cousine, Librovitch, qui sont assez cotés à Paris. Mme Szachanska a été technicienne en histologie d'octobre 1957 à décembre 1972.

Je n'avais aucune formation, j'ai tout appris chez le Dr Selye grâce à M. Nielsen, qui était chef du département d'histologie. J'ai travaillé avec lui pendant quinze ans. L'essentiel de mon travail consistait à recevoir les organes, à les fixer; puis on les déshydratait, on les imprégnait par la paraffine, on les collait au bloc et on procédait aux coupes au microtome, pour la plupart à l'épaisseur de cinq microns. Ensuite on faisait diverses colorations, selon ce que le médecin attendait de savoir. On faisait aussi des coupes à la congélation, c'est-à-dire à une température très basse et avec un microtome spécial.

Je commençais souvent avant neuf heures. On reprenait chez le Dr Selye le travail qu'on lui avait laissé la veille au soir et qu'il avait étudié dans son bureau; parfois, il demandait qu'on refasse d'autres coupes, avec d'autres colorations. Et ensuite on se mettait à la routine. Parfois, Dr Selye m'appelait dans la salle d'autopsie pour m'expliquer personnellement ce qu'il désirait. Mais c'est toujours lui qui faisait le prélèvement, ou des techniciennes, jamais moi.

M. Kai Nielsen et Hans Selye.

Coll. Gabrielle Selye.

M. Nielsen, c'était mon patron personnel, un homme extrêmement sympathique. Il n'était pas très grand, menu, le visage très scandinave avec des yeux bleu ciel mais tellement forts et transperçants que — vraiment c'est la vérité que je vous dis — ma première sensation, ç'a été qu'avec un tel être humain, il fallait être très bien, très honnête. Cet homme-là entrait dans votre intérieur. Il me disait toujours: «Je dois savoir la vérité parce qu'alors je pourrai vous défendre devant le Dr Selye.» Il était très amical, très chaleureux, tout en restant très respectueux des gens qui travaillaient avec lui. Et il pouvait aussi être très drôle.

Le Dr Paulette Letarte, aujourd'hui psychanalyste à Paris, a elle aussi connu et apprécié Nielsen:

Selye savait susciter de grands dévouements. Je pense en particulier à un de ses collaborateurs, Kai Nielsen — un supertechnicien. Nielsen était un homme sans âge, silencieux, d'une extrême patience, d'une extrême méticulosité, d'une extrême compétence. C'était l'homme qui travaillait dans l'ombre.

Madeleine Barath également:

Au département de photographie, j'étais sous la houlette de Kai Nielsen. Il avait une réputation de vieux monsieur bougon, acariâtre. En fait, je me suis merveilleusement entendue avec lui parce qu'à l'Institut, c'était peut-être celui qui possédait le plus de qualités humaines. Il avait accompagné Selye tout au long de sa trajectoire en restant délibérément dans l'ombre — il avait choisi d'être le second, il me l'a dit. Avec beaucoup de modestie et d'humilité, il trouvait que là était sa place: faire des conférences, rencontrer du monde, ça ne me va pas, disait-il, je fais des choses intéressantes et d'une façon très pointue, mais en restant dans mon coin. Par exemple, à l'époque où Selye s'intéressait aux problèmes de calcification, Nielsen a mis au point une coloration spéciale pour mettre en évidence les dépôts de calcium dans les cellules, ce qui lui a permis de mener à bien ses recherches. Je ne serais pas surprise que bien des idées de Selye viennent de suggestions tout à fait informelles de Kai Nielsen.

C'était un homme d'une finesse et d'une intuition remarquables, qui utilisait son jugement, son bon sens, son habileté manuelle, et surtout sa patience. C'était aussi quelqu'un qui travaillait énormément. Il avait, face aux problèmes, d'une part une attitude équilibrée telle qu'il les voyait de façon plus synthétique, et d'autre part la capacité de cheminer par des voies secrètes dans l'inconnu pour arriver quelque part — ce que je trouvais merveilleux. Et avec ça, des qualités humaines d'attachement, de fidélité. Il m'a donné mes premières leçons d'honnêteté intellectuelle: quand on n'a pas trouvé telle chose, le dire; citer et mettre des guillemets; si on a fait une partie mais pas tout, bien le spécifier aussi. Alors que d'autres, plus haut situés que lui, étaient peut-être enclins à ne pas agir ainsi. Il avait une fonction: sécuriser Selye, c'est-à-dire que peu importait ce que Selye voulait, s'il avait un problème, Nielsen se mettait à son service. Et en dépit de ses difficultés avec Selye, il a passé toute sa carrière auprès de lui.

Quand il a eu son accident cardiaque, il a bénéficié des travaux expérimentaux de Selye qui avaient mis en évidence les propriétés préventives et curatives du chlorure de magnésium. On lui a fait suivre un traitement au chlorure de magnésium.

Par contre, Nielsen était très lent: il fallait lui expliquer les choses, ce n'était pas le genre à accepter des ordres sans les comprendre. Selye le savait, et je lui ai souvent servi de tampon. Il m'appelait dans son bureau: «Vous direz à Nielsen...» — tac, tac, tac, trois phrases —, et moi j'allais voir Nielsen: «Bon, alors, le Dr Selye pense que...», nien, nien, nien, j'enveloppais le tout, j'y passais une demi-heure. De cette façon, les relations entre Selye et Nielsen restaient parfaites, et Selye avait obtenu ce qu'il voulait sans se donner trop de mal. C'était assez typique de la façon dont il fonctionnait.

Je crois que Nielsen a été une des clés de voûte du travail de Selye: sur le plan autant personnel que général, il était toujours là, faisant à son niveau sans flancher ce qu'il avait à faire.

Publiant en 1971 les deux gros volumes de *Hormones and Resistance*, Selye rendra hommage à Kai Nielsen, sur une pleine page et en gros caractères, par les lignes suivantes: *Dédié affectueusement à Kai Nielsen à l'occasion de sa retraite, en gage de ma gratitude pour près de quarante années de collaboration et de loyale amitié.*

«Superorganisé, pour lui comme pour l'Institut» (André Robert), le directeur veille *à toujours avoir sous la main un carnet où [noter] (lisiblement) toute idée nouvelle* [...].

Selye était fameux pour son petit carnet — un carnet format agenda, avec des feuilles prédécoupées, qui ne le quittait jamais. Chaque fois qu'il avait une idée, où qu'il soit, il la notait — une idée par feuille; quand l'idée était réalisée, il arrachait la feuille et la jetait. Ce petit carnet noir, c'était vraiment son trésor: il y notait une foule de renseignements et aussi toutes ses idées en gestation. Il incitait fortement ses collaborateurs à en avoir un. Quand le Scotch Magic est sorti, il a cessé de se servir de petites feuilles séparées, et il a pris des feuillets que ses secrétaires lui avaient recouverts de papier collant transparent. Il pouvait noter, effacer et réutiliser à volonté. Ça lui permettait d'être plus performant.

Ce carnet, il l'ouvrait n'importe quand: en pleine conversation, tout d'un coup il se détournait, notait un truc, et puis revenait. C'était fabuleux de voir à quel point il pouvait s'absenter, se fermer au monde extérieur. Une fois qu'il discutait au milieu des animaux, il s'est mis machinalement à barbouiller la table de crotte de rat, comme on fait une boulette de mie de pain au cours d'un repas. (Madeleine Barath.)

Ce petit carnet se trouvait aussi sur sa table de chevet. Dès notre mariage, Hans m'avait avertie de ne pas me surprendre si, la nuit, il allumait la lampe; c'est parce qu'il avait une idée pour ses recherches et qu'il la notait sur son carnet. (Gabrielle Selye.)

Un jour, le petit carnet noir s'est perdu, et Selye a offert une récompense à qui le retrouverait. Il est alors devenu légende; tous y ont vu le dépositaire d'informations secrètes et exclusives, plus policières que scientifiques. M. Barath redonne aux choses leur juste mesure:

Il y avait un étudiant qui venait de l'Inde et qui s'appelait Padmanabhan. Je m'en souviens bien parce que j'ai fait beaucoup de photos pour sa thèse sur les phénomènes d'ossification [«Direct Calcifiers», D.Sc., 1963]. Padmanabhan avait la fâcheuse habitude de regarder dans le carnet de Selye, ce que ce dernier ne supportait pas. Alors un jour (nous étions un peu de connivence, parce que nous nous parlions en hongrois) Selye me dit: «Je vais jouer un tour à Padmanabhan; je marque en gros son nom sur une feuille et au-dessous, j'écris en hongrois: La curiosité est un vilain défaut.» Donc chaque fois qu'il ouvrait son carnet, que Padmanabhan y jetait les yeux, il voyait son nom, se mordait les doigts mais n'osait rien demander — Selye en a rigolé des jours et des jours. Au bout d'un mois, Padmanabhan a finalement osé, et Selye lui a dit: «C'est parce que la curiosité est un vilain défaut.» C'était une de ses façons de faire un petit peu, disons, l'éducation des gens.

J'aimerais que les gens ne regardent pas par-dessus mon épaule quand je suis en train d'inscrire des notes confidentielles sur mon carnet pendant les conférences d'autopsie [parce qu'alors] je suis obligé d'écrire en hongrois et en caractères cyrilliques pour qu'on ne comprenne pas — et c'est difficile.

Si l'Institut est son *jardin de roses*, sa collection de livres et de documents est, de toutes, sûrement la plus belle de ses roses. Mme Thérèse Peternell qui dirige la bibliothèque de la Santé de l'Université de Montréal a, de 1955 à 1962, donné ses soins à celle de l'Institut.

J'étais entrée comme simple employée. Au bout d'un an ou deux, on m'a donné la responsabilité de la documentation, c'est-à-dire de la dizaine de personnes qui rassemblaient, sous forme de tirés à part, tout ce qui se publiait sur les sujets qui intéressaient le Dr Selye, à savoir: le stress tout d'abord, l'endocrinologie, et également les sujets connexes sur lesquels lui ou ses étudiants travaillaient. Tous ces tirés à part, nous les demandions à l'extérieur, sur la base des choix des étudiants ou du personnel spécialement chargé de parcourir les périodiques, les journaux qui arrivaient et même ceux qui se trouvaient à la bibliothèque de l'Université de Montréal ou à McGill. On en recevait en moyenne cinq cents par semaine, que nous préparions suivant la façon que le Dr Selye avait établie. C'est-à-dire que nous faisions des fiches pour les auteurs et des fiches pour les sujets — c'était assez complexe comme méthode. Le vendredi, toute la documentation qui avait été rassemblée au cours de la semaine et indexée par un petit groupe spécialement affecté à cette tâche, dont ses étudiants eux-mêmes, était remise au Dr Selye qui la parcourait en fin de semaine.

Autrement dit, le Dr Selye lisait tout ce qu'on recevait, une lecture rapide mais suffisamment efficace pour en extraire ce dont il avait besoin et se faire des notes personnelles. Il avait pour cela son système de classement, le SSS [système sténographique symbolique], très élaboré, mais aussi, pour ses besoins personnels, une quarantaine de volumes disposés sur un carrousel, à demeure sur son bureau; ces volumes étaient catalogués, classifiés de façon à lui permettre de retrouver très vite n'importe quelle information sur un sujet très précis. Il recevait souvent des invités de passage, professeurs ou chercheurs connus, et au cours d'une discussion, il m'appelait à l'interphone: «J'aimerais telle ou telle référence», souvent accompagnée du numéro d'accès (puisqu'il donnait des numéros d'accès à chacun des articles qu'on avait catalogués). Et son grand plaisir, c'était que je lui apporte au bout de trois minutes le tiré à part correspondant. Le visiteur en restait éberlué, et ça, ça lui plaisait beaucoup. C'était devenu une sorte de jeu.

Donc, il ingurgitait, chaque fin de semaine, à peu près cinq cents articles. Qu'il ait quelque chose à écrire ou pas, il se tenait au courant. Il avait une discipline, une organisation de travail extraordinaires — et une mémoire d'éléphant.

Quand je suis partie, il y avait quelque chose comme quatre cent mille titres. Ça a dû doubler par la suite puisqu'il a continué à travailler de la même façon. À l'époque, la National Library of Medicine de Washington avait commencé à mettre son système de classification sur ordinateur, et ça faisait grand bruit dans le milieu de la documentation médicale. Selye avait fait venir leurs représentants pour voir s'il pourrait utiliser leur système à ses fins. Mais il avait tout de suite constaté que le sien était beaucoup plus perfectionné, beaucoup plus raffiné, et qu'avec le leur, il ne pourrait jamais réussir à classifier sa documentation comme il le voulait. Ça, il n'en a jamais démordu. D'ailleurs, il avait raison dans la mesure où son système était vraiment adapté à ses propres besoins, tandis que le système d'indexation de la National Library of Medicine, évidemment beaucoup plus vaste et facilement maîtrisable, n'est par contre pas fait pour une bibliothèque ultraspécialisée comme celle qu'il avait.

La National Library of Medicine refusera à Selye de subventionner son projet de recherche portant sur les applications du SSS. Le gouvernement américain, toutefois, «a décidé d'adopter ce système [...] De plus, [il] doit publier son propre «SSS-Book» dans lequel celui du Dr Selye sera incorporé[13]». Le système sténographique symbolique est basé sur l'utilisation de phrases clés et prend place à côté des autres systèmes de classification (à hiérarchie forte, à facettes, par mots clés, etc.) que retient René Taton dans le chapitre qu'il consacre à la cybernétique[14].

«Le 19 février 1962, veille du jour où John Glenn fut lancé dans l'espace, un groupe de chercheurs médicaux de l'aviation américaine se réunissaient dans le bureau du Dr Hans Selye [...] pour étudier les stress de toute nature auxquels l'organisme du voyageur spatial serait vraisemblablement soumis. Un officier posa un question inattendue: Selye ne craignait-il pas qu'un jour sa magnifique bibliothèque prît feu et que disparût une documentation unique au monde sur le système glandulaire et le stress? Le Dr Selye se mit à rire et répondit qu'à son grand-père revenait le mérite d'avoir, en 1848, à Vienne, commencé cette collection et que, depuis plus d'un siècle, il n'y avait pas eu la plus petite alerte. D'ailleurs, par une précaution supplémentaire, à ce moment-là, on installait précisément un nouveau dispositif de protection contre l'incendie[15].» L'ironie du sort voulut que ces travaux soient à l'origine de cela même qu'ils devaient empêcher. Le lendemain matin 20 février, le feu s'empare des septième et huitième étages, un peu après dix heures. L'aile ouest devient rapidement inhabitable et les dégâts sont impressionnants. Personne, toutefois, n'est blessé. L'enquête établira l'origine du sinistre: les étincelles d'une lampe à souder ont atteint des parties inflammables du système de ventilation. Les journaux transmettent et dramatisent à l'envi l'événement, lui consacrant des pages entières, tenant régulièrement leurs lecteurs au courant, par la suite, de la restauration de la bibliothèque. L'un d'eux signale que quelques heures avant, le Dr Selye s'entretenait avec des visiteurs américains de la possibilité de transcrire sur microfilms tous ses précieux documents.

Les pertes de la bibliothèque ne représentent pas «une centaine d'années de recherches[16]», mais elles sont sérieuses: «tirés à part abîmés soit par le feu soit par l'eau, nombreux fichiers perdus — ces fichiers si précieux dans lesquels Selye avait son système de classification, tous documents dont il ne possédait aucun double» (Thérèse Peternell). Et pour lesquels il n'était pas non plus assuré, précise Ken Lefolii (un journaliste qui a longtemps suivi la carrière de Selye) dans un bilan qui semble réaliste: deux cent mille tirés à part et un index de deux mille cartes détruits, cent soixante-deux mille dollars par an pendant trois ans pour remettre sur pied la bibliothèque. «Il n'est pas trop dur de parler de négligence, tout au moins d'imprévoyance [...] C'est invraisemblable!» s'exclamera un éditorialiste de CJMS, station radiophonique montréalaise privée. L'inventaire des pertes a été dressé par l'Institut mais n'a pu être retrouvé. Une lettre du recteur au ministère de la Santé, toutefois, indique qu'«une bonne partie de la bibliothèque et tout le système de références ont été détruits» et que cela représente au moins quatre cent cinquante mille dollars.

Immédiatement après le feu, mes assistants et moi avons tenu une réunion d'urgence dans mon bureau. Nous étions en plein hiver et, avec le chauffage central hors d'usage, les fenêtres arrachées par le feu et une température extérieure bien au-dessous de zéro, nous avions très froid. Nous avions le moral bas, assis à grelotter dans nos épais manteaux cependant que je posais la question de savoir si cela valait ou non la peine de s'atteler à la gigantesque tâche de tout reconstituer. [...] Après une courte discussion, le groupe à l'unanimité décida de se battre pour tout reconstruire. Et «dès le lendemain partaient cent cinquante lettres de demande de tirés à part» (René Veilleux).

L'appel est amplement entendu. *À ma joie, d'innombrables donations en argent, en livres, en collections de périodiques, etc. nous ont été faites [...].* Quelques exemples: la Gustavus and Louise Pfeiffer Foundation convoque d'urgence une conférence par téléphone (un membre du Conseil a été rejoint sur son bateau) et vote sur-le-champ une subvention de soixante mille dollars; la ferme d'animaux, dont la dernière facture se montait à soixante mille dollars, fait savoir qu'elle livrerait les rats à moitié prix pour l'année à venir. Le directeur des communications de l'Université, André Bachand, «profitant de ce que le premier ministre du Canada, John Diefenbaker, donnait une allocution au Canadian Club dont lui-même était le président», demande et obtient une subvention de cinquante mille dollars. La Gendarmerie royale du Canada elle-même apporte son concours, signale le journaliste Fred Poland, en confiant à ses propres experts la restauration des ouvrages abîmés par le feu ou par l'eau.

Au total, outre les dons en nature, Selye recevra 421 697,31 $ pour la réfection de la bibliothèque, dont, cinq ans plus tard, 337 371,78 $ auront été utilisés (la différence, soit 84 325,53 $, restant à la disposition du directeur). Mais, remarque Selye, tout cela aurait été vain *en l'absence de ceux dont la mémoire avait conservé [...] les principes fondamentaux sur lesquels la bibliothèque avait été édifiée.* L'esprit tient à prendre sa revanche sur l'argent.

L'alerte a toutefois été chaude (oui!), et une dizaine de jours après l'incendie, Selye constate l'impossibilité pour *un seul individu d'assumer le maintien adéquat de cette bibliothèque.* Il prend la décision de *transmettre à l'Université la partie de la bibliothèque qui [lui] appartient en propre, sous aucune autre condition que celle de trouver une formule permettant d'assurer un successeur désireux et capable de prendre en charge et de développer cette collection ainsi que nous l'avons fait jusqu'à date.* Plus simple à dire qu'à négocier. Le don de cette bibliothèque sera l'enjeu de tractations interminables et ne s'effectuera jamais. L'incendie n'aura toutefois pas été inutile car, en prévision d'un nouveau désastre, toujours possible, on décidera, parallèlement à la reconstitution de la bibliothèque (menée tambour battant par l'équipe qu'animent M. Erwin Proshek, directeur de la bibliothèque depuis le 1er décembre 1962, et M. Georges Ember qui, directeur de la documentation, quittera l'Institut en 1965), de reproduire la documentation sur microfilms — travail de longue haleine, extrêmement coûteux, qui, prévoit-on prendra des années, et décision dictée par la raison: «Mon mari était horrifié à l'idée qu'on transforme en microfilms sa bibliothèque. Il disait: «Mais enfin, on ne pourra plus palper les livres!» (Gabrielle Selye.)

Deux journées particulières

Pour analyser l'emploi du temps d'un homme de science, je ne saurais mieux faire que de me prendre comme cobaye [...]. J'ai choisi, au hasard, un 26 janvier pour prendre les notes suivantes. (Le hasard l'a fait choisir le jour de son anniversaire.) Quinze ans plus tard, reprenant mot pour mot la presque totalité de ces pages, il précisera qu'il s'agit du 26 janvier 1963.

Réveillé à quatre heures et demie du matin, il flotte dans un état de semi-conscience et réfléchit à la question du moment: la calciphylaxie. À cinq heures, il s'arrache du lit, fait sa culture physique, se rase, prend un bain glacé, embrasse femme et enfants, descend à la cuisine se préparer un petit déjeuner, mange. À six heures, il marche avec difficulté dans la neige épaisse, sort l'auto du garage et part en direction de l'Université de Montréal — tout en se rappelant soudain qu'il a aujourd'hui cinquante-six ans. À six heures vingt, il est à l'Institut, et allume sa première pipe de la journée. À six heures trente, il dicte au magnétophone le premier jet de son futur ouvrage sur les mastocytes. À huit heures trente, Mme Staub arrive, *irradiant, comme toujours, une énergie réconfortante*; tous deux passent en revue le programme de la journée, et à huit heures quarante, il peut reprendre sa dictée. À neuf heures, rentrée du personnel. Mlle Saint-Aubin lui apporte son courrier, ouvert et dûment trié; il y répond immédiatement. À neuf heures trente, c'est la ronde, et à dix heures trente, la conférence d'autopsie, avec l'assistance des chefs des deux laboratoires principaux, le Dr Giulio Gabbiani et Mme Beatriz Tuchweber. À midi quinze, de retour à son bureau, il expédie quelques petites affaires pendantes. À midi trente, déjeuner en «Floride»: potage Saint-Germain, assiette anglaise, café, raisin; enveloppé dans une couverture électrique, il relit au soleil les passages de son livre dictés la veille. À treize heures quinze, retour au bureau pour lire la thèse du Dr Veilleux [«Étude d'une réaction anaphylactoïde calcifiante», soutenue en 1963]. À quinze heures quinze, thé et biscuits au solarium avec tous les membres du personnel sans distinction [cela ne se trouvait pas dans la première version du texte]. À seize heures, étude du programme d'histologie du jour, sélection de photos et directives à l'intention de Mlle Barath et de M. Nielsen. À dix-huit heures quarante, retour à la maison; il fait un quart d'heure de bicyclette fixe pendant que les enfants [Michel, treize ans, Jean, douze ans, Marie, dix ans et André, neuf ans] lui racontent leur journée. À dix-neuf heures dix, c'est le souper, occupé surtout à jouer avec les enfants au jeu de la «Géographie». *En vertu des lois familiales, le jeu doit cesser au moment où on apporte le dessert pour laisser Maman parler. Maman parle.* À dix-neuf heures quarante, père et enfants gagnent la chambre à coucher des parents *pour la distribution des prix quotidiens: meilleur rapport sur l'école et les jeux (dix sous), première place au jeu de la «Géographie» (dix sous), prix de consolation aux autres (bonbons).* Installé dans son lit, le père, entouré de ses enfants, dessine pour leur plus grande joie des animaux imaginaires et extravagants. À vingt heures, il renvoie les enfants, c'est l'heure de sa lecture: *Il Gattopardo* de Lampedusa (car, autant que possible, il lit *dans la langue d'origine*). À vingt et une heures trente, il accorde quelques dernières pensées à la calciphylaxie avant de sombrer dans le sommeil.

Même en concédant à Selye une légitime pudeur à l'endroit de sa vie conjugale, on ne peut pas ne pas être frappé par l'«absence», dans cette évocation, de sa femme, la seconde — avec qui il a eu quatre enfants (et qui le quittera après vingt-huit ans de mariage[17]).

Après des études classiques à Ottawa, Gabrielle Grant avait commencé à travailler comme secrétaire pour le Dr Armand Frappier. Sa beauté frappe tous ceux qui la rencontrent. À l'automne de 1946, elle est entrée à l'Institut où elle a passé le plus clair de son temps (six mois) à illustrer le *Textbook of Endocrinology.* (Elle sera ensuite la secrétaire de Léon Lortie.) Donnons-lui donc la parole. Après le côté jardin, voyons le côté cour.

> Mon mari, à moins qu'il n'ait passé une très mauvaise nuit ou qu'il revienne de voyage, se levait normalement vers les six heures et demie, sept heures. Je préparais son lunch, avec un fruit et du pain noir autrichien (du pumpernickel) et du saucisson: c'est ce qu'il voulait. Il l'emportait à l'Institut — il ne mangeait à la cafétéria que lorsqu'il avait un visiteur ou un invité des conférences Claude-Bernard. On prenait le petit déjeuner tous ensemble, puis il partait pour l'Institut, seul en voiture. Quand Michel et Jean, les deux premiers, étaient à l'école maternelle anglaise [vers 1953], un taxi spécial venait les chercher. Puis Michel est allé à Selwyn House, sur Redpath (une rue à l'est de Côte-des-Neiges) et c'est moi qui allais le conduire. On traversait McGill, c'était moins long que d'attendre l'autobus. Par la suite, c'est devenu de plus en plus compliqué: j'étais enceinte — ils ont un an, un an et demi de différence — et j'avais toujours un petit à la maison, que je prenais avec moi pour emmener les autres à l'école. Quand Jean a commencé à aller à Selwyn House, Michel, lui, avait classe toute la journée, alors je faisais Selwyn House le matin, je revenais, je retournais chercher Jean, puis je retournais chercher Michel. Avec Marie, arrivée un an après, j'ai pu faire ce petit voyage jusqu'à huit fois par jour. Parce qu'après la maternelle, elle est allée au Sacré-Cœur, au coin d'Atwater et Côte-des-Neiges, et il fallait aussi l'accompagner. Donc, les enfants et les repas, c'est moi qui m'en occupais. Heureusement, quand ils étaient très jeunes, j'avais quelqu'un à la maison (je pense à Rolande Potvin, qui est restée dix ans avec nous et qui habitait au sous-sol avec son mari, employé à

Hydro-Québec). Parce qu'il y avait aussi leurs maladies, ils les ont toutes eues. Il fallait que j'y voie.

Rentrée à la maison, je ressortais faire mes courses. Puis je préparais le repas de midi. L'après-midi, j'allais quelquefois avec un enfant visiter mes parents, ou bien je restais à me reposer, ou bien je lisais — c'était la seule occasion, le soir j'étais trop fatiguée. Au retour, les enfants prenaient leur petit goûter. Mon mari revenait de l'Institut à sept heures moins le quart, il m'appelait avant de descendre. C'était bref: «Gaby? J'arrive.» (Parfois, il ajoutait «As-tu choisi un film pour ce soir?») Alors, là, on se dépêchait: «Papa arrive, les enfants, avez-vous fini vos devoirs, etc.» Chacun disait: «Ce soir, c'est moi qui vais gagner!» Et ils répétaient les capitales des différentes villes.

Puis les enfants sont entrés au collège. J'aurais préféré qu'ils fassent leurs études primaires en français — malgré mon nom écossais, ma mère était canadienne-française et nous parlions français à la maison. Mais Hans voulait qu'ils parlent l'anglais sans accent, et pour éviter des discussions interminables, j'ai cédé mais sur la promesse qu'à l'âge de neuf ans ils continuent en français à Stanislas; seule Marie a fait toutes ses études en français. J'ai continué à être bien prise: il fallait faire répéter les leçons, vérifier les devoirs, faire préparer les compositions, etc. Parfois, je pouvais rester debout jusqu'à une heure du matin et même deux heures, quand il y avait des examens. Il fallait aussi repasser les uniformes, le pantalon gris, la veste noire avec un revers jaune, cirer les chaussures... elles ne restaient pas longtemps noires! Quand venait le temps des rencontres parents-professeurs, c'était encore moi. Mon mari y était allé juste une fois — quand Michel est entré à Selwyn House [1956]. Après quoi, il m'avait dit: «Maintenant, je te laisse cette tâche, je l'ai faite une fois, mais c'est fini.» Tout me revenait. Le bulletin était bon? on faisait signer papa; il était mauvais? c'était maman: Tu vois, ton fils, ce qu'il a fait? ta fille...? Je disais: «Ils feront mieux la prochaine fois, ils sont jeunes.» Il faut comprendre; pour nous, c'est toujours très grave, mais l'enfant, lui, il fait son possible, tout de même.

On avait un chien. On a eu d'abord un dachshund [basset allemand ou teckel], qui s'appelait Von Valdemar — c'était un noble! un chien de race, avec tout son curriculum. Mais on ne l'a pas gardé longtemps parce qu'il était très nerveux, il faisait pipi partout, alors on l'a vendu. Après, nous avons eu notre Mitzy, une belle chienne, un berger allemand. Les enfants allaient souvent la promener sur le campus de McGill.

Plus difficiles sont les journées de fin de semaine:

Mon mari disait toujours: «J'aime beaucoup les enfants, mais quand ça ne fait pas de bruit*.» Or le 659 Milton, c'était une belle maison, oui, mais pas faite pour une famille. Toutes les pièces du rez-de-chaussée étaient ouvertes; mon mari avait fait enlever les grandes portes qui séparaient le salon et la salle à manger parce qu'il voulait que ce soit grand, pour les réceptions, et c'est vrai que c'était très beau. Mais si vous avez quatre enfants, vous ne pouvez pas les tenir assis sur une chaise sans bouger comme des poupées. Au deuxième étage, la bibliothèque, les chambres à coucher, tout ça c'était fermé, mais les enfants aimaient se tenir au rez-de-chaussée et ils couraient du salon à la salle à manger.

Pour que Hans puisse travailler en toute quiétude, installé au coin du feu et écoutant les disques de sa musique préférée que je lui avais préparés (Bach, Beethoven, musique hongroise), je partais glisser avec les enfants sur le campus de McGill, là où se trouve la petite fontaine. Par les gros froids, nous gelions. Je consultais ma montre de temps en temps, espérant que Hans avait avancé dans son travail. Je ne sentais plus mes doigts.

Quand ils sont devenus plus hauts que moi, ils n'ont plus eu envie d'aller glisser le dimanche après-midi. Et plus

---

* Mme Leblond, épouse du Dr C.-P. Leblond, tient de Mary Thomson, femme du collègue de Selye à McGill, l'anecdote suivante. Apercevant dans la rue Selye et ses enfants manifestement en promenade, Mary se précipite à leur rencontre. Selye lui crie: «Un instant, je n'entends rien!», puis il retire de ses oreilles ses boules de coton. «Vous savez, les enfants, j'aime bien les voir mais pas les entendre.»

ils grandissaient, plus mon mari passait de temps à l'Institut. Au début, les fins de semaine, c'était juste une heure ou deux, après c'était la journée au complet. Des fois, il les emmenait avec lui. Il avait commencé quand Michel avait peut-être six ans [vers 1956]: «Qui veut venir avec papa à l'Institut? — Moi, moi, moi...» Le plus jeune restait avec moi, évidemment. Je les regardais partir, par la fenêtre, ou l'été, par le balcon; je voyais bien qu'il ne leur tenait pas la main pour traverser. Il me répondait: «Oh, il n'y a pas de voitures, c'est tôt.» (Il était huit heures, ce qui veut dire que le dimanche, il fallait encore que je me lève tôt.) À l'Institut, ils allaient voir les animaux, ils aimaient bien quand il y avait des singes. Mais j'ai appris beaucoup plus tard que mon mari s'enfermait dans son bureau et que les enfants, pendant ce temps, faisaient tout ce qu'ils voulaient! C'est comme ça que mon pauvre André a eu son accident [13 juin 1965], par manque de surveillance. Parce que si j'avais été là, ce ne serait jamais arrivé.

J'étais là lorsque André a eu son accident, en jouant avec un autre petit garçon. Habituellement, le dimanche, le docteur sifflait ses enfants pour les avertir qu'il avait fini son travail. (Louise Dubé Laquerre.)

Quand son fils André a eu son accident, c'est moi qui ai eu l'appel — j'étais là chaque dimanche. Il est descendu immédiatement pour voir ce qui s'était passé. C'est grâce à l'insistance de son père mais aussi des chirurgiens qu'il a pu récupérer sa main. (Beatriz Tuchweber.)

André, onze ans, jouait ce dimanche dans l'escalier roulant, alors en construction, qui monte et descend entre l'avenue Montpetit (à l'époque Maplewood) et l'Université; sa main droite s'est prise dans le mécanisme. *J'ai fait en sorte d'avoir les meilleurs chirurgiens. Nous craignions, au début, d'avoir à amputer la main mais il a finalement été possible de la sauver grâce à des greffes de peau et de tendon prélevées sur diverses parties de son corps — véritable triomphe de la chirurgie moderne dû aux docteurs Martin Entin et Hamilton Baxter.*

Il avait perdu la moitié de son petit doigt et beaucoup de peau; il avait une très vilaine fracture, avec dislocation des os. Mais il a tout de même pas trop mal récupéré. Le Dr Selye suivait de près les progrès de son fils — à la fois déçu de la situation et reconnaissant pour nos soins. (Martin Entin.)

Selye intentera une action à l'Université de Montréal: *Il était évident qu'avec un tel handicap de la main droite, André ne serait jamais un chirurgien de premier ordre.*

André était destiné à devenir chirurgien. Je pense qu'il s'y était résigné, et n'eût été de son accident, c'est ce qui serait arrivé. Mais personnellement, j'ai le sentiment que l'accident a procuré à André une bonne excuse pour y échapper. Il n'était pas à ce point handicapé, il aurait très bien pu faire chirurgie. (Martin Entin.)

Quatre ans plus tard, le juge René Durandeau déchargera l'Université de toute responsabilité quant à l'accident. André suivra son inclination; travaillant pour payer ses études, il deviendra avocat. Il mourra le 10 juillet 1987. *Cinq ans après la mort de Selye*

Revenons à Gabrielle Selye:

Ça m'était difficile de les accompagner à l'Université parce que le dimanche, je donnais congé à notre domestique — que voulez-vous, ces gens-là veulent des congés — et je devais préparer le dîner pour midi. Mon mari était très impatient: il fallait que ça soit prêt quand il arrivait, alors je faisais toujours un rôti, hein? J'y suis donc allée deux ou trois fois comme ça, plutôt l'été. On regardait les animaux au huitième, après ça, il n'y avait plus rien à faire, alors on sortait et on attendait dans la grande cour d'honneur.

On n'avait pas la télévision à l'époque. Mon mari était contre, à cause des enfants: «Ça va les déranger dans leurs études.» Comme il était plus âgé que moi [de près de douze ans], je me disais: «Il doit avoir raison, il connaît mieux les choses que moi.» Et voilà que les sœurs du Sacré-Cœur organisent une tombola pour leurs bonnes œuvres; j'achète un livret de plusieurs numéros et je gagne une télévision! Les enfants étaient bien contents, mais pas mon mari. Il la regardait tout de même, quand il passait en entrevue ou pour des émissions spéciales, comme le lancement de Gagarine dans l'espace.

Gabrielle connaît aussi ce que Selye appelle des *journées atypiques.*

Nos réceptions des conférenciers Claude-Bernard ont commencé après mon mariage. Mon mari avait reçu deux professeurs, je crois, avant que j'arrive, mais c'est durant les vingt-huit ans que j'ai vécu avec lui que ça s'est vraiment passé. Au début, quand les enfants étaient petits, ces réceptions avaient lieu toutes les six semaines, mais avec le temps mon mari s'est mis à recevoir beaucoup, jusqu'à deux fois par mois. Je m'occupais du ravitaillement et des vins. Il y avait à l'époque une Régie des alcools pas tellement loin de chez nous, sur le carré Phillips. Quand j'avais fait toutes mes courses, je n'avais plus assez d'argent pour prendre le taxi! J'arrivais chez moi épuisée, avec des sacs et des sacs plein les bras. (Il fallait que je sois jeune sinon je n'aurais jamais pu tenir.) Ensuite, même si j'avais quelqu'un à la maison, je vérifiais l'argenterie, la porcelaine, les verres, la table, le ménage; il fallait que tout soit bien propre. Et il y avait aussi les enfants à aller chercher à l'école.

Les réceptions avaient lieu toujours le soir; ce pouvait être le mardi, le mercredi, jamais les fins de semaine. Au début, je n'avais pas de traiteur, et avec la domestique on préparait tout. Je n'avais aucune expérience. Évidemment, j'ai appris! Je me disais aussi que ce serait bien d'avoir quelqu'un pour les décorations. Alors (quand on est jeune, on a toujours plus d'audace), j'ai appelé le grand chef du Ritz-Carlton, qui était M. Demers, et il m'a envoyé M. Dufour — un nom prédestiné! M. Dufour est venu plusieurs fois. Il m'a montré à faire les chauds-froids, à présenter les plats, à décorer en faisant des marguerites avec des olives noires et des petits morceaux de carotte, les feuillages avec du persil, et tout. Parfois je cuisinais un plat spécial pour un invité; je me souviens d'un Hindou qui était végétarien, je lui avais préparé du bhujiya — des aubergines et des pommes de terre avec toutes sortes d'épices. Quand je faisais des homards Thermidor, on vidait les homards la veille avec ma domestique, parce que c'était très long à préparer (le riz et la sauce, je les faisais le jour même). Je ne me couchais pas avant deux heures — et il fallait me lever tôt, pour les enfants et le petit déjeuner. Mais je me sentais récompensée parce que je voyais tous mes invités tellement heureux! Les homards qui restaient, je les donnais aux étudiants postgradués, ça leur faisait très plaisir. Parce que mon mari disait toujours: «Achète beaucoup...» Il avait cette crainte de manquer, c'était typique de son caractère. Et pas que pour la nourriture, pour tout. Je ne sais pas pourquoi. Il me disait: «Si tu achètes une chose, n'en prends pas seulement une, achètes-en dix ou quinze.» Mais moi, mon budget restait le même, alors je ne pouvais pas, dans une semaine, acheter quinze grandes tablettes de chocolat ou quinze cigares ou...

On commandait un très beau gâteau, avec dessus la photo de Claude Bernard — un gâteau carré au marzipan [pâte d'amande] et au chocolat. Mon mari aimait beaucoup le chocolat et le marzipan.

On recevait beaucoup de monde, jusqu'à soixante personnes quand on faisait un buffet. Mon mari en profitait pour accueillir des gens de McGill qui étaient dans le même domaine que notre invité d'honneur, des chercheurs des hôpitaux ou le Dr Frappier et ses collaborateurs. Et les médecins de l'Institut amenaient chacun leur femme ou leur amie. Tous ces grands hommes m'intimidaient au début, même si j'en avais marié un. Je me disais que ça devait être difficile de leur tenir conversation. Mais j'ai noté qu'on pouvait leur parler des choses les plus simples, ils en étaient enchantés. Ils étaient tellement pris par leurs recherches qu'ils en avaient comme des ornières vis-à-vis du monde extérieur, et quand on leur parlait de choses qui pour nous peuvent sembler banales, pour eux ça avait de l'intérêt. Pas tous, évidemment, certains tout de même prenaient le temps de vivre, d'aller au théâtre, de voyager avec leur famille. Mais en général j'ai trouvé, mon Dieu, qu'ils étaient simples à vivre!

Au cours d'une réception Claude-Bernard, le Dr Armand Frappier s'entretient avec le Dr Salman Waksman (Prix Nobel, en 1952, pour la découverte de la streptomycine).

Coll. Armand Frappier.

De gauche à droite: le Dr Selye, le Dr Vichnewski et le Dr Christian Barnard (1969).
Coll. Yolande Côté.

Les enfants venaient, à une époque. Ça ne les tentait pas toujours, mais moi je me disais, ça leur fera du bien de rencontrer tous ces gens; ils s'en souviennent bien aujourd'hui. Évidemment, il fallait que tout soit parfait, les habits, la coiffure... Il y avait quelqu'un qu'ils aimaient beaucoup, il était venu justement pour fêter les soixante ans de mon mari au mont Tremblant [Conférence Selye, 24-26 août 1967]: [Henri] Laborit. Il leur parlait de son voilier, comment il prenait la mer pour faire de longs voyages — les enfants étaient émerveillés. Il y avait aussi le D^r Li [Choh Hao Li, physiologiste américain d'origine chinoise qui a travaillé à Berkeley sur l'isolement de l'ACTH (1942) et de la folliculostimuline (1949)]. C'était un grand cuisinier, il avait même édité un livre de recettes de cuisine chinoise. Il savait parler aux enfants.

Ça faisait tout de même beaucoup de travail, et aujourd'hui je me demande comment j'ai pu traverser tout cela. Sans compter que, comme tout le monde, je souffrais des fois d'une grippe, d'un rhume, d'un malaise... Mais je n'avais pas le droit d'être malade, moi. Je me revois, le soir, j'allais dans le salon, je m'assoyais dans mon fauteuil préféré pour allonger mes jambes, surtout après un Claude-Bernard, et je restais là, vidée. Même s'il y avait des gens tous plus intéressants les uns que les autres, et que j'avais eu plaisir à les recevoir. Les dames de l'Institut étaient très gentilles, mais mon mari ne voulait pas que je me lie avec les gens de l'Institut, que je côtoyais, alors avec qui voulez-vous que...? Je ne sais pas, il avait peur de... Il était jaloux; il n'aimait pas qu'on me fasse des cadeaux, il disait à nos invités: «Inutile de lui envoyer des fleurs!» D'un autre côté, il était très fier de moi, il appréciait tout ce que je faisais pour lui. Après nos réceptions, il m'adressait une pluie de compliments.

Ça a été vraiment une expérience que je ne regrette pas dans le fond parce que j'ai eu de très beaux moments. Avec mon mari, on a fait de très beaux voyages à travers le monde. J'étais fière de lui, il travaillait énormément, il était très demandé et il a fait connaître l'Université de Montréal. Il aimait beaucoup les compliments et je dois dire que, de mon côté, ça n'a pas manqué. Bien sûr, avec les enfants, c'était différent. Quand ils étaient jeunes et que leur père revenait avec un parchemin ou une médaille, ils s'émerveillaient: «Oh, tu as eu une médaille, papa!» Et puis, c'est devenu une routine. Alors mon mari disait: «Tu vois, ça ne leur fait plus rien...»

Mais j'aurais aimé plus de coopération de sa part — qu'il participe davantage à la vie de la famille, qu'il voie les enfants grandir, et pas simplement le soir à table. Moi-même aujourd'hui, je trouve que je n'ai pas encore passé assez de temps avec eux quand ils étaient jeunes. Au point que je regrette mes voyages où j'ai été obligée de les laisser à la maison. Ce sont les petits riens quotidiens qui font la vie. Et j'ai tellement consacré d'amour et de temps à ma famille...

Comment Selye voit-il les choses? En 1979 (soit deux ans après que Gabrielle l'eut quitté), commentant l'échec de son deuxième mariage, il écrira: *J'avais cru que ma seconde épouse, Gabrielle, pourrait s'adapter à son nouveau rôle sans grande difficulté, mais rétrospectivement, je me rends compte que j'avais surestimé son désir et sa volonté de réajuster sa vie sociale en fonction de la communauté professionnelle dans laquelle je la faisais entrer.* Repensant aussi à Frances, sa première femme, il dira éprouver le remords de n'avoir pas été pour toutes les deux *aussi bon mari qu['il] l'aurai[t] dû.* Avant le mariage, il les avait prévenues de la priorité absolue qu'il accordait à la science. *Je crois, toutefois, que dans les deux cas je l'ai fait surtout dans l'intention subconsciente de me laver les mains des conséquences. Je pense que ni l'une ni l'autre n'ont réalisé à quel point ma monomanie était intense.*

Stress et maladies de l'adaptation

Un nombre imposant de travaux et de publications scientifiques ont vu le jour à l'Institut entre 1945, année de sa fondation, et 1977, qui verra la mise à la retraite de son directeur. Pour les exposer, je les regrouperai en trois ensembles, conformément à la présentation qu'en fait la brochure de l'IMCE (publiée en 1970): le stress (et les maladies de l'adaptation), les maladies pluricausales et les autres sujets de recherche.

Mais avant tout, un mot des subventions, sans lesquelles rien ne pourrait advenir. Les subventions qu'il recevait à McGill ont suivi Selye à Montréal. *Vous pourrez constater qu'il ne surgit aucune difficulté quant à l'acceptation du transfert de tout octroi de l'Université McGill à l'Université de Montréal*, peut-il écrire au trésorier général. Quelques semaines plus tard, il lui propose de réunir toutes ces sommes *en un groupe unique sous la dénomination «Fonds de Recherches sur l'Endocrinologie» avec l'abréviation «Fonds Rech. Endo»* [...]. Le Fonds Endo sera riche d'un certain nombre de subventions ainsi que des sommes versées chaque mois par divers laboratoires (comme Desbergers, Frank W. Horner) ou, plus tard, par certains organismes (comme le Reader's Digest) à titre de services rendus, à quoi s'ajouteront les revenus provenant des conférences, livres et articles de Selye, et des placements effectués. En contrepartie, le Fonds Endo assure les salaires, les frais de bureau, de voyage et d'entretien, les dépenses engagées par la bibliothèque, les laboratoires, les fournitures, les publications, les bourses d'étude, les contributions et gratifications diverses, et l'indemnisation versée à la Société d'administration de l'université (entre huit pour cent et quinze pour cent). Pour les deux premières années, on constate un excédent de 44 135,83 $ des revenus (79 970,83 $) sur les dépenses (35 835 $). Deux ans et demi plus tard, soit le 15 mars 1950, le Fonds Endo se montera à 96 476,51 $ et accusera encore un excédent (de 24 079,96 $); réuni sous le nom de «Fonds spéciaux» aux autres bourses et subventions accordées — lesquelles en 1948 atteignaient 355 768,31 $ —, il représente, pour les cinq premières années de fonctionnement de l'Institut, un grand total de 429 299,11 $, décomposable comme suit: 339 546,84 $ pour les dépenses, 89 752,27 $ pour les disponibilités.

Selye connaît *l'art d'obtenir des subventions* — tout en étant conscient que cet art n'a *absolument rien à voir avec la compétence scientifique*, que même il est, *en réalité, de nature à nuire à l'esprit scientifique*. Il a, sur le sujet, adressé en 1957 une lettre au *New York Times* — une centaine de lignes sur une colonne. Son contenu a paru si juste au secrétaire de la fondation John Simon Guggenheim (un important organisme de subventions à la recherche) que ce dernier en a fortement recommandé l'application dans son rapport 1957-1958. Qu'il s'agisse de recherche fondamentale ou de recherche appliquée, constate Selye, l'argent va à qui soumet *le programme de recherche le plus prometteur.* Or une observation originale ne peut se prévoir à l'avance. *Ne serait-il pas raisonnable de pourvoir aussi à ce type de découverte?* Les risques ne sont pas plus grands que dans le cas d'un travail minutieusement prévu (savoir préparer une demande ne signifie pas forcément qu'on soit doué sur le plan scientifique). On pourrait procéder à une évaluation en bonne et due forme des chercheurs, et faire confiance en toute connaissance de cause à leur instinct. Quels risques aurait-on pris à subventionner sans condition des gens comme Pasteur, Fleming ou les Curie? Quels avantages, par contre, y aurait-il eu à leur demander le programme détaillé de ce qu'ils prévoyaient faire, et exiger ainsi d'eux qu'ils passent un temps précieux pour la recherche à écrire des rapports? En conclusion, les organismes subventionnaires auraient profit à *examiner non seulement la demande mais aussi le candidat (son mode de vie, ses aptitudes techniques, son pouvoir d'observation et même ses vagues espoirs, impossibles à mettre par écrit), et à voir si beaucoup des scientifiques les plus en vue du pays ne feraient pas mieux avec une supervision moindre.*

Les organismes que sollicite Selye seront de plus en plus nombreux, et les sommes qu'il obtiendra, de plus en plus substantielles. Il le faut. Les sept membres qui, directeur non compris, constituaient l'IMCE au départ (1er septembre 1945) auront au début des années soixante dépassé le chiffre de cent vingt-cinq. Mais alors, la courbe des montants obtenus va plafonner, puis aller en décroissant; par exemple, en 1971, les sommes disponibles accuseront une perte de 111 000 $ et le montant des demandes refusées atteindra 180 964 $. Deux situations se conjuguent pour provoquer ce déclin: la suspension des subventions américaines, les difficultés propres à l'Institut. Les subventions américaines représentaient jusqu'alors, selon Selye, plus du tiers de ses besoins personnels. Lorsque, du fait de la guerre du Viêt-nam, sont coupés en 1964 les subsides annuels (près de deux millions) régulièrement consentis au Canada par les National Institutes of Health pour la recherche médicale, Selye ne peut que jeter un cri d'alarme. Les besoins canadiens étant estimés à huit millions, le gouvernement doit faire sa part, proclame-t-il de tous côtés, et si divers secteurs scientifiques ont cru bon de faire appel aux fonds publics, «rien ne peut [toutefois] être aussi important à l'homme que l'étude des conditions qui sont à l'origine du stress[18]».

> Au début des années soixante, il a commencé à perdre des subventions, le personnel a diminué. Puis ç'a été la maladie. Cela existe, le processus de vieillissement, même dans la science, et à n'importe quel moment... (Martin Lis.)

De son côté, Roger Gaudry, qui fut recteur de l'Université de Montréal de 1965 à 1975, a été témoin du dépérissement interne de l'Institut:

> Je suis arrivé au moment où M. Selye commençait à avoir du mal à financer ses équipes de recherche. Je n'ai pas pu éviter d'y être mêlé assez directement puisqu'il venait en personne me voir quand il avait des problèmes — et Dieu sait qu'il en a eu!

Les soldes du Fonds Endo n'étant plus constitués que des honoraires et des produits de la vente des livres de Selye (20 293,97 $ au 26 mars 1964, 22 599,27 $ au 26 février 1976), l'Université considère qu'ils sont la propriété personnelle de Selye et qu'ils pourraient lui être reversés lorsqu'il prendra sa retraite.

Qu'est-ce que la médecine expérimentale pour Selye? Il s'en explique dans une conférence prononcée à l'occasion d'un congrès de la Société médicale de Montréal (22 octobre 1945). S'il admet, dit-il, que *le premier devoir de la médecine expérimentale est vis-à-vis de la science,* il s'inscrit en faux contre *presque tous les maîtres* et n'accepte pas *l'idée selon laquelle le médecin expérimentateur doit accorder son attention avec un égal enthousiasme à n'importe quel problème de recherches qui puisse l'intéresser, indépendamment de son application possible à la médecine pratique.* Pour lui, *la médecine expérimentale est essentiellement une science appliquée, et non pas une science dite fondamentale, car le but final de n'importe quel travail expérimental n'est-il pas son applica-*

tion à la clinique? C'est en fonction de cette utilité, plus ou moins immédiate bien sûr, qu'il dit choisir entre plusieurs sujets de recherche celui auquel il décide de se consacrer. Entre l'expérimentateur et le clinicien doit s'établir un lien à double sens. *L'expérimentateur devra chercher à résoudre les problèmes de clinique, tandis que le clinicien devra aider à formuler les problèmes de l'expérimentateur.*

La question de la créativité, de l'inventivité dans la recherche médicale le passionne, et il donne à plusieurs reprises des séries de conférences sur le sujet. L'une emprunte son titre à son livre *In Vivo — The Case for Supramolecular Biology**. C'est à ce propos qu'il a écrit ces lignes en forme de vers — sa *devise pour la recherche IN VIVO*:

> Ni le prestige de ton sujet
> Et la puissance de tes instruments
> Ni l'étendue de tes connaissances
> Et la précision de tes plans
> Ne pourront jamais remplacer
> L'originalité de ta pensée
> Et l'acuité de ton observation

Y sont inscrites en opposition deux notions dont l'antagonisme est à la base même de sa conception de la recherche (biologique en l'occurrence): celle de «puissance des instruments» et celle, double, d'«originalité de la pensée/acuité de l'observation». La première ne vaut rien sans l'autre et, à la limite, elle y fait obstacle. (Il est intéressant de relever ces notations de Claude Bernard: «la microscopie rétrécit l'esprit», «en excès, [elle] nuit à la physiologie».) Quant à la seconde, elle n'est rien moins que le préalable nécessaire et suffisant pour pénétrer les mystères de la nature. Parmi les milliers de données qui s'offrent à nous, pose Selye, une seule pourra nous faire accéder à quelque chose de grand et de neuf, et ce n'est pas le raisonnement qui nous permet de la repérer et de l'appréhender, mais l'inspiration, le bond de l'imagination. C'est sur

---

* Les autres ont pour titre «Examples of Creativity in Medical Research» et «Prerequisite for Creative Research in Molecular and Supramolecular Biology», 14, 15 et 16 janvier 1969.

un pressentiment, sur *de vagues intuitions (vague hunches)* que repose au départ la découverte — il ne faut pas craindre de l'admettre. Cette découverte, en quelque sorte inopinée, accidentelle, il nous faudra ensuite l'exploiter et pour cela recourir, dans une seconde étape, à l'entendement et à une méthodologie soigneusement fixée. Il y a donc lieu de distinguer entre la découverte *de base ou fondamentale* et la découverte *préméditée*, qui en représente le *développement*. Ou encore, entre les chercheurs qui essaient de comprendre la nature en se laissant guider par leur instinct, par leur flair, en allant au-delà des phénomènes pour en établir le sens — ce sont ceux qui posent des questions —, et les chercheurs qui, partant du connu, tentent d'en saisir les mécanismes en lui appliquant une analyse logique et une méthodologie qui est celle des sciences exactes — ce sont ceux qui répondent aux questions. Les qualités et les talents qui font les uns et les autres sont donc loin d'être les mêmes.

Les découvertes fondamentales *possèdent, à un très haut degré et simultanément, trois qualités*: elles sont *vraies* (affectées d'un *faible coefficient d'erreur possible,* elles restent également vraies lorsqu'on les *interprète dans la perspective qui [leur] est propre*); *généralisables* (elles doivent *se prêter d'elles-mêmes au raisonnement inductif et à la formation de lois générales à partir d'observations individuelles*); et elles doivent nous *surprendre*.

Certes, l'esprit de synthèse est important. Mais ce qui l'est avant tout, ce qui est primordial est ce que j'ai appelé «la créativité de la pensée». Il faut penser à des choses auxquelles personne n'a jamais réfléchi [...] *La rigueur scientifique vient après.* De plus, il ne suffit pas de voir pour découvrir. Il faut savoir reconnaître l'importance de ce qu'on voit, *être capable non seulement de regarder en face ce que l'on veut voir mais aussi d'observer du coin de l'œil ce qui pourrait bien arriver d'inattendu* — mettre en œuvre, comme le dit Selye, *la vision périphérique.* C'est grâce à elle que, à l'instar de ces princes de Serendip d'un vieux conte ceylanais dont nous parle Horace Walpole, nous pouvons découvrir tout à fait par hasard des choses que nous ne cherchons pas. Le scientifique qui pose des questions, qui *trouve le problème*, doit être doté d'une vision périphérique. Il sait ne pas se perdre dans les particularités et garder une vue d'ensemble — somme toute, il est tenu de rester en surface. Alors que celui qui répond aux questions, qui *résout le problème*, doit se concentrer sur le moindre détail au détriment de l'ensemble et mettre en jeu une vision tubulaire. Mais il est clair qu'alors lui échappe le plus important: *On ne pourra jamais apprendre à quoi ressemble une souris en examinant avec méticulosité chacune de ses cellules isolément au microscope électronique, pas plus qu'on ne saurait apprécier la beauté d'une cathédrale en procédant à l'analyse chimique de chacune des pierres qui la composent. [...] Plus nous nous fions aux instruments complexes, plus la faculté d'observation tend à s'émousser.* C'est pourquoi l'habitude qu'ont prise *les universités [de] diriger vers la biologie moléculaire les plus doués de leurs étudiants en sciences de la vie* ne se justifie en rien.

Une fois de plus, Selye a bien lu celui qu'il nomme *Le grand vieillard*, Walter B. Cannon. Reportons-nous au livre, *The Way of an Investigator*. Cannon consacre le cinquième chapitre à «The Role of Hunches» (Le rôle des intuitions). Comment les chercheurs accèdent-ils à de nouvelles connaissances? se demande-t-il. Est-ce en étudiant à tête reposée l'état présent et en réfléchissant à la prochaine étape, ou bien attendent-ils le déclic, la révélation? Les deux méthodes existent. En ce qui le concerne, c'est une démarche progressive qui est à l'œuvre. La nuit lui porte solution, et il a longtemps pensé qu'il en était ainsi pour tout le monde. Or ce n'est manifestement pas le cas. Deux auteurs, W. Platt et R. A. Baker, ont en 1931 effectué une enquête auprès de deux cent trente-deux scientifiques pour tenter de comprendre la nature de ces éclairs de pensée, de ces brusques idées qui surgissent dans le champ mental, et de déterminer la proportion de chercheurs qui s'en prévalent. Ils ont donné à ce phénomène le nom de «hunch». Dans la vie courante, ce terme renvoie à une trouvaille inopinée qui met fin à une difficulté quelconque. S'agissant du domaine scientifique, les auteurs le définissent comme «une idée unifiante ou éclairante qui fait irruption dans la conscience et apporte une solution à un problème qui nous tient intensément à cœur». Le pourcentage de sujets avouant y trouver un secours est de quatre-vingt-trois pour cent (trente-trois pour cent, souvent; cinquante pour cent, à l'occasion); dix-sept pour cent seulement rapportent ne jamais en bénéficier. Divers critères ont été utilisés pour classer les chercheurs selon leur mode de fonctionnement. Le professeur W. D. Bancroft, de Cornell University, a proposé quant à lui de les répartir en deux groupes: «ceux qui devinent» («the guessers»), qui ont recours à des hypothèses et à des théories, et «ceux qui accumulent» («the accumulators»), qui collectionnent les faits et mettent au point des méthodes ingénieuses pour en ramasser d'autres.

Le chapitre suivant de Cannon s'intitule «Gains from Serendipity» (Les fruits de la sérendipité); les exemples donnés, les commentaires faits à partir de ce concept de sérendipité (forgé en 1754 par Horace Walpole, utilisé depuis peu dans notre langue, ce terme ne se trouve pas encore dans les dictionnaires français) ressemblent beaucoup à ceux qu'utilisera ici et là Selye. Ce dernier, par contre, est (que je sache) le seul à parler de vision périphérique et de vision tubulaire, et un des rares chercheurs de son temps à refuser la recherche du détail au profit de l'ensemble: «How can you want to see smaller and smaller when the world is so big?» (Comment vouloir voir de plus en plus petit quand le monde est si grand?), disait-il à ses élèves (Roger Guillemin).

Il a quant à lui définitivement *misé sur la sérendipité, sur la chance que lui offre le hasard de faire une heureuse découverte sans devoir travailler à rechercher désespérément un détail insignifiant, pour ne pas dire inexistant.* Cela implique l'examen sans aucun préjugé des faits qui paraissent le plus aller de soi pour les élever à un niveau d'abstraction tel que, dans un premier temps, l'esprit décolle du concret et se plaît à jouer avec toutes les possibilités imaginables. Lorsqu'il sent qu'une idée vient, il *souffre*, et cette douleur qui le saisit, il la compare aux *affres de l'accouchement qui précèdent la délivrance.* Mais comme dans la parturition, fatigue et douleur finissent par céder la place à *des sentiments de grand bonheur, d'allégresse et de soulagement*; il éprouve alors le besoin de sortir et d'en parler — c'est le «Eureka» d'Archimède. Et lorsqu'il parvient à se formuler à lui-même clairement son idée, il s'en entretient avec ses collègues, parce que c'est en discutant que la réflexion se cristallise.

Thomas S. Kuhn, s'interrogeant sur l'articulation, dans la recherche scientifique, entre tradition et innovation, rappelle pour les remettre en question ces mots de Selye: le chercheur *doit être suffisamment débarrassé de tout préjugé pour pouvoir examiner des faits ou des concepts «allant de soi» sans nécessairement les accepter, et réciproquement, laisser son imagination jouer avec les possibilités les plus invraisemblables.* Sans s'inscrire en faux contre ce «mode de pensée divergent» (que classiquement les psychologues imputent à l'esprit créateur), Kuhn se demande malgré tout «si l'on n'a pas exagéré l'importance exclusive de la souplesse et de l'ouverture d'esprit parmi les caractéristiques requises pour la recherche fondamentale. [Car] une sorte de «mode de pensée convergent» est tout aussi essentiel [...]».

Ainsi donc, Selye plaide pour la nécessité première de la recherche pure, *de la quête que l'on poursuit lorsque le seul mobile est la curiosité de pénétrer les mystères de la Nature. Ce ne sont pas les applications pratiques qui intéressent alors* [...]. Cette quête relève de la chasse et du combat: *Pourquoi ne pas lutter contre la Nature, notre ennemie acharnée qui, une fois vaincue, sera notre alliée la plus fidèle?*

* * *

Le stress est, sans conteste, le concept fondamental à partir duquel s'échafaudent les diverses expériences qui visent à en élucider les mécanismes sous-jacents et à en explorer les domaines dérivés. L'existence du syndrome général d'adaptation (SGA) avec ses trois phases — alarme, résistance et épuisement — mettait en lumière l'importance cruciale du système corticosurrénal dans le déclenchement des maladies dites de l'adaptation et, du même coup, appelait à une révision du point de vue traditionnel de l'endocrinologie. Aussi, dix ans après avoir décrit son syndrome, Selye se met-il à rédiger un manuel, miniature de l'encyclopédie annoncée, qui verra le jour l'année suivante (1947) sous le titre de *Textbook of Endocrinology,* et qui portera cette dédicace en français: *Ce livre est dédié aux étudiants de l'Université de Montréal.* La préface est signée par Bernardo A. Houssay, Prix Nobel 1947.
   C'est [...] moi qui ai écrit le tout premier manuel d'endocrinologie. [...] On l'a fait publier par l'Université de Montréal,

et bien peu de gens au monde savent que c'est moi qui ai éta-
bli les Presses de l'Université de Montréal. [...] Mais à cette
époque cela ne s'appelait pas encore ainsi. En fait, ce livre est
le seul livre, à ma connaissance du moins, qu'un éditeur ait dû
retirer du marché parce qu'il se vendait... trop bien! [...] il
connaissait un succès fou. Ne pouvant satisfaire à la demande,
l'Université passe la main à Selye, qui fonde sa propre maison
d'édition, Acta Endocrinologica. On procédera de fait à cinq
impressions entre 1947 et 1948, et à une seconde édition en
1949. *La Presse médicale* en parle comme d'«une extraordinaire
réussite» et souhaite vivement une traduction en français; ce vœu
ne sera malheureusement pas exaucé.

(Les exemplaires de la première édition de 1947 que j'ai
retrouvés indiquent comme éditeur «Acta Endocrinologica, Université de Montréal, Canada» — ce qui, a priori, ne constitue un
argument ni pour ni contre les assertions de Selye.)

Acta Endocrinologica sera incorporé en mai 1947, et sa raison
sociale se lira «Acta Inc. Medical Publisher» (situé au 5465, boulevard
Décarie, Montréal) — dans le langage courant «Acta». L'Institut se
charge de la publicité et de l'expédition, et le produit des ventes
sera crédité au Fonds Endo, Selye ne retenant aucun droit
d'auteur. La Société d'administration autorisera toutes ces modalités mais, par la suite, les relations seront assez tendues entre la
Société et Selye concernant la gestion d'Acta Inc. Selon le
Dr Paul Dumas, premier président de la Société canadienne
d'endocrinologie, fondée grâce aux subventions de Desbergers-
Bismol, cette même compagnie pharmaceutique aurait financé la
publication du manuel.

Selye y explique ainsi le changement de perspective survenu
dans la recherche sur les hormones:

Si, pour l'espèce, le rôle le plus important des hormones
est la reproduction, pour l'individu par contre, c'est la diffé-
renciation et l'adaptation. Il devient de plus en plus évident
que la principale application de l'endocrinologie à la méde-
cine consiste dans le traitement non pas des affections primai-
res des glandes endocrines, mais des maladies secondaires.
Les tumeurs et les hyperplasies des glandes endocrines, avec
l'hypersécrétion hormonale ou au contraire l'insuffisance hor-
monale consécutive à la destruction des organes à sécrétion

interne qu'elles entraînent, sont pour nous riches d'enseignement; expériences naturelles et simples, elles nous ont beaucoup appris sur les endocrines. Mais ce sont des maladies
rares en comparaison des perturbations hormonales liées à un
défaut d'adaptation au stress.

Les principaux syndromes qui, en médecine interne, sont
responsables de la mort (les diverses affections cardiovasculaires, rénales, «rhumatismales» et les maladies de la vieillesse)
pourraient bien appartenir à ce dernier groupe. Ils sont
probablement en rapport avec l'imperfection des réactions
hormonales d'adaptation aux divers agents pathogènes non
hormonaux. La cause apparente de la maladie est souvent une
infection, une intoxication, un épuisement nerveux ou simplement l'âge avancé mais, en fait, c'est bien une panne du
mécanisme adaptatif hormonal qui semble le plus souvent
être la cause ultime de la mort chez l'homme.

Selye a écrit le premier manuel d'endocrinologie —
c'était vraiment un manuel moderne —, et comme tous ses
bouquins, c'est resté une contribution importante. Tout ce
que faisait Selye comme revue de la littérature était extraordinairement bien fait. (Marc Cantin.)

Engagé comme chef technicien par Selye au printemps de
1949, Bernard Messier a assisté Selye pendant deux ans; il a par
la suite fait des études que couronnera un doctorat en sciences
(anatomie) à McGill avec le docteur C.-P. Leblond, et occupe
aujourd'hui un poste de professeur au Département d'anatomie
de la Faculté de médecine (Université de Montréal). Son opinion
tranche sur les précédentes:

Un endocrinologue des États-Unis, très en vue à
l'époque, Dempsey, a fait une critique de ce manuel dans la
revue *Endocrinology* [mai 1948]. Commentant longuement
le livre, il termine en disant de Selye: «His investigations on
the adaptation reaction, on the pharmacological classification
of steroid hormones and on the methodology of endocrine
research exemplify high abstractions in endocrinological thin-
king. They indicate that he could write a definitive textbook

of endocrinology, and it is to be regretted that this is not it.»
Autrement dit, Dempsey croyait que Selye avait la trempe
pour écrire un livre d'endocrinologie qui ferait époque, mais
malheureusement l'ouvrage n'est pas celui qu'on attendait. Je
crois que Selye en avait été un peu irrité à l'époque, mais il
avait déjà appris à surmonter ces critiques négatives. Son
manuel n'a pas été utilisé ici, à la Faculté de médecine, que je
sache, il est semé depuis longtemps. On s'est plutôt servi de
celui d'Arthur Grollmann, ou surtout celui de Robert Hardin
Williams, qui a été réédité de nombreuses fois [et traduit en
plusieurs langues]. Il faut reconnaître que l'histoire donne raison à Dempsey.

Dans ses trois pages de critique, Edward Wheeler Dempsey
(connu pour ses travaux sur la formation réticulée et rédacteur en
chef de la revue *Endocrinology*) constate que si, pour Claude
Bernard, chercheurs et praticiens usent — ou devraient user —
du même raisonnement fondamental, Selye, lui, est loin de réaliser un tel équilibre entre le besoin de guérir et celui de faire avancer nos connaissances. Il «semble plutôt considérer comme
incompatibles ces deux responsabilités», et toute la présentation
de son ouvrage s'en ressent. Pour finir, Dempsey voit dans le
manuel une «compilation hâtive et superficielle de faits ou
d'observations qui veulent passer pour des faits, écrite sur un ton
d'autorité et citant rarement ses sources». Les ouvrages de Claude
Bernard (1865) et de William Bayliss (1914) ont fait date en
physiologie, car ils témoignent d'une recherche pénétrante des
grands principes généraux de cette discipline. On ne peut manifestement pas en dire autant de celui de Selye, commente-t-il en
substance avant de conclure.

Je trouve injustifiée la critique de Dempsey. Ce traité
était vraiment le premier manuel d'endocrinologie valable de
l'histoire de l'endocrinologie. Il reste encore un traité magnifique, remarquable, de son temps bien sûr, mais de qualité,
cela ne fait aucun doute. (Roger Guillemin).

L'essence du concept de stress est de faire ressortir le fait
que certaines modifications (par ex.: activation surrénale, état

de choc, inhibition de l'inflammation) sont des phénomènes non spécifiques, qui peuvent être produits par de nombreux agents et par leurs diverses combinaisons. Le point important est la non-spécificité de l'ensemble — celle des réactions et celle des agents responsables. Il importe peu que le contexte dans lequel s'exercent ces derniers soit joyeux (gagner un million à la loterie) ou dramatique (perdre un être aimé); qu'il s'agisse de *bon stress (eustress) ou de mauvais stress (dystress)*, seule compte l'intensité de la demande de rajustement ou adaptation. C'est en elle que réside le danger.

Car si l'organisme répond imparfaitement à cette demande — soit qu'il se défende exagérément, soit qu'au contraire il reste trop passif —, une pathologie s'installera. *Plusieurs maladies sont, en fait, non pas le résultat direct de l'action d'agents externes, mais plutôt la conséquence de l'incapacité de l'organisme à opposer à ces agents des réactions d'adaptation adéquate. Les défauts d'adaptation jouent un rôle important dans: les maladies cardiaques et des vaisseaux sanguins, les maladies rénales, l'éclampsie, les rhumatismes ainsi que l'arthrite rhumatoïde, les maladies inflammatoires des yeux et de la peau, les infections, l'allergie et l'hypersensibilité, les maladies nerveuses et mentales, les dérangements sexuels, les maladies métaboliques et digestives ainsi que le cancer.* Toutefois, même si *un élément d'adaptation existe dans chaque maladie*, toutes les affections ne sont pas pour autant des maladies de l'adaptation; seules peuvent s'en réclamer celles dans lesquelles *les réactions indirectes d'adaptation de l'orga- nisme lui-même* l'emportent sur celles qui (comme dans le cas d'une brûlure par de l'eau bouillante ou un acide) traduisent l'action directe de l'agent nocif (on obtiendrait grosso modo les mêmes lésions sur un organisme mort). Les maladies de l'adap- tation, elles, ressortissent à un mécanisme pathogène indirect: ce sont les réactions vitales mises en branle pour défendre l'organisme qui constituent la maladie et rendent compte du tableau clinique observé.

Vaste, donc, est le domaine des maladies de l'adaptation. Et si c'est bien autour du concept du stress que gravitent les recher- ches menées à l'Institut, si «tout ce qui se faisait était dans le cadre des travaux de Selye» (Madeleine Barath), il est vrai aussi qu'«on touchait à des domaines très variés; la relation avec le stress était toujours là, mais parfois lointaine» (René Veilleux).

Ces réactions de défense — ces maladies — s'accompagnent d'une augmentation dans le sang de la concentration en certains produits endocrines: les hormones du stress. Parmi les plus importantes, l'adrénaline et la noradrénaline, sécrétées par la médullosurrénale (dont le rôle, on s'en souvient, a été mis en évidence par Cannon); l'ACTH (l'hormone corticotrope de l'hypophyse antérieure); des hormones, enfin, qui sont le produit de l'activité corticosurrénale et auxquelles Selye a donné le nom générique de *corticoïdes* — les unes combattant l'inflammation mais aussi susceptibles d'accroître la teneur en sucre du sang d'où leur qualification de *glucocorticoïdes* (cortisol, cortisone), les autres favorisant l'inflammation et intervenant dans le métabolisme minéral, les *minéralocorticoïdes* (aldostérone et désoxycorticostérone). On peut donc classer les réponses du corps aux agents stressants en *syntoxiques* visant à la *coexistence pacifique* (les corticoïdes anti-inflammatoires sont *les plus efficaces des hormones syntoxiques*) —, et *catatoxiques* générant *la production d'enzymes destructeurs qui attaquent de façon active le producteur de maladie* (les plus actifs connus sont synthétiques). Mis en présence d'un agent agresseur, nous disposons donc de *deux mécanismes fondamentaux*: soit le tolérer, soit le détruire. Aucun n'est en soi meilleur que l'autre. Prenons le cas de l'inflammation. Le processus inflammatoire qui isole le germe infectieux et, en permettant la formation d'un abcès, l'empêche de se répandre dans le sang, nous est favorable. Par contre, lorsque l'agent agresseur est par lui-même inoffensif mais cause une inflammation et que cette inflammation, loin d'être protectrice, devient elle-même la maladie, comme dans le cas du rhume des foins ou d'une piqûre d'abeille, on a intérêt à bloquer le processus. Autre exemple: les défenses immunitaires. Le rejet d'un corps étranger est souhaitable, celui d'une greffe non. L'intervention thérapeutique fera la différence. Ce qui est valable au niveau cellulaire l'est aussi au niveau interpersonnel: il faut savoir ignorer qui vous insulte (réponse syntoxique) mais désarmer qui vous menace (réponse catatoxique). Le problème est que, dans l'évaluation de la situation et de la réponse à lui apporter, la nature peut se tromper, et nous aussi.

Démission de Roger

Ainsi, *les hormones participent au développement d'innombrables maladies non endocrines.* L'expérimentation consistera à observer ce qui se passe lorsqu'on introduit dans l'organisme un excès de corticoïdes.

Le Dr Roger Guillemin termine tout juste ses études de médecine lorsqu'il entend, au printemps de 1948, une série de conférences données sur le sujet par Selye à l'hôpital de La Pitié (Paris). Tout se conjugue pour le fasciner: l'élégance de la présentation, la passion de l'orateur «manifestement à l'aise dans un sujet qu'il connaissait bien puisqu'il l'avait créé de toutes pièces», «le magnétisme de l'homme», la qualité et la profusion des diapositives, le contenu du discours, enfin. D'abord, une conception unitaire d'une série d'affections telles que «l'arthrite rhumatismale, l'hypertension, l'infarctus du myocarde et l'apoplexie» — toutes «maladies pour lesquelles nous n'avions aucun agent causal spécifique». Ensuite, la possibilité de les reproduire en laboratoire ou bien en injectant «des stéroïdes de la surrénale, de la désoxycorticostérone ou des extraits bruts d'hypophyse lyophylisée» à un rat préalablement néphrectomisé (d'un seul côté) et soumis à un régime riche en chlorure de sodium (sel ordinaire), ou bien en exposant l'animal à un stress chronique, tandis que le stress aigu stimule les fonctions hypophysaires et surrénaliennes et produit des ulcères gastriques. (Restait à découvrir par quel mécanisme «l'hypothalamus déclenchait la sécrétion hypophysaire d'ACTH en réponse au stress et, à la suite d'autres stimuli extérieurs comme le froid, celle de la TSH» — la thyréostimuline. Ce sur quoi Guillemin travaillera plus tard.)

Contact pris à la fin de la conférence, Guillemin se voit convoqué au Collège de France, dans le bureau du professeur Courrier, où Selye lui fait passer une entrevue. Six mois plus tard assistant de recherche à l'IMCE (automne 1948), Guillemin s'attellera à une thèse pour le titre de docteur en médecine, thèse qu'il défendra brillamment (félicitations spéciales du jury) l'année suivante devant la Faculté de médecine de Lyon. Il reviendra alors travailler à l'Institut et en sortira trois ans plus tard avec un doctorat en sciences. Le 14 janvier 1953 toutefois, il remettait au professeur Selye et au doyen de la Faculté de médecine sa démission de directeur adjoint de l'Institut puis, quinze jours plus tard, demandait à rencontrer le

Comité exécutif de l'université pour s'expliquer «sur le différend qui s'est créé à la suite de [s]a démission». Accusant réception de la lettre de John M. Russell, directeur exécutif de la John and Mary R. Markle Foundation, Mgr Maurault explique que «[l]'occasion, sinon la vraie raison, du point culminant fut la décision du Dr Selye de décharger le Dr Guillemin des tâches administratives que ce dernier assumait depuis plus d'un an avant de recevoir sa bourse Markle [trente mille dollars, accordés en 1952] et qu'il tenait à garder, même si tout bien considéré il jugeait son départ nécessaire, autant dans son intérêt et celui de l'avancement de ses recherches que pour le bien du département lui-même».

Selye et ses chercheurs auront en tout étudié les effets d'environ mille deux cents stéroïdes de synthèse. Ils auront nettement mis en évidence la participation de l'axe hypophyso-surrénalien à ce système de défense non spécifique et le rôle pathogène de son dérèglement, ouvrant par là la porte à nombre de thérapeutiques nouvelles et de perspectives prophylactiques.

«[L]e VIIe Congrès International [des maladies rhumatismales] marque probablement une date mémorable, non seulement dans l'histoire de la Rhumatologie, mais dans celle des sciences médicales en général», écrit à juste titre *La Presse médicale* dans sa livraison du 16 juillet 1949. Ce congrès — le premier qui, après la guerre, renoue avec la tradition instaurée par la Ligue internationale contre le rhumatisme — se déroule à New York du 30 mai au 3 juin 1949. Le point fort du congrès est «la communication sensationnelle de Hench, Kendall, Slocumb et Polley [...], qui semble de nature à éclairer le mystérieux problème de la polyarthrite chronique évolutive et fait prévoir des progrès décisifs dans son traitement. Mais son importance déborde largement le cadre de cette maladie et s'étend à toute la pathologie du tissu conjonctif, plus spécialement à ce groupe d'affections qu'on a voulu relier les unes aux autres sous le chef de l'hyperergie tissulaire, et dont le facteur pathogénique commun semble être en réalité d'origine corticosurrénale: PCE [polyarthrite chronique évolutive], rhumatisme articulaire aigu, goutte, périartérite noueuse, lupus érythémateux disséminé, dermatomyosite, sclérodermie généralisée, etc.».

ou Louis Pasteur et Nobel interviennent
par Morris Fishbein

Ces deux produits miracles que sont l'ACTH et la cortisone ne guérissent pas, à vrai dire, mais ils font disparaître les symptômes dans un nombre impressionnant de maladies. Outre l'arthrite rhumatismale, on les utilise (l'un ou l'autre) avec un succès variable dans la maladie d'Addison (qui dès lors cesse d'être mortelle), la fièvre des foins, l'asthme bronchique, les brûlures massives, les morsures de serpents, certains empoisonnements, et l'inflammation qui accompagne les affections des yeux et de la peau. Pour temporaire qu'elle soit, leur efficacité dans les leucémies lymphatiques et les lymphosarcomes n'est pas à dédaigner. Les effets secondaires sont, à l'époque, encore mal évalués: entre quinze pour cent et cinquante-cinq pour cent selon les auteurs. Tous ces grands espoirs sont mis à mal par la pénurie de cortisone à laquelle, en 1951, font face chercheurs et cliniciens. La cortisone ne peut être produite, même de façon synthétique, en quantité suffisante pour répondre aux besoins. À peine un ou deux pour cent des patients susceptibles de voir leurs maux soulagés par ces hormones peuvent en obtenir. Quant à la fourniture en ACTH — lequel, non encore synthétisé, reste tributaire des hypophyses recueillies dans les abattoirs —, elle demeure curieusement égale à la demande. Peut-être parce que l'ACTH doit se prendre en injection tandis que la cortisone peut être dispensée par voie orale. Cette pénurie, source de compétition acharnée entre les grandes firmes pharmaceutiques américaines (Merck & Co., Glidden Co. et Shering Corp.) ou autres (Syntex S. A., de Mexico) pour la mise au point de stéroïdes ayant la même action que la cortisone, durera vraisemblablement au moins un an[19]. *The cortisone shortage*

Interrogé par un journaliste anglophone qui lui demande ce qu'il pense des travaux de Hench et Kendall, le savant «de 42 ans, la pipe à la bouche» répond: «Gratifiant» (*Rewarding*). Puis il ajoute: «C'est une application fructueuse de ma théorie. Il y en aura probablement d'autres.» La presse canadienne, qui déjà suivait avec enthousiasme le D\[r] Selye dont le concept de stress autorisait à concevoir une seule et même cause commune à toutes les maladies, ne peut dès lors plus se retenir. Forts d'une déclaration faite en conférence de presse (dans les locaux de l'Association nationale de la santé) par le D\[r] Morris F. Fishbein — selon les cas «chargé de la section médicale de l'encyclopédie

L'enflure des pattes de rat

britannique» ou membre du Conseil des rédacteurs en chef de *Excerpta Medica*[20], mais quoi qu'il en soit, autorité en la matière —, tous les journaux, anglophones comme francophones, affichent en gros titres que l'extraordinaire victoire thérapeutique remportée par Hench et Kendall aurait été impossible sans les travaux fondamentaux de Selye, et que ce dernier mérite le prix Nobel: «Par ses articles originaux de 1941, il a annoncé beaucoup des développements actuels dans ce domaine», a déclaré le Dr M. Fishbein. Selye ne demande pas mieux que de le croire.

> Ah, il y pensait! Quand il savait que les comités du Nobel se réunissaient, il passait la journée assis à côté de son téléphone, à attendre la sonnerie... ce qui, je crois, est une mauvaise attitude. (Marc Cantin.)

> À l'époque où j'étais là [1949 à 1951], il faisait venir les journalistes pour leur donner ses commentaires sur la question, et il ne manquait jamais de souligner l'importance de son travail devant les visiteurs qui se présentaient à l'Institut. Je me souviens aussi qu'était sorti un petit livre de poche américain dont le titre était *100 Most Important People of the World* [de D. Robinson]. Parmi les cent, il y avait Einstein, le pape, Yehudi Menuhin... et Selye. Selye se promenait dans les corridors en brandissant sa copie. Il avait demandé à une secrétaire d'en commander tout de suite trois douzaines qu'il voulait distribuer à ses proches. On avait trouvé ça d'un orgueil amusant. (Bernard Messier.)

La priorité des travaux de Selye sur l'effet anti-inflammatoire des glucocorticoïdes est très controversée. Selon certains:

> Je crois qu'il a manqué une chance d'avoir le Nobel quand il a découvert l'effet anti-inflammatoire des glucocorticoïdes et qu'il s'est fait voler la vedette par Hench et Kendall. Eux ont trouvé la même chose mais chez des patients. Ça a davantage frappé l'imagination des gens et des autorités du Nobel que les expériences de Selye, qui diminuaient l'enflure de ses pattes de rat avec les glucocorticoïdes. (Marc Cantin.)

Il était furieux que Hench et Kendall n'aient même pas au moins mentionné son nom. C'est la seule fois où je l'ai vu réellement furieux. (Paul Dontigny.)

La découverte des propriétés anti-inflammatoires des stéroïdes a bien été faite par Selye, au début des années quarante, donc cinq à huit ans avant, malheureusement chez les animaux. Maintenant, est-ce que les travaux de Selye ont permis les recherches cliniques de Hench et Kendall? Cela est sujet à discussion. Les traités de médecine, les histoires de la médecine répondent certains oui, certains non. D'après Hench, le problème chez les humains est complètement indépendant. (Sandor Szabo.)

Tandis que le docteur Guillemin est formel:

Mais pas du tout! Il aurait fallu que Selye montre l'effet anti-arthritique d'un stéroïde quelconque avant Kendall et Hench, ce qui n'est certainement pas le cas. Il faut toujours s'en tenir aux dates de publication. Je ne pourrais donner aucune référence de Selye montrant l'inhibition de l'arthrite avec les glucocorticoïdes. Par contre, Selye avait montré — mais c'est peut-être après Hench, je ne sais plus — que si on stressait les animaux, on diminuait l'arthrite expérimentale. À mon avis, Selye n'avait rien vu, il n'avait pas imaginé l'effet anti-inflammatoire des glucocorticoïdes, qui n'est venu qu'après, tout comme l'action proinflammatoire des minéralocorticoïdes. Et curieusement, ça n'est peut-être pas de sa faute: il n'en avait pas à sa disposition. Il a toujours dit — mais je suis persuadé que c'était a posteriori — qu'il avait demandé des glucocorticoïdes à Kendall (qu'il connaissait bien) et qu'il n'avait jamais pu en obtenir.

Philip Showalter Hench (1896-1965) et Edward Calvin Kendall (1886-1972) reçurent le prix Nobel l'année suivante, en 1950 [avec Tadeus Reichstein, de Bâle]. Selye, jamais — et ce ne fut pas faute de l'attendre.

Chaque année, quand octobre arrivait, j'étais sous le stress. Au début [1949], même quand tous les journaux en parlaient et que les rumeurs couraient, il ne disait rien. À un moment donné, il s'est vraiment mis à l'attendre tout en me disant: «Je ne veux plus en entendre parler, et d'ailleurs il y a des choses plus importantes que le Nobel, mes travaux sont là, c'est ce qui compte». (Gabrielle Selye.)

«Modeste comme tous les véritables savants», a écrit un journaliste[21]!

À l'Institut, on ne parlait pas du prix Nobel mais du PN — c'était tabou. À l'automne, des rumeurs apparaissaient de droite et de gauche: «Savez-vous que le Dr Selye est en nomination pour le PN?» Et tout devenait alors comme en suspens, chacun s'efforçait de faire oublier qu'il était follement intéressé par tout cela... jusqu'au jour de l'annonce officielle. Alors commençait une longue période de désappointement. J'ai entendu dire qu'une fois, un poste de radio ou un journal, je ne sais plus, avait prématurément annoncé que le Dr Selye avait eu le Nobel, mais on chuchotait la chose, et avec tellement d'embarras que je n'ai pu en savoir davantage. (Mary Mackay Prioreschi.)

L'accès aux archives Nobel du Karolinska Institutet (Stockholm) n'est autorisé que pour les documents anciens de plus de cinquante ans. Il faudra donc attendre pour compulser ceux qui nous intéressent ici. Selye, m'a-t-on dit, a été mis plusieurs fois en nomination. On m'a assurée qu'une fois au moins, «il a été considéré dans des choix plus étroits, parmi les candidats les plus sérieux» (source anonyme). De son côté, le Dr Sandor Szabo, qui travaille au Harvard Medical School Research Department (Boston), déclare qu'«à deux reprises, une recommandation est partie de Boston pour qu'il soit nominé».

Il a eu beaucoup de médailles, de prix, de doctorats et de distinctions honorifiques, mais le Nobel, c'est la couronne qui manquait. (Irène Mècs.)

En 1977, Roger Guillemin, Andrew Schally et Rosalyn Yalow recevront le prix Nobel de médecine et de physiologie pour avoir isolé les neuropeptides hypothalamiques qui contrôlent les fonctions de l'hypophyse. *Je profite de l'occasion pour mettre fin à la rumeur qui veut que Schally ait été lui aussi un élève de Selye. Le Dr Andrew Victor Schally s'en défend énergiquement: non seulement il n'a jamais suivi de cours de Selye (il était à McGill en 1954, soit neuf ans après le départ de Selye de cette université), mais c'est au Département de psychiatrie qu'il se trouvait, comme «undergraduate», dans le laboratoire de Murray Safran. C'est de là que lui vient son intérêt pour les rapports unissant fonctions cérébrales et activité endocrinienne.*

Ça a touché chez lui un point très sensible puisqu'il convoitait cette récompense et ne cessait pas de faire campagne pour l'obtenir. (Paul J. Rosch.)

J'avais quitté mon mari depuis deux mois lorsque Guillemin a reçu le Nobel. Moi, j'étais très heureuse pour lui. Mais mon mari, tel que je le connais, a dû éprouver une grande déception de voir que l'élève recevait cette distinction avant le maître. Je pense que cela, cumulé à sa fatigue, lui a donné un coup au cœur qui n'a pas été étranger à sa fin [1982]. (Gabrielle Selye.)

Il n'aura même pas reçu ce que le Dr Henri Laborit qualifie de «Nobel américain» et que décerne chaque année l'American Public Health Association,

le prix Albert Lasker. On l'appelle «le petit Nobel». Il y a eu trente-huit Lasker [ou quarante-cinq[22]?] qui ont eu le Nobel ensuite.

En 1950, Selye publie deux ouvrages: l'un en collaboration avec une assistante de longue date, Helen Stone: *On the Experimental Morphology of the Adrenal Cortex*, l'autre seul: *Stress*, premier d'une série de rapports annuels qui paraîtront jusqu'en 1955-1956 et qui seront très bien accueillis par la presse scientifique. «[...] un merveilleux monument et une étape historique dans l'évolution de la médecine [...]», dira du premier volume *La Presse médicale*. *Ce livre était très important, car c'était la première grande encyclopédie sur le stress qu'on ait jamais écrite.* L'auteur l'a dédié *à tous ceux qui souffrent du stress* et a reproduit sur la page de garde une gravure sur bois de Fritz Eichenberg, «The Light» — celle-là même qui orne la porte qui, de son bureau de l'Institut, donne accès à son laboratoire privé. *Je l'avais trouvée dans un musée de New York* [...] *C'était une vision d'artiste, qui représentait la réaction de diverses personnes, lorsqu'elles ont vu la lumière du jour pour la première fois, après avoir passé plusieurs années dans un camp de concentration allemand.* Il a rebaptisé ces visages émaciés tournés vers la lumière *Relief from the Stress* (Soulagés du stress).

Il avait pratiquement fini d'écrire ce volume, *Stress*. Fin quarante-huit ou début quarante-neuf, on a commencé à entendre parler des premières observations du groupe de Hench à la Mayo Clinic faisant part de résultats spectaculaires dans les syndromes d'arthrite rhumatoïde [«Rheumatoïd arthritis» équivaut en français à «polyarthrite rhumatismale» ou «polyarthrite chronique évolutive»]. Des malades qui étaient figés, bloqués depuis des mois et des années, se remettaient en quelques heures à effectuer des mouvements. Ces résultats étonnants étaient dus aux premiers traitements par les corticoïdes — en ce temps-là, on parlait du «compound E» [alors peu étudié; c'est la 17 hydroxy-11 déhydrocorticostérone ou cortisone]. Cette substance avait été fournie au clinicien Hench par le chimiste Kendall [sa synthèse, partielle, avait été réalisée en 1944 par un chimiste de Merck, âgé de vingt-sept ans: Lewis H. Sarett].

Ces observations allaient à l'encontre absolu de ce que Selye avait jusqu'alors dit et écrit, depuis des années, dans ses ouvrages et articles, à savoir que les hormones surrénales — et pour lui, les hormones surrénales, c'étaient les minéralocorticoïdes, dont le type, alors utilisé par lui, est une molécule, la désoxycorticostérone, qu'il appelait DCA (Desoxy Corticosterone Acetate) — produisaient des lésions d'arthrite. Quand Selye a appris les résultats de Hench, nous ne l'avons plus vu pendant trente jours. Il s'est enfermé dans son bureau et dans sa bibliothèque, et il a complètement refait son ouvrage, après avoir, ont dit les bibliothécaires, brûlé et détruit tout ce qu'il avait rédigé. De son nouveau volume, écrit dans un temps record, il ressortait qu'il avait toujours dit effectivement que, quand les hormones dites glucocorticoïdes seraient disponibles, elles guériraient les lésions rhumatismales, et qu'en fait il fallait maintenant parler de la balance, de l'équilibre entre les minéralocorticoïdes et les glucocorticoïdes. Je crois que sur le plan émotionnel, ça a été un coup effroyablement dur pour lui. C'est à partir de ce moment-là qu'il s'est mis, à mon avis, à dérailler intellectuellement, à continuer d'utiliser une façon de penser complètement dépassée. (Roger Guillemin.)

D'autres chercheurs vont dans le même sens:

J'ai le sentiment (ce n'est pas un jugement) qu'au début de son travail sur le stress et le SGA, il n'a pas clairement distingué entre les minéralo et les glucocorticoïdes — même s'il a grandement contribué à faire reconnaître cette différence. (Frank C. MacIntosh.)

J'ai bien l'impression que Selye, qui n'avait pas soupçonné le rôle de la cortisone, a compris qu'il avait manqué le bateau. (Paul Dumas.)

Mais pas tous:

Hench et Kendall n'ont jamais parlé que de l'aspect anti-inflammatoire des stéroïdes, parce que cliniquement, c'est le plus important. Mais le mécanisme d'action des stéroïdes fait qu'ils sont égaux en importance: c'est une balance. Et cela a été établi par le Dr Selye en 1941-1942 — huit ans avant que Hench ait touché à sa première patiente. (Sandor Szabo.)

Sur ce même sujet, Selye publiera sous forme d'addendum à *Stress* et avec la collaboration d'Alexander Horava, le premier *Annual Report on Stress*, en 1951 (la série prendra fin avec le quatrième volume, 1955-1956, écrit avec Gunnar Heuser). En 1952 paraîtra *The Story of the Adaptation Syndrome*, et en 1956, *The Stress of Life*, premier ouvrage destiné au grand public. *Le livre a été beaucoup discuté. Il a eu une histoire extraordinaire: il est resté sur le marché exactement vingt ans et je ne pouvais pas empêcher la maison d'édition McGraw-Hill de le rééditer parce que, par contrat, il pouvait être édité à 2500 copies par année.* Il sera traduit en douze langues, dont le braille.

Le stress étant devenu en quelque sorte sa marque de commerce, Selye va publier abondamment sous ce label, surtout à l'intention du public. Ces ouvrages connaîtront le succès et seront traduits en plusieurs langues: *Stress without Distress* en 1974, *Stress, Health and Disease* en 1976 (dont il dira: [...] *comme c'est plutôt technique, il n'y a pas de raison valable de le faire traduire dans une autre langue. Les gens intéressés parlent tous l'anglais*), *The Stress of My Life* (en sous-titre, «Mémoires d'un homme de science») qui connaîtra une édition canadienne en 1977 puis, avec des différences notables, une édition américaine en 1979, et qui n'a pas grand-chose à voir avec *Le stress de ma vie* publié au Québec en 1976; enfin *Cancer, Stress and Death* en 1979 et *Selye's Guide to Stress Research* dont le premier volume paraîtra en 1980 et les deux autres, en 1983, donc après sa mort. Il constatera en 1976: *Dans ma vie, je n'aurai fait qu'une seule chose. J'ai écrit 33 livres sur le même sujet, et aussi longtemps que je vivrai, [...] je m'occuperai du STRESS. Le stress, c'est ma cathédrale à moi!*

Maladies pluricausales et autres recherches

Nous sommes tous exposés à des germes infectieux (virus grippaux, bacille de Koch) mais n'attrapons pas tous pour autant la grippe ou la tuberculose. Un dérèglement hormonal ne se manifestera pas de la même façon chez tel ou tel. Bref, entre en jeu une susceptibilité individuelle — ce qu'on évoque sous le nom de terrain, de prédisposition, de conditions de milieu. Nos réactions aux agressions dépendent de *facteurs conditionnants* soit internes (*hérédité, expériences antérieures ayant laissé des souvenirs tissulaires),* soit externes (*climat, alimentation*) — et *le stress lui-même peut jouer un rôle de facteur conditionnant par rapport aux hormones d'adaptation sécrétées pendant son action* (schéma 6). Ainsi, *[t]rès peu de maladies sont*

SCHÉMA 6.

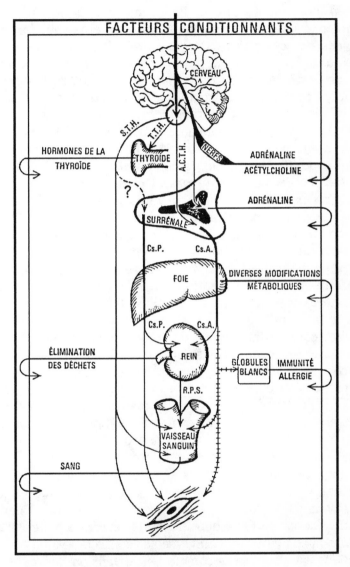

Cs.A.:   corticoïdes anti-inflammatoires.
Cs.P.:   corticoïdes proinflammatoires.

Tiré de *Le stress de la vie*, p. 156.

en fait monocausales, dans le sens que leur production est la conséquence nécessaire et inévitable de l'action d'un seul pathogène. La plupart sont *pluricausales,* elles *sont les conséquences de «conditions pathogènes».* Exemples: *les ulcères peptiques, l'involution accidentelle du thymus, de nombreuses sortes de maladies du collagène, la néphrosclérose, les maladies thrombohémorragiques, la dermatite atopique, certaines névroses et d'autres maladies.* Pour analyser en laboratoire ces manifestations cliniques, plusieurs modèles expérimentaux ont été mis au point à l'Institut. *Ils ont en commun le fait d'être produits par plusieurs combinaisons d'au moins deux agents, inactifs par eux-mêmes et essentiellement différents: 1) les «sensibilisateurs» qui produisent une prédisposition cachée pour une certaine forme de réaction (p. ex., l'inflammation, la nécrose, la calcification, la thrombose ou l'hémorragie); 2) «les provocateurs» qui démasquent cette prédisposition en permettant à la maladie de se manifester, et qui déterminent ainsi sa localisation.* Ils sont, bien sûr, d'autant plus intéressants que les facteurs qu'ils utilisent jouent un rôle en clinique humaine.

Les cardiopathies représentent le premier grand groupe de maladies expérimentales ainsi étudiées. Il semble exister une relation complexe entre les électrolytes, les stéroïdes et le stress, et la compréhension de cette relation est fondamentale pour la prévention des maladies cardiovasculaires. En injectant à des animaux préalablement sensibilisés par une néphrectomie unilatérale de fortes doses d'hormones minéralocorticoïdes (DCA) — dont on sait qu'elles augmentent la réabsorption du sodium et l'excrétion du potassium par les reins — et de sels de sodium (chlorure de sodium ou sel ordinaire), on provoque la formation d'abondants dépôts de substance hyaline dans le myocarde et dans les artères coronaires. On a donc induit une cardiopathie-électrolyte-stéroïde avec hyalinose (CESH), laquelle s'accompagne de manifestations extracardiaques comme *l'hypertension, la néphrosclérose maligne (polyurie, perte de potassium et rétention du sodium) ainsi que la périartérite noueuse* (grandes artères du rein, du cerveau et du mésentère).

D'autres combinaisons, plus complexes, peuvent entraîner une cardiopathie caractérisée par *des nécroses infarctoïdes importantes [...] en l'absence complète d'occlusions coronaires.* Seuls certains sels de sodium ont la propriété de sensibiliser l'organisme à l'induction d'une cardiopathie-électrolyte-stéroïde avec nécrose (CESN). Quant aux stéroïdes utilisés, il leur faut avoir des caractéristiques *à la fois gluco- et minéralocorticoïdes* (ainsi, le fluorocortisol). Doit s'y ajouter encore l'action soit du stress, soit d'une absorption excessive de lipides. La survenue de ces cardiopathies nécrosantes peut être empêchée par l'administration orale de certains électrolytes, comme le chlorure de magnésium ou celui de potassium. En effet, la possibilité d'obtenir une nécrose du muscle cardiaque sans l'occlusion préalable des coronaires indique que l'infarcissement pourrait bien être la cause, et non la conséquence, de la thrombose —, ce que vérifie la clinique humaine. Il est donc permis de miser sur une éventuelle prophylaxie des accidents cardiaques par le potassium.

Enfin, en associant certains stéroïdes (fluorocortisol) et des sels (chlorure ou acétate) de calcium, on peut induire *une cardiopathie caractérisée principalement par une calcification du myocarde et des artères coronaires* (CESC). Les lésions se produiront d'autant plus aisément que l'organisme aura été sensibilisé à ce traitement par des agents stressants. Sont très proches de ce type des affections cardiaques observées en clinique humaine et *produites par les dérivés de la vitamine D, l'hormone parathyroïdienne, la néphrectomie, la perte chronique de liquide gastrique ou de salive, et aussi celles produites par certains sulfamides et antibiotiques.*

Toutes ces observations sur les cardiopathies expérimentales feront l'objet de deux monographies: *The Chemical Prevention of Cardiac Necroses* (1958) et *The Pluricausal Cardiopathies* (1961). Puis, près de dix ans plus tard, Selye publiera *Experimental Cardiovascular Diseases* (1970).

Lorsque j'étais là [octobre 1968-juin 1969], c'était la période des nécroses cardiaques. On utilisait une substance, l'amyloride, pour les prévenir. Ça n'a pas duré longtemps, il a sauté à autre chose. (Martin Lis.)

Le Dr Marc Cantin, spécialiste reconnu des hormones cardiaques, a travaillé jusqu'au dernier moment à l'Institut de recherches cliniques de Montréal (il est décédé en juin 1990):

> Selye avait développé un modèle de nécrose cardiaque. C'étaient des nécroses focales, qui ne ressemblent pas du tout à celles qu'on retrouve chez l'homme dans l'infarctus du myocarde. Mais il s'y intéressait beaucoup, il a longtemps travaillé à trouver des façons de les prévenir.

Sous l'étiquette de *calcification expérimentale des tissus mous*, Selye entend un deuxième ensemble de conditions expérimentales qui regroupe la calciphylaxie, la calcergie et le syndrome de la progérie. On parle de calcification chaque fois que, sous l'influence de conditions anormales ou du vieillissement, le calcium fixé dans les os (quatre-vingt-dix-neuf pour cent du calcium de l'organisme) émigre, accompagné du phosphore, vers les tissus mous. Son métabolisme est sous l'influence des parathyroïdes et de la vitamine D (antirachitique). Or les dérivés de cette dernière sont chimiquement proches des stéroïdes, notamment celui qui a pour nom dihydrotachystérol. Ce DHT pourrait-il, à l'instar des corticoïdes, sensibiliser le cœur à l'apparition d'un foyer nécrotique?

La réponse sera non. *Toutefois, un jour, au cours de notre ronde journalière dans l'Institut, un de mes assistants attir[e] l'attention sur le fait que beaucoup de rats traités au DHT présentaient une dermatose squameuse.* Selye arrache une touffe de poils pour mieux voir la peau. Le lendemain, la zone ainsi dénudée a blanchi et s'est indurée. L'examen histologique confirme une calcification massive, induite par le léger traumatisme subi et probablement rendue possible par le prétraitement au DHT. Ainsi s'élaborera le modèle expérimental de la calciphylaxie, qui combinera la surrénalectomie, le cortisol (anti-inflammatoire), la désoxycorticostérone (proinflammatoire), le DHT, le dextrane ferrique (qui provoque la calciphylaxie) et la polymyxine (qui décharge des mastocytes). Repensant à ses premières expériences, lorsqu'il était étudiant à Prague, et voulant *illustrer les techniques employées dans la systématisation des données scientifiques*, Selye analysera les quatorze étapes (1927-1962) du processus de conceptualisation de ce *mécanisme biologique par lequel l'organisme peut diriger sélectivement de grandes quantités de calcium et de phosphate vers certaines régions* — à savoir la calciphylaxie (l'anacalciphylaxie étant, à l'inverse, le mécanisme par lequel *l'organisme prévient la calcification de certains organes*).

À un moment donné [vers 1960], alors qu'on travaillait sur les CESN, il a fallu utiliser des produits qui augmentaient le calcium dans le sang des animaux. Et ces animaux, lorsqu'ils subissaient un traumatisme — qu'ils se frottaient contre leur cage ou que, pour une raison ou pour une autre, on leur enlevait des poils pour faire une injection — développaient des calcifications locales. Alors, moi qui avais commencé mon apprentissage en recherche avec les cardiopathies expérimentales, je me suis vu très tôt attribuer le sujet de ce qui ne s'appelait pas encore la calciphylaxie mais la calcification pathologique. Et la première réflexion que je me suis faite, c'est: il n'y a rien d'étonnant à ce que, si on augmente le calcium dans le sang de ces animaux, à un moment donné il y ait précipitation de ce calcium — que ce soit aux poumons, aux reins ou ailleurs. Ce qu'il faut aller voir, c'est ce qui se passe dans le sang, concernant la calcémie et la phosphatémie. Il y a des données classiques là-dessus, sur la physiologie de la parathyroïde. (Pierre Jean.)

J'étais là [1958-1963] quand Selye a fait les premières observations sur la calciphylaxie, et je ne me rappelle pas qu'il ait jamais mentionné qu'il y avait un lien avec ce qu'il avait fait auparavant. Il considérait cela comme quelque chose de tout à fait nouveau. Ce qu'il mentionne dans ses livres, c'est une reconstruction secondaire. Vous voyez — malheureusement je le sais en anglais mais je suis sûr que Napoléon, lui, le disait en français: «History is a fable agreed upon.» (Plinio Prioreschi.)

Parce qu'elle occulte les idées et les intuitions, les tâtonnements et les décisions qui ont fait route avec la recherche, la reconstruction narrative lisse le parcours rocailleux de la découverte. Elle est l'étape obligée de l'abstraction. N'appartient-il pas justement à la réflexion soutenue de jeter des ponts entre des îlots dispersés, de tisser des liens entre des phénomènes épars? Mais cette élaboration qui devient Histoire risque, en retour, par l'accumulation d'incontournables distorsions, de fausser la perspective. La biographie scientifique doit trouver son équilibre entre Histoire et histoire. Le philosophe des sciences, lui, pourra plus aisément choisir d'étudier soit la genèse de la découverte, soit sa justification — justification pouvant s'entendre, on le voit, au sens du logicien tout autant que de l'imprimeur.

Le Dr Selye, dans un mouvement d'impatience, peut-être parce que quelqu'un s'était trompé dans son expérimentation, avait injecté à un rat presque toute la dose [de DHT] sous la peau. À la question «Qu'est-ce qu'on fait de ce rat-là?», il n'avait pas répondu, alors, plutôt que de le jeter à la poubelle, on l'avait mis dans une cage. Et c'est comme ça qu'un matin, on s'est aperçu que ce rat commençait à sortir de sa peau, à muer. (René Veilleux.)

Associé à un provocateur comme le blanc d'œuf, le DHT entraîne en effet, vers le vingt-quatrième jour de l'expérience, une mue cutanée: le rat se glisse hors de son ancienne peau et en revêt une nouvelle. La calciphylaxie, *observée d'abord chez le rat,* a pu être reproduite *chez plusieurs espèces animales, même chez un primate (Macacus rhesus).*

Ce phénomène de la calciphylaxie, c'était un peu un mélange des phénomènes connus en clinique sous le nom de calcification dystrophique ou de calcification métastatique. (Charles Solymoss.)

Dérivé des travaux sur la calciphylaxie, le concept de calcergie désigne une *calcification immédiate au site d'administration parentérale,* qui ne *nécessite pas de sensibilisation spéciale.* Les agents calcergènes sont surtout de nature inorganique (chlorure de zinc, permanganate de potasse, sels de plomb).

Enfin, sous certaines conditions expérimentales, le DHT *produit une artériosclérose généralisée de type Mönckeberg* avec *perte de poids corporel, atrophie du foie, des reins, de l'appareil thymo-lymphatique, des tissus adipeux et conjonctif, et perte de l'élasticité de la peau avec une forte tendance vers la formation de rides.* La longévité est réduite. Selye donne à l'ensemble, évocateur des phénomènes de vieillissement, le nom de *syndrome de la progérie.*

Ces travaux sont, comme toujours dans le cas de Selye, suivis de près par les journalistes. En 1961, la calciphylaxie fait ses débuts sur la scène médiatique et l'occupera pendant plusieurs années, forte des intarissables espoirs de fontaine de jouvence qu'elle suscite auprès du grand public. En 1962, Selye publie *Calciphylaxis.*

C'est en essayant, mais en vain, de provoquer une calcergie à l'aide d'injections intraveineuses de sels de certains métaux que fut observé un tableau de thromboses et d'hémorragies à l'endroit de l'application du provocateur (déchargeurs de mastocytes, adrénaline, *vasopressine ou agents stressants locaux comme le froid ou l'ischémie).* Ce troisième ensemble, appelé PTH (phénomène thrombohémorragique), est un *modèle typique de maladie pluricausale produite par un sensibilisateur et un provocateur.* Selye en rendra compte dans son ouvrage *Thrombohemorrhagic Phenomena,* qui sortira en 1966.

Rétrospectivement, je vois clairement que ce que Selye produisait ainsi, c'est ce que nous appelons aujourd'hui la coagulation intravasculaire disséminée. On connaissait à l'époque, en clinique, ces cas de thromboses des petits vaisseaux allant de pair avec une tendance hémorragique. Les expériences de Selye permettent de comprendre pourquoi on voyait à la fois des thromboses et des hémorragies. Mais il n'avait pas fait le lien exact avec cette maladie. (Charles Solymoss.)

Un quatrième et dernier modèle d'expérimentation dans le cadre des maladies pluricausales a pour nom la nécrose conditionnée aiguë (NCA) et repose sur le même mécanisme. Des lésions nécrotiques peuvent être produites à l'aide de solutions hypertoniques sucrées ou salées, de déchargeurs de mastocytes (blanc d'œuf, polymyxine) ou de produits des mastocytes.

C'était un modèle de nécrose qui différait un peu de la nécrose classique. Le Dr Selye était le père de l'idée qui m'avait guidé — il l'avait eue sans savoir à quoi ça mènerait. Quand on l'a découvert, c'était inattendu. J'avais la charge de l'expérimentation, il m'arrivait de partir vers deux ou trois heures du matin, alors je n'étais pas censé être là quand lui arrivait, tôt le matin. J'étais quand même resté ce jour-là, et quand il est arrivé, vers les six heures trente, il m'a dit: «J'ai une surprise pour vous.» On s'était tous les deux rendu compte du phénomène.

On avait pensé que, en l'élaborant, ce modèle pourrait changer notre conception de la nécrose en général. Mais on n'y est pas arrivé. (Pavel Rohan.)

La NCA est une de ces découvertes accidentelles dont Selye est fier, car elle témoigne de son sens aigu de l'observation et de ses capacités de penser. Il admire en Pasteur le *don extraordinaire pour remarquer l'inattendu* et tout comme lui est convaincu que *nous avons tendance à ne voir que ce que nous sommes préparés à voir*. (Pasteur: «Dans les champs de l'observation, le hasard ne favorise que les esprits préparés», ce que Canguilhem formulera ainsi: «[...] si tout en un sens arrive au hasard, c'est-à-dire sans préméditation, rien n'arrive par hasard, c'est-à-dire gratuitement.»)

Tous ces travaux confirment donc bien l'hypothèse première selon laquelle *la possibilité d'une origine pluricausale doit être considérée dans tous les cas de maladies «idiopathiques»*. C'est la combinaison d'un ensemble de facteurs conditionnants, et non l'action d'un seul agent pathogène, qui rend compte des manifestations observées.

Des domaines mineurs de recherche ont été également explorés, des techniques ont été mises au point — en ne perdant pas de vue qu'*il faut rechercher des techniques qui s'appliquent aux problèmes et non des problèmes qui s'appliquent aux techniques*. Selye s'est intéressé plus particulièrement à l'inflammation. L'œdème anaphylactoïde (OA), décrit pour la première fois en 1937, est *une inflammation séreuse aiguë produite chez le rat et toujours localisée aux pattes, au museau, aux oreilles et à la région génitale, même lorsque l'agent déclenchant est injecté par voie intraveineuse ou intrapéritonéale.* Cette inflammation rappelant *les réactions tissulaires anaphylactiques ou angioneurotiques, elle a été nommée «réaction anaphylactoïde».* Le fait que les substances agissantes soient les mêmes dans l'OA que dans le cas des maladies pluricausales prouve leur parenté avec ces dernières. *Anaphylactoid Edema,* paru en 1968, rassemblera toutes ces observations.

Le Dr Selye m'avait dit: «Vous allez travailler sur l'éclampsie» — c'est le patron qui impose le sujet. L'éclampsie, c'est une maladie qu'il jugeait d'adaptation. Elle était plus fréquente à l'époque [1951] que maintenant. Elle survenait chez les femmes enceintes et se manifestait par des convulsions. Les raisons en étaient ignorées, mais il y avait sûrement un désordre endocrinien en cause. Comme toujours en médecine expérimentale, nous cherchions à refaire le parcours de la maladie, et c'est par cela que j'ai commencé. Finalement, je me suis davantage intéressé à un aspect de cette maladie qui était un œdème généralisé: l'œdème anaphylactoïde, et peu à peu, à l'inflammation en raison de toutes ces hormones qu'on venait de découvrir, dont certaines, comme il disait, étaient prophlogistiques, augmentant l'inflammation, et d'autres antiphlogistiques, la diminuant. Et de fil en aiguille, j'ai travaillé sur l'arthrite. (Gaétan Jasmin.)

Un grand pas en avant fut accompli lorsque le docteur Gaétan Jasmin découvrit — pendant qu'il préparait son doctorat à notre Institut en 1955 — un type plus naturel d'arthrite multiple expérimentale. Le 7 mars 1956, l'Institut fêtera ses dix ans d'existence; le public sera pour l'occasion invité à venir visiter les locaux et à assister à la soutenance de thèse du Dr Jasmin: «Étude de l'inflammation anaphylactoïde» — le dix-septième doctorat accordé par l'IMCE depuis sa fondation.

Le travail sur la réaction anaphylactoïde, c'est arrivé par hasard, comme beaucoup de ces choses-là: les mouvements du calcium dans la circulation, les dépôts de calcium sur les divers organes, les mouvements des autres minéraux. Et tout ceci, en rapport assez étroit avec une cellule bien connue qui est le mastocyte — pour lequel j'ai toujours gardé un intérêt. (René Veilleux.)

Les mastocytes (découverts par Paul Ehrlich) sont des *cellules productrices d'hormones distribuées irrégulièrement dans le tissu conjonctif. Elles contiennent des granules qui semblent pouvoir se lier à certaines substances comme le calcium.* En 1965, paraîtra *The Mast Cells.* Un communiqué de presse du Service des relations extérieures de l'Université de Montréal signalera que le Dr Selye «a mérité dans la section anglaise, œuvres d'imagination, le deuxième prix pour *Mast Cells*». Mystère des prix littéraires ou des attachés de presse! Selon Mme Yvette Taché, qui a fait à l'IMCE un doctorat en sciences et travaille aujourd'hui à Los Angeles (où elle dirige le Brain-Gut Laboratory de l'hôpital des Vétérans), cet ouvrage sur les mastocytes est toujours utilisé.

La podite à la formaline [formol] est une inflammation aiguë de la patte produite par l'injection intrapédale de formaldéhyde dilué. Alors que l'OA est facilement empêché par les antihistaminiques ou les antisérotonines, la podite, elle, leur résiste et peut aboutir à la nécrose. *Des rapports souvent contradictoires rapportés dans les publications montrent que les auteurs n'ont pas toujours compris* ces différences.

Une troisième technique, que Selye affectionne particulièrement, est celle dite de la poche granulomateuse, dérivée des travaux sur le stress et les hormones du stress. Il était occupé à injecter de l'air dans la cavité thoracique de rats *dans l'intention de mesurer, comme indication du stress, la réaction de leurs surrénales* lorsque, raconte-t-il, une délégation de médecins brésiliens fit son entrée. Il se retourne pour les accueillir, mais son geste fait dévier l'aiguille et l'air se répand sous le tissu conjonctif. L'idée lui vient alors *d'utiliser l'air comme corps étranger [...] afin de transformer l'intérieur du tissu conjonctif en barrière inflammatoire.*

À un moment donné, plutôt que d'insuffler de l'air pour faire une bulle, il a eu l'idée de mettre en place une structure rigide, capable de maintenir le vide créé, parce que l'air finissait toujours par être résorbé, et la poche, la cavité, par disparaître. Alors Selye a imaginé de placer sous la peau de l'animal un tube de verre ouvert aux deux extrémités. Après quelque temps, il se formait un exsudat — une fibrine qui servait de support à une prolifération cellulaire nouvelle, qui faisait que les deux extrémités (les deux orifices du tube) étaient reliées l'une à l'autre par une corde de tissu néoformé. Il a pensé que ce serait là un excellent moyen de créer des tissus. J'ai été associé à ces expériences-là. (Pierre Jean.)

Selye m'a proposé de travailler sur l'inflammation, en utilisant une technique qu'il venait tout juste de développer et qui s'appelle la poche granulomateuse. C'est une technique extrêmement ingénieuse, tout à fait typique de Selye, qui a toujours voulu utiliser des méthodes simples avec des résultats faciles à voir et quantitatifs. J'en ai fait ma thèse de sciences, après mes études médicales [«Influence des facteurs locaux dans l'inflammation», 1957]. (André Robert.)

Ce test de la poche granulomateuse a fait ses preuves dans l'étude du stress et de l'inflammation, et pour des travaux sur la prolifération de tissus néoformés. Le Dr Claude-Lise Richer travaille aujourd'hui à l'Université de Montréal, en cytogénétique du cancer:

Je suis allée travailler chez le Dr Selye tout de suite après avoir fini mes études de médecine, en 1954. J'aurais sans doute préféré travailler sur les hormones du stress mais à ce moment-là, c'était sur le cancer que le Dr Selye voulait voir travailler la nouvelle venue au laboratoire. On disposait de la poche granulomateuse, qui se trouvait être un milieu de culture in vivo des cellules cancéreuses. C'était un instrument qui permettait d'étudier l'effet des hormones du stress (la cortisone et son groupe, surtout) sur le cancer. Nous avons pu montrer qu'elles diminuaient le volume des tumeurs mais aussi réduisaient les phénomènes de protection isolant la tumeur. Donc, finalement, ce n'était pas bénéfique pour l'individu comme tel parce qu'il était plus facilement envahi à partir du moment où on empêchait l'inflammation, qui était le mécanisme de défense de l'organisme.

Ce modèle a aussi servi en biochimie pour l'étude de l'inflammation, et même dans l'industrie pharmaceutique pour tester certains médicaments.

Lorsqu'il travaillait (à McGill) en 1941 sur la progesté-rone, hormone sexuelle tout juste synthétisée, Selye étudiait les modifications qu'elle entraîne sur les organes sexuels. Au bout de quelques semaines, il confia la tâche d'injecter le produit à une technicienne, nouvelle venue au laboratoire; le lendemain, tous les animaux étaient morts. Une deuxième fois: même résultat. Selye lui demanda de procéder en sa présence et constata qu'elle employait la voie intrapéritonéale, et non la voie sous-cutanée. En utilisant le même mode d'introduction mais avec des doses moindres, il observa que les rats s'endor-maient mais se réveillaient deux heures après. Hésitant entre le diagnostic d'anesthésie, de paralysie ou de choc, il avait télé-phoné au Dr Penfield, directeur et fondateur du Montreal Neurological Institute, et demandé à le consulter — ce que Penfield accepta très volontiers et sur-le-champ. Le réputé neurologue confirma au jeune chercheur qu'il s'agissait bien d'anesthésie. Selye venait de découvrir, accidentellement encore, le phénomène de l'anesthésie hormonale. Certains auteurs contestèrent la chose, alléguant que l'immobilité cons-tatée était due au choc. Il reste que, chez l'humain aussi, les stéroïdes peuvent induire l'endormissement. On a pu utiliser avec succès l'hydroxydione, un dérivé de la progestérone, dans certains types d'interventions chirurgicales. En 1955, deux Américains, les Drs Gilbert S. Gordon et Franck J. Murphy, de l'Université de Californie à San Francisco, présenteront un nouvel anesthésique, le viadril, utilisé par eux avec succès. Ce stéroïde, dépourvu de toute activité hormonale, possède sur les autres anesthésiques l'avantage d'une plus grande marge de sécurité, de réactions secondaires moindres et d'un réveil plus facile.

L'idée des stéroïdes anesthésiques a été reprise ulté-
rieurement, des compagnies pharmaceutiques ont travaillé
là-dessus, et on a pu mettre au point des anesthésiques utilisés en clinique gynécologique, enfin dans certains cas. C'est
intéressant mais mineur, bien sûr. En fait, ce n'est pas une
idée, mais une observation de résultats tout à fait inattendus,
que Selye a essayé d'expliquer et qu'il a faite grâce à ce qu'il
appelait sa vision périphérique. (Yvette Taché.)

Après les recherches sur l'inflammation et sur l'anesthésie
stéroïde, citons rapidement celles sur le réflexe neuro-hormonal
de la lactation (la stimulation des mamelles par la tétée non seulement entretient la lactation mais supprime le cycle menstruel,
créant un état de pseudo-gestation), la création de kystes parathy-
roïdiens (autorisant à penser que les kystes observés en clinique
humaine, contrairement à ce que l'on s'accorde de dire, ne sont
pas tous congénitaux), l'implantation de corps étrangers pour
l'induction locale d'excroissances, de métastases et de tumeurs
malignes, et le lathyrisme:

Le lathyrisme est une forme d'empoisonnement par
des éléments toxiques présents dans les graines de fèves qui
atteint les habitants des pays méditerranéens. C'était une
recherche tout ce qu'il y a de plus simple. J'ai oublié les
détails, mais chose sûre, les effets observés convergeaient
avec d'autres constatations scientifiques, et je ne sais pas si
aujourd'hui les gens qui travaillent dans le domaine sont ou
non vraiment conscients de leur dette à l'endroit de Selye.
(Frank C. MacIntosh.)

Cette affection était déjà connue des anciens Grecs. C'est en
1873, nous dit l'historien de la médecine Mirko D. Grmek, qu'un
médecin napolitain, Arnoldo Cantani, «nomma [lathyrisme]
l'intoxication provoquée par les gesses» — soit gesse blanche
(*Lathyrus sativus*), soit gesse chiche ou jarosse (*L. cicera*). Le
lathyrisme (différent du favisme qui, également lié à la consommation de fèves, relève toutefois d'une idiosyncrasie) se manifeste
essentiellement, dans ses formes les plus sévères, par une para-
plégie spasmodique très accentuée[23].

De nouvelles techniques chirurgicales ont été développées et mises au point dans les laboratoires de Selye: hypophysectomie, chirurgie cardiaque, ou encore celle dite du rein endocrine. Les minéralocorticoïdes produisant, en même temps que la hyalinose, une néphrosclérose hypertensive, la question se posait de savoir ce qui, de l'hypertension ou de la néphrosclérose, apparaissait en premier. On savait depuis Goldblatt qu'une diminution de la pression sanguine dans les reins provoquait une hypertension (Henry Goldblatt, physiologiste américain, s'était en 1934 rendu fameux par ses expériences d'obstruction de la circulation sanguine dans l'artère rénale par le moyen d'un clamp; il opérait sur les chiens). Pour des raisons techniques et théoriques, Selye éprouve le besoin de perfectionner la technique de Goldblatt.

Le Dr Selye arrivait à produire chez les rats une hypertension rénale en faisant des constrictions de l'artère rénale. Ce n'est pas facile à faire chez un petit animal. Et pour pouvoir répéter l'intervention de façon standard, c'est-à-dire permettre au rein de recevoir assez de sang pour se nourrir tout en gardant une pression sanguine générale assez basse pour qu'il ne se forme pas d'urine, il utilisait comme fil le mandrin d'une aiguille hypodermique très fine — de diamètre je dirais zéro ou double zéro — qu'il plaçait le long du vaisseau; il passait un fil de nylon autour des deux en faisant un nœud très serré, puis enlevait l'aiguille, ce qui laissait une petite ouverture très bien étalonnée d'après l'épaisseur du mandrin. Il réussissait à faire exactement ce qu'il cherchait: un rein qui n'en était plus un au sens d'un organe formateur d'urine — qui était une glande, produisant des phénomènes que nous savons maintenant être en rapport avec la sécrétion de rénine.

Je pense qu'il était le seul chercheur à pouvoir produire cette forme d'hypertension rénale chez le rat. Seuls les étudiants gradués qui sont passés par son Institut ont pu reprendre cette technique pour l'utiliser à leurs propres fins. J'ai travaillé par la suite trois ans au Centre de recherche de Cleveland, sous la direction de M. Page [Irvine Heinly Page, connu pour ses travaux sur les mécanismes de l'hypertension et de l'artériosclérose, et pour avoir isolé la sérotonine] et même lui n'utilisait pas cette technique; il employait toujours des animaux de la taille d'un chien, jamais de rats. (Kenneth Savard.)

C'est que Page avait travaillé avec Goldblatt. (Roger Guillemin.)

Selye était donc arrivé à établir qu'*un rein qui ne sécrète pas d'urine peut encore induire de l'hypertension et de l'hyalinose*. Celles-ci ne pouvaient être reproduites par la néphrectomie bilatérale ou l'énervation rénale, seul *un principe chimique d'origine rénale* pouvait être en cause. La technique s'est révélée très utile pour l'exploration fonctionnelle et histologique de la fonction rénale endocrine.

Derniers étudiés: les stéroïdes catatoxiques.

Lors de mon deuxième stage à l'Institut [1968-1971], Selye étudiait les effets des stéroïdes sur le métabolisme de différents médicaments. J'ai été témoin de l'évolution de ce sujet. Il a commencé par observer qu'avec un glucoside cardiaque, la digitoxine, on provoquait chez le rat des convulsions fatales, mais que si l'animal était prétraité par la spironolactone (un médicament qui, lui aussi, agit sur le système cardiovasculaire), on pouvait donner des doses absolument incroyables sans provoquer de convulsions. Comme il avait cette capacité que j'ai pu admirer chez lui de suivre pendant des années, très sérieusement et très étroitement, une ligne commencée, mais aussi d'emprunter sur-le-champ des petites déviations et, par conséquent, d'élargir le sujet, de le rendre beaucoup plus général et beaucoup plus intéressant, il s'est alors demandé si le traitement par la spironolactone ne pourrait pas empêcher d'autres intoxications fatales. Il a trouvé que, effectivement, de nombreux stéroïdes peuvent accroître la résistance, et que leur effet protecteur est indépendant des autres propriétés hormonales. Il les a appelés les stéroïdes catatoxiques.
Kovacs [Dr Kalman Kovacs, à l'Institut de 1968 à 1971] a alors suggéré qu'il s'agissait peut-être d'une induction enzymatique. C'était connu à l'époque. L'organisme

défend son milieu intérieur, et si nous introduisons des substances étrangères, il essaye de les éliminer pour ne pas déranger les fonctions ultimes de ses cellules. Il y avait déjà quelques publications montrant que des substances comme le phénobarbital peuvent provoquer l'induction des enzymes qui, au niveau du foie, sont impliquées dans la dégradation métabolique des médicaments et autres produits étrangers. Kovacs a donc examiné au microscope électronique l'ultrastructure des hépatocytes et il a trouvé en effet des modifications morphologiques semblables à celles observées dans l'induction enzymatique. Et moi, étant donné que j'étais responsable du laboratoire de biochimie, j'ai procédé à l'ultracentrifugation des homogénats cellulaires et isolé la fraction directement protoplasmique d'une part, celle des lysosomes des hépatocytes d'autre part. Et dans cette fraction, nous avons bientôt réussi à démontrer qu'il y avait une activité enzymatique et que cette dernière était très considérablement augmentée quand on administrait de la spironolactone et d'autres stéroïdes catatoxiques utilisés par le Dr Selye.

Tout le monde était fasciné par ces observations. Beaucoup de personnes sont venues sur place, dont le Dr Axelrod, qui a eu le prix Nobel peu après [Julius Axelrod, biochimiste américain, a reçu le prix Nobel de physiologie et médecine en 1970 pour ses travaux sur la transmission de l'influx nerveux, conjointement avec Ulf von Euler, biologiste suédois, et Bernard Katz, biophysicien d'origine allemande, pour leurs recherches sur le rôle de certains médiateurs chimiques dans le fonctionnement du système nerveux].

Le Dr Selye s'intéressait à l'application thérapeutique de ces observations, et un chercheur de McGill, aujourd'hui toujours actif dans le même domaine mais dont hélas j'ai oublié le nom, est venu nous voir. Il pouvait produire artificiellement des capsules de liposomes. On s'est dit qu'en mettant les enzymes à l'intérieur de ces capsules, on aiderait peut-être des patients à lutter contre une intoxication. Ce sujet a précipité des collaborations intéressantes avec d'autres départements de l'Université. Je crois que j'ai publié plus de vingt-cinq articles sur le sujet — et le Dr Plaa [Université de Montréal] mentionne qu'ils sont encore cités. (Charles Solymoss.)

Les travaux sur lesquels le Dr Selye m'a demandé [1970] de travailler étaient en rapport avec un nouveau sujet: les stéroïdes catatoxiques — une nomenclature qu'il avait créée et un sujet qu'il avait développé aussi de toutes pièces, comme souvent. Il voulait tester l'hypothèse que certains de ces stéroïdes catatoxiques pouvaient empêcher la poursuite de la gestation par le fait qu'ils augmentaient les enzymes impliqués dans le métabolisme des stéroïdes. Pendant la gestation, les taux de stéroïdes en circulation sont très élevés; si on augmentait les enzymes qui métabolisent les drogues influant sur les stéroïdes, les stéroïdes endogènes circulant seraient métabolisés plus rapidement, ce qui entraînerait l'arrêt de la gestation. J'ai commencé à travailler pendant un an sur ce sujet, et l'hypothèse n'a pas été vérifiée, pour des raisons X et Y; les animaux continuaient très bien leur gestation en étant traités avec ces substances. Et donc Selye a perdu un petit peu intérêt à ce sujet-là. (Yvette Taché.)

Le Dr Sandor Szabo a lui aussi travaillé dans ce domaine (de 1969 à 1973). Il en a tiré sa thèse de doctorat: «The Effect of ACTH, Corticoids and PCN on Drug Response and Disposition», soutenue en 1973.

On a fait bien des découvertes, à cette époque, dans le champ de la toxicologie des endocrines. Et en travaillant sur ces stéroïdes qui diminuent la toxicité d'autres agents, on a trouvé, comme par surprise, un agent chimique capable de détruire la surrénale: le proprionytrile, et un deuxième, un composé du propionitryle, qui induit un ulcère du duodénum chez le rat. Il faut souligner l'effet sur le duodénum parce que n'importe quel agent toxique peut provoquer une érosion dans l'estomac — mais seulement dans l'estomac. Or, chez l'homme, il y a au moins deux ou quatre fois plus d'ulcères duodénaux que d'ulcères gastriques — et il n'existait chez le rat aucun modèle d'ulcère duodénal que je puisse utiliser pour mes recherches sur la pathogénèse, sur les changements qui surviennent avant la découverte clinique de la lésion. Par la suite, avec le Dr Selye, on a trouvé un autre agent beaucoup plus rapide à produire un ulcère: la cystamine. On ne savait pas alors s'il y avait une corrélation entre tous ces agents. Le Dr Selye lui-même n'arrivait pas à trouver le lien.

Après son doctorat, Szabo a continué ses recherches. Travaillant depuis 1977 au Department of Pathology, Brigham and Women's Hospital, Harvard Medical School (Boston), il a bon espoir d'arriver à une thérapeutique basée non pas sur l'inhibition de la sécrétion d'acide gastrique mais sur l'action directe d'agents chimiques antiulcéreux.

On l'aura noté, c'est en anglais que Selye rédige ses ouvrages. Mary Mackay Prioreschi est entrée comme secrétaire du Dr Selye au printemps de 1960. Après les divers stages d'usage (bibliothèque, correspondance, service des achats, préparation des demandes de subventions), elle a rejoint Miss Roslyn Murray au secrétariat tout spécialement affecté au directeur.

Au début, je tapais pour le Dr Selye (parfois pour ses assistants), je préparais ses voyages, je faisais sa correspondance. Et puis, après un certain temps, j'ai travaillé pour un projet particulier du Dr Selye sur le Symbolic Shorthand System. J'avoue ne pas avoir saisi exactement les tenants et aboutissants de la chose. J'avais à classer toute une série de petits bouts de papier — je crois que c'est là-dessus que les annotateurs (ceux qui lisaient les revues pour le Dr Selye) mettaient leurs commentaires. Il voulait qu'on les classe dans des chemises. Et je ne sais pas pourquoi, ce projet est tombé, comme d'autres choses; il devait y avoir une publication en vue, et c'était considéré comme plus urgent. Alors on m'a mise là-dessus.

Lorsqu'il travaillait sur un livre, c'était prioritaire — à cause de l'échéance. J'ai préparé un ouvrage pour lui: *Calciphylaxis*, à la fin de mon séjour à l'Institut [1962]. La personne qui devait le faire ne s'entendait pas avec lui et était partie; il se retrouvait avec une échéance à respecter. J'ai pris le travail en marche, et j'ai repassé tout ce qu'il avait rédigé et effectué les changements que je jugeais nécessaires. On en discutait régulièrement. Je ne pense pas qu'il se soit offusqué de mes suggestions sauf lorsqu'il y avait des questions de style, de choses à changer pour que ça sonne comme de l'anglais parlé par quelqu'un dont c'est la langue maternelle. Il ne s'agissait pas de corriger des fautes — il connaissait très bien son anglais — mais de donner aux phrases une tournure qui les rende moins germaniques, moins lourdes — parce qu'il écrivait avec un accent, si je peux dire. Il comprenait ça mais en même temps, je pense, il réagissait à ce qu'il croyait, à tort ou à raison, être tant soit peu une critique. Mais nous avions une bonne relation de travail, j'ai beaucoup aimé ça. Il refusait souvent mes suggestions et ça ne m'ennuyait pas. Ce qui lui faisait vraiment plaisir, c'est quand j'arrivais à raccourcir son texte.

C'est en 1964, avec *From Dream to Discovery* (Du rêve à la découverte), que Selye rédige son autobiographie scientifique, [...] *document humain, [...] récit de ce qu'un certain homme de laboratoire a fait, du pourquoi et du comment il l'a fait,* comme il le dit dans la préface. Ce *testament scientifique* devrait être pris en compte par tous «ceux qui travaillent en science, et particulièrement ceux qui désirent devenir des scientifiques», écrit Theodosius Dobzhansky, un chercheur du Rockefeller Institute, bien connu comme auteur et professeur de génétique. Il se présente sous la forme de judicieux conseils aux débutants: pourquoi et comment faire de la recherche? Comment travailler? penser? lire? écrire? parler? *Le volume commence par une lettre à un successeur fictif* dénommé Jean *parce que Hans, en français, c'est Jean.* C'est aussi le nom de son second fils, alors âgé de treize ans, et de qui, comme de l'aîné, il attend beaucoup. Mais Jean Selye, non plus que ses frères et sa sœur, ne suivra pas les traces de son père. Ce dernier devra bientôt se résigner à voir ses enfants adopter *une vision complètement différente de la vie* et à se sentir davantage enclin à *comprendre parfaitement un biochimiste japonais dont [il] ne [connaît] pas la langue, et qu'[il] n'[a] jamais vu! [...] Car après tout, qui est mon frère? Celui qui m'est parent par le sang, même si nous n'avons rien d'autre en commun; ou celui qui m'est parent par l'esprit et envers qui le seul lien est la chaleur d'une mutuelle compréhension, et de communs idéaux?*

From Dream to Discovery s'inspire indiscutablement de l'autobiographie scientifique de Walter B. Cannon, *The Way of an Investigator*. Parlant de *la gloire qui accompagne le succès; [du] culte du héros et [du] désir d'imiter nos héros,* Selye écrit à propos de celui à qui il doit tant sur le plan de la recherche: *ces notes elles-mêmes portent le sceau de son esprit. J'ai l'impression d'être lié au docteur Cannon par des liens que je ne puis trancher. J'espère, s'il était encore vivant, qu'il ne s'en formaliserait pas.*

Douze ans plus tard, Selye écrira: *Je me sens, par nature, peu enclin aux confessions publiques, politiques, philosophiques ou religieuses, et encore moins à la description détaillée de ma vie publique. Cependant, à force de me faire harceler par les lecteurs, les visiteurs, les curieux et les journalistes, j'ai été contraint de me rendre à l'évidence. Aujourd'hui, le public ne se contente plus seulement de mieux connaître les découvertes scientifiques, il va plus loin en cherchant à découvrir l'homme derrière le savant.* Il procède alors à la rédaction en français de son autobiographie totale — qu'il n'écrira pas lui-même mais dictera au magnétophone; ce sera *Le stress de ma vie* (mis en forme par Marie-France Joly). Suivront les versions en anglais, beaucoup plus élaborées et structurées, sous le titre de *The Stress of My Life*, canadienne d'abord (1977), américaine ensuite (1979), cette dernière mise à jour et comprenant *des points très personnels qui n'avaient pas été traités dans la version originale* (Avertissement). C'est Ovid Da Silva qui, de 1970 à 1978, assurera la révision des ouvrages écrits en anglais.

Monographies, manuels, traités ou autres, il faut que les livres *nous apportent quelque chose de nouveau et qu'ils soient agréables à lire.* Il ne fait aucun doute que, scientifiques ou vulgarisateurs, ceux de Selye se lisent bien; le ton est alerte, les explications claires, l'intérêt soutenu. Leur nouveauté est peut-être plus contestable. Donnant des conseils à qui veut faire un livre, Selye recommande de rassembler la documentation (articles écrits par soi ou par d'autres) sous forme de courtes fiches qu'il suffira de réunir et d'agencer en fonction du type d'œuvre en vue. Ses livres se ressentent de cette composition en «patchwork»; on ne finit plus d'y relever les paragraphes empruntés mot pour mot à tels de ses ouvrages antérieurs ou qui seront repris dans d'autres subséquents.

Selye laissera à sa mort quarante volumes; ceux qui sont destinés à la communauté scientifique sont signés Hans Selye, M.D. (docteur en médecine), Ph.D. (Prague), D.Sc. (McGill), F.R.S (C) (Membre de la Royal Society [Canada]) et parfois F.I.C.S. (Hon) (membre honoraire de l'International College of Surgery). (La mention Ph.D. (Prague) n'est pas exacte puisque c'est un doctorat en sciences qu'il a eu. Sans doute a-t-il voulu américaniser son titre — à moins qu'une équivalence ne lui ait été reconnue, ce dont je n'ai trouvé aucune trace.) On ne compte plus (sauf lui!) ses titres honorifiques, les sociétés dont il est membre d'honneur, ses prix et ses médailles. Quant aux articles publiés dans des revues spécialisées, ils atteignent les mille cinq cents.

M'attardant (10 janvier 1991) à la préface de *Hormones and Resistance* écrite par Selye, j'ai eu la surprise de lire cet avertissement: tout comme il l'a fait pour ses ouvrages intitulés *The Mast Cells, Thrombohemorrhagic Phenomena, Anaphylactoid Edema* et *Experimental Cardiovascular Diseases*, il adoptera dans celui-ci le *style analytico-synthétique*. Autrement dit, il exposera dans un premier temps l'analyse des publications antérieures et la recherche des faits, partie qui se doit d'être objective, et dans un deuxième temps l'évaluation qu'il en fait, la synthèse donc, pour laquelle il se laissera guider par son expérience personnelle et qui, elle, sera largement subjective. Distinction qui — au hasard ou par hasard? — recoupe celle-là même de mon ouvrage.

Commis-voyageur du stress

Bien souvent, *des théories et des faits scientifiques de grande valeur sont restés enfouis pendant des décennies dans quelque obscure revue, pour être plus tard redécouverts par un autre scientifique qui ne se rend même pas compte que ces résultats «étaient déjà connus»* [...] *Le «redécouvreur» ne fait que rajouter son propre art de la vente; c'est tout ce que cela prend, parfois, pour rendre la science utile.* Découvreur du stress, Selye en sera aussi le vendeur — le commis-voyageur. Pendant plus de vingt ans, il s'est employé à parler du stress urbi et orbi: tournées américaines et européennes, conférences, débats, dîners-causeries, colloques, émissions de radio et de télévision...

Louise Drevet, avec qui il contractera en octobre 1978 son troisième et dernier mariage[24] et qui, depuis son entrée comme technicienne à l'Institut en 1960, a suivi de près sa carrière, confirme avec ferveur:

> Selye était un peu missionnaire dans son besoin de faire comprendre aux gens qu'il faut étudier le stress et connaître son propre niveau de stress. Il était incroyable: à soixante-quatorze ans, il acceptait encore de faire plusieurs voyages en avion par mois pour aller expliquer tout cela. Et quand il disait «le stress», c'était superbe à voir: il était illuminé, transcendé — sublime.
>
> Il travaillait dans la solitude et le silence. Au bout de trois semaines, il avait besoin d'aller chercher de l'encouragement et des applaudissements (il avait un énorme charisme, les gens buvaient ses paroles quand il parlait). Il était assez honnête et sincère pour dire: «Moi, j'aime bien quand les gens m'aiment.» Et c'était vrai: il revenait tout renouvelé.

C'est avec ardeur, avec fièvre même, qu'il s'acquitte de ses engagements. Grâce à une secrétaire qui s'occupe spécialement de coordonner et d'organiser ses déplacements, son horaire est calculé au plus juste. Ainsi, au cours d'une tournée Montréal, Fribourg, Nancy, Paris, Göttingen, Münster, Burg Windeck, Marburg, Bregenz, Bruxelles, Hanovre, Moscou, Berlin-Est, Berlin-Ouest, Albuquerque, Montréal, du 2 mai au 4 juin 1966, le programme du mercredi 18 mai est ainsi arrêté:

2 mai 1966

9 h 10:	départ de Marburg par train.
10 h 38:	arrivée à Francfort. Prendre taxi pour l'aéroport.
13 h 30:	départ de Francfort par Lufthansa, vol 312.
14 h 25:	arrivée à Zürich. Vérifier au comptoir votre rendez-vous pour prendre le taxi qui vous conduira à la gare (rencontre avec le Dr Schmid, de Berne).
16 h 11:	départ de Zürich par train, Rhône-Isar Express no 123.
18 h 07:	arrivée à Bregenz. Quelqu'un vous y attendra et vous mènera à l'hôtel Messmer où des réservations ont été faites pour deux nuits.

Il va directement d'un point à l'autre, d'une conférence à l'autre, et refuse net toute offre qui impliquerait un temps mort entre deux activités. Il ne s'arrête jamais pour faire du tourisme. *Je trouve plus de beauté à regarder dans un microscope et à voir les merveilles non frelatées des délicates structures de la Nature qu'à regarder ce que pourraient m'offrir l'architecture ou les œuvres d'art d'une contrée étrangère.* Bref, il n'a pas de temps à perdre. Par ailleurs, étant donné le grand nombre d'offres qui lui sont faites, il se sent *justifié d'insister pour obtenir des honoraires relativement élevés,* s'assurant ainsi de l'intérêt authentique de ceux qui l'invitent à venir leur parler du stress. Quand il part faire une tournée, les journalistes l'attendent à l'aéroport de Dorval pour l'interviewer.

À titre d'illustration, regardons de près un document qui retrace les activités de l'IMCE pour l'année 1961 en ne nous attachant qu'à celles de Selye. (Le mois de décembre n'étant pas indiqué, je le remplace par décembre 1960.):

Décembre: à une date non précisée, adresse inaugurale à l'Université de Dalhousie (Halifax, Nouvelle-Écosse) devant le Students Medical Society Special Lectures Series; du 5 au 9, communication au Hahnemann Symposium, à Philadelphie; à une date non encore précisée, tournage à Montréal pour une série télévisée sur un réseau national américain et intitulée *This Week in Medicine.*

Janvier: du 20 au 29, quatre présentations à Varsovie, puis neuf à Moscou, précédées d'une entrevue à la télévision de Radio-Canada (CBFT), le 17, où il annonce son départ, et suivies le 31 d'une autre entrevue à CBFT: «Retour de l'URSS».

Février: conférences le 2 à Chicago, le 3 à Los Angeles; le 13, à la Société autrichienne de Montréal dont il est le président d'honneur, il présente le nouvel ambassadeur d'Autriche au Canada; le 15, il rend hommage à Pavlov, sur les ondes de Radio-Canada, en russe (CBF, section russe internationale); la fin du mois (27-28) est occupée par une réception Claude-Bernard (professeur D. Lehr).

Mars: le 1er, il reçoit à l'Institut le professeur A. Kovach, de Budapest, et du 26 au 30, un conférencier Claude-Bernard (professeur O. Saphir).

Avril: le 3, il donne une conférence à Detroit, le 4, à Washington; du 10 au 15, il assiste au XLVe congrès annuel de la Fédération américaine des sociétés de biologie expérimentale, à Atlantic City (communication); le 19, il donne une conférence à Montréal, devant le Chemical Institute of Canada.

Mai: le 7, conférence à Montréal à l'occasion de la trente-septième conférence annuelle du B'nai B'rith Eastern Canadian Council; le 24, à Los Angeles et le 26, à Pasadena.

Juin: du 4 au 7, c'est le XXXIe congrès de l'Association des médecins de langue française à Québec (communication), c'est aussi, à Montréal, la rencontre annuelle de la Royal Society of Canada (communication) et (du 4 au 10) le IIIe congrès mondial de psychiatrie (communication); le 14, il donne, à Montréal toujours, une communication devant la Canadian Urology Society.

Août: du 1er au 4 se tient à Bogota le symposium international de chirurgie cardiovasculaire et thoracique (communication).

Septembre: du 4 au 9, à Prague, IVe congrès international d'angiologie (communication).

Octobre: le 6 a lieu à San Francisco la convention annuelle de l'American College of Osteopathy Internists (communication), et du 15 au 20, à New York, le IVe congrès international d'allergologie (communication).

Novembre: du 16 au 18, Henry-Ford Hospital Symposium, à Detroit (communication).

Après la guerre du Viêt-nam, les subventions avaient beaucoup diminué. Il a fallu qu'il paye beaucoup de sa personne, en faisant des conférences, en écrivant des livres, en essayant de gagner la vie de tous ceux qui travaillaient à l'Institut: dans les années 1970-1975, son personnel lui coûtait dans les environs de 750 000 $. (Louise Drevet Selye.)

[J]e partais parfois pour une tournée de conférences, pendant une semaine entière, sans que la marche du laboratoire en soit le moins du monde troublée.

Il réclamait de nous, ses assistants qui demeuraient à l'Institut assez longtemps, une contribution sur le plan administratif. Il nous fallait donc gérer la boutique, et ça n'était pas facile. Il était très exigeant. Je pense qu'il demandait tellement à ses collaborateurs qu'à la fin ils le laissaient; après six, sept ans, on avait atteint le sommet. Mais ça a quand même été une expérience extraordinaire, c'est sûr. (Gaétan Jasmin.)

Une fois qu'il était rentré plus tôt que prévu, il a dit textuellement: «Je suis revenu voir mes esclaves travailler!» Et dès qu'il était là, il reprenait tout en main. (Yolande Côté.)

Aux publics curieux de le suivre, Selye expose bien davantage que les résultats scientifiques de ses recherches. De plus en plus préoccupé, avec les années, des implications philosophiques du stress, il a mis au point un *code de comportement qui peut servir à tous et chacun comme indication de ce qu'il peut faire pour accumuler autant d'eustress et éviter autant de détresse que faire se peut durant son existence* — étant bien entendu *qu'on ne peut ni ne doit éviter le stress,* cela reviendrait à détruire la vie elle-même. *Rappelez-vous: «l'important, ce n'est pas ce qui t'arrive, mais la manière dont tu le prends.»*
Ce code repose sur trois principes. *Pour commencer, chacun doit* [...] *trouver où se situe son propre niveau de stress,*

connaître ses propres limites, être averti de ses propres résistances. La réalisation de cette toute première règle implique, sur le plan individuel, une bonne écoute de soi, de la lucidité, et sur le plan social, *des structures qui permettent à chacun de fonctionner à son propre rythme.* La lucidité nous motive à lutter, mais aussi à abandonner lorsque cela n'en vaut plus la peine (on se souvient des conseils affichés sur les murs de l'Institut). Le second principe est celui de l'égoïsme altruiste (ou altruisme égoïste), paradoxal en apparence seulement. *Sur le strict plan biologique, il n'y a [...] aucune opposition entre l'égoïsme et l'altruisme.* Nos instincts naturels nous poussent autant à nous occuper de nous-mêmes qu'à chercher l'amour et l'estime d'autrui sous la forme de l'entraide. *Il faut se fixer des buts qui soient à la fois valorisants sur un plan purement égoïste, et utiles dans la société dans son ensemble.* Le troisième principe, *plus biblique,* se retrouve dans tous les codes moraux: «Aime ton prochain comme toi-même.» En le reformulant à la lumière du second, il pourra s'énoncer ainsi: *Mériter l'amour de son prochain.*

Dans ce *premier effort pour établir entièrement les lois du comportement face aux lois de la nature* est venue à Selye l'idée d'écrire un livre grâce auquel il ferait mieux connaître son code, *le 1er janvier 1973 [il a presque 66 ans], alors qu'il] étai[t] dans son bain.* Ce sera *Stress without Distress,* dont le titre initial était *Earn Thy Neighbour's Love* (Gagne l'amour de ton prochain). La théorie du stress, expliquera-t-il à un correspondant, a été servie à toutes les sauces, *de l'architecture aux maladies infectieuses, de la sociologie à la chirurgie, et comme je ne connais vraiment bien que les aspects expérimentaux du stress [...], j'ai voulu écrire un livre d'accès facile [...], laissant aux experts comme vous [dentiste] le soin d'en appliquer le contenu à votre propre spécialité.*

Souvent, quand il écrivait un article, il me l'envoyait en me demandant ce que j'en pensais. Comme je suis assez franc et que je l'aimais bien en plus, je le lui disais. Il n'en tenait absolument pas compte, il s'en contrefoutait... mais il me le demandait quand même. En 1973, il m'avait envoyé le manuscrit de *Stress without Distress,* et je lui avais répondu que, pour moi, il n'y avait pas de «stress without distress». On peut avoir le cœur rempli de joie et de bien-être par un événement heureux, mais immédiatement après ces perturbations momentanées, on retrouve son équilibre biologique. (Henri Laborit.)

J'ai retrouvé les commentaires de diverses personnalités à qui Selye avait envoyé son manuscrit avant publication, ainsi que les lettres de gratitude qu'il leur a adressées en retour (toutes très personnelles, sauf lorsque les réponses sont arrivées trop tard c'est-à-dire après octobre 1973; il utilise alors la même formule de remerciements et de regrets). Il s'agit de: Charles G. Arnold (Southington, Connecticut), Dr Gunnar Biörck (Serafimerlasarettet, Stockholm), Dr Willard D. Boaz, University Hospitals of Cleveland, Ohio), Dr Jan Brod (Medizinische Hochschule Hannover, Allemagne), Doris Clark (Hamilton, Ontario), George Ember (National Science Library, Ottawa), Dr Leo Eitinger (Psykiatrik Institutt, Oslo), Dr Ulf S. von Euler (Karolinska Institutet, Stockholm), Dr A. C. Fonder (Dental Research Foundation, Rock Falls, Illinois), professeur David Hamburg (Stanford University, California), Robert S. Lazarus (University of California, Berkeley), Dr Lennart Levi (Laboratory for Clinical Stress Research, Karolinska Institutet, Stockholm), Hugh MacLennan (Department of English, McGill University), Leonard E. Read (The Foundation for Economic Education, New York), Dr F. E. Yates (University of Southern California, Los Angeles).

Ces commentaires, méticuleux et parfois abondants (jusqu'à cinq à six pages), sont souvent très favorables, dans quelques cas enthousiastes. Comment ne le seraient-il pas? De toute façon, l'échantillon consulté n'est pas plus représentatif que le contexte n'est significatif. Sur les quinze textes dont je dispose, six sont arrivés trop tard et seront restés sans conséquence. Des critiques s'expriment toutefois. Le Dr Biörck fait remarquer que sa propre attitude dans la vie étant plutôt celle de D'Artagnan, il rejette des expressions comme «ignorer l'ennemi» et d'autres semblables. Le Dr Hamburg, professeur de biologie humaine, trouve que Selye devrait «indiquer, peut-être dans une préface, que pour de bonnes et suffisantes raisons, les idées exprimées représentent son propre point de vue sur les recherches dans le domaine du stress et

sur ce qu'elles impliquent; qu'il reconnaît l'existence de différences parmi les spécialistes de la question, par exemple dans la définition du stress, dans l'importance respectivement accordée aux
systèmes endocrinien, cardiovasculaire ou nerveux, et dans l'intérêt prêté aux différents niveaux d'organisation (de la molécule au
comportement social). De cette façon, il serait bien entendu que
vous respectez le travail estimable qui a été fait sur les divers
aspects du stress, tout en évitant clairement les problèmes que
poserait un traité général, inapproprié en l'occurrence».

Le Dr Eitinger, psychiatre, tout en se disant conscient que
Selye écrit en tant que biologiste, aimerait voir citées les théories psychodynamiques, notamment celle de Karen Horney,
pour qui les mécanismes de défense contre l'anxiété par la
dévotion, la soumission, la puissance ou le retrait font le lit de
la névrose. De son côté, R. S. Lazarus, psychologue, voit dans
ce texte «un document éminemment personnel [...] qui parle au
nom d'une proportion limitée de l'humanité», et «doute énormément que l'on puisse réduire les valeurs humaines sociales à
la biologie». L. Levi reproche à Selye de ne pas fournir
suffisamment de données biologiques pour appuyer ses dires,
et d'ainsi exiger de son lecteur qu'il lui fasse confiance. Le professeur von Euler préférerait de beaucoup Coopération à
Altruisme, et Tolérance à Amour, Read choisirait *Self-Interest*
plutôt que *Selfishness*, qui évoque trop Greed (avidité, cupi-
dité), et Fonder juge que Selye aurait dû parler du stress dentaire. Quant à MacLennan, romancier canadien bien connu, il
trouve l'ouvrage «formidable», et ses remarques sont plutôt de
l'ordre de la révision littéraire.

On ne peut évidemment savoir ce que Selye aura retenu de
ces remarques. Leur justesse, encore de nos jours, tendrait à faire
penser qu'il n'a dû changer que des détails. Voici l'impression que
garde de ce livre un de ses anciens élèves, M. René Veilleux, professeur d'histologie au Département d'anatomie (Université de
Montréal):

> Dans ses derniers livres, surtout dans *Stress sans
> détresse*, c'est comme s'il recherchait l'aspect humain. Vous
> savez, on aurait pu lui dire: «Un tel, ça va très mal, ses
> enfants sont malades...» Sa réaction, c'était: «Ne me dites

pas cela, ce n'est pas juste.» Autrement dit: «Vous n'avez pas le droit, les détails humains, je préfère ne pas les savoir parce que ça va m'affecter, et moi je travaille pour la science.» On avait l'impression qu'il essayait de s'en convaincre, qu'il marchait sur quelque chose, qu'il luttait — car il pouvait devenir très cruel. Il voulait se donner comme un être inhumain ou surhumain. Et justement, dans *Stress sans détresse*, c'est le contraire, on dirait même qu'il le fait avec un certain regret, qu'il en remet. On se dit: «Ce n'est pas si vrai que ça, il n'a pas besoin d'aller jusque-là!» Comme s'il cherchait, je ne dirais pas à se faire pardonner, non, mais à se pardonner lui-même. C'est très difficile à dire. J'ai relu il n'y a pas longtemps certains passages. À la fin, il vous dit à toutes les pages: ce qui compte, c'est la reconnaissance et l'amour des gens pour vous. Je vous assure que pour nous qui l'avons connu en 1959, ce n'était pas évident, ça! Être approuvé était bien le dernier de ses soucis!

Je laisse au philosophe des sciences Georges Canguilhem le soin d'exprimer mon sentiment personnel à l'endroit de ce genre de tentative: «l'histoire montrerait aussi que très souvent le biologiste vitaliste [vitalisme étant entendu au sens large], même si, jeune, il a participé à l'avancement de la science par des travaux expérimentaux confirmés, finit dans son âge avancé par la spéculation philosophique et prolonge la biologie pure par une biologie philosophique. Libre à lui, en somme, mais ce qu'on est fondé à lui reprocher, c'est de se prévaloir, sur le terrain philosophique, de sa qualité de biologiste. Le biologiste vitaliste devenu philosophe de la biologie croit apporter à la philosophie des capitaux et ne lui apporte en réalité que des rentes qui ne cessent de baisser à la bourse des valeurs scientifiques, du fait seul que se poursuit la recherche à laquelle il ne participe plus.»

Une retraite malvenue

Selye approche de la soixantaine. Sa bibliothèque est restaurée, *From Dream to Discovery* vient de paraître, son image sociale de grand savant est bien assise. Il s'attache à convaincre le public de la nécessité de la recherche fondamentale, seule capable d'éclairer le phénomène du vieillissement (sur lequel les travaux se poursuivent à l'Institut), et de l'absolue nécessité pour le gouvernement de subventionner les chercheurs. Pour son soixantième anniversaire, un imposant colloque international se tient au mont Tremblant (à une centaine de kilomètres au nord de Montréal, dans les Laurentides), du 24 au 26 août 1967. Le comité d'organisation comprend les Drs Gaétan Jasmin, président, Eugène Robillard, Marc Cantin, Pierre Jean et Giulio Gabbiani. Ils sont près de cent quarante éminents collègues et anciens élèves à lui rendre hommage (la liste complète en est donnée dans le programme de la rencontre). Les communications et les débats portent sur les aspects endocriniens des processus pathologiques. Il en sortira un livre, publié sous la direction de G. Jasmin et réunissant les textes de quarante-trois collaborateurs: *Aspects endocrines des processus de maladie: débats de la conférence donnée en l'honneur de Hans Selye.* Un autre ouvrage verra le jour au lendemain de cette conférence Selye — une anthologie, préparée par Giulio Gabbiani et dans laquelle trente-deux grands savants (dont neuf Prix Nobel) s'expriment sur les sujets qui leur tiennent à cœur: *Reflections on Biologic Research*, «dédié à Hans Selye à l'occasion de son soixantième anniversaire». Chaque texte est précédé d'une présentation fort détaillée de son auteur et de sa photo pleine page.

1967, c'est aussi «l'année de l'Expo»: Montréal est le site de l'Exposition universelle. La compagnie Leitz, dont les microscopes sont reconnus pour être les meilleurs du monde, a pour usage, *chaque fois qu'elle a produit 100 000 microscopes, ce qui n'arrive pas très souvent, à peu près une fois par deux décennies,* d'offrir à celui que l'Académie des sciences d'Allemagne a désigné comme le plus susceptible de s'en servir *le meilleur microscope fait pendant l'année.* Selye a reçu, comme les autres invités, une lettre l'informant qu'une cérémonie aura lieu le 27 août, dans l'auditorium du pavillon allemand de l'Expo, pour fêter la sortie du sept cent millième microscope. La petite-fille du fondateur, le Dr Elsie Kühn-Leitz, sera là en personne. Et voilà que c'est à lui qu'on remet ce microscope, tout spécialement venu d'Allemagne! Dans son discours, l'ambassadeur donne les noms de *tous ceux qui avaient eu cet honneur*: Koch, Ehrlich (et non pas Ellis, comme le dit le texte), Domagk (Gerhard Domagk, biochimiste allemand d'origine tchèque, 1895-1964, initiateur de la chimiothérapie sulfamidée, Prix Nobel de médecine en 1939) — *tous des grands noms de l'histoire.*

Le contrat signé le 12 décembre 1945 entre le Dr Selye et l'Université de Montréal spécifiait: «Les services du Dr Selyé [*sic*] sont retenus par les présentes [...] pour une période de cinq années, à compter du 1er septembre 1945; cet engagement sera, néanmoins, continué pour une année additionnelle, expirant le 1er septembre 1951, à moins que le Dr Selye ou l'Université de Montréal ne donne par écrit avis de son intention contraire [...]» Depuis 1951, et en dépit du mécontentement chronique des deux parties, le contrat a été tacitement reconduit d'année en année. En 1964, la question refait vraiment surface. La section des Affaires académiques du Comité d'étude, dans sa réunion du 16 janvier, confie à De Montigny Marchand (Relations extérieures) l'étude des contrats passés entre Selye et l'Université de Montréal (ainsi que le règlement des assurances après l'incendie de 1962). Le rapport que remet au printemps Marchand préconise une vision globale impliquant de «connaître avec précision ce que l'IMCE tend à devenir, [...] ce que la Faculté veut que l'IMCE devienne» et ce que sera «le développement de l'ensemble des Instituts du même genre à l'Université de Montréal». Il sera alors simple de négocier une nouvelle entente avec le Dr Selye, en y inscrivant «toutes les caractéristiques de l'engagement d'un professeur titulaire et d'un directeur d'Institut de recherche». Autrement dit (c'est du moins mon interprétation), mettons fin aux mesures d'exception et traitons avec l'IMCE et le Dr Selye (malheureusement inséparables) comme on le fait avec les autres organismes comparables.

Deux ans plus tard, Selye envoie au secrétaire général une lettre en trois points: 1) il considère que son contrat n'a plus de valeur parce que trop ancien; faut-il le renouveler ou l'annuler?; 2) il souhaite une entente définitive au sujet de sa bibliothèque, la seule condition qu'il pose étant qu'on trouve un successeur capable; 3) il voudrait retirer les sommes de son Fonds Endo. Le dossier est à l'étude, lui répond-on. Six mois plus tard, De Montigny

Marchand (maintenant adjoint administratif au recteur) fait savoir à Lortie que toute «cette question est toujours pendante», que le principe des recommandations qu'il a faites il y a quelques années est «toujours d'actualité». Il faudrait donc réexaminer le dossier, car «Mr le recteur aimerait bien qu'il lui soit présenté non pas le problème mais une recommandation précise au sujet de sa solution». Au début de 1967, la position de l'Université se précise. Le Fonds Endo (même s'il n'a pas d'existence légale, Selye possède sur lui toute autorité) ne fait pas problème; le montant restant (21 774,27 $ au 31 mai 1966) est «nettement en deçà des sommes qui lui appartiennent d'une façon incontestable à titre personnel».

Restent les deux points délicats: le contrat et le don de la bibliothèque. En mai, Selye accepte de réduire à deux les six mois de préavis en cas de non-renouvellement, puis à un, car la décision des autorités est prise: elles mettront fin au contrat, avis lui sera signifié avant le 1er août 1967. Quant à sa bibliothèque, constituée de plusieurs centaines de mille de tirés à part, de photostats, d'extraits de rapports et de travaux scientifiques, autorisant une «consultation rapide et sous volume réduit, en autonomie d'une bibliothèque ordinaire», et dont l'estimation est chiffrée à 421 697 $, l'Université désire que la question de sa cession soit sérieusement étudiée.

> Il avait développé au cours des années une bibliothèque très particulière, avec sa propre méthode de classification et toute une équipe à plein temps pour la tenir à jour. Il considérait qu'elle lui appartenait personnellement, ce qui n'était pas clair du tout puisque l'Université y mettait chaque année des sommes très importantes. Je ne chercherai pas à dire s'il avait tort ou raison, seulement, dans l'esprit de l'Université, elle appartenait à l'Université. (Roger Gaudry.)

Le 19 juillet, Selye est officiellement informé que «le Comité exécutif du Conseil des gouverneurs, à sa réunion du 18 juillet, a décidé de ne pas renouveler le contrat du 12 décembre 1945». L'intéressé en prend *bonne note* mais: *Ayant appris que l'Université ne peut me donner l'assurance de conditions inchangées de recherche après que j'aurai atteint l'âge de la retraite, il faudra, à mon très grand regret, que j'essaie de me trouver une position ailleurs qui m'assure la permanence aussi long- temps que je peux et désire travailler (et hélas, me connais- sant bien, je suis sûr que dans mon cas le désir ne dépendra que du pouvoir!). Il me serait donc impossible de faire don de ma bibliothèque qui est essentielle à mon travail de recherche.*

Une bibliothèque qui n'est pas mise à jour n'a plus grande valeur. C'est-à-dire qu'elle a une valeur historique, mais elle n'est plus fonctionnelle. (Thérèse Peternell.)

En septembre, les journaux annoncent que le Dr Selye se voit offrir la direction d'un nouveau centre de recherche, au Texas. Des notes manuscrites (non identifiées et non datées) contiennent entre autres, encadrée, ce qui semble être une cita- tion de Selye: «Je dois aller au Texas 5 octobre et j'ai une offre.» L'affaire a été bien orchestrée. Selye avait reçu cette proposition à la fin du mois d'août. Voulant l'utiliser comme moyen de pres- sion sur l'Université de Montréal, il a pris soin d'informer les médias. L'État du Texas paya le déplacement et le séjour (cinq jours) de M. et Mme Selye et de leurs quatre enfants, de M. Gil- bert Pelletier, administrateur, et de Mme Elfie Staub*. Tous purent contempler l'immense terrain nu pris sur le désert, tout près de la ville de Terrell, et qui pourrait, si Selye lui prêtait vie, devenir un centre de recherche sur le stress.

De ces notes manuscrites non datées et non signées se dégage, me semble-t-il, le sentiment que l'Université fait de son mieux pour ménager les intérêts des deux parties. Le rédacteur (l'écriture semble bien être celle de De Montigny Marchand) fait d'abord remarquer 1) que «le problème de la «direction» de Selye ne se pose pas, tous en conviennent»; 2) non plus que la question d'espace («en supposant que Selye n'a pas d'appétit de dévelop- pement»); 3) «Selye trouve que le budget courant devrait l'aider de façon plus systématique pour le libérer progressivement de sa

---

* Mme Elfriede Staub, entrée à l'Institut le 30 août 1960 comme jeune secrétaire et promue par la suite chef du secrétariat, a démissionné le 24 juin 1971. Sa conscience professionnellle et son dévouement, contrastant avec le traitement qui lui a été dévolu par Selye, sont dans toutes les mémoires. Je n'ai pas pu obtenir d'entrevue d'elle — et celle qu'a réalisée André Selye est sans intérêt.

«chasse» aux fonds continuelle»; 4) que Selye, faisant «l'analogie avec Genest et Frappier qui ne nous coûtent rien [...] demande en somme notre support moral pour obtenir ce modus vivendi» — mais le recteur Gaudry estime qu'«à même notre budget, c'est très difficile pour ne pas dire imposssible»; 5) quant au salaire, le recteur fera «des suggestions par l'entremise du doyen». Les trois dernières lignes indiquent comme intentions finales: «prolongation pour deux termes à compter du 1er septembre 1968 (9 ans); l'âge avancé ne sera pas invoqué contre Selye; engagement biblio sur avis favorable».

Le 22 septembre, Selye et le recteur Gaudry se rencontrent à déjeuner. Une lettre de ce dernier suivra, qui mettra noir sur blanc la nouvelle entente: reconduction de Selye comme professeur titulaire et directeur de l'IMCE pour deux périodes consécutives de quatre ans — soit de 1968 à 1972, et de 1972 à 1976; confirmation que l'Université continuera à loger l'IMCE et «assurance de son appui total aux démarches» destinées à obtenir des fonds; enfin, «à compter du 1er juin 1968, votre salaire sera de $25 000 et [...] sera porté ensuite à $30 000 en deux étapes égales, soit $27 500 en 1969-70 et $30 000 en 1970-71» (plus deux mille dollars de frais annuels de représentation sur pièces justificatives), ce qui n'exclut nullement les «augmentations moyennes de salaire qui pourraient être accordées aux professeurs en 1971 et après». Comme l'écrira l'adjointe du secrétaire général: «Le Dr Selye n'a pas voulu signer l'entente que nous lui proposions mais il est certain que le contrat qui nous liait depuis 1945 a été dénoncé, et s'est terminé le 31 août 1967.» Au lieu de l'entente, Selye a reçu une lettre d'intention du recteur, en date du 3 octobre 1967. Noter par ailleurs que, bien que les archives de la Faculté de médecine donnent le second mandat comme allant du 1er juin 1972 au 31 mai 1976, une lettre du Dr Bois, alors doyen, informe le vice-recteur aux Affaires académiques qu'il appuie entièrement la recommandation du Conseil de la faculté visant à accorder à Selye une cinquième (et ultime) année, soit de 1976 à 1977.

Le vice-recteur associé Paul Lacoste avait spécifié, concernant l'évaluation de la bibliothèque, que Selye et le doyen Coutu auraient à soumettre «des suggestions conjointes d'experts en bibliothéconomie médicale parmi lesquels deux seront choisis et auquel s'adjoindra monsieur Reicher, directeur des bibliothèques de l'Université». Constitué en octobre 1967, le comité comprend trois membres pris sur place: le Dr Jean-Paul Lussier (doyen de la Faculté de médecine dentaire), le Dr Pierre Bois (directeur du Département d'anatomie), tous deux recommandés par Selye, et Daniel Reicher, agissant comme secrétaire, et deux membres de l'extérieur: le Dr Martin M. Cummings (directeur de la National Library of Medicine, Bethesda, Maryland) et Neal Harlow (doyen de la Graduate School of Library Service, Rutgers University), qui sera président du Comité. Le comité Harlow se réunit le 4 décembre, soumet son rapport aux trois autres membres et envoie le 26 janvier 1968 ses conclusions à Reicher et à Lacoste: «Le Comité ne recommande pas l'acceptation de la collection Selye. Les frais auxquels serait contrainte l'Université pendant une période d'au moins dix ans ne semblent pas justifiés par rapport à (a) la valeur qu'elle peut représenter pour la communauté scientifique et (b) son coût, en comparaison des frais encourus par les autres universités pour leurs services de bibliothèque et de documentation.» La copie officielle de ces conclusions sera disponible le 6 février, mais le 5 déjà, Reicher signale «des remous à l'intérieur de l'Institut Selye».

Le rapport était clair, net et précis: l'Université ne devait pas y toucher. Parce que la bibliothèque a été montée selon un système de classification qui est totalement incompatible avec les systèmes modernes actuels, il serait impossible de l'intégrer au système de bibliothèque de l'Université. Quant à la maintenir comme telle, cela coûterait extrêmement cher. Quand je l'ai dit à M. Selye, il a fait une violente colère. (Roger Gaudry.)

Le 9 avril, le Comité exécutif de l'université approuve les recommandations du rapport Harlow et décide de refuser le don de la bibliothèque Selye. Mais Selye ne se tient pas pour battu.

Au tout début d'août 1974 paraît dans plusieurs revues internationales de médecine une petite annonce: *Propriétaire de bibliothèque unique au monde sur stress et endocrinologie céderait gratuitement collection inestimable de 900 000 documents à tout individu ou organisme (québécois de préférence)* _disposé à poursuivre œuvre commencée. Inf.: 343 6379._ Selye explique à un journaliste que vingt-cinq personnes travaillent à plein temps à la bibliothèque et qu'entre les salaires, la mise à jour et la réponse aux demandes de renseignements il en coûte environ cent vingt mille dollars par année pour la maintenir. «Le gouvernement du Québec ne veut pas se laisser fléchir[25].» Cette information soulève l'intérêt de ceux des lecteurs qui ne sont pas partis en vacances, à tout le moins de deux d'entre eux, qui se renvoient la balle par journal interposé. «La bibliothèque du docteur Selye appartient-elle aux Canadiens?» demande Pierre Guilmette, président de la Corporation des bibliothécaires professionnels du Québec. «L'administration et la planification des bibliothèques est l'affaire des bibliothécaires professionnels», laissons-en-leur le soin, conclut-il. «Cela coûte moins cher, et c'est plus rentable.» (_Le Devoir_, 10 août 1974.) «La bibliothèque du Dr Selye: un don substantiel», rétorque A. Rodriguez, qui n'est autre que le chef du Service de documentation de l'Institut et qui démontre pourquoi cette collection est importante et spéciale. (_Le Devoir_, 17 août 1974.) Le ton de Guilmette se fait plus affirmé: «La bibliothèque du Dr Selye est un don dispendieux» (_Le Devoir_, 23 août 1974), à quoi Rodriguez répond par de «Nouvelles précisions sur la bibliothèque du Dr Selye» et constate en terminant: «Quant à nous, il ne nous paraît pas justifiable de prolonger un débat qui [...] risque de devenir stérile [...]» (_Le Devoir_, 30 août 1978.) Un troisième intervenant entre alors dans le jeu: «Le débat sur la bibliothèque du Dr Selye n'est pas clos», proclame Yves Courrier, professeur à l'École de bibliothéconomie de l'Université de Montréal, «parce qu'il implique des choix fondamentaux.» (_Le Devoir_, 16 septembre 1974.)

Selye ne réussira jamais à vendre sa bibliothèque. Pour finir, il laissera à l'Institut les périodiques et les tirés à part, qui se trouvent toujours entreposés à l'université. Comme le fait remarquer le Dr Jean Leduc, chargé de veiller sur les derniers vestiges matériels de l'IMCE, toute cette documentation n'offre plus aucun intérêt: elle fait double emploi avec les ressources des autres bibliothèques et, de toute façon, l'informatisation (Medline) la rend parfaitement inutile. Ainsi se termine la saga d'une bibliothèque à laquelle furent consacrés tant de travail et tant d'argent.

Mme Yvette Taché est arrivée à l'Institut au mois de septembre 1970 dans le but de terminer ses études doctorales en sciences et, dit-elle, «je me suis tout de suite aperçue de la différence entre cet homme et les autres professeurs avec lesquels j'avais travaillé auparavant». Elle y fera ensuite un stage postdoctoral, jusqu'en 1975.

Le Dr Selye trouvait très important que nous ayons du personnel académique à former, et il m'avait demandé de m'occuper des travaux de maîtrise d'un étudiant, Pierre DuRuisseau. Il avait quand même donné le sujet de départ, enfin une idée, comme quoi quand on était stressé de façon intensive et chronique, l'hypophyse semblait s'orienter uniquement vers la libération d'ACTH et de corticoïdes au détriment de ses autres fonctions, à savoir la croissance, la reproduction, l'adaptation et l'activité thyroïdienne. C'est ce qu'il avait appelé le «*shift* [la relâche] hypophysaire»: quand on est soumis à un stress intense, on n'a pas besoin de se reproduire, on n'a pas besoin de vieillir, il faut mobiliser toute son énergie pour faire face à cet agresseur. Nous avons donc vérifié cela indirectement, à travers les changements de poids des organes périphériques qui sont les cibles de ces hormones hypophysaires. Mais à cette époque-là, le Dr Selye n'avait évidemment pas de laboratoire permettant l'étalonnage hormonal.

Très exactement:

Pour doser les hormones responsables des modifications tissulaires, il fallait utiliser des techniques de radio-immunologie, qui étaient toutes récentes à l'époque et nécessitaient l'utilisation d'isotopes radioactifs. (Pierre DuRuisseau.)

Le père de Pierre DuRuisseau [Jean-Paul DuRuisseau, docteur en médecine et docteur en sciences, qui a lui aussi travaillé sur les électrolytes à l'Institut, de 1957 à 1959] avait un laboratoire [Institut de bioendocrinologie], et ce laboratoire était à l'avant-garde pour les dosages d'hormones. Pierre avait connaissance de l'existence du Dr [Robert]

Collu, qui faisait également l'étalonnage de ces substances et à qui son père fournissait certains produits. Je m'étais donc mise à collaborer avec le Dr Collu [Centre de recherches pédiatriques de l'hôpital Sainte-Justine] et j'avais vérifié du point de vue biochimique ce concept que Selye avait observé du point de vue morphologique. Ça a donné d'ailleurs de très bons résultats, qui ont été publiés et qui ont fait l'objet de la maîtrise de Pierre DuRuisseau.

Nous avons donc étendu nos recherches, et ouvert par le fait même de nouvelles avenues. Quand on a vérifié par exemple que le stress avait des implications importantes au niveau de la fonction de la reproduction, nous avons voulu aller un peu plus loin et savoir par quels mécanismes le stress empêchait la libération de certains stéroïdes comme la testostérone. Toute une collaboration s'est finalement établie entre le D^r [Jacques R.] Ducharme [endocrinologue], le Dr Collu et notre groupe. Et quand le Dr Selye a, disons, ralenti ses travaux, nous sommes allés les continuer à l'hôpital Sainte-Justine avec le Dr Collu [P. DuRuisseau y fera son doctorat].

Nous avons nettement orienté nos recherches vers l'axe hypothalamo-hypophysaire. Tous ces travaux ont été davantage encore développés par d'autres groupes. L'équipe du Salk [The Salk Institute, San Diego, Californie] a identifié la molécule de «Corticotrophine Releasing Factor», qui est vraiment le premier transmetteur [neurohormone cérébrale] libéré au cours du stress et qui justement influence toutes les fonctions de relâche hypothalamique [la structure du CRF pur ne sera donnée que bien plus tard, par Wylie Vale et son équipe]. Si on inhibe certains facteurs de relâche hypothalamique, l'hypophyse se trouve moins stimulée et les autres organes également. Ainsi, une étape supérieure a été atteinte, non pas au niveau de l'hypophyse mais au niveau de l'hypothalamus. Mais tous ces travaux-là, finalement, s'intègrent très bien avec l'hypothèse originale de Selye.

Ç'a été la dernière phase de ce que j'appelle son retour au stress. Parce que, avec Mme Tuchweber et plusieurs autres, nous essayions de lui demander pourquoi il n'y revenait pas. Il avait essayé d'écrire sur l'hépatotoxicité — le foie n'a jamais été sa spécialité... Finalement, il a écrit *The Stress of My Life*, qui était une monographie du sujet. Il y a mentionné ces résultats. Nous avons d'ailleurs publié un ou deux articles avec son nom en 1977; il était très heureux de voir qu'on avait développé plus avant son concept. (Yvette Taché.)

Oui, confirme le Dr Prioreschi,

il avait abandonné depuis longtemps l'idée d'approfondir le stress. Quand je suis arrivé [1958], il s'intéressait déjà aux nécroses cardiaques expérimentales, qui étaient vraiment marginales par rapport au stress. Après, il a commencé la calciphylaxie, qui avait encore moins de relation avec le stress pour ce qui est du mécanisme fondamental du phénomène.

À partir de 1970, la situation professionnelle de Selye se détériore nettement. Les journaux font valoir les difficultés financières dans lesquelles se débat l'Institut: «Le bilan de l'année fiscale 69-70 se solde par un déficit de l'ordre de $30 000 et on prévoit pour 70-71 un déficit de $165 000» (*Le Devoir*). Le budget global de l'Institut (le personnel représente une centaine d'employés) pour l'année à venir est de 870 000 $; or les subventions attendues ne couvriront que 705 000 $.

Il a fallu fermer des laboratoires, parce qu'il n'y avait plus assez d'argent — rogner dans tous les coins. (Louise Drevet Selye.)

Le recteur Gaudry en témoigne aussi:

Tant qu'il avait une douzaine d'étudiants gradués en train de préparer un doctorat, il lui fallait beaucoup d'animaux, de facilités de laboratoire, et par conséquent de techniciens. Mais à cette époque, il n'avait plus un seul élève de doctorat, c'était tombé à zéro. Pourquoi? Parce que — et ce n'est pas moi qui parle — on considérait qu'il était dépassé.

Sa productivité diminuait, et la qualité des travaux qu'il publiait aussi. Ce qui est le cas, remarquez bien, de la plupart des grands chercheurs en fin de carrière, et ils sont les premiers à le reconnaître. Excepté lui.

Il ne pouvait donc plus justifier cette grosse équipe de techniciens dont il ne voulait pas se séparer. Par ailleurs, tant qu'il avait eu un grand nombre d'étudiants gradués, il avait reçu des octrois très importants de diverses sources, en particulier du Conseil des recherches médicales du Canada. Pendant de nombreuses années, il avait été celui qui, à la Faculté de médecine de l'Université de Montréal, recevait les octrois les plus importants. Et ceci était justifié par sa grande productivité en recherche — il publiait beaucoup —, par le nombre d'étudiants gradués de qualité qu'il dirigeait, et par l'importante équipe technique qui l'entourait. Or tous ceux qui bénéficiaient d'une aide significative du Conseil recevaient, à intervalles réguliers, la visite d'experts qui cherchaient à évaluer le bien-fondé des sommes fournies par le Conseil. Un jour, le président du Conseil des recherches m'a téléphoné: «Monsieur le recteur, j'ai devant moi le rapport des experts, ils recommandent l'arrêt total des subventions au docteur Selye.» Je lui ai répondu: «Tout ce que je vous demande, c'est de ne pas procéder brusquement parce que ça va créer une situation presque impossible à l'Université et à la Faculté de médecine.» (Je ne me souviens pas du montant exact qui était en cause, mais c'était de l'ordre du quart de million par année.) Il a accepté ma suggestion.

Voici, à titre d'exemple, le sommaire d'un de ces rapports, signé par Dwight J. Ingle (une vieille connaissance de Selye): «Au cours de sa vie de laboratoire, le professeur Selye a été à l'avant-garde de la recherche. Même en restant très modéré dans l'appréciation que l'on peut faire de ses résultats, on ne peut qu'admettre sa remarquable productivité, et la valeur de son travail — peut-être moindre toutefois que ce que le professeur Selye veut bien dire. Il a développé un concept qui a eu son moment de popularité — celui de l'origine unitaire des maladies — et qui était fondé sur des données nombreuses et des arguments valables. On s'entend généralement aujourd'hui pour considérer que son concept de maladie était faux bien que comprenant certains éléments de vérité. Je ne l'éreinte pas, ce faisant, sous couleur de faire son éloge; peu de chercheurs en sciences médicales ont mieux fait. La recherche qu'il entend poursuivre continue à être originale et intéressante. Elle est pertinente au domaine de la santé, mais moins prometteuse que celle qu'il faisait il y a vingt ou trente ans. Le programme qu'il nous présente est coûteux. Si nous disposions de fonds illimités, je le recommanderais dans son entier. Mais il nous faut étudier son importance en comparaison des travaux entrepris par des hommes plus jeunes, qui mènent une recherche plus sophistiquée dans les processus générateurs de la vie et de la maladie au niveau moléculaire.» Ingle termine en recommandant de réduire le budget demandé à 75 000 $ par année pour la période requise (je ne dispose malheureusement pas de renseignements concernant cette demande).

Cette diminution de ses subventions est survenue au moment où M. Selye avait dépassé l'âge officiel de la retraite [1972], qui à ce moment-là était de soixante-cinq ans à l'Université et que pour lui on avait prolongé pour cinq ans à titre exceptionnel, à cause des grands services qu'il avait rendus à l'institution. Mais M. Selye l'acceptait très, très mal. Il était venu à mon bureau se plaindre presque violemment de la façon dont on le traitait alors qu'on l'avait probablement beaucoup mieux traité que tout autre professeur à l'Université. Mais pour lui, on n'en faisait jamais assez. Il venait tout le temps me voir pour se plaindre — du doyen, de l'Université, des mécanismes, des organismes de subventions, disant qu'ils ne comprenaient rien à ce qu'il faisait. Vers la fin de sa vie, il était devenu aigre — très aigre. J'ai trouvé cela malheureux, en ce sens qu'il n'a pas su se retirer gracieusement. Il n'a pas su accepter que, comme les autres, il vieillissait. (Roger Gaudry.)

Oui, en dépit de sa volonté, Selye vieillit. Il a toujours traité son corps par le mépris — mais on le sait, le refoulé psychique n'est pas seul à faire retour. Jugulées un jour, les forces destructrices ne se tairont pas toujours. L'incroyable énergie, la détermination, l'acharnement au travail de l'homme leur ont pendant longtemps fait obstacle mais, à partir de la cinquantaine, elles reviennent en force. C'est d'abord une ostéoarthrite de la hanche, qui le fait cruellement souffrir:

> Mon mari était tombé d'un arbre où il était allé chercher la fronde de Michel. Il souffrait mais laissait le temps filer. Je lui disais: «Va à l'hôpital pour avoir une radiographie. — Oh non, ce n'est pas nécessaire.» Il avait acheté une plaque de fer en forme de semelle, qu'il avait mise dans sa chaussure pour faire traction quand il marchait — c'était très lourd. Et le soir, il avait imaginé aussi de se passer une corde autour de la cheville, et moi je tirais pendant qu'il se tenait bras en arrière au lit. Il disait: «Ça fait du bien à ma hanche» — mais moi, j'ai attrapé une bursite à force de tirer! Enfin, j'ai tellement insisté qu'après disons deux mois il est allé se faire radiographier; on a découvert qu'il avait une fracture du col du fémur et que son articulation était en mauvais état. (Gabrielle Selye.)

L'intervention chirurgicale se révèle nécessaire; le Dr F. E. Stinchfield substitue à l'articulation défectueuse une plaque de métal (New York, 1963). Son patient souffrira peu après de fortes hémorragies gastriques dues à un ulcère: complication postopératoire mais aussi illustration de la théorie du stress! C'est avec des béquilles que Selye reprendra le chemin de l'Institut. Dix ans plus tard, l'ostéoarthrite ayant, comme cela arrive souvent, gagné l'autre hanche, une seconde intervention est pratiquée, à gauche cette fois, qui met en place — progrès oblige — une prothèse en plastique.

> Depuis son accident, mon mari prenait beaucoup de Vallium, et de l'aspirine tous les matins. À la longue, sa mémoire s'en est ressentie. (Gabrielle Selye.)

Concitoyen de Selye, le Dr Kuchel était secrétaire de la Société tchécoslovaque d'endocrinologie lorsque cette dernière, au début des années soixante, a invité le célèbre conférencier à Prague. Il se sent avec lui beaucoup de similarités (ascendants allemands, hongrois, tchèques et slovaques). «On avait grand plaisir à échanger des choses dans la multiplicité des langues que nous parlions: tchèque, hongrois, allemand...» Il sera jusqu'à la fin le médecin de Selye.

Comme je dispose d'une clinique, ici [Institut de recherches cliniques de Montréal], Selye m'avait demandé si j'accepterais de le suivre au point de vue santé. Je l'ai vu pour la première fois en décembre 1972. Il avait depuis 1963 une pression élevée — jusqu'à 240 pour la systolique. C'était un gros fumeur de pipe et de cigare[26]. Il avait souvent des extrasystoles et des palpitations mais rien de plus, malgré un travail assez stressant et intense, et il prenait régulièrement de l'exercice. Les radios du poumon montraient une lésion au lobe inférieur droit, mais inactive — probablement une ancienne infection tuberculeuse.

Ce jour-là, sa pression était à 200/120, et son fond d'œil témoignait d'une hypertension de longue date. On l'a hospitalisé en 1973, un an plus tard, et on a confirmé l'hypertension ancienne, avec déjà une tendance à une légère diminution de la fonction rénale, et du côté vasculaire, une aorte scléreuse présentant des modifications athéromateuses disséminées plutôt discrètes, une petite amorce d'anévrysme un peu au-dessus de la bifurcation de l'aorte iliaque, une absence de sténose de l'artère rénale mais de discrets athéromes — en résumé donc, haute tension artérielle avec composante d'athérosclérose, plus arthrite de la hanche gauche. L'ECG montrait une hypertrophie ventriculaire gauche; on l'a refait à plusieurs reprises, pour constater qu'il n'y avait aucune progression. Il a assez bien répondu à la médication — dans la mesure où il la suivait, parce qu'il s'arrangeait toujours pour prendre des médicaments autres sous prétexte que, les ayant expérimentés (sur les animaux!), il les trouvait plus logiques. Et comme il pouvait se les prescrire, il a beaucoup abusé des médicaments.

En 1974, une tumeur de la grosseur d'un œuf se développe sur la face interne de sa cuisse: c'est un réticulosarcome. Le Dr J. E. Tabah, son chirurgien, ne le lui cache pas: mis à part de très rares exceptions, la mort survient par métastases en moins d'un an. Le Dr Tabah (hôpital Royal Victoria) procède à l'exérèse («La tumeur était bien encapsulée», dit le Dr Otto Kuchel), qu'il fait suivre d'un traitement au cobalt. *Je m'immergeai dans mon travail, rassemblant toutes mes forces pour continuer à vivre sans broyer du noir.* Une année passa puis deux: il devint possible de parler de guérison. Mais [...] *ma conviction, c'est que je me suis guéri tout seul.*

Il parlera pour la première fois de ce cancer dans la version anglaise de son autobiographie, *The Stress of My Life* — *en pensant à un ancien ami, d'origine austro-hongroise lui aussi, Hans Zinser* qui, se sachant atteint d'un lymphosarcome, rédigea in extremis son autobiographie mais sans révéler qu'il s'agissait de lui. *Et j'ai dit que c'était bien de moi qu'il s'agissait.* [...] *J'ai reçu des lettres de toutes les parties du monde* [...].

Sa pression était alors bien contrôlée (150/85). Il avait aussi des signes de colite avec diverticulose, et il souffrait depuis plusieurs semaines de douleurs lombaires et de diarrhée. Cela arrivait toujours quand il rentrait de voyage. Il est revenu me voir en 1975. Son hypertension était bien contrôlée, son insuffisance rénale modérée. Il souffrait d'insomnie et d'anxiété — à cause de sa tumeur; il se demandait si tout avait été bien enlevé. (Otto Kuchel.)

Trois ans plus tard, lors d'une rencontre d'un jour sur le thème «Le cancer et la mort» organisée à Pointe-Claire (près de Montréal) par le Dr Jean Taché*, vice-président de l'Institut international du stress, et le professeur Stacey B. Day, du Sloan Kettering Institute for Cancer Research, de New York, le Dr Selye présentera son propre cas et les réflexions que lui a inspirées la proximité de la mort.

En janvier 1976, un accident de voiture le laisse avec trois côtes et le bassin cassé. Il signera lui-même son congé de l'hôpital et partira en fauteuil roulant à Miami y donner la conférence que deux mille médecins attendent. Peu après,

---

* Ancien élève de Selye et mari d'Yvette Taché, il devait trouver la mort peu de temps après dans un accident de voiture.

un jour, en sortant de mon bureau — avec lui, une visite médicale c'était quatre-vingts pour cent de social et vingt pour cent de médical —, il me dit: «Vous savez, quand je vais faire pipi, ça va assez mal.» Je l'ai ramené dans le bureau, je l'ai examiné: il avait une prostate énorme, avec un globe vésical! J'ai pensé à un cancer et j'ai voulu le faire voir tout de suite par un urologue mais il m'a dit: «Je ne peux pas, mon avion part à cinq heures, je suis invité à un congrès à Helsinki. De toute façon, j'ai un truc: je mets ma main gauche dans ma poche, je presse sur ma vessie et ça marche. Je fais ça depuis des années.» Il est revenu après deux jours: «Ah, vous aviez raison, j'ai dû quitter ma conférence trois fois pour aller aux toilettes.» Je l'ai envoyé à [Jean] Charbonneau, un excellent urologue: «Il faut immédiatement opérer», a-t-il dit. C'était à l'été de 1976. (Otto Kuchel.)

Évoquant dans ses mémoires sa prostatectomie, Selye parle d'une conférence à Montréal, et non à Helsinki.

Après 1976, il a commencé à présenter de la dyspnée postprandiale. Et son efficacité physique avait tendance à diminuer; il faisait de la bicyclette chaque matin mais se sentait un peu moins performant. À l'examen, on notait une certaine enflure des jambes avec des varices, et une légère augmentation du volume du foie. On lui a conseillé de porter des bas élastiques à cause de l'insuffisance valvulaire des veines de ses membres inférieurs.

D'après l'ensemble de ses analyses de laboratoire, il avait occasionnellement des signes d'infection urinaire (attribuables à sa condition prostatique), un cholestérol très acceptable selon les normes de l'époque (aujourd'hui, il serait considéré élevé). Il avait une légère tendance à l'insuffisance rénale, en raison d'une néphrangiosclérose en rapport avec son processus athérosclérotique diffus. Son ECG était toujours en faveur d'une légère bradycardie et d'une possibilité d'ischémie. (Otto Kuchel.)

Comme l'a dit le patient lui-même, médicalement parlant, *le «stress» est essentiellement le taux de fatigue et d'usure du corps.* Ou, pour reprendre Montaigne, tel qu'il le cite: «Le continuel ouvrage de notre vie, c'est de bâtir la mort.»

Le temps de la retraite a sonné. Le Dr Selye cesse d'être à l'emploi de l'Université le 31 mai 1977. Le lendemain 1er juin, au cours de la cérémonie de la collation des grades, il est nommé professeur émérite de l'Université de Montréal (en compagnie des Drs Édouard Pagé, Gustave Gingras et Henri Ellenberger). Il est alors, et depuis quelques mois, dans sa soixante et onzième année.

La cathédrale engloutie
1977-1982

Jusqu'au bout de soi

Il n'avait jamais été question pour lui de prendre sa retraite; de toute façon, je crois qu'il ne l'a jamais prise. On ne pouvait quand même pas mettre Selye dans un règlement! (Louise Drevet Selye.)

Mais les difficultés s'accumulent. Du côté administratif d'abord:

L'Université ne lui donnait pas de bureau, ce qui était incroyable — ils avaient peut-être peur de créer un précédent en lui laissant un bureau à vie? Et puis, on ne le sécurisait à aucun niveau. Le Père du stress commençait à trouver que des tapis se tiraient sous ses pieds, que l'administration ne se faisait pas dans le sens où il l'aurait aimé, que les conférences qu'on organisait pour lui n'étaient plus dans le même style. Honnêtement, lui et moi avons essayé pendant quinze ans de trouver un successeur; mais il avait un caractère difficile, et il en était conscient — il avait les défauts de ses qualités. (Louise Drevet Selye.)

C'était un grand chercheur, un excellent professeur, qui enseignait avec beaucoup de lucidité, qui faisait sa marque auprès des étudiants — un homme de très grande qualité, mais un caractère très, très difficile. (Roger Gaudry.)

Et il était têtu, ce n'est pas possible! Même sur le plan administratif, impossible de lui faire modifier la chose la plus banale. Il était intarissable de motifs, il sortait des arguments ad infinitum. Moi ça ne me dérangeait pas trop mais l'Université oui, parce que les administrateurs auraient aimé avoir un dossier clair. (Pierre Bois.)

Et du côté de la recherche ensuite:

Il avait toujours eu énormément de liberté; maintenant on lui donnait des subventions mais il lui fallait faire la recherche dans le sens indiqué. (Louise Drevet Selye.)

Il était tellement désespéré de ne pas avoir de fonds qu'il s'est vendu pour des choses absolument ridicules. La compagnie Imperial Tobacco s'est servie de son nom et de sa réputation; il a reçu d'elle cent ou deux cent mille dollars pour prouver que fumer n'était pas mauvais pour la santé. Il a exposé des rats à la fumée de cigarette et montré (avec cette technique histologique primitive qui était la sienne) que l'épithélium des voies respiratoires était intact — à une époque où la cancérologie était assez avancée pour étudier les enzymes et les moindres petits changements du système respiratoire. (Otto Kuchel.)

L'entourage de Selye lui suggère de trouver une nouvelle formule administrative et de fonder un Institut «qui serait plus voué à la diffusion de sa pensée» (Louise Drevet Selye). L'Institut international du stress ouvre ses portes le 1er juin 1977 — le lendemain même de la mise à la retraite de Selye. «Mon Institut de l'Université ferme mais pendant un an, j'y aurai encore mon bureau et ma bibliothèque», déclare-t-il au journal *The Gazette*. Cette nouvelle entreprise le stimule, en dépit des tâches administratives qu'il lui faut assumer et qu'il déteste. Il se sent ramené aux débuts de l'IMCE, quand il devait se battre pour *chercher des appuis financiers, définir les programmes de recherche, établir des connexions sur le plan international pour les demandes de cours et de conférences, sélectionner un personnel efficace et assurer la coordination d'une vaste bibliothèque.*

C'est le maire Drapeau en personne qui a inauguré cette plaque qui annonce l'Institut international du stress, à l'entrée du 659 Milton. Il y avait une vingtaine de personnes, et j'étais un des invités. Il y a eu une petite réception sous son toit. Ça a probablement été un de ses derniers moments de gloire... Mais il était déjà dans un état relativement mauvais de santé et on sentait chez lui un goût amer, comme s'il trouvait que d'un côté, il était reconnu mais que d'un autre côté, beaucoup de gens ne l'acceptaient pas tel qu'il avait été. Il avait toujours cette frustration — c'était comme une ligne noire qu'il tirait partout. Quand on lui parlait ouvertement, il disait: «Tout ça, c'est bien beau, mais je ne sais pas ce qui va arriver à ma bibliothèque, il n'y a pas de place à l'université, les gens ne manifestent pas assez de compréhension à mon égard, après tout ce que j'ai fait...»

Il s'est détérioré rapidement: il est devenu déprimé, et encore plus suspicieux et intolérant avec tout le monde. Il voyait des ennemis partout, même dans la communauté montréalaise — il s'est presque ridiculisé. Le respect qu'on lui portait n'était plus que le résidu de celui qu'on avait pour ses grandes contributions des années trente. (Otto Kuchel.)

«Organisme à but non lucratif destiné à continuer le travail commencé à l'Université McGill en 1936 et repris à l'Institut de médecine et de chirurgie expérimentales de l'Université de Montréal en 1945 [...] sur les aspects médicaux et socio-psychologiques du stress», l'Institut international du stress (IIS) va cependant plus loin que «la recherche clinique et de laboratoire. Il s'oriente aussi vers les sciences du comportement et fait appel à la coopération de spécialistes d'autres disciplines». Il se propose également de maintenir et «développer un centre international de données sur toute la documentation scientifique relative au stress et aux phénomènes connexes», enfin d'«instruire des chercheurs et des professeurs [...] en collaboration avec les universités, les institutions gouvernementales et commerciales, ainsi que d'autres centres de recherche qui poursuivent le même but». Il offre un certain nombre de services: conférenciers «qui peuvent expliquer et discuter (en dix langues) le concept du stress et des sujets connexes», des professeurs spécialisés, des conseillers, une équipe multidisciplinaire et des documentalistes scientifiques assistant ceux qui ont besoin d'avoir accès à «la plus grande documentation du monde sur le stress et les sujets qui s'y rapportent».

L'IIS est pourvu d'un Conseil d'administration (Hans Selye président, Marie Gibeau directeur exécutif, Jean Taché vice-président) et d'un Conseil des gouverneurs (parmi lesquels René Dubos, Marshall McLuhan, Jonas Salk, Alvin Toffler*).

Selye ne manque pas de locaux pour son Institut. En plus de ceux de l'université, il dispose d'*un joli manoir avec piscine chauffée et court de tennis à Pointe-Claire, élégante banlieue de Montréal.* Ce manoir, appelé Glennaladale, appartient à un riche mécène, David Stewart, dont la contribution au patrimoine québécois, surtout dans le domaine des arts et de la médecine, a été remarquable. Son immense fortune provient de la revente, à une compagnie américaine de tabac, de McDonald Tobacco. Stewart a, en 1976, obligeamment mis cette superbe demeure à la disposition de Selye, qui l'a transformée en Center for Applied Stress Studies (Centre d'études appliquées sur le stress) et en a confié la direction au Dr Jean Taché. Des ateliers de discussion sur le stress s'y organisent, ainsi que la rencontre d'une journée, préparée par Jean Taché, Hans Selye et Stacey Day sur le thème «Cancer, stress et mort» et que j'ai déjà mentionnée. Le Centre fonctionnera jusqu'en 1978. Soucieux toutefois d'*utiliser tous les moyens possibles pour le maintenir à jour et accessible à tous*, il cherche à le loger au centre-ville, dans le quartier des affaires et finit par aménager dans ce but sa propre demeure, à Montréal (659 Milton) — ne gardant, pour lui et sa femme, qu'une seule pièce.

Pierre R. Turcotte, professeur agrégé à la Faculté d'administration de l'Université de Sherbrooke, s'est trouvé, vers 1975, à donner avec Selye une conférence conjointe sur le stress:

---

* Ainsi que Thérèse Casgrain (membre du Sénat du Canada et suffragette bien connue au Québec), Michael E. DeBakey (président du Baylor College of Medicine), Philippe de Gaspé Beaubien (président de Télémédia Communications ltée), Claude Fortier (vice-président du Conseil des sciences du Canada), R. Buckminster Fuller (professeur émérite de la Southern Illinois University), S. I. Hayakawa (membre du Sénat des États-Unis), John M. Knowles (président de la Rockefeller Foundation), Robert Mallet (recteur de la Sorbonne et chancelier des universités de Paris), Aurelio Peccei (président du Club de Rome) et Derek Price (président du conseil du *Montreal Star*).

Le Dr Selye en parlait d'un point de vue biologique, moi d'un point de vue organisationnel. Après la conférence, il est venu me voir et c'est à partir de là qu'on s'est mis à se téléphoner et à s'écrire. Par la suite, il m'a demandé de faire partie de l'IIS, comme administrateur. Je m'occupais de diverses choses y compris de problèmes financiers. Parce que l'Institut était financé en partie par des dons, en partie par des organismes gouvernementaux, et il connaissait de petites crises financières. On arrivait à avoir en moyenne entre trois et quatre cent mille dollars par an. Une quinzaine de personnes y travaillaient.

Le Dr Selye était très attaché à son Institut, et je pense qu'il aurait voulu que cet Institut le perpétue et lui survive. Malheureusement, dans le cas d'un organisme qui vit, ne disons pas d'aumômes mais enfin, de dons, il est très difficile de trouver quelqu'un pour prendre la relève. J'ai été présent à toutes les réunions. On voyait que le Dr Selye essayait d'intégrer à l'Institut des gens de haut prestige. Il aurait peut-être fallu qu'il regarde plutôt du côté des chercheurs.

Pour pouvoir plus efficacement se procurer les fonds nécessaires,

on a mis sur pied une Fondation Hans Selye, en se disant que le nom de Selye pourrait aider à faire venir l'argent. Lui, ça ne lui plaisait pas tellement, c'était comme s'il devait déjà être mort... Finalement il a été d'accord et Me Émile Colas a rédigé une charte à but non lucratif. Mais la Fondation n'a pas marché, c'est resté sur le papier, ou presque. (Louise Drevet Selye.)

Enfin, Selye recherche les services d'une secrétaire particulière. Ce sera Mme Louise Clermont Brosseau.

J'ai eu l'insigne honneur de travailler auprès du Dr Selye du 19 juillet 1977 au 9 mars 1979 (date à laquelle j'ai démissionné pour accepter un poste où j'avais des possibilités d'avancement). J'assurais les fonctions de secrétaire privée du Dr Selye et de secrétaire de direction de l'Institut international du stress. J'ai effectué ce travail à l'Université de Montréal même. L'Institut était alors situé dans l'aile U-1, au septième étage. Cela comprenait le bureau du Dr Selye, une salle de conférences, trois immenses bibliothèques, une salle de rédaction, le secrétariat et deux autres pièces.

Tout a très bien fonctionné pendant quelques mois, mais Selye, qui était un être foncièrement suspicieux et qui sentait son Conseil d'administration très déterminé à apporter tout le soutien possible, a commencé à semer la confusion entre les membres — à diviser pour mieux régner. J'ai souvent dû intervenir pour essayer de maintenir de part et d'autre l'intérêt et la confiance. Heureusement, les gens étaient tenaces et croyaient en Selye.

L'IIS était orienté vers le domaine social, je veux dire que Selye écrivait des articles basés sur ses recherches, donnait des conférences, rédigeait des préfaces[1], recevait de nombreux visiteurs. Mais la recherche était bien terminée. Par ailleurs, pendant que j'y étais, l'Institut, sans rouler sur l'or, était tout de même assez florissant.

L'âge venant, Selye essaie de s'initier à l'art de bien vieillir. Physiquement, d'abord. En juillet 1969, il s'est embarqué à bord du paquebot de luxe *Argentine* pour une croisière-conférence de quarante-sept jours en Amérique du Sud, en compagnie de médecins, avocats, hommes d'affaires, scientifiques, etc. qui, à la veille de prendre leur retraite, veulent se prouver qu'ils sont capables de retrouver un second souffle. Moralement, ensuite. Après avoir *passé la presque totalité de [s]a vie à étudier les aspects physiologiques de la résistance et de l'adaptation*, il souhaite se consacrer *principalement à l'éthique, aux règles de conduite susceptibles d'améliorer le bien-être mental*, en clair, à son code de comportement bien plutôt qu'à son code génétique, sur lequel il n'a aucune prise. Il consacre effectivement tout un chapitre à son concept d'égoïsme altruiste dans *The Stress of My Life*, sous le titre «La maîtrise du stress», et écrit par ailleurs: *Ce que je puis dire, c'est que la philosophie du stress m'a considérablement aidé à acquérir la tranquillité d'esprit ainsi qu'à tracer le chemin que j'entends suivre dans l'existence.*

Étant donné qu'il devait littéralement mourir de stress, on se demande ce qu'aurait été sa vie s'il n'avait suivi ses préceptes... Car il ne cesse de demander toujours davantage à l'existence et à son corps. À cinquante-neuf ans, il illustrait les cycles de la créativité par des exemples de précocité intellectuelle: Évariste Galois, Banting, Laënnec, Augustus Waller, Langerhans, Erhlich. À soixante-douze ans, il se rassure sur sa propre productivité en pensant que de grands créateurs comme Thomas Mann, Michel-Ange, Picasso, Toscanini, Arthur Rubinstein, Bertrand Russell et beaucoup d'autres ont produit des chefs-d'œuvre à un âge avancé. Un autre auteur fait ses délices: Giuseppe Tomasi Di Lampedusa, dont il a lu *Il Gattopardo* (Le guépard) en 1963. Le romancier sicilien, dit-il, *avait 80 ans quand il l'a écrit. Par la suite, il a écrit d'autres livres qui n'ont pas eu autant de succès, mais c'étaient tous de bons livres.* L'exemple est malheureux: né en 1896, Di Lampedusa est mort en 1957, tout de suite après avoir achevé son roman — à l'âge de soixante et un ans! Il est donc garanti qu'il n'a plus jamais écrit. La parution, en 1958, du *Guépard*, est posthume (en 1961, l'éditeur milanais Feltrinelli publiera, grâce aux soins de l'écrivain Giorgio Bassani, un petit recueil de trois nouvelles traduit en français sous le titre *Le professeur et la sirène*). On comprend toutefois que ce roman nostalgique des splendeurs princières et des anciennes vertus ait fortement marqué l'imaginaire de Selye.

Selye est plein de projets: *Selye's Guide To Stress Research*, permettant au lecteur de se repérer dans l'œuvre de Selye (trois volumes dont un paraîtra en 1980, les deux autres en 1983), un article puis un livre sur la retraite et le vieillissement, une nouvelle édition de *Stress sans détresse* — lesquels n'aboutiront pas. *J'aimerais bien pouvoir écrire un nouveau traité d'endocrinologie, remis à jour, mais je ne crois pas que j'aurai le temps de le finir.* Il établit aussi des contacts avec d'autres Instituts du stress (Toronto, États-Unis, Allemagne, Israël) et veille sur l'organe officiel de l'IIS, une publication trimestrielle.

Ce journal s'appelait *Stress*. Il se voulait international et généralisateur. Mais il n'a pas été populaire à cause de cela. La spécialisation était devenue à la mode, et Selye combattait beaucoup cette tendance, qui rapetissait la médecine. Il y a eu douze livraisons, de 1980 à 1982. (Louise Drevet Selye.)

Présenté comme «The Official Journal of the International Institute of Stress and its Affiliates», le journal s'est éteint avec son fondateur. La dernière livraison (vol. 3, n° 4, hiver 1982) est annoncée comme finale («Final Edition») avec la notice: «With the passing of Dr Hans Selye, the STRESS Journal must regretfully cease publication.»

À la fin de novembre 1979 se tient à Monaco un congrès sur le stress — un hommage au «pape du stress». Y assistent une trentaine de spécialistes presque tous mondialement connus. Un ouvrage de grande vulgarisation sortira de cette rencontre: *Stress* (édité par le Dr Soly Bensabat). Le Dr André Pasternac, de l'Institut de cardiologie de Montréal, qui avait été invité à parler du rôle du stress dans les maladies cardiovasculaires, a été assez dérouté par l'atmosphère de cette rencontre:

> Les choses se sont passées de façon un peu malencontreuse à Monaco. D'abord, les droits d'inscription étaient assez élevés (je ne sais même pas pourquoi il y en avait), l'hôtel était cher — c'était le Loews. Et puis il y avait une grève des transports en France. C'était vraiment la tuile. Les avions ont été rétablis le matin même de l'ouverture du congrès, par conséquent bon nombre de gens avaient annulé leur voyage. Ensuite, ce congrès était ambigu en ce sens que Selye s'était associé avec des organisateurs, International Health Resorts, de Beverly Hills, dont les intentions n'étaient pas entièrement claires. Je crois qu'ils souhaitaient attirer des gens très riches dans leurs spas, établissements de massages et autres institutions de santé dont les motivations médicales étaient un peu obscures, ou plutôt relativement limpides car essentiellement financières. Alors c'était un peu gênant; d'ailleurs, la presse en avait fait état — le *Herald Tribune* avait écrit quelque chose sur ce mélange de Hongrie, de Beverly Hills, de Côte d'Azur et de recherches, c'était assez pitto-

resque. Enfin, Selye avait voulu faire de ce congrès une sorte de fête jubilaire en son honneur. Comme s'il s'était dit que, n'ayant pas eu le prix Nobel, il aurait quand même une grande fête, entouré de Prix Nobel, d'amis, etc. [étaient là Christian de Duve, Roger Guillemin, Hans A. Krebs et Linnus Pauling]. Et il avait fait frapper une médaille de lui-même, en or, qu'il distribuait à tous les participants.

C'est lui qui a fait l'exposé d'introduction — mais il a parlé plus longtemps que prévu, tout a dû être décalé. Lors d'une conférence de presse sur le stress, il s'est laissé embarquer sur son association avec ce groupe de Californie[2] sur la qualité scientifique de certains de ses résultats. J'avais désembourbé la situation en faisant quelques remarques qui avaient un peu arrangé les choses.

Selye était assez fortement diminué, fatigué — malade en fait puisque je me souviens que dans les mois qui ont suivi il avait une laryngite grave, il parlait avec un micro et des écouteurs, c'était très curieux.

Il vieillissait quand même, hein? C'est lui qui, dans sa recherche sur le stress, avait découvert la courbe d'épuisement... À partir de 1976-1978, on a commencé à s'apercevoir qu'il voyageait beaucoup trop, que les décalages horaires, même s'il ne voulait jamais s'en occuper, le dérangeaient. (Il rentrait directement à l'université pour voir son courrier, car c'était très important pour lui, le courrier.) Mais il avait tellement d'énergie, tellement de dynamisme que cela ne durait pas. (Louise Drevet Selye.)

Une journaliste américaine, qui l'interviewe en 1980, nous laisse de lui ce portrait: «Selye a l'air fragile. Il est menu, et son problème de hanches réduit sa marche à une suite de petits pas précautionneux. Sa chevelure blanche s'éclaircit. Mais ah, le pétillement de ses yeux bruns [!], le mot d'esprit à ses propres dépens au bout de sa langue, ses éclairs de vision, quel homme de science achevé... [...] Peu importe le tremblement de sa voix qui, s'ajoutant à un accent germano-hungaro-canadien-français, le rend pratiquement incompréhensible par moments. Peu importe la constante douleur qu'il éprouve à la suite de l'échec de ses deux opérations aux hanches[3].»

Enfin, voici l'impression qu'a gardée de lui à cette époque le Dr Laborit qui l'a vu, dit-il, à peu près un an avant sa mort:

> J'enseignais alors à l'UQAM et de temps en temps j'allais le voir, à l'Université de Montréal. Je l'avais trouvé très vieilli et, soyons franc, assez paranoïaque, un peu aigri. Il avait une grande pièce où il avait étalé toutes ses médailles, tous ses diplômes. Il m'y avait emmené, il avait passé un quart d'heure à me montrer tout cela comme si, vraiment, pour moi Selye était lié à des diplômes. Cela m'avait surpris.

L'horloge du temps

Un dernier coup du sort tombe sur cet homme physiquement accablé qui pourtant ne veut pas se rendre. Le 6 octobre 1981, Selye est «victime d'une perquisition dans ses laboratoires et à son domicile» (*Le Devoir*). Le fisc québécois lui réclame «la somme des impôts dus pour les années 1974 à 1977» soit 290 179 $ (*Le Devoir*). Le choc est tel que Selye en perdra pendant plusieurs semaines la parole. Un an plus tard, sa veuve poursuivra à son tour le fisc, lui réclamant sept cent mille dollars dont «une bonne part se veut une réparation à la réputation internationale et à l'honneur du défunt [...] grandement affectés par le geste posé par le ministère du Revenu du Québec» (*Le Devoir*). Les journaux restant par la suite muets sur l'affaire. Les données de l'impôt étant confidentielles et Mme Drevet Selye n'ayant pas jugé bon de me confier ce qui en était résulté, je ne peux rien dire de plus.

> Il dégringolait doucement. Il a dû arrêter de faire de la bicyclette parce qu'il tombait, il n'avait plus la force de rester dessus. La dernière année, il avait de la difficulté à marcher et même à monter l'escalier. C'était devenu un vieux monsieur. Il avait peur de la vitesse des étudiants qui le bousculaient dans les corridors, des sons trop forts, de la vie trop rapide. Il devenait fragile. Alors, il a commencé à rester un petit peu plus ici, à ne plus tellement aller là-bas, à l'université où, de toute façon, il ne se sentait plus trop désiré — même si le doyen, le Dr Bois, faisait tout ce qu'il pouvait pour le protéger.

Je dirais que presque les quatre dernières années, il se tenait sur mes épaules, moralement et physiquement. J'ai pris toute l'affaire en main — j'ai vraiment fait beaucoup. Pour moi, c'était une joie, parce que ce monsieur-là, il avait fallu que je m'approche de lui dans le silence, les samedis et dimanches à l'université — et là, je pouvais avoir avec lui une vie de couple! Je me sentais bien avec lui en le protégeant.

Et comme toujours dans sa vie, il s'est rabattu sur quelque chose de constructif: un livre — son dernier. Quand il a eu terminé son manuscrit, il l'a fermé, l'a donné à la secrétaire en disant: «J'ai fini mon quarantième livre.» Et c'est étrange parce que quand la secrétaire a été partie, il m'a regardée dans les yeux et c'est là qu'il m'a dit une phrase que j'entendais en moi, que je sentais venir depuis six mois: «Je n'ai plus rien à dire.» Je savais que l'homme et l'œuvre partiraient ensemble. Il a ajouté: «Laisse-moi dormir maintenant.» Et tout le sommeil d'une vie où il n'a jamais dormi, il l'a dormi en quatre jours. C'était superbe!

Je m'étais installée dans la chambre d'à côté pour le laisser dormir. Le matin, je lui donnais un petit bain d'éponge, il se recroquevillait comme un fœtus, dans une merveilleuse attitude de délassement total; il avait même le teint rose, c'était superbe! J'avais apporté dans sa chambre de la musique hongroise, de bergers tziganes, qu'il aimait beaucoup — la seule musique qu'il aimait parce que les autres, disait-il, c'était du bruit.

L'après-midi du quatrième jour, je suis restée assise près de son lit, avec un livre; j'avais mis un foulard de batik sur la lampe. À un moment donné — il était sept heures et demie —, j'ai cru que l'horloge s'était arrêtée. C'est bête parce que l'horloge est dans le salon en bas, moi j'étais en haut. Mais j'ai eu cette impression. Et tout à coup j'ai compris qu'il était mort. (Louise Drevet Selye.)

Un jour, raconte son médecin traitant, le Dr Kuchel,

j'ai reçu un téléphone du Dr Marc Cantin qui me demandait si je pourrais passer voir le Dr Selye parce qu'il allait très mal, qu'il était même peut-être mort. J'étais avec mon épouse, nous allions au cinéma, et je lui ai dit: «Je vais quand même arrêter chez eux parce que je ne sais pas si c'est sa dernière farce ou non.» On ne savait jamais avec Selye, c'était un grand farceur et dans les derniers mois de sa vie, il insistait pour se faire reconnaître comme infirme, c'est-à-dire qu'il faisait valoir sa maladie pour recevoir des derniers hommages.

Effectivement, j'ai constaté qu'il était mort*. À mon avis, sa mort était coronarienne — il devenait de plus en plus enflé et faisait une insuffisance cardiaque progressive. C'est ce que j'ai soumis comme première possibilité de mort, quand j'ai rempli le certificat de décès. (Otto Kuchel.)

C'était le samedi 16 octobre 1982. Selye approchait de ses soixante-seize ans.

Il sera exposé au salon Alfred Dallaire, 1111, rue Laurier Ouest. Une autopsie demandée par sa femme, à la fois pour «comprendre son génie» et par «curiosité scientifique», sera pratiquée à l'Hôtel-Dieu. Les funérailles auront lieu le mercredi 20 octobre à neuf heures, en l'église Saint-Viateur d'Outremont, et son corps sera incinéré. Quelques heures après la crémation, Mme Gabrielle Grant Selye s'est présentée au cimetière et a obtenu une partie des cendres de son ex-mari. À la question: «Où le Dr Selye est-il enterré?», Mme Louise Drevet Selye répond: «C'est mon secret.»

Par testament, Selye lègue à son fils Michel sept mille dollars, à son fils André, trois mille, et à sa fille Catherine Drew (née de son premier mariage), deux mille — mais rien à Jean ni à Marie. Seule légataire universelle résiduaire et exécutrice testamentaire, Mme Drevet Selye hérite en conséquence de tous ses biens meubles et immeubles[4].

---

* Le Dr Kuchel n'est pas très sûr de ses souvenirs. Il pense que le Dr Marc Cantin était au chevet de Selye lorsqu'il est arrivé au 659 Milton. Mme Drevet Selye, elle, dit avoir demandé au Dr Cantin d'appeler le Dr Kuchel (dont elle n'avait pas le numéro privé); tous deux seraient arrivés ensemble. Et le Dr Cantin était décédé lorsque j'ai voulu éclaircir la question.

DEUXIÈME PARTIE

Mise en regard

IMPACT ET BILAN

Les données biographiques établies, la question qui se pose est celle, globale, de l'héritage de Selye. Quel bilan peut-on établir de ce qu'est son apport à la science — et y a-t-il apport? Que nous reste-t-il de ces presque soixante années consacrées à la création, puis à l'affermissement d'un domaine propre, celui du stress, et à sa sociodiffusion?

Seules des réponses partielles peuvent être données, dont au mieux la convergence éclairera de façon significative tel ou tel aspect de la question posée et en autorisera un déploiement plus ample. Ayant pour but non pas de rendre un verdict mais de fournir les pièces d'un dossier, je livre cet ouvrage comme un instrument de travail ou de réflexion, dont on ne saurait par conséquent attendre une conclusion simple et tranchée.

J'organiserai donc autour des thèmes qui, concernant les diverses facettes de Selye, m'apparaissent comme les plus éloquents la matière puisée dans les interviews des soixante-neuf personnes que j'ai rencontrées (ou avec qui, pour une dizaine, j'ai correspondu, en raison d'un trop grand éloignement géographique) et qui ont travaillé avec Selye, en leur laissant le plus possible la parole. De l'homme — l'individu, le chercheur, le professeur, le conférencier — je passerai aux travaux, aux jugements que porte sur eux la communauté scientifique et aux recherches qui se réclament des siennes ou les poursuivent.

Je n'ai jamais vu Selye, ni de près ni de loin. Mais à force de le lire et d'entendre parler de lui a pris corps en moi une certaine idée de sa personne. Ainsi, que je le veuille ou non, c'est cette image subjective qui, véritable matrice, ordonne les traits divers de son caractère et de ses conduites en un tout — et donc le portrait reconstruit après coup que j'offre ici. Le statisme inhérent au procédé ne doit toutefois pas faire oublier que toute personnalité résulte d'une organisation dynamique en interaction continue avec l'environnement, bien sûr, mais aussi avec elle-même.

Un battant

«Tous les êtres humains sont complexes, et Selye l'était peut-être plus que d'autres[1].» Certes. Peut-être parce que, à côté de qualités exceptionnelles, il avait «de grands défauts[2]», avec en plus le «pouvoir de polariser[3]», c'est-à-dire de faire converger l'attention et les intérêts de ses interlocuteurs sur les siens propres, ce qui avait la capacité à la fois de fasciner et de repousser, de soumettre et de rejeter, d'enrichir et de démunir.

«C'était un homme plein de charme, au charisme peu commun[4].» «Il pouvait faire des choses merveilleuses: écrire un poème, apporter un bouquet, mettre une fleur sur un bureau pour accueillir quelqu'un[5].» Il était «gentil et galant, tout en restant très correct. Il trouvait toujours quelque chose à offrir à Noël à quelqu'un qui était venu travailler, un parfum ou plus simplement une parole aimable. C'était un charmeur[6]». Plus même: «Il avait un grand côté humain. Par exemple, lorsque l'un ou l'une d'entre nous avait dix ans d'ancienneté, il nous faisait une fête et nous avions droit à un cadeau[7].» «Il s'intéressait aux gens. Je me souviens d'une secrétaire dont le fils s'était sauvé de la maison. Il en était presque autant affecté qu'elle[8].» «Il nous aimait comme si nous étions ses enfants. Il nous invitait chez lui, il nous faisait des cadeaux extraordinaires... C'était comme un père scientifique, l'ancien père de famille[9].» «On formait une famille. Pour Pâques par exemple, il apportait un énorme nid de coton avec des œufs en chocolat. Pour Noël, il y avait de petits cadeaux, et lorsqu'il revenait de voyage, il rapportait un petit quelque chose à chacun[10].»

«Mais c'était aussi quelqu'un qui pouvait être d'une grande brutalité, du jour au lendemain, et d'une brutalité sans appel. Le personnel le redoutait beaucoup[5].» «Il était aussi sévère qu'il pouvait être chaleureux[11]», et alors «extrêmement poli (ses observations négatives étaient toujours faites très correctement et avec justice), mais froid et distant, donnant l'impression qu'il ne s'intéressait pas à ses assistants en dehors du travail qu'ils ou elles faisaient pour lui et l'Institut[12].» «Ce n'était pas le père à qui on pouvait se confier. On avait peur de lui; quand il passait dans les couloirs, on se cachait derrière les murs[2].» «Il ne laissait pas place à une erreur. J'en ai fait une, une fois, il me l'a reprochée pendant deux ans — alors que lui non plus ne l'avait pas vue sur le coup. Par contre, il savait reconnaître les gens qui travaillaient avec lui. Il pouvait être un monstre et en même temps avoir des attentions charmantes. Il avait des côtés mesquins et des côtés généreux — il était très attachant[13].» «Très attachant, oui, peut-être même trop. Il le savait et il s'en servait. Il avait fait quelque chose que vous jugiez inacceptable, vous aviez envie de lui tordre le cou, il vous regardait et tout à coup vous étiez désarmé. Il appelait cela son charme autrichien[11].» En somme, «il était un peu manipulateur, mais il faisait ça gentiment[6]».

«C'était un homme rusé; il s'exprimait avec aisance, il vous mettait l'eau à la bouche, et quand il sentait qu'il vous possédait, il se retirait[4].» «Il était parfois méchant. Il nous accordait beaucoup d'importance et, en même temps, il nous impressionnait. La seule connivence qu'on pouvait avoir avec lui, c'était d'aimer l'Institut et d'aimer ce qu'il faisait. Mais impossible d'établir des liens[14].» Plus que méchant: «Parce qu'il était d'une sensibilité extrême, qu'il ne voulait pas se laisser affecter par les aspects humains, il pouvait devenir très cruel[15]*.» Plus que cruel, même: «Il avait une pointe de sadisme. Quand il avait des reproches à faire à quelqu'un, il les lui faisait devant tout le monde[16].» «Il avait un côté sadique. S'il vous voyait prêt à le suivre, il vous faisait aller jusqu'au bout du monde[11].» «Il ne fallait surtout pas avoir

---

* Le soir où elle lui annonce qu'elle vient de perdre sa mère, raconte Gabrielle Selye, il répond: «Je suis très heureux d'avoir vu belle-maman hier soir à l'hôpital», puis aussitôt: «Est-ce que le dîner est prêt?» Mon mari avait toujours le besoin de gâcher le plaisir des autres, explique-t-elle aussi. Par exemple, il offrait quelque chose aux enfants, et tout de suite disait: «Il ne faut pas l'abîmer, on va le ranger dans le tiroir.»

peur de lui donner l'impression qu'on avait peur de lui, parce qu'il pouvait vous écraser. Il n'aimait pas les gens faibles, il préférait qu'on lui fasse front[17].» «Lorsqu'il était là, ce n'était pas l'homme mais le soldat, le grand homme. Il fallait être couché à ses pieds. Il dominait son monde[2].»

Une des préoccupations fondamentales de Selye est le souci de ne pas perdre de temps: *Je suis toujours sur mes gardes de peur que le temps m'échappe et me fasse manquer l'occasion de faire tout ce que je veux faire. Ce qui peut-être explique que les seuls rêves dont je puisse me souvenir sont ceux dans lesquels je manque mon but.* «De tous les scientifiques que j'ai connus, Selye avait une qualité — ou un défaut, cela dépend — rare: cette discipline qu'il s'était donnée de ne rien faire qui ne soit utile à l'évolution de ses concepts, de ses idées, de son plan scientifique. Cela a l'air simple à dire, mais c'est très difficile à réaliser et c'est très rare. Cela lui permettait d'accomplir un travail fantastique, d'écrire des publications très nombreuses, d'avoir une série d'expériences en cours, de donner des conférences et des cours, sans perdre une seule minute. Pendant un voyage, il n'avait jamais — c'était tabou — le temps du prendre un moment pour faire autre chose, c'eût été un mauvais placement[1].» (Amateur de théâtre, Selye finit par lui préférer le cinéma qui, lui, commence à l'heure.) «Il était tellement actif! Il n'aimait pas être dérangé[18].» «Selye a été un modèle exemplaire (qu'on peut accepter ou rejeter) de ce qu'est la discipline scientifique: comment organiser sa vie si on veut faire de la recherche[19].» «C'était un scientifique de génie. Il m'a appris à organiser mon travail, à poser des questions claires pour obtenir des réponses claires — et comment NE PAS organiser ma vie privée[20].»

D'un avis unanime, Selye était «un travailleur acharné[21]». «Quand il était en bonne santé, arriver à l'Institut à sept heures, pour lui c'était ordinaire — quelquefois, quatre heures. Et le soir, il restait jusqu'à six, sept heures. Pas de sorties, pas de dimanche à la maison, pas de Pâques, pas de Noël[6].» «Il avait une puissance de travail! Il faut dire aussi qu'il avait le don d'éviter le stress, ses travaux le lui avaient appris. Tout ce qui d'habitude embête les gens, il l'avait supprimé: on demandait pour lui, on le dirigeait, on téléphonait pour lui... Nous, on était jeunes, on avait une femme, on s'occupait d'aller au magasin, à l'épicerie, c'était dur. Pour lui, tout ça, enlevé, disparu[15]!» «Sa puissance de travail retentissait sur toutes les personnes qui gravitaient autour de lui, et il était très exigeant sur la question du temps que l'on investissait dans les recherches entreprises, sur la productivité[22].» «Quand j'essayais de défendre un tel, il me posait toujours sa fameuse question: «Qu'est-ce qu'il a fait?» Comme s'il avait la hantise du rendement. Ça le dévorait, au point d'être injuste mais sans aucune malice, simplement parce qu'il fallait que chacun produise dans cette entreprise, un peu comme lui-même[1].» «Le Dr Selye s'était dévoué à son travail comme à une proche famille. Il avait le sens du devoir. Et c'était tellement dans l'atmosphère que je me sentais vraiment à l'Institut comme chez moi; c'était ma deuxième maison. J'ai dit une fois à mon mari que si le Dr Selye me demandait de sauter du haut de la grande tour [de l'Université de Montréal], je le ferais. Il était furieux, il a cru que je perdais la tête[10]!»

«Travailler, ce n'était pas seulement passer du temps ou savoir s'organiser, c'était aussi se concentrer sur les points essentiels ou bien développer quelque chose d'important, pour arriver à des résultats[22].» «Il disait: «Une fois qu'on a formulé un plan [de «recherche], ce n'est pas suffisant d'en parler, il faut l'exécuter «rapidement.» Parfois, un étudiant lui présentait un plan et ne le suivait pas. Il arrivait que le Dr Selye l'exécute lui-même. Il n'accordait alors jamais plus son crédit à cet étudiant qui n'avait pas su mener à bien son idée[23].» «Il était extrêmement exigeant, et pas seulement sur la qualité scientifique mais sur le plan de l'engagement personnel[24].» Ce caractère exigeant de Selye est encore dans toutes les mémoires. «Il était très exigeant avec ses étudiants. Il nous faisait travailler de sept heures du matin à sept heures du soir sans arrêt; on avait juste le temps de manger en vitesse un sandwich. Mais comme il travaillait lui aussi tout autant, on ne pouvait pas ne pas le faire. Si on se montrait valable, alors il nous acceptait[2].» «J'ai été à dure école, mais c'est bon, c'est comme ça qu'on forme du personnel[8].» «Je croyais entrer avec une bonne formation de technicien, mais je n'arrivais pas à la cheville de ce qu'exigeait le Dr Selye en termes de qualité et de précision. De façon très polie mais sans équivoque, il nous ramenait à l'ordre, et je ne l'ai jamais pris en défaut quant à ses standards de qualité[25].» «C'était un patron très exigeant, lui-même donnait l'exemple, il avait une énergie formidable. Personne à l'Institut n'en est mort, mais[26]...» «On recevait des fessées intellectuelles à l'occasion[25].» «Bien sûr qu'il était exigeant, mais si on décidait de faire des études graduées avec lui, on savait bien dans quoi on s'embarquait, on savait bien qu'il demandait un dévouement complet au projet. Il était très peu tolérant et je ne le regrette pas[9].» «Il avait une équipe de jeunes chercheurs qui étaient enthousiastes et travaillaient beaucoup, mais qui étaient soumis à une pression éreintante pour ne pas dire inhumaine[27].» «Pour entrer chez lui, il fallait être très fort déjà. Plusieurs jeunes chercheurs ont vu leur carrière brisée parce que c'était un monsieur qui était très dur, et pour lui et pour les autres[28*].»

«Il avait des qualités de rigueur et de constance, de grosses capacités de travail, mais ce qui lui manquait peut-être, c'était la générosité intellectuelle, et ceci que les gens semblaient l'intéresser tant qu'il pouvait en tirer quelque chose. À partir du moment où il avait l'impression qu'ils ne pouvaient rien lui donner, l'idée ne lui venait pas qu'on attendait des choses de lui aussi. Or, on attend quelque chose de son patron, hein? Qu'il nous guide, qu'il nous épaule, qu'il y ait un échange. Lui prenait et ne donnait pas beaucoup[5**].»

«Cet horaire très rigide qu'il suivait de très près, je me suis souvent demandé si ce n'était pas une façon de se cacher — cette façon qu'il avait de se barricader dans sa pièce sans qu'on puisse avoir accès à lui. J'avais le sentiment qu'il se défendait en réalité contre le contact avec les gens[29].» «C'était un homme seul, très seul, perdu dans la foule[30].» «J'ai toujours été frappée à la fois par son égocentrisme et par sa fragilité[13].»

Autoritaire? «Oui, mais avec grâce. Je ne l'ai jamais vu en colère. Il avait une maîtrise de lui exemplaire. Ce qui ne l'empêchait pas d'être très exigeant[31].» Car «c'était une forte personnalité.

André Robert

---

* «Sa mère était très dure avec lui. S'il n'arrivait pas premier, il recevait un coup sur la nuque. S'il arrivait premier: «Tu aurais pu encore mieux faire.» Et lui était dur avec sa famille; parlant des enfants, il disait: «Il ne faut pas que la vie leur «soit facile, ils doivent apprendre.» (Gabrielle Selye.)
** «Lorsque quelqu'un ou quelque chose ne lui sert plus, il s'en défait — que ce soit un employé de l'Institut qu'il renvoie ou les feuilles d'un livre de poche qu'il arrache.» (Gabrielle Selye.)

Ceux qui ne voulaient pas plier devant lui devaient partir, et ceux qui pliaient trop, il les mettait à la porte parce qu'ils n'avaient pas assez de caractère[6]». Savoir commander, imposer son autorité ne constitue pas pour tout le monde un défaut: «C'était un dictateur, ce qui pour moi est positif. Un chef doit être un chef. Aujourd'hui malheureusement, ce n'est plus vrai[32].» Tout de même: «C'était un tyran, un despote[14]», et «son autorité dictatoriale et sans partage fut à l'origine de notre «Société des Inadaptables[33]».

Une de ses grandes qualités, comme le disent textuellement plusieurs, c'est son sens de l'organisation. «Un organisateur de premier plan[34].» «De toute ma vie, je n'ai jamais vu ça dans un laboratoire. C'était organisé comme une usine de production dont Selye était le pivot. Tout circulait le long des axes de façon à lui arriver sous la forme de papiers pratiquement finis auxquels il mettait la dernière touche et qu'il envoyait pour publication. C'était comme une chaîne de montage ou d'assemblage de voitures[19].» «S'il avait été dans les affaires, il aurait été un homme d'affaires absolument extraordinaire[35].» «Il était extrêmement bien organisé — une qualité qu'il voulait nous apprendre: «Je ne «peux pas vous enseigner à avoir des idées intéressantes, mais je «peux vous apprendre à organiser vos idées et votre recherche, «quelle que soit leur valeur[12].»

«Il avait l'art de faire travailler les gens. Et on se prenait au jeu. Il avait un rythme absolument trépidant, et on avait l'impression que tant qu'on n'avait pas fait comme lui, on n'avait pas fait assez. Au bout de quatre ou cinq ans, j'étais brûlée, je n'en pouvais plus. Il avait aussi une qualité que tous les patrons, je crois, devraient avoir. Il arrivait et pof! il voyait ce qui n'allait pas. Par exemple, une secrétaire tapait des fiches, elle en avait fait plus de mille. Il soulève la pile, comme on coupe un paquet de cartes, et il tombe sur LA fiche qui avait une erreur. Ou encore, il met la main dans une cage de dix rats, et il sort celui qui avait quelque chose. C'était incroyable! Le personnel le craignait[5].» (*Mes assistants disaient que j'avais reçu du ciel (ou peut-être du diable!) ce qu'ils appelaient le «lathotropisme» — une qualité inquiétante.*)

«Le Dr Selye nous assignait, de façon assez rigide, des temps pour lire, pour travailler au laboratoire, pour discuter des expériences, pour faire la correspondance, etc. Il disait: «La vie doit être «très structurée et les activités convenablement réparties[36].» «Travailler là, c'était presque comme faire son service militaire. Les tâches — les corvées — étaient bien définies, il y avait une hiérarchie, des temps forts... Et aussi le service commandé; de temps en temps on était chargé d'une mission. Exactement comme si on avait été à l'armée[5].» «Il y avait une hiérarchie à l'européenne, avec tout en haut le sacro-saint grand patron et chacun bien à sa place[36].» «Je cherchais la science nord-américaine, avec une équipe et un fonctionnement pas trop formel. Je me suis retrouvé dans l'Europe centrale du début du siècle — dans le milieu justement auquel je tentais d'échapper[37]!» «Il était d'une école très sévère, très autrichienne de l'ancienne garde. C'était Monsieur le professeur[38].»

«En ce qui concerne l'administration, il y avait une Reine (Mme Staub, Mlle Dussault); mais on a connu aussi un Roi ([Michel] Mercier). Côté médecins, il y avait deux niveaux: le groupe et le favori du moment, le Prince, qui a droit à des informations spéciales. Un jour, Selye a décidé de fonder *The Committee*: Pierre Jean, Marc Cantin et moi-même (ils se baptiseront «Les trois mousquetaires», avant même l'arrivée d'un quatrième, Giovanni Gentile). Ce comité représente le pouvoir exécutif de l'IMCE. Il est entendu — c'est Selye qui le dit — qu'il ne fera jamais valoir son droit de veto et qu'il n'interférera pas dans les décisions prises. Le comité lui fera rapport chaque jour afin que lui, Selye, soit au courant de ce qui se passe. En fait, ce comité s'est révélé une ruse pour éviter à Selye d'avoir à communiquer aux autres les choses désagréables et lui permettre de garder le beau rôle en s'abritant derrière les décisions du comité[16].» «Ses mauvais coups, il s'arrangeait pour les faire faire par d'autres, afin de préserver son image[25].»

«Le Dr Selye a fait des expériences surtout avec des bêtes mais de temps en temps, il s'amusait à voir comment une personne réagissait[6].» «La façon dont il a agi avec moi comportait une nuance de destruction. Est-ce qu'il voulait tester ma tolérance au stress? Je me suis demandé s'il s'intéressait au stress humain, et pas seulement animal, s'il essayait de voir quelles étaient les limites du stress physique, psychosocial, etc.[38].» La question reste posée. Chose sûre, «le Dr Selye avait cette manie, consciente j'en suis certaine, de monter les employés les uns contre les autres[11]».

«Il avait une stratégie: diviser pour régner — créer des tiraillements entre tel et tel pour empêcher la solidarité et stimuler l'intérêt et l'enthousiasme au travail. C'est le genre de mesquinerie qu'il faisait régulièrement. Par exemple, il arrive dans un laboratoire et dépose une fleur sur la table; pendant quinze jours, la salle numéro 2 à l'étage supérieur est première au hit parade. Alors tout le monde se demande ce qui se passe et se hâte d'entrer dans la compétition. Et à un moment donné, hop, c'est une autre salle qui devient le chouchou du patron... Mais il faisait cela d'une façon si subtile, si intelligente que vous aviez l'impression que ça tombait à point. Alors que c'était malice de sa part[14].» «Il était passé maître là-dedans. Il a utilisé cette technique à maintes reprises, et il réussissait. Nous nous divisions[31]!»

«Chez Selye rien ne se faisait comme ailleurs. Ou on restait et on apprenait, ou on n'avait pas envie d'apprendre et on ne restait pas. Parce que tout était ambigu, mal précisé. Ça le servait, ça l'arrangeait[11].» «Beaucoup d'entre nous avions fini par comprendre, et nous ne prenions pas cela trop au sérieux. Je ne sais pas dans quelle mesure il avait délibérément calculé qu'il amènerait les gens à travailler plus dur en instituant entre eux une telle compétition. C'est peut-être venu tout naturellement, à travers la confusion qui régnait. Il y avait sûrement des gens qui y croyaient, qui s'en offensaient, et d'autres qui étaient plus détachés, pour qui c'était comme un jeu. À mon sens, la confusion était telle que les gens devenaient moins productifs. Il y avait un énorme gaspillage. Un exemple: le Dr Selye me demande d'acheter des verres pour une réception. J'essaye de téléphoner, toutes les lignes sont occupées ce qui était inhabituel car on avait plusieurs lignes. De guerre lasse, je vais voir la réceptionniste qui m'apprend que oui, madame une telle et madame une telle (dont ce n'était normalement pas du tout la tâche) essayent d'acheter des verres pour le Dr Selye. Il avait chargé trois personnes en même temps de la même démarche. Et nous, nous avions dû abandonner notre travail et passer notre temps à obtenir une ligne. C'est le genre de choses qui arrivait souvent[29]*.»

---

* «Chaque fois qu'on avait besoin d'un réparateur, il me disait: «Appelle à trois «endroits et compare les prix»... Alors que j'avais tellement à faire! J'étais débordée.» (Gabrielle Selye.)

«Il disait lui-même qu'il n'avait pas confiance dans les autres[28].» «Absolument. Quand il avait besoin de quelque chose, il mettait quatre personnes dessus et puis il comparait. À la fin, nous le savions et nous nous parlions de ce que nous étions en train de chercher. Il croyait en la comparaison. Il disait que, pour trouver la vérité, il faut douter[13].»

En résumé, «il était un exemple du «Maître», du «Herr Professor» des universités européennes: humaniste, charmant et charmeur, doué d'une vaste érudition, linguiste, orateur, écrivain — en somme, des qualités qui lui permirent de s'imposer auprès du grand public[33]». Car incontestablement Selye a des dons exceptionnels: «D'abord, il parlait plusieurs langues, ce qui lui permettait un contact direct avec la littérature et avec les gens un peu partout dans le monde. Lorsque j'étais doyen, il m'est arrivé en entrant dans son bureau de constater qu'il avait beaucoup de méthodes Assimil. Il était en train de repasser le portugais parce qu'il allait donner une conférence: «Oui, c'est comme ça que j'ai «appris beaucoup de langues. Mais je ne sais pas les écrire, je ne «sais que les parler[39].» «Il disait qu'un scientifique devait parler plusieurs langues pour pouvoir communiquer avec succès dans ce monde[23].» «Il pouvait par bravade changer cinq fois de langue dans une soirée. Ça l'amusait d'avoir comme partenaires des gens capables comme lui de maîtriser plusieurs langues[40].» À l'Institut, lorsqu'il parle en particulier, il adopte la langue de son interlocuteur. Quand il s'adresse à tous, il le fait en anglais.

Tous lui reconnaissent de l'intelligence et même davantage. «C'était une grande intelligence. Il avait des yeux brillants, pénétrants — ce qu'on voit rarement. Je remarque que les gens brillants ont des yeux spéciaux. Prenez les yeux d'Einstein, ça dit quelque chose[18]!» «Il était extraordinairement intelligent parce que, tout en restant scientifique, il avait une vue très large des choses[17].» «Pour ce qui est de la puissance de pensée, je l'ai trouvé très brillant. Certainement extraverti, dans le sens que toutes ses pensées étaient retransmises verbalement, c'était un verbomoteur. Souvent il m'appelait dans son bureau pour parler de choses et d'autres. En fait, c'était un monologue: il développait sa pensée en présence de quelqu'un sans avoir besoin du moindre input, ni même d'une réaction critique. Pour nous qui étions exposés à son contact, c'était extrêmement rafraîchissant. Chaque fois qu'on avait des invités Claude-Bernard (des gens très compétents qui souvent avaient eu le prix Nobel), j'étais frappée par la pertinence de ses questions et la connaissance qu'il avait de nombreux domaines scientifiques[22].»

«Je serais prête à dire que c'était un homme de génie, qui avait une intelligence énorme, une capacité de travail fantastique et toutes sortes d'idées, très valables, qu'il tirait de déductions très rapides[41].» «Incontestablement un génie[42].» «Je le vois comme quelqu'un de génial, avec des capacités et des intuitions énormes, et une approche scientifique tout à fait individuelle et précieuse[38].» «Nous étions tous convaincus — et je le suis encore — que Selye était un génie. Il était de la stature des Claude Bernard, des Pasteur, des Fleming, des Metchnikoff — de ceux qui ont été vraiment des pionniers, c'est-à-dire des gens faisant des observations imprévisibles, que personne n'avait faites auparavant alors qu'elles auraient pu l'être[31].» *Voir ce que tout le monde a vu, en posant les questions que personne n'a posées.*

«Quelqu'un de vraiment génial mais quelqu'un aussi qui avait des petitesses... J'ai connu des moments exceptionnels avec lui, on avait l'impression d'être au bord d'une découverte, d'être ensemble à voir quelque chose que personne au monde n'avait encore vu — c'est exaltant, on a le sentiment de frôler le génie! Mais quand on voit la même personne répéter trois fois son fameux rire parce que la télévision va venir et qu'elle veut absolument le placer, on se pose des questions[5]!»

«J'ai sûrement été un de ses grands admirateurs. Avant que je vienne, on m'avait dit: «Lui rendre visite c'est très agréable, «mais travailler avec lui c'est un stress insoutenable.» C'est vrai que tous les grands hommes ont de grandes faiblesses... Je pense qu'au fond de son génie il y avait un peu de psychopathie; il avait des particularités de caractère, comme tous les grands hommes. Les rapports entre psychopathie et génie sont bien connus[40].» «Un génie maléfique, c'est ainsi que je le qualifierais. Il exploitait ses assistants, il y a eu des dépressions nerveuses[43].»

«Il avait le sens du «show», sans jamais oublier sa propre personne. Il aimait ça et faisait même preuve d'une certaine franchise dans sa façon de le faire voir. On peut dire qu'il avait un ego très bien constitué, ce qui est un peu vrai de tous les grands créateurs[17].» «Il avait besoin de toute la place pour s'épanouir. C'est souvent comme ça avec les grands hommes[13].» «Si je le compare avec Einstein — pas sur le plan du talent mais sur celui de la personnalité —, je constate que lui était orgueilleux comme un paon. Il aimait qu'on le voit et qu'on sache qu'il s'appelait Selye[32]!» «Il jouait à la star. On le lui pardonnait parce qu'il en avait l'étoffe[25].» «Il voulait avoir le contrôle absolu, tout dépasser — être, comme on dit en anglais, le «one star show[37].» «Selye, c'était un «one man show». Mais quand ç'a été fini, ç'a été fini[19].» «Cette profonde estime de lui-même allant de pair avec le mépris pour les autres — un mépris sans colère, manifesté en majesté —, c'est peut-être ce qui lui a fait un si grand nombre d'ennemis. Dans le service, on disait qu'il faudrait, pour paraphraser l'inscription que Selye avait mise au-dessus de l'entrée du 659 Milton, faire graver sur la porte de l'Institut les lettres AMSG: *Ad Majorem Selye Gloriam*[27].» (La devise des Jésuites, ces soldats du Christ, était *Ad Majorem Dei Gloriam*; à l'époque, quand les religieux rédigeaient une lettre, ils faisaient souvent précéder la date de «AMDG».)

À chacun de conclure. Pour les uns, «le Dr Selye était vraiment ce qu'on appelle un gentleman du XXe siècle, un Monsieur avec un grand M, qui avait ses humeurs mais qui se comportait à vrai dire très gaiement et dont l'énorme sens de l'humour, la grande facilité de parole, la chaleur ne s'oublient pas[10]». Pour les autres, «il était doué d'une grande fluidité d'esprit, typiquement Verseau, mais vaniteux, cynique, sans aucune élégance du cœur — un homme très racé mais pourri à l'intérieur[44]».

Vers la toute fin des années cinquante, des chercheurs découragés par la vanité des conseils prodigués aux malades cardiaques (arrêter de fumer, faire de l'exercice, adopter un régime pauvre en cholestérol) ont commencé à soupçonner que les facteurs externes n'étaient pas seuls en cause, que le style de vie rendait certaines personnes plus sujettes aux accidents coronariens. Des recherches approfondies (Meyer Friedman et Ray H. Rosenman, 1959) sur la personnalité de ce type de patients ont amené à distinguer deux types de réactivité comportementale.

Le type A engage avec la vie une lutte à finir. Son but est de réaliser le maximum dans un minimum de temps. Agressif, hostile, exigeant, il fixe sans cesse des délais et des échéances; soucieux de ne pas perdre une minute de son précieux temps, il étudie ses fiches tout en faisant du jogging. «Ce sont des bourreaux de travail qui n'hésitent pas à empiéter sur leur vie familiale pour réaliser tout ce qu'ils ont à faire, d'autant plus qu'ils sont persuadés qu'eux seuls peuvent le faire correctement. [...] Tout se passe comme s'[ils] avaient un besoin impérieux de garder le contrôle envers et contre tout.» Le type A est ce qu'on appelle un battant. Il risque deux fois plus une maladie coronarienne que le type B, placide, plus détendu, moins agressif; il reflète fidèlement notre société compétitive, dure, impitoyable. Cette description tend peut-être de nos jours, et pour plusieurs raisons (ne serait-ce que parce que nous tentons de modifier le mode de vie incriminé), à voir diminuer sa valeur prédictive[45].

On aura immédiatement reconnu l'appartenance du «père du stress» au type A de Friedman et Rosenman.

Un clinicien, le Dr Soly Bensabat, fait part de son expérience:

> Il y a incontestablement une corrélation entre le profil psychologique des gens, leur mode de sécrétion hormonale et leur pathologie. Je vois des différences selon qu'on réagit sur un mode extraverti ou introverti. Quand on est extraverti, on réagit sur un mode adrénergique — inhibition de la réaction, sollicitation de l'axe sympathique. Quand on est introverti, qu'on réprime ses réactions, ce sont à mon avis les sécrétions de cortisol qui prédominent; ce cortisol affaiblit les défenses immunitaires, on est plus prédisposé aux infections, microbiennes ou virales. La distinction est valable à l'intérieur du profil A. J'observe qu'il y a des gens qui expriment leurs réactions et font plus souvent des pathologies coronariennes, et d'autres qui les répriment, qui sont des perfectionnistes et font plutôt de l'hypertension.

Selye, battant pur et dur, a cumulé les deux pathologies.

Des yeux pour voir

Y a-t-il de «bons» et de «mauvais» laboratoires? Les bons, répondent A. Jaubert et J.-M. Lévy-Leblond, sont «très hiérarchisés», avec une «division du travail très spécialisée» et le souci de la productivité. Chaque chercheur s'attaque à un morceau du «puzzle scientifique» dont «l'assemblage final s'effectu[e] au sommet». Telle est ce que les auteurs appellent la «tendance américaine [...], généralement dominante», de la recherche. Telle est aussi celle de l'Institut de Selye — quand bien même beaucoup y ont vu une réplique des laboratoires européens (structures «féodales[46]»).

Le patron règne en maître dans son laboratoire; le personnel, les orientations de la recherche, les subventions à demander sont à sa discrétion. C'est lui aussi qui a la mainmise sur les relations de l'Institut avec l'extérieur. Selye ne s'est pas fait faute de se prévaloir de ces prérogatives totalitaires.

Pour être un bon chercheur il faut, dit Walter B. Cannon, de la curiosité avant toute chose. Mais aussi de l'intuition, de l'imagination, une bonne mémoire; un jugement critique (pas trop toutefois, de peur de porter ombrage aux forces créatrices), de l'honnêteté intellectuelle (supporter de voir «une belle hypothèse assassinée par un méchant fait» comme arguait le naturaliste Thomas Henry Huxley); de l'habileté technique et de l'ingéniosité; une certaine connaissance des mathématiques (sans pour autant vouloir tout réduire au quantitatif); de grandes capacités d'observation et de la patience; une bonne résistance physique; la connaissance de langues étrangères; de la générosité envers ses pairs et, autant que possible, de l'humilité et de la modestie.

Il y a des conditions qui sont favorables à la recherche, comme la sécurité financière, la liberté d'action, l'accès à la

littérature, les rencontres professionnelles sous toutes leurs formes, la présence d'un entourage sympathique et compréhensif, la
capacité de prendre des vacances (s'éloigner du laboratoire se
révèle bénéfique à long terme). Et d'autres qui lui sont défavorables, comme la guerre, les antivivisectionnistes, l'insuffisance du
soutien financier. Le «bon» chercheur se verra récompensé par le
frisson de la découverte, la reconnaissance de ses collègues,
l'étendue de son influence (il rencontrera un peu partout
d'anciens étudiants), le bonheur d'avoir contribué à l'édification
de la vérité — toutes gratifications autres que financières. Et Cannon de mettre en garde ses collègues: Il ne faut pas se fier à la
gloire, l'oubli guette les chercheurs!

Dans l'ensemble, Selye rencontre avantageusement ces exigences — générosité, modestie mises à part, ainsi que la capacité
de prendre des vacances («Il ne prenait pas de détente, or dans
ces conditions, les idées finissent par tourner en rond[28]»).

Dans la salle d'autopsie. De gauche à droite: René Veilleux, Jean-Marie
Dieudonné, Plinio Prioreschi, Béatrix Tuchweber, Hans Selye, Giulio Gabbiani,
(...). Au second rang: Pierre Jean, (...).   Coll. Yolande Côté.

La première étude d'envergure à porter sur la psychologie des gens de science est celle d'Anne Roe, que Gerard Holton utilise abondamment dans les trois derniers chapitres (VIII, IX et X) de son ouvrage *L'imagination scientifique*[47]. À partir de l'ensemble des travaux consacrés au sujet, Rémy Chauvin a tenté de cerner les particularités psychosociologiques des hommes de science. Il s'agit souvent (Galton, 1874) d'aînés ou d'enfants uniques (ce qui est la cas de Selye), très rarement issus des classes sociales supérieures (Selye fait exception). Leur profil psychologique (McClelland, 1962) révèle une tendance marquée à s'intéresser aux objets plutôt qu'aux gens; «travailleurs terribles», ils n'aiment pas les contacts personnels, sont «violemment perturbés par les émotions fortes et cherchent à les éviter». Barron (1969) insiste sur «la force de l'ego», la «stabilité émotionnelle», une «attitude distante et détachée en ce qui concerne les rapports personnels», un «grand besoin d'indépendance», de «pouvoir et d'influence», une «intelligence supérieure, surtout en ce qui concerne la pensée abstraite», le «besoin d'ordonner la pensée» et tout à la fois l'intérêt pour «une contradiction, une exception, un désordre apparent[48]».

À patron idéal, étudiant idéal. Le bon élève est celui qui sait répondre parfaitement aux besoins de son maître. Celui qui, selon David Perrin (qui a travaillé avec Jacques Monod) est «infiniment ignorant et infiniment intelligent[49]». Bien souvent, on note la présence d'un personnage qui, plus ou moins effacé selon les cas, joue un rôle catalyseur: le R. P. Mersenne pour Pascal, le cardinal de Bérulle pour Descartes. Kai Nielsen pour Selye?

Mais la clef véritable de l'efficacité scientifique réside dans cet esprit subtil qui imprègne les interrelations de travailleurs animés d'intérêts communs et qu'on appelle l'esprit d'équipe. Or le groupe de Selye non seulement connaissait un taux de roulement assez élevé, mais surtout était tout entier au service de Selye, qui ne se préoccupait que de sa propre gloire[50]. Il n'a jamais, de l'avis commun, constitué une équipe au vrai sens du terme.

* * *

«Ce que j'admirais en Selye, c'était son entière, sa totale, son absolue consécration à la recherche scientifique biomédicale

— je dirais plutôt à la recherche biomédicale scientifique parce le point de vue biomédical, chez lui, primait le point de vue scientifique. Et l'importance qu'il lui accordait, il ne la faisait pas tellement porter sur l'éventuel potentiel thérapeutique de ses découvertes mais sur ce qui regarde tout simplement la découverte de nouvelles lois, de nouvelles relations: comprendre la nature, la biologie en général et celle des mammifères en particulier (puisqu'il n'a travaillé que sur ces derniers[19]).»

«Il avait une approche expérimentale tout à fait spéciale et originale, qu'on ne retrouvait nulle part ailleurs. Cela est très utile quand on est en formation de recherche. D'ailleurs, la plupart des gens qui font de la recherche ici sont passés par ses mains[37].» «J'ai appris de lui la définition d'une expérience biologique: «Une expé-«rience doit être une question que vous posez à la nature et qui «amène une réponse très nette: oui ou non. Si la nature vous «répond vaguement ou vous répond «peut-être», reposez la question «plus clairement.» Pour moi, c'est une règle de la biologie expérimentale. Je ne sais pas si M. Selye l'a inventée [la conception de l'expérience comme une question posée à la nature remonte à Galilée], mais elle m'a servi pendant toute ma carrière[51].» «Le plus marquant à l'Institut, ç'a été l'ambiance, la philosophie de la recherche, la façon de planifier une expérience — poser les bonnes questions et tâcher d'obtenir les bonnes réponses[41].»

«J'étais allé le voir en 1953, à l'Université de Montréal. Je venais d'introduire la chlorpromazine et l'hibernation artificielle. Il m'avait montré son Institut, l'énorme moyen de travail dont il disposait alors que je me débattais dans de grandes difficultés. Et il m'avait dit en me quittant: «Vous savez, la seule chose qui compte «en recherche, c'est les idées. Ils veulent des faits, alors on leur en «donne. Mais les seules choses qui restent, ce sont les idées.» Cela m'a beaucoup frappé et par la suite, je me suis moi-même comporté un peu comme lui[42].»

Selye est réputé pour son habileté opératoire. «Sa dextérité manuelle était remarquable[16].» «Il avait des mains de chirurgien, et même de musicien[51].» Il est sans conteste «le meilleur chirurgien expérimental, habile et patient: il a mis un an pour mettre au point une technique de ligature des coronaires du rat, qu'aujourd'hui on utilise sans mentionner son nom[19].» «Il a pris les techniques d'hépatectomie partielle et les a simplifiées jusqu'à pouvoir les faire en deux ou trois minutes. Et ainsi de suite, méthodiquement et avec cette capacité d'aller droit à l'essentiel, les surrénalectomies, les thyroïdectomies... Il les a toutes simplifiées de façon à pouvoir les faire faire par des techniciens et sur une grande échelle[35].» «Il était d'une habileté technique remarquable. Il nous enseignait des méthodes chirurgicales soit qui étaient connues par d'autres, soit qu'il avait lui-même inventées. Un bon exemple est celui du rein endocrine[31].» «Selye ne nous disait pas: «Essayez donc de faire une néphrectomie chez le rat.» Jamais. Lui, oui, et jusqu'à la maîtriser suffisamment pour pouvoir en faire à la douzaine. Après, c'était à nous de la maîtriser et ensuite seulement, nous montrions aux techniciennes à la faire. Il n'était jamais question de dire à une technicienne: «Voici une publication, un tel «à New York a fait ça, faites-le.» C'est ainsi que ça se passe habituellement. Chez Selye, nous n'avions pas le droit de faire quelque chose que lui ne pouvait pas faire[15].» «Il n'y a pas une technique que le Dr Selye ne connaissait pas et ne faisait pas aussi bien que moi sinon mieux. Ainsi, on avait toujours une personne-ressource qui pouvait en tout temps nous conseiller, nous les techniciennes. On avait d'autres stress, mais celui-là, on ne l'avait pas[14].»

«C'était une caractéristique profondément délétère de toute cette maison. Selye me l'a dit, il n'était pas question qu'il y ait jamais dans son Institut quelqu'un qui en sache plus que lui. Alors que moi, j'ai cherché toute ma vie à avoir autour de moi des gens qui en sachent plus que moi[52].»

«Il avait dans la façon d'approcher les problèmes de la recherche une rigueur expérimentale presque unique, je dirais, dans le monde[28].» «Il s'était créé une réputation enviable. On le connaissait internationalement pour un chercheur qui était original, qui travaillait et écrivait très bien, dont les résultats étaient fiables[19]», «qui était honnête et ne forgeait pas ses résultats[31].» «Il était très cartésien dans son approche, très structuré. Il nous enseignait surtout à effectuer le suivi des choses — ce qu'il appelait le «follow-up[22].»

«Je lui reconnais sa rigueur, mais je pense qu'à certains moments, il a eu des flous scientifiques, des effondrements. Un exemple (j'en aurais plusieurs): les poches granulomateuses. On étudiait le transsudat; il arrivait que les poches soient infectées, et cela obscurcissait les résultats. Il fallait donc comprendre ce qui se passait. J'avais déjà travaillé en bactériologie, et je me disais que, puisqu'on était tout à côté de l'Institut de microbiologie [Dr Armand Frappier], le plus simple était d'aller leur porter un échantillon de transsudat, de leur demander d'isoler le germe et de nous dire comment nous en débarrasser. Eh bien, Selye avait refusé cet examen tout bête. Il m'avait demandé de faire des dilutions de crottes de rat pour voir si l'infection venait des cages. J'ai fait des dilutions comme il m'a demandé, à l'œil, même pas en grammes. Il a tenu à venir lui-même faire les suspensions. J'imagine qu'après il les a injectées aux animaux, je ne sais pas. J'étais scandalisée. Aujourd'hui, je me dis que ç'a été un moment fou dans sa recherche, un de ceux où le patron a déménagé[27].»

«Selye était très au courant de la littérature[24]», «capable de discuter, de couvrir, de détailler un aspect d'un sujet à l'étude — mille aspects — avec une grande connaissance de l'historique de la question, de son état actuel. La littérature scientifique à travers le monde, en diverses langues, le courant des idées en endocrinologie du stress... Il avait une capacité pour absorber tout cela, synthétiser des idées et des vues absolument étonnante[1]». «C'était une encyclopédie vivante[2]», «un lecteur avide, un des rares chercheurs que j'ai connus qui dominait sa matière, se tenait toujours au courant de ce qui venait de paraître[31]».

Ce chercheur est d'abord et avant tout «un grand observateur[16]». «Il avait un sens aigu de l'observation: il était capable d'attraper des phénomènes périphériques et de leur trouver une ligne directrice[22]». «Son esprit d'observation était remarquable. Il voyait tout ce qui se passait dans le laboratoire, et même si sa formation en histologie était modérée, il a réussi à découvrir un bon nombre d'aspects nouveaux. C'est qu'il connaissait très bien l'anatomie pathologique, et qu'avec son esprit de synthèse il pouvait donner à une observation l'importance convenable et la replacer dans le contexte des autres[35].»

«Selye avait le talent de voir les choses de haut — une vision globale. Et de faire des associations, des rapprochements, plutôt que d'approfondir un sujet pendant le reste de sa vie et de ne jamais voir les autres. Il y a des gens qui étudient la même cellule pendant toute leur carrière. Ce n'était pas son genre. Lui était beaucoup plus à l'aise dans un sujet d'envergure. Il m'a dit une fois qu'il n'était pas un géologue, mais plutôt un géographe. Il expliquait ainsi sa démarche: Je peux marcher dans Berlin, en connaître très bien une rue et écrire un livre. Mais cela ne pourra jamais se comparer au fait de survoler Berlin pendant dix minutes, voir le fleuve, les édifices, la circulation, le ciel, les montagnes autour. La vue que j'aurai de Berlin sera beaucoup plus réelle que si j'approfondis les quatre ou cinq maisons d'une rue[31].»

«Il avait une capacité, rare, et que je juge fondamentale: celle d'extrapoler[16].» «C'était une des grandes qualités de son intelligence: il pouvait déduire de grands principes à partir de quelques faits. On lui a parfois reproché de ne pas les appuyer sur un assez grand nombre de constatations, mais ça ne l'intéressait pas. Il disait: «D'autres vérifieront[41].» «Il avait un besoin que j'appellerais global d'établir des relations entre des domaines là où elles n'apparaissent pas aisément. Il pouvait jouer avec les observations, avec les articles qu'il avait lus ou avec les gens avec qui il avait parlé, et mettre ensemble toutes sortes de choses que personne d'autre avant lui n'avait eu l'idée de mettre ensemble. Et de cela jaillissait une idée. Il a eu beaucoup d'intuitions. Il avait le don de générer des hypothèses de recherche; elles étaient parfois farfelues, parfois elles ne pouvaient être, à première vue, abordées expérimentalement mais il était tellement ingénieux! C'était un artiste de l'expérimentation. À ce moment-là, il inventait les systèmes expérimentaux les plus étonnants qui soient — par exemple, la poche granulomateuse[53].»

«Je me souviens d'une matinée à laquelle il nous a conviés, après la session d'autopsie du matin: «Dites-moi ce que vous «voyez sur cette coupe histologique.» Nous avons tous répondu: «C'est une glande surrénale. — D'accord, mais que lui trouvez-«vous?» Nous avons dit ceci et cela — ce que tout le monde aurait dit et que les manuels d'endocrinologie décrivent. Mais ce n'était pas ce qu'il avait en tête. «Si vous portez votre attention sur les «vaisseaux sanguins de la glande surrénale, vous allez voir bien «entendu du sang, mais si vous observez très bien, vous verrez «que ce sang contient beaucoup plus de globules blancs que sur «un frottis ordinaire, dans lequel les globules rouges et les globules

«blancs sont dispersés. Ici, ils sont concentrés. Imaginez ce que ça
«peut vouloir dire. Est-ce qu'il serait possible...?» Et là son imagination devient folle, il se perd dans les nuages, ce qui est magnifique, ce qui est le rôle d'un chercheur: aller au-delà des faits et
spéculer à propos de toutes les possibilités. «Serait-il possible que
«ces leucocytes qui sont là, dans un organe qui sécrète des stéroï-
«des, et des stéroïdes qui sont anti-inflammatoires (cortisone,
«hydrocortisone) — serait-il possible qu'ils ingurgitent ces stéroï-
«des sur place? Et qu'après s'être délogés de la surrénale, entrant
«dans le sang circulant, s'ils rencontrent de l'inflammation, ils
«soient (comme c'est leur fonction) attirés par elle? Et qu'alors ils
«déchargent leur cortisone pour diminuer la réaction inflamma-
«toire?» Ça, c'est du génie. C'est en fait prédire des faits qui pourraient être vérifiés dans cinq ans — avec une méthode très com-
pliquée, oui, mais il a planté la graine[31].»

À ses qualités d'«excellent chercheur — il a le flair d'un
loup[34] —» et d'«excellent expérimentateur[33]», s'ajoute selon certains «celle d'être hautement original[37]». «Il était très fier de son
originalité. Il a toujours souligné le fait que ses recherches étaient
originales: «Il n'y a rien de pire que de se tenir sur une marche
«usée», répétait-il[26].»

«Quand il était jeune, il croyait que c'était en trouvant des
techniques ingénieuses qu'il faisait preuve d'originalité. Moi, je
trouve que c'est un signe de vieillissement, que tout ce qu'il montrait, c'était qu'il était peu au courant des problèmes modernes de
la médecine et qu'il s'attachait à des phénomènes qui étaient en
fait des épiphénomènes, sans aucun rapport avec la réalité.
Aujourd'hui, on est habitué à des équipes de travail, dans les activités scientifiques comme ailleurs. Le degré d'originalité de chacun est tellement dilué dans la masse qu'il est difficile de savoir
qui fait quoi et qui est à l'origine de quoi[19].»

«Il ouvrait un champ, il lançait des choses comme une
bombe, parfois, comme un scandale. Il aimait choquer. Pour la
calciphylaxie on lui disait: «Vous ne pouvez pas inventer un mot
«pareil, vous allez vous mettre tout le monde à dos.» Il répondait:
«C'est ce que je veux. S'ils sont contre, au moins ils me liront, et
«ils seront obligés de me citer.» Il pouvait tout se permettre: «Je
«suis Selye — vous pensez que je suis fou, je peux supporter

«cela.» Un jour, à propos d'un psychologue qui venait s'inscrire à l'Institut pour un Ph.D., il me dit: «Laissez-le-moi pendant deux «heures, vous verrez bien quand il sortira qui sera le plus fou des «deux.» Il avait beaucoup d'ennemis. Il les cultivait et en même temps il les neutralisait. Il venait de publier un article et on lui disait: «Mais un tel, à New York, dit le contraire, il va fulminer. — Bravo, on va l'inviter.» Je ne me souviens pas que quelqu'un ait jamais refusé. Et ceux qui s'opposaient à Selye non seulement ne sont pas restés ses ennemis mais dans certains cas ont par la suite travaillé avec lui. Ses ennemis les plus violents étaient ceux qui le connaissaient le moins. Et puis, il avait des habitudes qui choquaient. Par exemple, il allait dans un congrès, il présentait son papier et il reprenait l'avion. Les gens n'aiment pas ça[15].»

Selye «avait beaucoup besoin de nouveauté pour stimuler son esprit. S'il s'attachait au même domaine pendant longtemps, il perdait cette motivation[22]». Il considérait que «si les gens approfondissent un problème, c'est souvent parce qu'ils ne peuvent pas en sortir; ultraspécialisés, ils creusent, creusent, et c'est leur perte, le sujet est épuisé qu'ils creusent toujours — comme disait Szent-Györgyi, «still chewing the old gum». Il faut savoir s'arrêter[15].» «Il n'est pas allé dans les détails et il n'a pas pu tirer de gros mérites de ses travaux[3].» «Son gros désavantage, c'est d'avoir toujours sauté d'un sujet à l'autre. Dès qu'il observait quelque chose, il le publiait, et il passait à autre chose. Ça ne fait pas vraiment sérieux. Les bons chercheurs poursuivent leur sujet jusqu'au bout[37].» «Selye s'intéressait davantage aux phénomènes qu'à l'explication des phénomènes. Essayer de les expliquer, oui, mais pas y passer son existence; il laissait à d'autres le soin de faire le travail. Des gens à l'Institut s'étaient amusés à parodier la publicité d'Air Canada (à l'époque «Fly now and pay later») et ils conseillaient: «Find now and explain later[53].»

«En dehors de l'anatomo-pathologie, que ce soit la bactériologie, la virologie ou la biochimie, on ne peut pas dire que rien de tout cela le passionnait[28].» «Il se servait beaucoup de l'histologie, c'est à peu près tout. Il disait: «La seule concession que je «fais à la mécanique, c'est un microscope[41].» «En dépit de sa formation de biochimiste, il a mené ses recherches au moyen d'observations morphologiques macroscopiques et microscopiques, et de modèles expérimentaux relativement simples permettant d'évaluer beaucoup d'idées dans un temps relativement limité. Il a donc élaboré des phénomènes biologiques intéressants, mais en laissant les détails pour les autres[3].» «Pour M. Selye, la chimie n'allait pas plus loin que la structure des substances endocriniennes, spécialement des stéroïdes. En 1940, il utilisait, dans toutes ses expériences sur le syndrome de l'adaptation générale et sur l'hypertension, des extraits assez bruts de glande hypophysaire — une préparation homogénéisée, filtrée et simplement desséchée, qu'on appelait le LAP («Lyophylized Anterior Pituitary»). À cette époque, on commençait à mettre au point des méthodes chimiques pour la séparation des protéines, et il existait dans la littérature des techniques pour isoler, à partir de la glande pituitaire, les facteurs déjà connus sous le nom d'ACTH, LH ou FSH. J'ai proposé à M. Selye d'essayer de séparer, avec mon équipe de l'Université de Montréal, le facteur actif du LAP — celui qui provoquait tous les phénomènes du syndrome d'adaptation qu'il observait — afin de vérifier que le facteur actif était bien, comme M. Selye le prétendait toujours dans ses exposés et ses publications, l'ACTH. Eh bien, il a refusé en disant que cette tâche n'était pas nécessaire, qu'il était convaincu que le facteur actif était bien l'ACTH, que ce serait une perte de temps de ma part, et enfin que les expériences que je proposais étaient tellement évidentes que je ferais mieux de les laisser à des collègues moins imaginatifs. Cette attitude m'a beaucoup troublé: je me voyais très mal à l'avenir faire de la biochimie dans le cadre de ses intérêts[51].» «Il était conscient que s'il nous avait laissé faire des études un peu approfondies en biochimie, lui n'aurait pas pu suivre car ce n'était pas sa spécialité. Il était le patron, il fallait qu'il puisse nous diriger[15].»

Voici ce qu'écrit à ce sujet le principal intéressé: *[...] j'ai décidé de les [certains travaux sur le stress] abandonner, au moins temporairement, quand j'ai compris qu'avec ma formation et les moyens dont je disposais, je ne pouvais guère aller plus loin. Le moment était venu où je sentais qu'il fallait, pour avancer sur ce terrain, avoir recours à l'investigation clinique et biochimique. La question me paraissait si importante que j'avais même envisagé de changer complètement le cours de ma carrière et de revenir au travail clinique ou biochimique pour être en mesure de poursuivre cette recherche jusqu'au stade de son application pratique. Je n'en fis rien cependant car je sentais que nous avions jeté des bases suffisantes pour laisser à des spécialistes compétents le soin de pousser plus loin les expériences.*

«Il avait de grandes qualités de chercheur, malheureusement il employait des méthodes qui auraient été à la page au siècle dernier. Ou qui auraient été très bien dans notre siècle si elles avaient constitué un point de départ. Mais pour lui, c'était un point d'arrivée: la chose importante, c'était la découverte première. D'un certain point de vue, il avait raison de considérer ce développement comme un travail un petit peu inférieur. Par ailleurs, si on se limite à faire une observation et à la rapporter, et si personne d'autre ne la développe, c'est fini, elle tombe dans le néant. Cela, c'est la grande faute scientifique de Selye. Quand on lui disait: «Est-ce qu'il ne vaudrait pas mieux maintenant continuer l'investi-«gation avec le microscope électronique ou avec des méthodes «biochimiques plus avancées?», lui répétait: «Laissons les autres le «faire, nous on se limite à la découverte fondamentale[16].» «Mais voilà, d'autres l'ont fait et d'autres ont eu le crédit[53].»

Nous touchons là à ce qui est incontestablement la grande faille de cet homme par ailleurs si brillant et si doué: le refus de la technologie de son temps. *Plus nous nous fions aux instruments complexes, plus la faculté d'observation tend à s'émousser car [c]e qui est grand peut se voir à l'œil nu.* «Son point de vue était que l'organisme, son mode d'expression, son ajustement au milieu vital étaient bien plus complexes que toutes les mesures de fer dans tel ou tel tissu que l'on pouvait réaliser. C'est ce qu'il démontre dans *In vivo*[1].» «On dit que pour un enfant qui a un marteau, le monde se réduit à un clou. Pour Selye, les gens qui avaient un outil, le marteau, ne cherchaient que le clou[53].» «J'ai fondé à l'Institut le laboratoire de microscopie électronique, à laquelle au départ M. Selye ne croyait pas beaucoup. J'ai dû me battre[24].» «Ce microscope est entré par la porte de derrière. Selye y était très réfractaire[53].» «Je m'occupais de ce laboratoire, et le Dr Selye affectait de l'ignorer. Mon grand exploit a été de le convaincre de porter attention aux caractéristiques cellulaires ultrastructurales, d'entrer dans le laboratoire, de s'asseoir devant le microscope et

même d'écrire avec moi quelques publications sur le sujet[54].»
«Chaque jour, il repassait ses lames au microscope. Quand arrivait
le moment d'aller au microscope électronique, il trouvait que ça
rapetissait son champ de vision, il n'en voyait pas l'utilité. Il était
terrible. Il faut dire que c'est l'apanage des grands chercheurs
d'être en réaction contre les innovations. C'est comme pour sa
bibliothèque: l'avènement de l'informatique rendait inutiles ses
efforts mais lui contestait cela[55].» «Quand on lui parlait de microscope électronique, il s'enrageait et il nous disait: «Utilisez donc
«vos deux yeux.» Il était très borné du fait qu'il voulait absolument
s'en tenir à son examen à l'œil nu[2].»

«Il a détesté les isotopes. Il voulait toujours injecter quelque
chose dans la peau de l'animal, mesurer les millimètres de circon-
férence et regarder à la loupe ou au microscope. C'était bien
dans les années quarante, mais plus en 1960. Je lui ai demandé
pourquoi. Il m'a répondu que ça ne valait rien. Il n'a pas non plus
essayé de doser les hormones[40].» «Il était très rebelle à la biochimie, or c'est la biochimie qui a donné l'ensemble des grandes
découvertes modernes. Il a fait un mauvais calcul[28].» «À partir du
moment où il a été à l'Université de Montréal (disons des années
cinquante), il n'a pas su se mettre aux nouvelles techniques: la
radiophotographie, et surtout tout le développement de l'immunologie. Il ne s'est plus adapté[35].»

«Je ne crois pas qu'il ait été contre le progrès technique; il
s'en est servi quand il y a eu des problèmes de santé dans sa
famille. Simplement, en permettant d'aller trop dans le détail, les
techniques modernes l'éloignaient trop de ce qu'il appelait les
phénomènes[9].»

«C'est malheureux, il était limité par les techniques dont il
était lui-même maître et par ses propres horizons. Pour formuler
ses concepts et ses conclusions sur le stress, il n'avait pas besoin
de techniques sophistiquées — de biochimiste, ni d'ultramicro-
scope, ni d'aucun détail avancé de technologie. En plus, M. Selye
restait dans la limite de ses capacités scientifiques de directeur. Il
avait la responsabilité de financer son Institut et de diriger la
recherche. Il était donc obligé de rester toujours maître de cette
dernière[51].» «On a l'impression qu'en tant que directeur il résistait
à l'introduction de nouvelles méthodes qu'il ne pouvait pas
contrôler[33].» «Engager quelqu'un avec des connaissances spéciali-

sées que lui, Selye, n'avait pas, ç'aurait voulu dire avoir confiance dans ce que l'ultramicroscopiste ou le biochimiste lui disait et qu'il ne pouvait pas vérifier. Il aurait perdu le contrôle: scientifique et autre. Ce n'était pas possible[16].»

Toute expérimentation est une provocation de la nature, un «dialogue expérimental», comme le dit l'historien des sciences Alexandre Koyré. Ce dialogue, Selye l'a porté à l'extrême. «Il poussait vraiment la nature au pied du mur, il faisait des expériences très aiguës et qui nécessitaient, pour obtenir des réactions, des doses énormes de produits. Quand vous ramenez cela ensuite à des phénomènes pathologiques qui sont très complexes et dont l'explication est très aléatoire, ça ne marche pas[19].» «Il donnait des doses énormes d'hormones, et il ne s'inquiétait pas du fait que de telles doses ne sont jamais utilisées en clinique[40].» «Ses idées étaient excellentes mais basées sur des données expérimentales parfois douteuses. Par exemple, des cardiopathies expérimentales produites avec des quantités énormes de composés inorganiques, ou les poches granulomateuses. C'est pourquoi elles étaient d'une transposition clinique difficile[34].» «Il utilisait des doses non physiologiques et ses approches étaient parfois brutales[38].» «Évidemment, quand on prend la peine de provoquer la nature de toutes sortes de façons, elle finit par répondre de toutes sortes de façons. Parfois c'est intéressant, ça permet de créer des modèles expérimentaux de maladies. Parfois, c'est bizarre[53].» «Il était très entêté. Je lui ai posé à plusieurs reprises la question: «Est-ce «que vous croyez que vos expériences ont un équivalent humain «en clinique?» Il s'est fâché. Pour lui, c'était comme si on doutait de ses capacités à faire des recherches. Ç'a été sa tragédie personnelle[40]...»

«Il se mettait dans des conditions extrêmes, alors évidemment il arrivait toujours quelque chose! Le principe a été critiqué — parce que tout peut être toxique si vous le donnez en quantité. Moi, je pense que c'est une bonne manière de partir le bal, mais après cela, il faut aller à des effets plus cachés, moins évidents. C'est que ça coûtait cher en animaux[32].» «Il était affamé de résultats, il avait soif de productivité. Il voulait donc produire un dérangement tel qu'il finirait bien par se passer quelque chose. L'idée est bonne dans la mesure où elle constitue un sondage pour, après, utiliser des détours plus raisonnables. Mais c'est sûr que c'est une des grosses critiques qu'on a formulées à l'endroit de sa méthode de travail[22].»

«Alors que d'autres chercheurs auraient plutôt répété l'expérience, laissé passer du temps pour acquérir des certitudes, lui, il publiait massivement[21].» «Le crédit pour une idée, disait le «Dr Selye, n'a lieu d'être que si l'idée est présentée à la commu-«nauté scientifique dans un journal respecté et très lu.» Le Dr Selye n'était pas prêt à accorder son crédit aux chercheurs qui avaient publié dans quelque obscure revue[23].» «À la fin, c'était du réchauffé et ses dernières publications ont été refusées[32].» «Lorsqu'il est venu à Boston donner une conférence dans le cadre des «American Pionneers in Medicine», quelqu'un lui a demandé: «Dr Selye, vous avez écrit plus de quinze cents publications. Com-«bien d'entre elles jugez-vous très importantes?» Je n'oublierai jamais. Le Dr Selye a fait une pause de quelques secondes et puis, très calme, très normal, a répondu: «Disons dix, peut-être «douze.» Et comme il savait être critique, il s'est expliqué: «Pas plus que dix véritablement originales.» Lorsque j'ai fait moi-même des recherches après sa mort, j'ai pu constater que de fait, ça se monte à une quinzaine de publications[26].»

Que retenir? «Toute cette extraordinaire brillance s'est focalisée sur des choses qui étaient devenues sans intérêt, alors que naissait dans toute son ampleur la biologie moléculaire. Et ces choses étaient déjà sans intérêt dans la physiologie classique. Selye n'était pas du tout, à mon avis, de l'école de Claude Bernard — même s'il s'en réclamait. Il suffit de lire ce dernier pour comprendre que les excès dont, pour finir, Selye est mort ne faisaient pas partie de la façon de penser d'un homme comme Claude Bernard. Finalement, des années de science ont été basées sur des trucs. Des trucs d'une très grande astuce — calcifier le nerf pneumogastrique gauche mais pas le droit, créer une poche granulomateuse..., pour lui, des découvertes extraordinaires. On ne pouvait pas ne pas voir que c'était intellectuellement stérile. Ce n'est pourtant pas faute de ne pas avoir été averti. Un homme qu'il trouvait remarquable, Paul Weiss, en avait discuté avec lui[52].» (Homme de science réputé, Paul Weiss forgea le terme de «biologie moléculaire» en 1951, et suggéra à Selye celui de «biologie supramoléculaire».) *Nous devons rechercher des techniques qui s'appliquent aux problèmes et non des problèmes qui s'appliquent aux techniques*, se défend Selye. Sans oublier [...] *la devise de notre laboratoire: «Ne confondez pas l'importance de votre but ni le raffinement de vos outils avec la valeur de votre travail.»*

«Selye, c'est un endocrinologiste classique, formé en Europe, et qui est arrivé ici dans un «no man's land» où peu de gens avaient autant de connaissances que lui. Il pratiquait l'observation pure et simple. Et s'il avait été capable de travailler seulement avec ses yeux, il l'aurait fait. Il s'attachait surtout à la morphologie (Claude Bernard, lui, mesurait et appliquait des techniques). Au début de sa carrière, il était guidé par une intuition extraordinaire, il a fait des observations fantastiques qu'il n'a pas menées à terme parce qu'il n'a jamais voulu appliquer les techniques adéquates. Donc, un chercheur extraordinaire, mais d'un siècle passé — un scientifique exemplaire du XIXe siècle[19].»

«Pionnier de l'endocrinologie[2]», Selye est sans conteste «un excellent morphologiste et un excellent endocrinologue[39]», «pas un biologiste ni un neurophysiologiste, mais toujours et essentiellement un endocrinologiste. C'est ce que je peux lui reprocher[42]».

Je suis, par goût, un morphologiste et un chirurgien expérimental.

«C'était un morphologiste expérimentateur. Il respectait l'importance de la biochimie mais n'en faisait pas une priorité. Et la physiologie, chez lui, était précédée par la morphologie. Il faisait son expérimentation via la morphologie[25].» «Son tort a été de rester un morphologiste toute sa vie et de se fermer aux techniques nouvelles qui lui auraient permis de tester la validité de ses théories ou de donner plus de poids à ses assertions. Il est incroyable, par exemple, que dans ses travaux sur la maladie hypertensive il n'ait effectué aucune mesure systématique de la pression artérielle[33].» «C'était un mauvais morphologiste — alors que l'Europe centrale en a produit de si bons. Par exemple ces Hongrois qui, coupés de la science occidentale après 1956, et ce pendant vingt ans, ont bâti des modèles toujours valables aujourd'hui[52].»

«Il n'était spécialiste en rien. Il se décrivait comme un généraliste de la recherche. Il a été probablement le dernier[16].» «Un généraliste de la recherche, et d'une recherche comme il s'en faisait au XIXe siècle. Des gens qui sont des intégrateurs, qui font de grandes corrélations, il n'y en a pas beaucoup. Dans les années cinquante, il y avait de la place pour un Selye. Un deuxième, ç'aurait été impossible. Parce qu'il était fort intellectuellement, il a pu faire ce qu'il a fait. Aujourd'hui, quelqu'un qui voudrait suivre sa démarche aurait beaucoup de difficulté à survivre[53].» «C'était un chercheur fondamentaliste, qui touchait un peu à toutes les branches des sciences — un phénoménologiste[9].» «Il avait le sens clinique de ce qui se passait chez ses animaux d'expérience[1].» «Le professeur Selye était un grand homme de science, l'un des derniers praticiens généralistes de la recherche[54].» «Il se caractérisait lui-même comme ce qu'on appelait au siècle dernier un naturaliste de la science, c'est-à-dire un homme qui observe et qui fait des expériences[35].»

«Il avait le goût du bizarre, du curieux. Des fois, il provoquait la nature pour qu'elle lui réponde de façon un peu bizarre[53].» «Il aurait été un très grand chercheur au siècle passé, mais dans celui-ci, c'était seulement quelqu'un qui faisait des observations curieuses. Moi, je le qualifierais comme un bricoleur de la science — très brillant, très doué, mais un bricoleur. Et dans une seule vie humaine, on ne va pas loin, avec le bricolage[16].»

«Même si le Dr Selye était très actif au laboratoire, je le considère comme un penseur. Il n'a fait aucune découverte concrète[56].» «En discutant avec lui, je me suis aperçu qu'à mesure qu'il vieillissait, il s'éloignait de plus en plus du terrain scientifique pour devenir un penseur. Ç'a été sa tragédie personnelle[40].» «De l'observation de faits scientifiques, il est passé ensuite à celle de phénomènes généraux. De cette notion de stress qui, au début, représentait l'illustration d'un phénomène physiologique (on ne peut pas dire physiopathologique puisqu'il s'agissait d'organismes normaux), il a fait avec le temps une notion de psychologie, de réaction de comportement — et finalement de philosophie de la vie. Mais ce n'était pas là le vrai problème, c'était plutôt une évasion des vraies questions[1].» «Il avait un esprit très curieux, mais je ne pense pas qu'il était très profond. Je ne dis pas qu'il était superficiel, pas du tout, c'était un homme très intelligent. Mais il s'intéressait à l'exploration de la surface. Ses pensées philosophiques, c'est une philosophie assez superficielle[16].»

«La philosophie du stress, il en a parlé avec élégance — que la vie sans stress n'existerait pas, qu'il y avait un bon et un mauvais stress, etc. Tout porte au stress! Il faut s'entendre sur le mot! J'aime mieux parler d'«æquanimitas» [équanimité]. C'est une expression empruntée à William Osler, ce grand médecin canadien. [Le mot vient, en réalité, d'Antonin le Pieux, empereur romain, qui vécut de 138 à 161.] C'est une volonté de s'adapter, de contrôler ses émotions devant ce qui se présente, que ce soit bon ou mauvais — mais d'une manière dynamique, et non pas statique comme dans le stoïcisme[57].»

«On débat beaucoup, actuellement, de la question de l'autorat des articles scientifiques: Pourquoi tant d'auteurs (jusqu'à vingt-cinq)? Pourquoi le nom d'un tel, qui n'a rien fait? Faut-il imposer des limites? Le patron doit-il signer même s'il n'a rien fait? Comme on peut s'y attendre, si un assistant écrivait sur des travaux de routine, Selye jouait au grand seigneur et refusait d'apposer son nom: «C'est votre travail.» Mais s'il jugeait la chose intéressante, il écrivait le papier et mettait son nom en premier. Évidemment, cela n'arrivait pas souvent parce que la majorité du travail était faite par lui ou sur ses indications, il avait bien raison de signer. Mais parfois quelqu'un faisait quelque chose de significatif à quoi lui n'avait en rien contribué, et on mettait son nom quand même[16].»

«Si un de ses chercheurs faisait, au cours de la ronde, une observation intéressante, Selye lui suggérait d'en faire un papier. À l'époque, Selye publiait, disait-on, un article par semaine, et ses articles étaient immédiatement pris par les éditeurs des revues scientifiques. Il trouvait moyen de mentionner l'observation dans celui qu'il était en train d'écrire et lorsque le chercheur était enfin arrivé à rédiger le sien, il lui fallait citer dans la bibliographie la publication de Selye. C'est pour cela que je pense que Selye était inducteur de stress chez ses assistants. J'irai plus loin, je dirai qu'il les vampirisait[27].» «Je pense que tous les grands patrons sont un peu prédateurs et ne survivent qu'ainsi[5].»

«Nous, on arrivait le matin à neuf heures, on ouvrait une cage, on faisait une observation, on lui disait: «Vous voyez, c'est «intéressant.» Il répondait: «Le papier est déjà écrit.» Il était arrivé avant nous, il avait vu, il avait rédigé entre six et neuf heures. Il n'y avait plus qu'à attendre que le photographe fasse les photos, que les secrétaires tapent, et l'article partait au courrier de quatre heures. Évidemment, c'était un peu choquant, les gens disaient: «Ce n'est pas possible, il triche, c'est de la folie furieuse, trois, «quatre, cinq papiers dans un mois...» C'est vrai qu'il travaillait en surface. C'était sa façon de travailler. Il envoyait ça dans la littérature et il laissait à d'autres le soin d'approfondir[15].»

«J'ai quitté en 1955 mais déjà en 1954 je me rendais compte que si je voulais continuer dans la recherche et me faire un nom, il me fallait quitter l'Institut parce que tant que je resterais avec Selye, ce serait toujours «Selye et Robert» — Selye étant sans doute l'homme qui avait les idées et Robert, celui qui les exécutait[31].»

«Au fond, il ne l'a pas su, mais c'était un homme d'affaires de la recherche[13].»

Un autre point mérite d'être étudié: celui de l'expérimentation animale. Non pas comme telle, ce n'est pas le lieu. Le lecteur qui voudrait être éclairé sur cette méthode se reportera à l'*Introduction à la médecine expérimentale* de Claude Bernard, tout particulièrement au chapitre II de la deuxième partie («De l'expérimentation chez les êtres vivants»). Ce chapitre, intitulé «Considérations expérimentales spéciales aux êtres vivants», traite longuement de la vivisection. Le terme de «vivisection» n'est pas très adéquat, fait remarquer avec raison Cannon, car il recouvre des sens divers que l'on a tendance à confondre en une image horrible de dissections sur le vif, d'interventions cruelles, de procédés douloureux et sadiques qu'exploitent les antivivisectionnistes. Pour le chercheur, le mot recouvre la même réalité que celle de l'opéré qui, anesthésié, subit une opération des mains du chirurgien. Il est clair qu'entre la vision monolithique des antivivisectionnistes et celle, honnête mais idéalisée, de Cannon l'éventail admet un grand nombre de situations diverses.

Au début, Selye utilisait des rats blancs, des singes, des chiens, des chats, des lapins, des cobayes. Par la suite, il s'est de plus en plus contenté du rat. L'avantage est de pouvoir faire des séries et d'éliminer les variations individuelles. Les fournisseurs québécois s'alimentent généralement aux fermes américaines; ainsi, Robidoux, de Saint-Constant, est associé à Charles River, de Madison (Wisconsin). Selye se fournissait directement aux États-Unis[55]. Les races créées, nombreuses, répondent aux divers besoins des chercheurs. C'est ainsi que la variété dite Brattleboro est héréditairement atteinte de diabète insipide par déficience de vasopressine[58]. Selye s'est surtout servi des Wistar albinos, dont le poids corporel moyen est de 150 à 175 grammes, et des Sprague Dawley.

Mais ce qui caractérise les laboratoires de l'Institut, c'est d'être de très grands importateurs d'animaux. Je n'ai pas réussi à obtenir de chiffres précis. Certains parlent de deux mille animaux sacrifiés par semaine (début des années soixante[15]), d'autres de deux mille cinq cents à trois mille par mois[59], d'autres encore de cinq à six mille par semaine (pendant les années soixante et soixante-dix[10]). Quoi qu'il en soit, Selye est rapidement devenu la cible des antivivisectionnistes. *Ce type de résistance m'a poursuivi comme un fléau tout au long de ma carrière.*

«Les organismes antivivisectionnistes venaient périodiquement inspecter ce qui se faisait. On choisissait alors trois personnes chargées de leur faire barrage, soit en les écœurant, c'est-à-dire en arrivant ensanglantées jusqu'au cou, en brandissant des dizaines de cadavres de rats, pour faire fuir les âmes faibles, soit en protestant de notre innocence, en leur montrant deux ou trois cages de bêtes florissantes de santé pour leur prouver que rien de méchant ne se passait ici[5].»

De fait, Selye a été l'ennemi numéro un de tous ceux qui s'insurgent contre l'expérimentation animale. De son vivant, on l'a vu, et après sa mort aussi. «Huit mois après la mort de Hans, il y a eu sabotage sur les murs de la maison. On a écrit des insultes à la peinture rouge et on a brisé des vitres.» Tant et si bien que Mme Drevet Selye finira par déboulonner la plaque apposée à l'entrée du 659 Milton et qui indiquait le siège de l'Institut International du Stress.

Marcel Duquette, directeur de la SPCA (Société pour la prévention de la cruauté envers les animaux) de Gatineau, mentionne les tortures infligées par Selye aux animaux, et plus particulièrement l'usage du tambour Noble-Collip, dont le principe est un peu celui des sécheuses à tambour et qui sert à produire des chocs traumatiques[60]. Lorsqu'à la fin de 1989, on a annoncé la création de la chaire de biologie moléculaire Hans Selye, les militants se firent entendre. Albert Daveluy (qui a fait un doctorat de biochimie sous la direction de Laurent Savoie, élève de Selye) dénonce, par une lettre envoyée aux journaux, les «expériences sinistres» dont il a été témoin: «maintenir un lapin sur une plaque chauffante et étudier son «stress» jusqu'à son dernier hurlement», ligoter un rat sur une planche pour étudier le stress de contrainte: la bête «en arrivait parfois à se dévorer les pattes pour se libérer», etc. Il conclut: «Selye aura toutefois lui-même fourni la preuve que l'utilisation abusive des animaux de laboratoire, loin de servir la science, est plutôt le fait des chercheurs sans talent[61].» En octobre 1990, le groupe Vital organise une manifestation devant l'Université de Montréal. Leur coordonnateur, Paul Cauchy, explique: «Nous estimons que Hans Selye a fait souffrir des millions d'animaux, des centaines par lui-même et des millions parce que d'autres laboratoires d'endocrinologie ont voulu reproduire ses expériences. Tout cela lui a valu une brillante carrière mais n'a pas vraiment aidé l'humanité.» Ses arguments s'inspirent du livre du fondateur du Mouvement international des médecins et professionnels de la santé contre la vivisection, Hans Ruesch[62].

Selye a-t-il été le «tortionnaire d'animaux» que certains l'accusent (lui et beaucoup d'autres chercheurs) d'avoir été? Il faut tout de même se garder d'une inflation terminologique qui, tout comme l'économique, aboutit à la dévaluation. Torturer, supplicier, martyriser, toutes ces actions impliquent la résolution consciente et délibérée de faire souffrir. Or, dit le Dr Prioreschi, chez Selye, «on était dans un institut du stress, on faisait de la recherche sur le stress et on stressait les animaux. On les employait comme s'ils étaient des choses. S'il fallait, pour les besoins de la recherche, qu'ils meurent de froid, de faim ou de contrainte, on le faisait sans réfléchir, comme on le ferait aujourd'hui, à leur bien-être. On ne se préoccupait pas des animaux, donc, mais on ne leur faisait pas subir non plus de souffrances inutiles. Selye n'était pas stupide, il ne perdait pas son temps à répéter des expériences inutiles; pourquoi l'aurait-il fait?»

Il faut se garder aussi d'être anachronique, c'est-à-dire d'appliquer des critères qui sont les nôtres aujourd'hui mais qui n'étaient ni les siens ni ceux de son époque. Peut-on malgré tout parler à tout le moins d'expérimentation abusive? Je suis allée trouver un de ceux qui ont manifesté leur sympathie à Daveluy, M. Pierre Rivest, qui enseigne au Département de physiologie de l'Université de Montréal:

«Lorsque j'étais étudiant, je voyais passer des convoyeurs avec des boîtes empilées les unes sur les autres en deux colonnes très hautes. Chaque boîte contenait quatre douzaines de rats ou de souris. Cela représentait, me disait-on, la consommation hebdomadaire — à peu près mille deux cents animaux. Or, quand on fait de la recherche et qu'on dispose d'un budget, on essaye de faire des économies — de trouver le nombre optimal d'animaux: si on n'en prend pas assez, l'expérience ne sera pas assez précise, si on en prend trop, on n'acquerra pas d'informations supplémentaires. Dans le laboratoire où je travaillais, on savait que ce nombre tournait autour de huit ou dix. J'ai l'impression, je dis bien l'impression, qu'il y a eu chez Selye utilisation abusive d'animaux. Mais aucun de ses chercheurs n'en parlera, il y a comme une conspiration du silence. Une conspiration inconsciente, parce que Selye a été pour eux une idole et qu'il est difficile de détruire une idole.»

Lorsque sera trouvé le remède contre le sida, je doute fort que des voix s'élèvent pour dénoncer le nombre d'animaux (singes anthropoïdes surtout) qui auront été sacrifiés à la cause. Si les travaux de Selye avaient abouti à une découverte quelconque, biologique ou pharmacologique, les antivivisectionnistes seraient beaucoup moins entiers dans leurs accusations. Quoi qu'il en soit, c'est bien à ceux et celles qui ont travaillé à l'Institut qu'il revient de se prononcer là-dessus en toute conscience et en toute objectivité.

L'art de la parole

Si l'influence de Selye sur la recherche scientifique actuelle est diversement appréciée, son importance intellectuelle, quant à la «popularisation de l'endocrinologie» et à la formation des chercheurs venus de tous les coins du monde travailler avec lui, est largement reconnue. «Il apportait la tradition allemande de la pathologie expérimentale dont personne ici n'avait entendu parler. Il s'est occupé de ses étudiants avec un soin extrême; tous ont vécu dans ce bain intense de savoir, qui atteignait parfois à la tragédie grecque[19].»

«Excellent éducateur[2]»: le mot est dans toutes les bouches. «Un excellent enseignant et un modèle à suivre[12].» «Son enseignement était de deux ordres. Formel d'abord — celui que donnent à leurs étudiants les chercheurs et les professeurs sous forme de cours, de conseils, de suggestions, etc. Par son exemple ensuite — qu'il n'exprimait pas, mais que son comportement impliquait: faites ce que je fais, et vous apprendrez beaucoup. C'est-à-dire: établir sa discipline professionnelle, arriver tôt le matin, ne pas accumuler les tâches mais les effectuer dès que possible, occuper chaque moment à des fins utiles plutôt que de perdre son temps à se promener dans les couloirs et à bavarder, partir assez tard dans la soirée. Son exemple nous frappait beaucoup[31].» «C'était un maître, à tous points de vue. Qui savait inculquer ses connaissances de façon très simple, qui donnait aux étudiants le goût de la recherche en endocrinologie bien sûr, mais aussi en général, dont la méthodologie était excellente et dont la bibliothèque fournie permettait aux étudiants de bien s'orienter dans le domaine scientifique[39].» «Ça a été vraiment une initiation

Ses assistants accueillent à Dorval le Dr Selye et sa femme au terme de la tournée de 1952 en Europe et en Amérique du Sud. Au premier rang et de gauche à droite: Gaétan Jasmin, Paul Lemonde, Alexander Horava, Hans Selye, Gabrielle Selye, Rudolph Hoehne, Roger Guillemin. Au second rang: Ernesto Salgado, (...), Vincent Adamkiewicz, (...), André Bachand (directeur des Communications de l'Université de Montréal).

— une école où j'ai appris à penser et à faire de la recherche[2].» «Lui et son équipe — parce qu'il ne faut pas oublier que s'il avait donné le premier élan, il y avait autour de lui des gens très intéressants — avaient énormément à nous offrir, et notre formation de base en a été profondément marquée[36].»

«Il a été pendant longtemps le professeur qui, à la Faculté de médecine, a le plus favorisé le développement de la recherche dans les sciences précliniques. Il a fait faire des doctorats ès sciences à de jeunes médecins qui ont par la suite occupé des postes importants[21].» «Plusieurs de mes collègues sont passés par son Institut, et je peux dire qu'ils avaient été très bien formés à la méthode expérimentale. Ils étaient d'une rigueur et d'une exigence difficiles à supporter. J'ai vraiment pu constater sur eux l'effet Selye[57].»

«Ce qui est important dans un congrès, me disait-il, ce n'est «pas tellement les communications — beaucoup ne valent rien —, «c'est de rencontrer des gens et de discuter avec eux, pour pou-«voir les juger et les connaître.» Et il se faisait un plaisir de nous présenter les plus grands scientifiques[18].» «Il disait: «La vie est «trop courte pour de simples conversations. Chacun devrait être «utilisé comme source d'informations scientifiques ou connexes «importantes.» Même dans les réunions mondaines, il en usait ainsi avec ses invités, ce qui lui a souvent permis de s'engager profondément dans l'investigation scientifique[23].»

«Trois mois après mon arrivée, Selye me demandait de représenter l'Institut à une réunion des fédérations des sociétés américaines de biologie. Je venais, moi, pour apprendre à faire la recherche, et déjà Selye, en bon éducateur qu'il était, nous lançait à l'eau. Il le faisait avec un certain support; j'avais dû soumettre ma présentation à la critique de tout le groupe des étudiants diplômés et des assistants, en présence de Selye. J'y faisais la dis-cussion de résultats que je n'étais pas le seul à avoir obtenus parce que j'arrivais dans un projet qui était déjà en marche. Il m'a fallu travailler deux fois plus fort: participer davantage aux expé-riences, être là aux heures les plus invraisemblables du jour et de la nuit. Il nous impliquait beaucoup et très tôt. Avec les années maintenant, je me rends compte que c'était vraiment un éduca-teur. On pouvait l'aimer plus ou moins, mais on doit lui rendre cette justice[53].» «C'est un de ses aspects constructifs: Selye don-nait très tôt, très vite — même si c'était pour de mauvaises rai-sons — des responsabilités administratives inattendues pour des jeunes et qui, finalement, étaient une école de formation considé-rable[52].» «Il essayait de pousser notre carrière au maximum[22].»

«Il donnait la direction, et après il encourageait un certain mode d'indépendance, c'est-à-dire qu'il vous suivait chaque jour au laboratoire mais en vous laissant la liberté intellectuelle de dis-cuter de ce que vous faisiez[9].» «C'était stimulant parce que l'Insti-tut était bien structuré, on sentait qu'on entrait dans quelque chose de solide. Il y avait un encadrement mais qui laissait une certaine initiative. J'ai beaucoup appris[14].» «Il stimulait beaucoup notre indépendance, quitte à se fâcher un peu si on en prenait trop[24].» «Lorsque les gens voulaient travailler à leurs propres travaux, voler de leurs propres ailes, il n'y avait plus beaucoup de place pour eux à l'Institut[41].» «Il prenait des étudiants, les menait jusqu'à un certain point, et puis c'était la cassure. Année après année, le même schéma se répétait; une fois qu'ils avaient obtenu leur doctorat, les étudiants partaient[5].» «Il nous faisait un petit programme dans lequel on pouvait cheminer, mais on ne se sentait pas suffisamment autonome. Il disait: «Je suis comme la «canne avec ses petits qui le suivent, et à un moment, ses petits «se différencient tellement que même elle ne les reconnaît «plus...» Il avait des figures de style pour nous expliquer qu'on s'envolerait chacun de son côté. C'est ce qui est arrivé[55].» «Chaque fois qu'un élève le quittait, il lui battait froid pendant quelques mois[26].»

«[...] Selye ne faisait pas d'efforts spécifiques pour sacrifier de son propre temps à apprendre quelque chose à quelqu'un. Les choses étaient là, disponibles, mais il était laissé à chacun d'en faire le meilleur usage possible[52].»

«Quand arrivait un nouveau, on voyait sa popularité monter, atteindre un apogée puis descendre. La forme de la courbe dépendait de la personnalité de l'individu concerné: certains faisaient leur pic tout de suite, d'autres plus tard, le pic durait plus ou moins longtemps, mais ça finissait toujours par retomber[37].» «Il y avait chez Selye une période d'approbation qui, assez souvent, était suivie d'une période de désintéressement. C'était très stressant. On aurait dit un roi, avec sa cour autour de lui et ses favoris. Et dans le cas de Selye, ses favoris n'étaient pas toujours les mêmes! Le favori d'aujourd'hui serait peut-être un paria demain. Il se fatiguait des gens. Et quand c'était fini, une des solutions était de quitter la boutique et de chercher un autre endroit où travailler. Comme il était rusé, il en était bien conscient. Lorsque quelqu'un était tombé en défaveur, il ne s'opposait pas du tout à son départ[31].» «Selye était terrible. Le pauvre n'était pas capable de garder longtemps des liens avec quelqu'un. Il établissait des rapports très intenses et très brefs. Il aimait beaucoup quelqu'un, il travaillait avec lui — c'était on pourrait presque dire son amour. Pas pour longtemps. Après un laps de temps très court, il le laissait tomber et passait à quelqu'un d'autre. Et puis, il n'était pas capable de nous laisser travailler tranquilles. Si quelqu'un faisait quelque chose qui n'était pas tout à fait dans sa ligne à lui, il commençait à dire aux autres: «Mais qu'est-ce qu'il «fait, le docteur un tel? Il perd son temps, je trouve...» Alors évidemment les choses arrivaient aux oreilles du docteur un tel, et le docteur un tel, après un certain temps, partait. (Que je sache, il n'a jamais mis quelqu'un dehors.) Alors, il y avait toujours des nouveaux qui arrivaient, et il n'a jamais pu se constituer une équipe sénior de chercheurs pouvant éventuellement prendre les choses en charge lorsque Selye serait mort. On s'en rendait bien compte[16].»

«Quand on contrait un peu ses désirs, il nous laissait dériver à notre propre gré — il nous mettait au frigidaire[22].» «On lui demandait quelque chose, il ne répondait pas. Il ne s'intéressait plus à vous, ne s'occupait plus de vous. C'était fini[16].» [...] *comme mes assistants l'ont souvent fait remarquer, j'ai toujours eu la tentation de voir dans chaque nouveau venu à l'Institut le candidat le plus original et le plus promis à une grande carrière scientifique. Je l'inondais de faveurs pour souvent découvrir par la suite qu'il n'aimait pas vraiment ni ne comprenait la Nature autant qu'il en avait d'abord donné l'impression, mais qu'il voulait seulement devenir vite célèbre. [...] Dès que j'avais découvert que [tous ces gens] n'avaient que de la sciure dans le ventre, je les «mettais au frigidaire». C'est l'expression qu'avaient inventée mes collègues pour cette habitude particulière que j'avais de ne pas renvoyer quelqu'un tant que je ne lui avais pas trouvé un travail acceptable ailleurs.*

«Je ne pense pas qu'il laissait partir les gens par envie professionnelle ou parce qu'il les trouvait trop brillants. Parce que je ne suis pas sûr que Selye ait jamais rencontré quelqu'un qui, dans son opinion à lui, était plus brillant que lui[16].» «Je ne crois pas qu'il se soit jamais senti menacé, il était très sûr de ses capacités et non jaloux de celles des autres. En fait, lorsqu'il réalisait qu'un étudiant qui faisait de la recherche devenait moins utile à ses propres travaux, il s'y intéressait moins. Si par contre un étudiant, soit parce que ses travaux marchaient très bien, soit parce qu'il s'intéressait exceptionnellement à ceux de Selye, était prêt à passer les fins de semaine et, en somme, à travailler pour la gloire de

Selye, alors il le favorisait. C'était une forme d'égoïsme[31].» «Il s'occupait de ses étudiants dans la mesure où cela servait à faire avancer son travail à lui aussi[63].» «Il avait besoin de domestiques[16].» «Les gens qui se sacrifiaient à lui, il leur donnait des postes de responsabilité et mettait leurs noms sur les publications scientifiques[43].»

«La formation qu'on recevait était susceptible de nous aider dans des situations autres que celles dans lesquelles on avait travaillé. J'ai appris de grands principes importants qui m'ont été utiles et le sont encore[41].» «À l'Institut, on nous enseignait des choses qui ne s'enseignent dans aucun autre institut au monde. On devait apprendre à écrire des articles; il nous demandait par exemple de rédiger «matériel et méthodes pour...» Il y avait une chose qu'on nous faisait faire pour apprendre à ne pas le faire — c'était la seule: l'administration. Il y avait plusieurs départements, eh bien, pendant six mois, le jeune collègue qui arrivait dirigeait l'un d'eux. Si Selye s'apercevait qu'il y consacrait du temps et que malgré cela, ça ne marchait pas, déjà, il se faisait une idée: il va perdre du temps, ou alors il va devenir un administrateur. Et il s'en désintéressait. Après six mois en histo, le collègue passait en pharmacie, etc. Ou alors, il avait la charge d'un étage d'animaux, ou d'une salle, etc. S'il voyait qu'on en faisait beaucoup et que ça marchait, alors là il en profitait: Il aime l'administration, qu'il en fasse, ça fait mon affaire. Comme s'il se disait: Il faut que j'en tire le maximum. C'est ce qui fait qu'il y a des gens qui sont sortis de chez Selye ayant développé plus de capacités d'administration que de techniques scientifiques[15].»

«D'autres que moi l'ont dit: «On apprend des tas de choses «chez Selye mais pas vraiment ce qu'on pense y apprendre.» On apprenait très bien à faire travailler les gens, à assumer les responsabilités, à faire les demandes de subvention, à gérer des budgets — toutes ces choses qui sont les à-côtés de la recherche, évidemment, mais dont on a besoin par la suite pour diriger un laboratoire. Le reste, comme il disait, la biochimie, vous pouvez l'apprendre facilement. Dans d'autres laboratoires on vous dira l'inverse: la biochimie d'abord, la direction de laboratoire après. C'était son concept. Je ne suis pas sûr que tous aient réussi leur vie et leur carrière de recherche comme ils auraient pu[28].»

«Il m'a transmis deux choses: l'une technique, l'exigence d'une forte connaissance de la littérature, et l'autre, l'idée qu'il faut faire quelque chose d'important. C'est difficile de trouver des gens qui transmettent cette idée avec autant d'intensité. C'est ce clou continuellement enfoncé qui nous a vraiment poussés à faire quelque chose. C'est non spécifique — un peu comme le stress! — mais l'idée était très claire[24].» «J'ai l'impression d'avoir absorbé par osmose des préceptes qu'il répétait et qui m'ont servi dans ma vie professionnelle, comme: Battez-vous pour ce qui en vaut la peine, laissez les détails de côté[17].» «Dans un moment difficile de ma vie, je me suis rappelé la devise de Selye: Ne pas s'obstiner si on ne réussit pas. Cela m'a aidé[43].»

«Au-delà du produit de sa recherche, Selye s'intéressait au procès de production. Il réfléchissait sur sa propre démarche, et pour nous c'était bien important. Ce que j'ai aimé à l'Institut, ce n'est pas l'objet de la démarche mais la démarche elle-même. J'ai rarement vu une intelligence aussi transparente. On pouvait suivre le raisonnement que son esprit avait suivi — peut-être pas celui-là même mais celui qu'il nous expliquait avoir fait. Ça nous aidait à comprendre les choses. Je pense que c'est à cela qu'on reconnaît un éducateur. Il ne nous laissait pas indifférents, il nous provoquait, nous forçait à réagir. Il nous donnait le goût d'aller plus en profondeur, de comprendre davantage[53].»

Comme enseignant, comme conférencier, Selye se révèle exceptionnel. «Il avait une grande force de persuasion, un charme fantastique, et il donnait des conférences brillantes qui attiraient les foules[19].» «C'était un communicateur avant la lettre. C'est pour cela qu'il a eu ce succès des années après que ses travaux eurent été à toutes fins utiles terminés. Il savait tenir un auditoire, l'intéresser avec brio[1].» «C'était un communicateur, et un acteur; il aurait fait un homme de théâtre extraordinaire. Je n'ai jamais entendu aucun professeur, aucun conférencier maîtriser à ce point l'art de parler à un public quel qu'il soit[53].» «Il donnait des conférences fascinantes. Chaque fois, j'ai été éblouie par sa façon de parler, de présenter les choses. Peu de gens ont cette présence sur scène. Quand il donnait une conférence aux étudiants en médecine, ils l'applaudissaient au milieu de l'exposé. Il savait toucher le point crucial, il était convaincant, on pouvait se donner corps et âme à sa cause. Ce sont là les qualités d'un grand leader et d'un grand génie[2].» «Si ce n'avait été de son esprit didactique, il n'aurait pas pu transmettre aussi bien au monde entier son travail scientifique. Il pouvait s'adapter à n'importe quel auditoire. Ça l'a beaucoup servi dans son entreprise de vulgarisation scientifique[39].»

Quant à l'Institut de médecine et de chirurgie expérimentales, il a laissé généralement un souvenir de travail ardu, mais de grande stimulation intellectuelle. «Il y avait là des gens de toutes nationalités. C'était cosmopolite, très enrichissant. Et toutes ces sommités médicales qui venaient comme invités. C'est valorisant d'avoir travaillé là[7].» «Ce qui m'a le plus touché, c'est l'ouverture — nous sortir de notre milieu restreint. Le Dr Selye avait un point de vue international qu'il nous communiquait et qui m'a servi non seulement dans le travail scientifique mais en tout[63].» «C'était un point important que ce milieu international de l'Institut. Il y avait des chercheurs qui venaient de partout dans le monde, et c'était intéressant de voir comment des gens venant de milieux tellement différents pouvaient aussi facilement et aussi rapidement trouver une langue commune. Cet aspect de coopération internationale me fascinait[3].» «Le globe terrestre en entier était représenté. Il y a même eu une religieuse [sœur Adrian Marie, o.p. (dominicaine[10])].»

«L'atmosphère était très personnalisée, très stimulante. Même si je n'avais pas de compétence particulière en sciences, à travailler si près du Dr Selye et de ses chercheurs en retrouvant la documentation qui les intéressait, je me sentais faire partie de l'équipe. C'était vraiment une équipe très liée[13].» «Il y avait comme une vie communautaire. Les matinées se passaient en groupe à discuter, à échanger avec Selye. Il régnait une ambiance générale de curiosité intellectuelle, d'éveil. Je ne me souviens pas qu'il y ait jamais eu une digression, comme, par exemple, se mettre à parler du match de hockey de la veille ou de questions politiques. Jamais! Des fois, une blague, mais pas plus. C'était toujours l'aspect scientifique. La seule digression, c'était les problèmes administratifs à régler, mais ça se réglait très vite, justement parce qu'on se voyait tous les jours[15].»

«En dépit de tout ce que nous pouvions extraire de lui de positif, de tout ce que nous apprenions par son exemple et son enseignement, il existait toujours un élément de tension, qui parfois conduisait jusqu'à l'anxiété. Il était créateur de stress, on se sentait sous pression[31].»

Mais, la nostalgie aidant, reste le souvenir «d'une période fantastique et merveilleuse de notre vie, le bonheur et la reconnaissance d'avoir pu participer à ces travaux[3].»

Dans sa liste de départements et d'écoles (annuaire 1991-1992), la Faculté de médecine de l'Université de Montréal indique toujours l'Institut de médecine et de chirurgie expérimentales — mais le papier est bien son seul lieu d'existence. «Directeur: N. Les cours sont en suspens.» Cette petite phrase laconique rend exactement compte de ce que tous et toutes voyaient venir avec appréhension. Le Dr Selye n'aura pas su assurer sa succession.

«L'Institut, c'était lui. Il n'était pas du tout intéressé à créer un institut qui aurait survécu à Selye. Je pense même qu'il serait très content de constater que, sans lui, il n'y a plus d'Institut. Tout devait être organisé pour qu'il puisse travailler dans les meilleures conditions possible, en s'arrangeant pour que les jeunes profitent de l'expérience et soient un certain temps dans son entourage[41].» «C'était clair. Les gens n'étaient là que pour ses propres travaux, ses propres découvertes[5].» «Il était centré sur sa propre science[18].»

«Pourquoi tout est retombé après lui? Il y a plusieurs raisons à cela. La première, c'est que plus personne ne voulait travailler avec les techniques de Selye parce que c'était dépassé. La seconde, c'est que sa personnalité était telle, il exigeait tant de ses collaborateurs que les gens, à moins d'être des saints ou même des archanges, ne voulaient pas rester auprès de lui plus longtemps que nécessaire. C'est ce qui fait qu'il a constamment vidé son Institut et n'a jamais gardé personne. La troisième, c'est que l'Institut ne fonctionnait que grâce aux conquêtes personnelles de Selye, l'argent qu'il allait chercher, surtout chez les Américains. Je ne crois pas d'ailleurs qu'il avait l'intention de perpétuer l'Institut[19].»

«Il aimait s'entourer constamment de nouvelles têtes, et ne souhaitait pas garder une équipe stable. C'était son choix — mais c'est à cause de cela qu'aujourd'hui on se souvient peut-être de son nom mais il n'y a plus d'Institut[41].» «Le gros problème de l'Institut, c'est qu'en aucun cas ce n'était une équipe. S'il s'était entouré d'une équipe, s'il s'était adjoint des gens très compétents et très pointus dans des domaines complémentaires et s'il avait pu travailler avec eux sur un pied d'égalité, ç'aurait pu faire quelque chose d'extraordinaire[5].» «Il n'a pas su créer autour de lui une équipe stable, une équipe qui aurait des qualités et des compétences différentes des siennes. C'est impensable de fonctionner comme il l'a fait[53].» *Dr Pierre Jean*

«Les grands chercheurs veulent difficilement faire de la réplication. Ils veulent bien se faire supporter, mais ils ne tiennent pas plus qu'il ne faut à avoir des doublures. Le Dr Selye gérait sa boutique mais demeurait toujours le grand patron. C'était le style des instituts d'autrefois. Aujourd'hui, ce sont des groupes de travail[55].»

«En connaissez-vous beaucoup, à ce niveau, qui préparent leur succession? En politique, un [Pierre Elliott] Trudeau, un [René] Lévesque, ça tombe, et après eux, c'est le vide. En science, c'est pareil, exemple Selye. Ces gens-là, évidemment, ont un ego immense, et ils veulent durer dans les siècles des siècles. À la fin de leur vie, ils essaient. À une époque, Selye n'essayait même pas, à la fin, oui, mais ça n'a pas marché. Une personnalité ce n'est pas transférable. Ils en sont peut-être conscients, ils se disent: Je vais perdurer par mon absence — la preuve par l'absurde. C'est difficile à comprendre[15].» «M. Selye était trop intellectuel pour se préoccuper de créer une institution[9].»

«Il lui est arrivé de vouloir garder quelqu'un de façon plus permanente. Mais c'est comme n'importe quel arbre géant: les jeunes arbres ont beaucoup de difficulté à croître à son ombre. Et je me demande même si Selye y tenait vraiment. Il était seul de son espèce et il ne voulait pas voir se reproduire un être identique à lui-même. Il y avait aussi son style de recherche. C'est difficile de demander à un jeune de devenir un homme du XIXe siècle[53].»

«À la fin, il était préoccupé par ce manque de successeur[24].» Je ne citerai pas ici les noms de ceux qui m'ont dit avoir été approchés par Selye, craignant que mes informations ne soient pas complètes. Tous ont refusé, car les postes qu'ils occupaient les satisfaisaient pleinement. «Même si Selye avait voulu un successeur, personne ayant une réelle valeur n'aurait accepté — ç'aurait été comme une souris qui revient se faire prendre au piège[31].» «Il ne pouvait pas avoir de successeur. Il ne donnait rien, il n'était pas père — sauf pour la parade[27].» *André Robert*

On peut peut-être se dire que Selye n'a pas eu un mais des successeurs, d'autant plus nombreux qu'ils sont éparpillés aux quatre coins du monde, et qui, marqués à jamais par lui, perpétuent ses idées, ses principes. Un témoignage parmi plusieurs: «Je lui dois tout: mes habitudes de travail, mon intérêt pour la recherche, la discipline personnelle que j'ai pu établir dans ma vie — toutes des caractéristiques de Selye que j'ai incorporées inconsciemment et qui représentent l'héritage qu'il m'a laissé[31].» *André Robert*

Si l'Institut international du stress n'existe maintenant plus, lui aussi, que sur le papier, la fondation Hans Selye par contre reste active — bien qu'il ne s'y fasse pas de recherche. À l'instigation du Dr Szabo, le Dr André Robert, Mme Yvette Taché et Mme Louise Drevet Selye ont décidé, pour commémorer le premier anniversaire de la mort de Selye, de mettre sur pied une rencontre. Le Symposium Hans Selye, écrit Yvette Taché aux invités, «rassemblera les anciens étudiants du Dr Selye, ses collaborateurs et les professeurs Claude-Bernard, les 21 et 22 octobre 1983, à l'Université de Montréal». «L'idée nous a pris qu'il fallait continuer à perpétuer le nom du Dr Selye et nous avons alors décidé de tenir régulièrement des symposiums qui porteraient sur la neuroendocrinologie du stress — puisque c'était le grand sujet scientifique du Dr Selye. Les actes en sont publiés grâce aux éditeurs Springer et Verlag[26].» Le premier de la série a eu lieu en 1986 (Neuropeptides et stress), le second en 1989 (Neuroendocrinologie des ulcérations gastriques*). Rencontres et publications utilisent comme symbole une affiche de Vasarely que les organisateurs ont reçue de lui en cadeau dans les années quatre-vingt.

---

* Mme Yvette Taché a été chargée d'organiser un troisième symposium Hans Selye (sur le thème «Corticotropin Releasing Factor and Stress»). La rencontre doit avoir lieu à Montréal, du 16 au 18 octobre 1992, et sera l'occasion de commémorer le dixième anniversaire de la mort de Selye.

«Lorsque Selye est mort, il restait cent cinquante mille dollars dans le compte de la Fondation. Malheureusement, l'argent baisse de plus en plus, car tout cela coûte très cher. Mais Selye aimait la qualité, alors nous maintenons ses critères et s'il faut espacer davantage les symposiums, eh bien, nous attendrons plus longtemps pour les faire[64].»

À la fin de l'année 1989, les laboratoires Squibb Canada ont annoncé l'investissement de deux millions et demi de dollars dans la création d'une chaire de recherches fondamentales à l'Université de Montréal. La Chaire Hans Selye a été officiellement inaugurée le 15 décembre 1989, en présence de Mme Gabrielle Selye. Elle «permettra à l'Université de recruter un homme ou une femme de science de renommée internationale et de former une équipe de recherche de premier ordre qui consacrera tous ses efforts à l'accroissement du savoir dans un secteur de pointe de la recherche médicale. Les secteurs considérés sont la génétique moléculaire, la biologie du développement et l'immunologie». Il faudra plus de deux ans pour que cette chaire soit pourvue. C'est le Dr André Royal qui, depuis le début de 1992, en est le titulaire.

À ses descendants biologiques, Selye n'aura rien laissé. De ses cinq enfants, aucun (sauf André, avocat) ne s'est engagé dans une profession libérale, aucun à ce jour (1992) n'a d'enfant. Si la situation perdure, le nom même de Selye disparaîtra.

Pour l'amour du Nobel

Lorsque le célèbre industriel et chimiste suédois Alfred Nobel (qui découvrit la dynamite, la balistite ou gélatine explosive et le détonateur au fulminate de mercure) entra en agonie, «il avait en partie perdu l'usage de la parole et tout souvenir des nombreuses langues dont il avait usé, à l'exception du suédois que les Français qui l'entouraient ne comprenaient pas. Ils devinèrent seulement qu'il leur fallait télégraphier à ses proches, et ils avertirent ses neveux, Emmanuel et Hjalmar, qui prévinrent à leur tour Ragnar Söhlman, lequel se mit immédiatement en route pour l'Italie. Mais il arriva trop tard, de même que Hjalmar». Nobel fut emporté par une hémorragie cérébrale, le 10 décembre 1896, à deux heures du matin. On ramena le corps de San Remo à Stockholm où «après une cérémonie grandiose, il fut incinéré le 29 décembre 1896».

Emmanuel, exécuteur testamentaire d'un testament datant du 14 mars 1893, fut fort étonné d'apprendre qu'un document désignait comme exécuteurs testamentaires d'un autre testament, rédigé à Paris le 27 mars 1895, Ragnar Söhlman, assistant personnel de Nobel, et un industriel, Rudolf Lilljeqvist. Tout ce qu'on savait de ce dernier testament, c'est que Nobel voulait qu'on lui incisât les veines après sa mort «afin de ne point risquer de l'incinérer vivant».

Le testament de 1895, très court, instituait les prix Nobel, gérés par une fondation. Ce n'est que le 9 septembre 1898 que le gouvernement suédois en entérina le texte. Deux principes sont à la base de l'attribution des récompenses:

1. Chacun des prix prévus par le testament sera distribué au moins une fois au cours de chaque période de cinq ans à partir de

l'année (incluse) qui suivra celle de l'entrée en activité de la fondation Nobel.

2. Le montant de chaque prix ne pourra jamais être inférieur à soixante pour cent du revenu annuel du capital réservé pour chaque prix; le prix ne devra, en aucune circonstance, être fractionné en plus de trois parts.

L'examen préliminaire des travaux proposés est assuré par des comités Nobel, qui comprennent de trois à cinq membres — sauf pour le prix de la paix. Le prix de médecine et de physiologie est décerné par l'institut Carolin, celui de littérature par l'Académie suédoise, celui de physique et chimie par l'Académie royale des sciences, celui de la paix par un comité de cinq membres élus par le Storting (Parlement) norvégien. (Lorsque le testament de Nobel fut rédigé, Norvège et Suède formaient une confédération ayant à sa tête le roi de Suède. La Norvège devint indépendante en 1905[66].)

Les premiers prix Nobel ont été attribués en 1901; on leur adjoignit en 1968 un prix d'économie politique, toujours à la mémoire d'Alfred Nobel.

Alfred Nobel n'avait sûrement pas prévu le prestige qui s'attacherait à cette récompense, vite devenue critère universel d'évaluation et témoignage respecté de qualité. Et s'il est un homme de science pour qui le prix Nobel a fait fonction de miroir aux alouettes et qui longtemps — bien qu'en vain — a ostensiblement attendu d'en être le lauréat au mépris de toute éthique, c'est bien le Dr Hans Selye. Aurait-il dû l'avoir? Le méritait-il? Sinon, que lui a-t-il manqué?

Pour chacun des domaines visés (celui de la paix excepté), la volonté de Nobel est très sommairement exprimée: «À qui aura fait la découverte la plus importante dans le domaine de la physiologie et de la médecine.» Tout dépend, bien sûr, de ce qu'on veut entendre par «découverte».

«J'ai lu un livre qui donnait une liste des Prix Nobel et une autre des nobélisables. Selye apparaissait parmi les douze ou quinze qui auraient dû le recevoir[19].» «Il aurait dû l'avoir car c'était un géant[3].» «Il ne manquait pas de mérites scientifiques. C'est dommage qu'il ne l'ait pas eu. J'ai connu plusieurs Prix

Nobel et je pense que Selye aurait fait belle figure parmi eux[12].» «Ses travaux sur le stress et le concept du syndrome général d'adaptation le méritent sûrement[51].» «Je suis étonné que son apport à la médecine contemporaine n'ait pas été récompensé par un Nobel[42].» «Il aurait dû le recevoir car il a été le premier à distinguer entre les effets spécifiques et non spécifiques (du stress, des drogues, des toxines, etc.). Ces effets non spécifiques acquièrent de plus en plus d'importance en biologie de nos jours[20].»

«Au XIXe siècle, il l'aurait eu plusieurs fois, mais pas au XXe[19].» «Je ne crois pas que l'on ait donné des prix Nobel à des gens qui n'en étaient pas dignes. Mais l'inverse n'est pas vrai, autrement dit bien des gens l'auraient mérité qui ne l'ont pas eu. Mais si Selye l'avait eu, c'eût été plutôt pour toute une vie de travail scientifique que pour un cas isolé de découverte — comme, par exemple, un Jean Rostand[32].» «Si Kenneth Savard était resté avec Selye, ils auraient pu l'avoir à eux deux. Savard, c'était un esprit du XIXe avec une technique du XXe. En tout cas, c'est l'idée que j'en avais lorsque j'étais à l'Institut[53].» «Il l'aurait mérité, mais à un certain moment. Ce qui est important dans la science, c'est le moment. Lui considérait que sa plus grande œuvre, c'était la description du stress — il l'a assez répété dans toutes ses conférences. Pour moi, ce qu'il a fait de plus important, c'est sur les stéroïdes de la surrénale[37].»

«Il avait une personnalité du type de Léonard de Vinci et non de celle des scientifiques qui reçoivent habituellement le prix Nobel — lequel ne récompense pas les conceptions romantiques de l'imaginaire, mais des faits bien précis. Peut-on dire qu'il n'a pas réussi à avoir le Nobel[67]?»

Mais dans l'ensemble, on considère que Selye ne pouvait se voir décerner le prix Nobel. Les raisons invoquées sont multiples.

«Il ne pouvait pas l'avoir: à cause de sa technique, à cause du manque de profondeur de ses résultats, et à cause de l'insuffisance de sa formation en chimie (mis à part les stérols[56]).» «Il aurait pu l'avoir s'il avait simplement fait une petite partie de ce qu'a fait Guillemin. Il a formé des gens qui sont allés jusqu'au prix Nobel, mais lui ne l'a pas obtenu parce que justement il n'a pas voulu aller plus à fond dans les connaissances en biologie. Quel que soit leur âge, les chercheurs ont intégré ce fait maintenant.

Pourquoi pas lui? Il décrivait avec beaucoup de chaleur la découverte de Banting et Best; il admirait Banting, en qui il voyait un exemple de médecine expérimentale. Pourquoi n'est-il pas allé plus loin? Il était extrêmement critique, au bon sens du terme, lorsqu'on venait lui présenter quelque chose ou qu'il parlait des travaux d'un chercheur connu, mais il ne l'appliquait pas à lui-même. Je n'ai jamais compris, et de tous les gens que j'ai pu rencontrer qui ont travaillé avec lui, personne à mon avis n'a vraiment compris pourquoi[28].» «Les bruits couraient ou bien que Selye était trop en avance quand il a formé son concept de stress, ou bien qu'il n'a pas poussé son idée assez loin et qu'il s'est perdu dans des chemins de traverse qui lui semblaient peut-être plus prometteurs[5].»

«Il ne pouvait pas l'avoir selon les critères des gens de Stockholm, qui ont une approche de la science tout à fait différente[68].» «Le prix Nobel a des exigences. Il faut qu'il y ait des applications concrètes[55]», «pratiques[63].» «Le nom de Selye était attaché à un phénomène qui était imprécis. Imprécis parce que chaque partie du corps répond au stress, tout l'organisme est concerné. S'il avait décidé en 1940, alors qu'il savait que les manifestations du stress exigent la présence des surrénales, de s'associer à un chimiste de talent (comme Kenneth Savard) pour essayer d'extraire de ces surrénales le produit actif — parce qu'à l'époque, ce qu'on appelait l'«adreno-cortical extract», c'était un mélange d'on ne savait quoi! c'est lui et non pas Hench et Kendall qui aurait eu le prix Nobel. Ah, si on lui avait dit: «Si vous fai«tes cela, vous aurez le Nobel», il l'aurait fait[31]!» «En général, le prix est donné pour l'isolement d'un agent spécifique, que ce soit l'AMP cyclique ou un nouveau virus, mais très rarement pour un concept[26].»

«Les gens qui décernent le Nobel ne sont pas à la hauteur, je ne suis pas gêné de le dire, pour évaluer des concepts nouveaux. Des découvertes, des faits, c'est assez facile à juger, mais la productivité d'un concept, c'est aléatoire et difficile[24].»

«Si on veut comprendre pourquoi M. Selye n'a jamais été récipiendaire du prix Nobel, il faut peut-être réfléchir sur la procédure d'attribution. Il faut bien dire pour commencer que le concept de M. Selye n'a jamais été nié ni refusé par le monde de la médecine; l'idée est toujours acceptée. Il faut donc se demander: était-ce des raisons personnelles ou techniques? — parce que ses travaux n'ont pas apporté de contribution à la médecine expérimentale. M. Selye n'était pas un charlatan ni un fumiste. Il était, dans les années quarante, bien respecté, même aux États-Unis, comme j'ai pu le constater là où j'ai travaillé, à Cleveland, à New York, à Boston. Le comité Nobel ne publie jamais le nom des personnes qui ont été pressenties pour le prix mais n'ont pas été choisies. Je connais un peu leur fonctionnement parce que j'ai été consulté à quelques reprises. Le comité fait un sondage parmi ceux qui relèvent de la science dans laquelle il désire accorder un prix. La personne consultée doit garder secrète toute la correspondance sur le sujet. On tient compte du nombre de personnes qui indiquent tel ou tel chercheur. Une première réponse à la question est peut-être que M. Selye n'avait pas assez de disciples ou d'apôtres parmi les gens approchés. Les individus du comité de sélection du prix Nobel que j'ai connus étaient conscients de l'importance de M. Selye. Mais il est bien possible que ces gens, jamais connus du public et soumis eux aussi au secret, n'aient pas le droit de faire eux-mêmes un choix personnel dans ce sondage. Il y a aussi d'autres raisons qui ne sont pas du tout scientifiques, j'ai là-dessus plusieurs théories mais elles me sont personnelles et je n'aimerais pas les exposer.

«J'ai fait la liste de tous les prix Nobel dont je pouvais me souvenir, qui ont été accordés dans la spécialité de l'endocrinologie. Il y en a huit. Le premier a été accordé dans l'année 1930, je pense, pour les études sur les hormones de la thyroïde: la thyroxine [en fait, Edward Calvin Kendall a isolé la thyroxine en 1914, et ses travaux sont à l'origine de la découverte et de la synthèse des hormones corticosurrénales, en particulier de la désoxycorticostérone (1937), de la cortisone et de la corticotrophine hypophysaire (1949)]. Ensuite, il y a eu celui pour l'isolement de l'insuline, accordé à M. Banting et à ses collègues de Toronto [1923], celui pour le rôle hypoglycémique de l'hormone du lobe hypophysaire antérieur à M. [Bernardo Alberto] Houssay, de Buenos Aires [médecine, 1947, avec Carl Ferdinand Cori et sa femme, Gerty Theresa (recherches sur le métabolisme des hydrates de carbone et les enzymes)]. Quatrièmement, le prix pour l'étude des structures des stéroïdes des surrénales et le traitement de l'arthrite, accordé au Suisse, M. Reichstein, et aux deux Américains, MM. Kendall et Hench [1950]. Cinquièmement, un deuxième prix pour des travaux sur la structure de l'insuline, accordé à deux Anglais, MM. [Frederick] Sanger et Singe, de Londres [Sanger seul fut Prix Nobel (chimie), en 1958, pour avoir reconstitué la distribution des aminoacides dans la molécule d'insuline]. Un sixième prix a été donné pour l'étude des hormones du lobe postérieur de l'hypophyse, l'ocytocine et la vasopressine, à M. [Vincent] Du Vigneaud, de New York [chimie, 1955; il réalisa la première synthèse d'hormones protéiques en 1953]; un septième pour l'étude des neuro-hormones, à M. [Ulf] von Euler, un Suédois de Stockholm [médecine 1970, avec Julius Axelrod (travaux sur l'influx nerveux) et Bernard Katz pour ses travaux sur le rôle des médiateurs chimiques, en particulier la noradrénaline, dans le fonctionnement du système nerveux sympathique]. Et tout dernièrement, pour leurs travaux sur les hormones de l'hypothalamus, à Roger Guillemin et à M. Schally, des États-Unis — ce qui est très ironique parce que tous les deux ont été formés à Montréal et par M. Selye [nous avons vu que cela est faux en ce qui concerne Schally].

«On constate qu'il y a deux points en commun à tous ces prix: tous impliquent une maladie ou une famille de maladies, et tous concernent une substance chimique précise — ou bien sa découverte ou bien sa structure. Or le concept de stress n'implique aucune structure ou substance chimique, non plus qu'aucune maladie spécifique. La dernière réflexion que m'inspire cette question du prix Nobel et les raisons pour lesquelles il n'a pas été accordé à M. Selye, c'est que le stress et son concept représentent peut-être un trop grand champ[51].»

«Le prix Nobel, c'est une reconnaissance scientifique d'une part, politique d'autre part — une question surtout de politique scientifique. Ce concept de stress, Selye l'eût-il, dans les années trente, développé comme il l'avait fait en 1945-1950, qu'il aurait pu l'avoir. C'était davantage dans le climat. Mais en 1950, il était déjà trop tard, toutes les substances importantes étaient isolées, la cortisone avait fait son prix Nobel, l'aldostérone c'était intéressant mais moins — et l'idée de donner un prix Nobel par hormone[1]...» «Je suis convaincue que le Nobel est, en partie, une reconnaissance d'une contribution à la science, il n'y a pas le moindre doute. Mais il y a un aspect politique, extrêmement important. Et malheureusement, je crois que chaque fois qu'on a suggéré le nom du Dr Selye, d'autres forces politiques, probablement plus importantes, ont joué. Regardez l'ensemble de la science canadienne. Il n'y en a pas beaucoup qui l'ont eu[9].»

«Je mets en cause la signification politique des prix en général», écrit Jonathan R. Beckwith (biochimiste au Département de microbiologie et de génétique moléculaire à la Harvard Medical School) à l'occasion d'un prix reçu pour avoir, avec James Shapiro (qui devait par la suite abandonner la science pour la politique) isolé un gène de la bactérie *Escherichia Coli*, en 1969[46].

«Il ne faut surtout pas l'attendre[52].» «Il l'attendait peut-être trop. Les gens qui le donnent n'aiment pas à se faire faire des suggestions trop directes. Et puis, il faisait venir comme conférenciers Claude-Bernard des gens qui étaient justement des Suédois et je ne crois pas que cela ait été bien apprécié[63].» «J'ai connu pendant longtemps, et assez bien parce que nous travaillions dans le même laboratoire, Ulf von Euler, qui était président du comité Nobel pour le prix de médecine et de physiologie, et je sais que chaque fois que Hans le pouvait, il l'invitait[68].» «Je ne connais pas les critères du Nobel, mais certaines personnes m'ont dit qu'il avait trop insisté pour l'avoir. Il y a peut-être un fond de vérité mais j'imagine que la fondation Nobel est capable de faire la part des choses et qu'il y a sans doute d'autres raisons qui ont fait que ça n'a pas marché[25].» «Je me suis laissé dire qu'il avait trop fait sa promotion, qu'il avait trop attendu ce qui, par définition, ne doit pas s'attendre[26].»

«Dans les années cinquante, il a eu une attitude qui n'a pas été appréciée par le milieu scientifique international: de promoteur de sa personne, de ses idées, de ses découvertes — de cabotin, d'homme de foire, je ne sais trop comment dire. Il faut se rendre compte qu'à l'époque le savant était un monsieur respectable qui devait se tenir sur la réserve, ne jamais parler aux mass media. C'est peut-être ce qui a déplu. Ceci dit, bien des noms de personnalités qui ont eu le Nobel disparaîtront alors que celui de Selye sera encore présent dans cent ans[42].»

«Les gens qui le connaissent bien disent qu'il était trop pressé de rapporter ses travaux à la fois sur la scène scientifique et au grand public — il y avait confusion des niveaux. Je crois que les comités Nobel apprécient peu les concours de popularité[69].» «On lui reprochait entre autres de parler trop directement au public de ses travaux et de les vulgariser pour intéresser. Que ce soit ou non pour obtenir des fonds supplémentaires, il avait une approche auprès de l'ensemble des gens qui était souvent mal vue du monde scientifique[41].»

C'est en effet une caractéristique de Selye, qui frappe d'autant plus qu'elle contredit le stéréotype du chercheur, souvent lent à acquérir la certitude de ses résultats et à les annoncer publiquement. Selye a pris très tôt l'habitude de rendre les journalistes complices de sa trajectoire — leur confiant en quelque sorte la tâche de pourvoir à sa renommée. «Il nous avait tous tellement convaincus de l'importance de son image que, de nous-mêmes, nous faisions tout ce qu'il fallait: avertir les journaux lorsqu'il partait en tournée, lorsqu'il donnait une conférence, etc. On était très motivés, c'est comme ça que ça fonctionnait[11].»

«Il ne faut pas oublier que le prix Nobel n'est pas accordé dans les cas trop controversés[57].» «Prenons l'exemple de Freud — d'après moi un des grands génies de toute l'histoire de la médecine. Pourtant, s'il y a un homme qui est sujet à controverse, c'est bien lui. Il y a sans doute bien des raisons à cela, mais l'une en est que ce qu'il dit avoir découvert est très peu tangible: ce sont des émotions, des choses de l'esprit qu'on ne voit pas, qu'on ne peut ni mesurer ni peser. Tandis qu'un de ses contemporains, Fleming, a découvert une substance [la pénicilline] dont on connaît la structure chimique, qui agit merveilleusement dans la pneumonie et qui a augmenté la longévité de la race humaine. Si je faisais partie du comité du prix Nobel, c'est évident qu'entre les deux je choisirais Fleming. Pour Freud, il me faudrait convaincre mes collègues[31].»

«Il y avait en tout cas un aspect du caractère de Selye qui ne l'a certainement pas aidé, c'est un certain degré d'intolérance qu'il avait vis-à-vis de la superficialité des gens, de l'importance de leurs découvertes. Il ne se gênait pas pour le dire, aussi n'avait-il pas que des amis[24].»

«Il ne méritait probablement pas le prix Nobel. Aucune de ses contributions n'a changé la face de la science ou de la médecine. Peut-être que s'il existait un mode de reconnaissance des individus qui ont su inspirer aux autres la grandeur, Selye serait en ligne pour l'obtention de cette récompense[65].»

«Je ne pense pas qu'il ait jamais été près d'avoir le Nobel. S'il a été nommé, c'est parce qu'il avait des admirateurs qui souvent, je dois dire, n'étaient pas des scientifiques de première classe. Comme, par exemple, Marty Ibanez, l'éditeur de *MD Magazine* — quelqu'un de bien mais enfin, pas un grand scientifique. Je pense bien qu'il n'a jamais été pris au sérieux par le comité Nobel. Il lui a manqué de continuer à bâtir son modèle sur ce qui est aujourd'hui considéré comme la base fondamentale de la biologie, à savoir la biochimie puisqu'à cette époque il n'y avait pas encore de biologie moléculaire[16].»

Les sondages, les consultations, les délibérations et les décisions relevant du plus grand secret, ceux qui y ont été mêlés ne peuvent rien dire. Quant aux autres, ils ne peuvent que faire valoir des impressions personnelles ou des explications de seconde main, et donc se perdre en conjectures. Il faudra attendre l'an 2022, lorsque les documents déposés seront vieux de cinquante ans, pour avoir l'autorisation d'accéder aux archives de l'institut Carolin et voir clair dans ce dossier pour le moment encore délicat.

Quelle évaluation générale font aujourd'hui des travaux de Selye ceux qui les connaissent bien? «Il faut être très prudent, parce que l'impact des travaux scientifiques, ce n'est pas dans l'immédiat qu'on peut l'évaluer mais à long terme. Il y a des modes dans la science[9].» La mise en garde est sage, nul ne peut prédire l'avenir, mais en l'état présent un certain nombre de remarques, déjà, s'impose.

Endocrinologue, Selye a laissé sa marque sur sa discipline: «L'essentiel de sa réputation est due à sa compétence en endocrinologie[19].» « Il fait partie de l'histoire des stéroïdes et il a fourni à l'endocrinologie expérimentale une grosse contribution. Ce n'est pas un hasard si Montréal a connu et connaît encore une activité enviable dans ce domaine, et représente un pôle d'intérêt très grand pour la recherche[53].»

Il a sans conteste ouvert un domaine: «Il a été une époque dans l'histoire de la médecine. Je n'étais pas toujours d'accord avec lui, loin de là, mais personne ne peut dire qu'il n'a pas transformé très profondément la conception qu'on avait de la maladie[42].» «Il a donné au stress un fondement biologique, et il a ouvert un domaine très vaste. Il suffit de penser aux retombées pour la médecine psychosomatique, qui sont immenses[53].» «Ce qu'il a fait de plus intéressant est ce qui concerne le stress. Je suis déçu de voir comme on peut publier aujourd'hui là-dessus et trouver moyen de ne pas mentionner le nom de Selye, dont les recherches de base ont déclenché tout cela. Mais c'est peut-être parce qu'il s'est arrêté au niveau morphologique, et qu'il n'a pas toujours suivi les observations de plus grands détails qui rendent les choses plus concrètes pour les médecins ordinaires[3].» «J'entends assez souvent rappeler que c'est lui qui a amorcé le travail dans plusieurs domaines[2].» «C'est un pionnier, un catalyseur. Il a sensibilisé les gens à cette maladie du comportement, qui s'accompagne d'un syndrome neuroendocrine précis bien que non spécifique. Il a bien perçu l'antagonisme des systèmes sympathique et parasympathique. La mise en jeu du système d'alarme hypophyso-corticosurrénalien, c'est un classique. J'ai du mal à comprendre pourquoi il n'a pas tout à fait la consécration qu'il mérite[69].» «C'était cela qui choquait les gens: ils étaient obligés de le citer. Par exemple, j'ai enseigné l'histologie: je pense qu'il n'y a pas un chapitre où on ne pourrait pas se référer à Selye[15].»

«Il a stimulé la recherche et il a eu de très belles intuitions. Son influence est de plus en plus grande, même s'il n'est pas nommé[43].» «L'impact des travaux du Dr Selye sur les sciences et la médecine est énorme. Malheureusement, on ne lui en rend pas toujours le crédit qui lui est dû. Pour deux raisons. La première, que le Dr Selye m'avait lui-même expliquée; on cite vos travaux les premiers temps mais, dix ou vingt ans après, ils sont tellement connus qu'on ne donne plus leur référence. La seconde, elle, nous inquiète, nous les anciens élèves de Selye; c'est que les étudiants ne connaissent pas l'histoire du stress, et cela, c'est malheureux[26].»

«Il ne fait aucun doute dans mon esprit que les études de Selye sur le stress et ses observations remarquables sur l'intervention de l'axe hypophyso-corticosurrénalien dans la réponse au stress ont joué puissamment pour initier les premières études de Geoffrey Harris à Londres; David Hume, Don Nelson et Fran Ganong à Harvard; Claude Fortier à Montréal; Evelyn Anderson, Gordon Farrell et Sam McCann alors aux NIH [National Institutes of Health]; et plus tard, les miennes[52].»

«Selye a produit ses meilleures idées dans le contexte de la science biomédicale d'entre les deux guerres. Il avait ramassé diverses notions qui remontaient aux notions de physiologie et de médecine expérimentale du siècle dernier — le milieu intérieur de Bernard, l'homéostasie de Cannon. Et ce domaine, il le maîtrisait d'une façon exceptionnelle, ayant cette habitude — j'ai envie de dire cette manie — de colliger à l'extrême la littérature. Il a, disons, bifurqué des conceptions des années trente pour s'engager dans ce domaine dit du non-spécifique à une époque où la grande découverte, c'était d'identifier un principe actif, une hormone, un peptide. C'est cela sa contribution. Mais à partir des années cinquante, il y avait plus d'avenir du côté de la caractérisation des substances. Selye n'en négligeait pas l'intérêt, mais il avait fait son choix en 1936 ou 1937. Et par la suite, il n'est jamais revenu aux bases biochimiques et autres qui allaient devenir la biologie moléculaire et qui pour lui n'étaient pas importantes[1].»

Et le même reproche se fait entendre: Selye a travaillé en surface. «Il a ouvert des pistes, sans approfondir les points qui auraient pu le mener à des découvertes ou à des concepts intéressants[63].» «Je déteste le mot «romantique», sauf peut-être en musique ou en art, auquel cas ce peut être un bon terme pour désigner sa démarche scientifique. Un de ses critiques a dit, en substance, que Selye semblait croire que le scientifique avait pour rôle d'être un poteau vous indiquant la route à prendre, mais que lui (Selye) se gardait bien d'emprunter avec vous ce chemin rocailleux pour se rendre à destination. La critique est dure mais peut se comprendre. Personnellement j'admire Hans, mais je trouve heureux qu'il n'ait pas eu trop de disciples qui adoptent son attitude vis-à-vis de la science[68].»

«J'ai travaillé avec Jacob Furth [Children Memorial de Boston] sur les tumeurs dites endocrines. Il avait des réserves scientifiques vis-à-vis du travail, qu'il connaissait bien, de Selye. Ce n'était pas une critique très sévère qu'il exprimait, puisqu'il a accepté de venir comme conférencier Claude-Bernard [1954], mais un jugement réservé[25].»

«Selye a été un homme de science créatif mais pas spécialement original. Sa grande qualité était d'élaborer des concepts à partir d'observations apparemment sans rapports entre elles[65].» Que l'on parle de créativité ou d'originalité, on considère qu'elle n'a eu qu'un temps. «Il a fait des travaux intéressants au début mais par la suite il n'a plus rien produit d'original[70].» «Ses atouts personnels ont joué en sa faveur auprès de ses collègues scientifiques en attirant leur attention mais sans nécessairement les convaincre. Vers la fin des années soixante, il n'était plus guère pris au sérieux. Son concept des maladies d'adaptation en opposition aux maladies microbiennes avait fait long feu. Les seuls admirateurs se trouvaient dans un certain milieu médical fasciné par une théorie qui expliquait tout, et dans le grand public[33].»

«Je pense que ses travaux sont arrivés un peu trop tard ou un peu trop tôt. À l'époque de la pharmacologie et de la toxicologie moléculaires, des sous-types de récepteurs et des nombreux médiateurs et modulateurs, sa vision générale du stress, du bon stress, du mauvais stress et des facteurs conditionnants ne cadrait pas avec le concept général de science[20].»

Mais surtout, c'est l'écart entre les recherches effectuées et leur application en clinique humaine qui hypothèque la valeur des travaux de Selye.

Pour commencer, «il n'a jamais pu donner — et Dieu sait qu'il a essayé — une définition du terme de stress qui fasse le tour du monde. À tel point qu'actuellement encore on utilise ce terme maladroitement. Très rapidement, le choc a été confondu avec le stress. J'étais chirurgien, un chirurgien plutôt habile, et il m'arrivait de ne pas tirer mes malades d'affaire, ils mouraient, «choqués» disait-on. Je me suis donc intéressé au choc, et j'y travaille toujours. Il y a deux hommes à qui je dois beaucoup: René Leriche [chirurgie de la douleur], avec sa découverte du rôle du système végétatif dans la vie affective de nos viscères, et Selye, avec son concept de réaction aspécifique. Mais il n'y a pas plus de dix ans que j'ai compris la différence entre le choc et le stress. Il y a des protocoles multiples pour créer un stress: le choc plantaire, la nage jusqu'à épuisement, la contention, etc. Mais jamais ils ne conduisent au choc. Et je me suis rendu compte que ce qu'on appelle le choc n'a pas besoin du cerveau antérieur pour apparaître, le tronc cérébral et l'hypothalamus suffisent. Tandis que, pour qu'il y ait stress, il faut une mémoire, il faut se souvenir de ce qui, dans notre vie antérieure, a été douloureux ou agréable. Un enfant nouveau-né ne peut pas être stressé. Il faut qu'il sorte de son moi-tout, qu'il constitue son schéma corporel, qu'il s'aperçoive que son environnement n'est pas lui. Tout cela prend deux ou trois ans. À ce moment-là, il peut être stressé. Mais cela demande la mise en jeu de tout le cerveau antérieur, c'est-à-dire le système limbique — la mémoire. Voilà donc ce qui, sur le plan conceptuel, me sépare de Selye[42].»

Ensuite, «on n'a jamais pu appliquer ses résultats à la clinique ou même à un niveau tel qu'il puisse bénéficier à l'homme de la rue[70]». «Il était isolé des institutions de recherche clinique, et les sujets qu'il a élaborés sur le plan expérimental n'étaient pas facilement transmissibles à la médecine humaine. C'est le contact avec la clinique qui lui a manqué[3].» «Il n'a en effet pas fait de découverte concrète. Son concept, fort utile, ne s'est pas traduit par la description d'une substance matérielle ou d'un effet de force physique[56].»

«On n'a jamais été capable de déchiffrer ce que ses découvertes pourraient donner. Le stress, c'est très joli, mais il n'y a aucun domaine en médecine dans lequel on puisse appliquer une théorie de Selye et apporter une amélioration au patient — même si on sent qu'il est possible que le stress ait un rôle à jouer. Ça reste une notion très vague, très abstraite, je dirais philosophique. Qui fonctionne très bien chez l'animal mais dont on ne connaît pas les répercussions en clinique humaine. Les glucostéroïdes? Leur administration produisait des effets secondaires tellement terribles qu'il a fallu les remplacer par d'autres produits — l'aspirine, par exemple. Son anesthésie aux stéroïdes? Aucun impact clinique parce que ça s'est révélé ne pas être une façon pratique et intéressante d'anesthésier les gens; et on n'a jamais pu pousser cette découverte au niveau neurologique parce que les doses requises sont si énormes que c'en est décourageant. La calciphylaxie? Selye lui a accordé beaucoup d'importance, mais c'est un concept qui n'a jamais fait de petits, et, sur le plan clinique, ça n'a eu aucun impact. Sa théorie selon laquelle les maladies dites du collagène — l'arthrite rhumatoïde, la périartérite noueuse parce que ses lésions ressemblent à celles du rat hypertendu — sont dues au stress? On sait très bien maintenant que toutes les maladies du collagène n'ont rien à voir ni avec le stress ni avec les corticoïdes; elles ont partie liée avec le système immunitaire; ce sont des phénomènes très complexes, qui exigent les techniques de la biologie moléculaire[19].»

«Son travail sur les cardiomyopathies s'est révélé être une impasse ou, à tout le moins, d'une importance mineure dans le domaine de la cardiologie. Quant à la calciphylaxie, personne ne s'en souvient plus, et si des expériences sont un jour reprises, le découvreur original ne sera pas cité parce que Selye n'était pas connu. Hans m'avait dit: «Je viens d'écrire mon livre sur la calci-«phylaxie. Je sais ce que vous pensez, que je me lance parfois «dans des théorisations trop larges et que j'élabore sur les fonda-«tions sur lesquelles elles reposent, mais cette fois-ci vous verrez «que quatre-vingt-quinze pour cent du livre est la description de «ce qui se passe et qu'il y a seulement cinq pour cent de théorie.» Je crois que ce chapitre de ses travaux sera redécouvert un jour et assis sur des bases plus franchement biochimiques, et qu'il pourrait à ce moment-là dire: «Eh bien, c'est exactement ce que «j'attendais[68].»

Ce sont les expériences qu'il a menées sur le rat qui ont alimenté ses conclusions, toujours par contre infirmées sur le plan de la clinique humaine. Se pose donc la question du passage de l'une à l'autre. Parlant de «la diversité des animaux soumis à l'expérimentation», Claude Bernard faisait déjà valoir l'importance des différences spécifiques (individuelles aussi) et la nécessité, pour qui cherche des résultats applicables à la médecine, d'utiliser des animaux biologiquement proches de l'espèce humaine. Canguilhem, analysant les précautions méthodologiques qui doivent entourer la démarche expérimentale, conclut qu'«aucune acquisition de caractère expérimental ne peut être généralisée sans d'expresses réserves, qu'il s'agisse de structures, de fonctions et de comportements, soit d'une variété à une autre dans une même espèce, soit d'une espèce à une autre, soit de l'animal à l'homme». Par ailleurs, s'il fallait, remarque Claude Bernard, «tenir compte des services rendus à la science, la grenouille mériterait la première place». De nos jours, c'est le rat. Pas le rat des villes ni le rat des champs, mais le rat de laboratoire, «calibré et reproductible à merci» — un animal «artificiel», «une créature expérimentale qui n'existe que pour nous aider à comprendre ce que nous sommes[58]». Il y a donc là un premier ensemble de difficultés — une incitation non pas à l'abandon, impensable, de l'expérimentation animale, mais à la prudence.

De plus, étant admis que «ce que recherche le biologiste, c'est la connaissance de ce qui est et de ce qui se fait, abstraction faite des ruses et des interventions auxquelles le contraint son avidité de connaissance», il importe de «savoir dans quelle mesure les procédés expérimentaux, c'est-à-dire artificiels, ainsi institués permettent de conclure que les phénomènes naturels sont adéquatement représentés par les phénomènes ainsi rendus sensibles» (Canguilhem). La question se pose à propos de ce que Kuhn appelle «les expériences par la pensée», et aussi de «ces expériences où la nature est contrainte de se manifester dans des conditions qu'elle n'aurait jamais connues sans l'énergique intervention de l'homme» — ces expériences dans lesquelles, disait Bacon, il s'agit «de tordre la queue du lion». Selye semble avoir bien plus qu'il n'est permis tordu la queue de ses rats. (Et je ne peux m'empêcher de penser à cette phrase: «Une approche manipulatrice de la nature entraîne une approche manipulatrice des gens[46].»)

«Les Américains, qui sont surtechnicisés, pour qui l'idée est secondaire en recherche, ont perdu leur respect scientifque à l'endroit de Selye, qui détestait la technologie. Ça l'a amené de plus en plus dans un cul-de-sac[40].» «Les expériences décrites dans ses publications sont oubliées; les techniques en sont trop primitives. Le concept de stress, lui, ne l'est pas[51].» «Son impact sur la recherche actuelle est à mon sens à peu près nul parce que sa vision des choses et ses techniques étant dépassées, même de son vivant, il n'a pas fait école[19].» «Il avait ses projets de bibliothèque qui ont pris beaucoup de son énergie et qui ont fait qu'il a été vite dépassé[35].» «Au lieu d'aller plus loin dans la voie scientifique, il a monté cette énorme entreprise de collections de tirés à part et de bibliothèque qui coûtait des sommes fabuleuses. Bien sûr, c'est important de récolter ce qui se publie dans le monde entier, mais il n'est pas nécessaire d'aller dans le plus petit journal publié au fin fond d'un pays. C'était tout à fait ridicule[28].» «Je lui ai fait plusieurs fois remarquer qu'avec l'informatique on pouvait obtenir instantanément ce qu'il mettait tant de temps à mettre en place. Il ne voulait rien savoir[52].»

«Selye a consacré beaucoup de son énergie — et beaucoup de celle de ses assistants et de ses étudiants diplômés — à des choses qui, à trente ans de distance, me paraissent plutôt banales. Par exemple, de mon temps, la poche granulomateuse. C'est une observation qui n'a jamais été reprise par d'autres laboratoires — une curiosité[53].»

«Et depuis, la science a évolué de plus en plus vite; suivre le développement de la science, c'est difficile. Selye a été au pic pendant la période qui précédait juste la guerre; en quelques années, il a fait un travail extraordinaire qui a eu de l'influence sur l'endocrinologie, au temps où elle était morphologique. Mais lorsqu'elle est devenue essentiellement biochimique et immunologique, alors, il a été dépassé et aujourd'hui il est oublié. Le grand public, au moins ici au Québec, se souvient plus de lui que la communauté scientifique. Il a joué un rôle important en insistant sur cette idée de stress, il l'a fait entrer dans la conscience collective. Mais la conscience collective a eu vite fait d'oublier qu'il en était l'auteur. C'est le cas de beaucoup de découvertes fondamentales, elles tombent dans le domaine de la connaissance[35].»

«L'impact du travail de Selye sur la biologie et la médecine contemporaine, c'est à peu près zéro. Évidemment, il a donné au mot «stress» cette signification particulière, qui est encore employée. Mais c'est une conception populaire plus que scientifique. Son autre grande contribution a été le concept de maladie d'adaptation; aujourd'hui, non seulement personne n'y croit, mais on ne considère même pas cela comme une possibilité; l'idée est complètement oubliée. Il a fait des observations intéressantes mais qui restent des départs. Par exemple, la calciphylaxie: si vous donnez ça et ça et ça, vous produisez une calcification dans les parathyroïdes, si au contraire, vous donnez ça et ça et ça, elle survient dans les surrénales. C'est très intéressant, mais ça finit là[16].»

«Dans ses idées novatrices, à part le stress, je mettrais ses travaux sur le calcium, la possibilité pour ce métal de se déplacer d'un organe à l'autre, sous l'influence d'agents physiologiques ou pharmacologiques [calciphylaxie]. Mais c'est une idée qui n'a pas été féconde. Dans les années cinquante, il avait eu aussi l'idée du rôle de l'hormone de croissance dans la maladie cardiovasculaire. C'était vraiment original de se demander, à propos d'une hormone dont on considérait alors que l'activité s'exerçait surtout pendant notre jeunesse, ce qu'elle faisait une fois que le corps avait acquis ses dimensions finales (puisqu'elle continue d'être sécrétée). Il a découvert qu'administrée en quantités appréciables dans des conditions expérimentales données, elle pouvait causer des maladies cardiovasculaires. Personne n'y avait pensé. Mais cela n'a pas été développé. Si je veux être objectif, je dois dire que les travaux de Selye ont été oubliés — en grande partie à cause de l'importance de la biologie moléculaire[31].»

«Un temps, il a été compilateur, et c'est une des choses importantes qu'il a faites, indubitablement. Mais en général, quand on fait une compilation, ou bien on reste compilateur ou bien on compile pour en faire autre chose. Lorsque je suis venu, tout jeune, chez Selye, j'étais persuadé qu'il ramassait toutes ces briques pour bâtir cet extraordinaire édifice qu'il a cru faire, à quoi on a cru jusqu'à sa mort et qui n'a jamais existé que dans sa propre fabulation. C'est dur de le dire sous cette forme mais... Si vous demandez aux biologistes moléculaires, qui sont actuellement à la frontière de ce qu'est la biologie, quelle est la contribution de Selye, ils vous répondront: «De quoi «parlez-vous[52]?»

En bref, «je n'ai pas assez analysé toute la littérature mais mon impression, c'est qu'il a pas mal vidé le sac du stress[57]». «Oui, il a vidé le sac du stress[56].» «Il courait en surface plutôt que d'approfondir — ce qui représente la doctrine actuelle. C'est pourquoi, ayant épuisé la surface et tout découvert à son niveau, il a épuisé le sujet et n'a aucun successeur[34].»

Essayant de trouver un instrument de mesure de l'utilisation qui est faite des travaux publiés dans les revues scientifiques, on a mis au point le *Science Citation Index* (SCI). L'idée, ou à tout le moins sa concrétisation, remonte à 1927. Elle s'est heurtée à beaucoup de difficultés mais, en 1964, elle a été reprise avec des moyens plus adéquats[48]. C'est l'Institute for Scientific Information (Philadelphie) qui en assure la publication (tous les dix ans au commencement, puis tous les cinq ans, puis chaque année à partir de 1985). J'ai constaté avec surprise qu'apparaissaient plusieurs Selye, chacun gratifié d'une initiale différente (AH, E, F, Fl, G...) alors que, manifestement, il s'agit d'une seule et même personne. Je n'ai pas procédé à des calculs minutieux; je me suis contentée de relever le nombre de colonnes apparaissant sous ce nom — nombre imposant, d'ailleurs, en comparaison des autres. De 1945 à 1954, treize colonnes et demie. De 1955 à 1964, vingt-six. De 1965 à 1969, seize. De 1970 à 1974, dix-sept. De 1975 à 1979, douze et demie. De 1980 à 1984, treize et un quart. En 1985, trois et demie, en 1986, deux et demie, en 1987, trois et un tiers, en 1988, presque trois, en 1989, presque trois, en 1990, trois. Disons qu'une colonne représente en gros une mention dans une quarantaine d'articles. On voit que Selye se maintient (approximativement) à cent vingt citations par an.

Quel héritage?

Rendant un vibrant hommage à Selye au lendemain de sa mort, le Dr Claude Fortier (longtemps président du Conseil des sciences du Canada) le célébrait comme «un des rares géants de la biologie contemporaine. Doué d'une intuition géniale et d'un remarquable esprit de synthèse associés à une prodigieuse énergie», il alliait l'«acuité de son observation» à l'«originalité de sa pensée» et à l'«ampleur de sa vision», toutes «mises au service d'une rigoureuse approche expérimentale [...]. Il a ouvert des perspectives entièrement neuves sur les rapports de l'homme avec son milieu et sur les mécanismes impliqués dans l'adaptation de l'organisme aux changements de ce milieu.» Et «[...] ses résultats permettent déjà d'entrevoir la genèse d'un des chapitres les plus importants de la physiopathologie et l'élaboration d'une nouvelle pharmacologie[71].»

Ce jugement, fort élogieux, n'est toutefois pas celui de tous. Incontestablement, Selye laisse le souvenir d'un ardent travailleur, d'un excellent professeur et communicateur, dont le rayonnement s'étend au monde entier puisqu'on estime à une soixantaine le nombre de chaires de médecine dont les titulaires ont travaillé à l'Institut. Mais il suffira d'une génération pour reléguer toute cette gratitude professionnelle et tous ces souvenirs émus aux oubliettes. On attend davantage de quelqu'un dont on dit qu'il est d'envergure internationale. Que nous laisse donc exactement Selye?

«Il a d'une part enrichi le Québec et d'autre part fait connaître le Québec au monde[3].» «Il a représenté un apport exceptionnel pour la recherche québécoise[32].» «Il a joué un important rôle

Les Drs Roger Guillemin (au centre) et Claude Fortier (à droite).

Coll. Gabrielle Selye.

de catalyseur à l'Université de Montréal. À cette époque, il n'y avait peut-être pas tellement d'autres recherches qui s'y faisaient. Il a certainement contribué à former les Québécois à l'esprit de la recherche[28].» «Il faut bien se rappeler que nos universités — et nos jeunes ne le savent pas suffisamment — ont toutes commencé, au Canada français, comme des petites écoles professionnelles, dont les moyens étaient très limités. Lorsque je suis revenu d'Oxford en 1939, tout juste au début de la guerre, je voulais faire des recherches en biochimie, à Laval, mais nous n'avions rien pour travailler, rien de rien, pas un seul petit laboratoire équipé — le vide total. Et la situation n'était pas tellement meilleure à Montréal. Selye était là au moment où l'Université cherchait à développer cet aspect hautement universitaire qu'est la recherche. Et dans ce sens-là, il a été certainement un des premiers grands chercheurs de la Faculté de médecine. Il a largement contribué à développer le climat de la recherche, à former des jeunes, et dans ce sens a très bien servi l'institution. Et comme il publiait beaucoup, il l'a fait connaître au monde[21].»

«Il a été important pour le développement de l'endocrinologie générale et cérébrale. Je pense à [Claude] Fortier, qui a entraîné Guillemin vers l'axe hypothalamo-hypophysaire, ce qui a conduit ce dernier à purifier les peptides et à les caractériser. Il a aussi été important pour le Québec. Mais pas déterminant parce qu'il n'a pas créé de modèles qui auraient permis au Québec de se développer, comme [le docteur Jacques] Genest l'a fait avec les instituts de recherches cliniques[19].»

L'Université de Montréal et le Québec ont donc une dette envers Selye. Et la science?

«Selye a sa place dans l'échiquier scientifique contemporain[19].» «Son apport le plus important est le concept de stress[24]», et «ce concept continue à se développer même si on ne mentionne jamais le nom de Selye[19]». «Le stress est plus connu que le nom de Selye, c'est inévitable: en science, quand une découverte devient du domaine commun, on oublie son auteur. Ce n'est pas comme une œuvre d'art. Donc, d'un côté c'est malheureux, de l'autre non. La notion d'axe hypophyso-surrénal, tous les étudiants la possèdent, c'est un classique[24].» «Si les travaux de M. Selye sont oubliés, le concept du stress, lui, n'est pas négligé. Ce concept est la plus grande idée générale depuis le milieu intérieur de Claude Bernard — ce sont les deux idées qui constituent la base de la physiologie générale et de la médecine interne. Quand on regarde en arrière, on constate que seules les idées demeurent; leurs inventeurs sont oubliés. Personne ne fait référence à l'inventeur de la balance ou du spectromètre dans les publications. Disons que c'est la vie... scientifique[51]!»

Le concept de stress a permis, pour reprendre un propos général d'Alexander Fleming sur des chercheurs, de «traduire, en un langage nouveau, des événements banals[72]». Comme celui de milieu intérieur pour Claude Bernard, il a servi de «fondement théorique à la technique de l'expérimentation physiologique (Canguilhem)» mise en place par Selye. Mais en dehors des propres recherches de son inventeur, ce concept a-t-il fait preuve de fécondité (en entendant par là la «réussite intellectuelle d'une idée», son intégration cognitive, son instauration comme cadre du sens) ou tout au moins de fertilité (susceptible d'engendrer beaucoup d'autres idées[73])? L'efficacité théorique ou cognitive d'un concept se mesurant à son extension et à sa valeur opératoire (c'est-à-dire sa capacité de faire progresser le savoir), il faut en effet se demander quels travaux peuvent aujourd'hui se prévaloir d'avoir développé et poussé plus loin ce concept de stress.

Pour certains, le concept de stress «a donné lieu à toutes sortes de recherches[43]». «Les retombées actuelles se retrouvent surtout dans le domaine de l'endocrinologie et de la biologie moléculaire. On a trouvé ce que Selye n'aurait jamais pu imaginer: les «heat stress proteins» [protéines spéciales] apparaissant dans les cellules stressées qui doivent s'adapter à des situations particulières [chaleur]. Également tous les peptides cérébraux reliés à l'ACTH, les endorphines, les enképhalines, qui jouent sûrement un rôle dans le stress. Et on étudie aussi les effets du stress sur le tractus gastro-intestinal, sur le système immunologique, les lymphocytes, les thymocytes[19].»

«Il y a des travaux de plus en plus convaincants montrant qu'une dépression du système nerveux se répercute directement sur le système et les réactions de défense immunologiques. On commence à découvrir que cette relation se fait par la médiation de protéines ou de coprotéines qu'on appelle des cytokines. Il y a donc une base biochimique à l'interaction entre le système nerveux et le système hormonal, le système de défense en général — ce qui est au fond la conséquence logique du concept de stress. Selye avait bien compris qu'il y avait quelque chose en amont du système hypophyso-surrénal, et que ce devait être l'hypothalamus. C'est de là que Guillemin est parti, grâce à Fortier et à d'autres. Ce n'est pas un hasard si ce type de recherche a été entrepris par des élèves de Selye. Alors on est allé plus haut et on s'est rendu compte que la sécrétion de l'hypothalamus dépend du cortex cérébral et que, probablement, ce n'est pas quelque chose de direct: par exemple, des substances libérées par le système nerveux peuvent influencer l'activité des lymphocytes[24].»

D'autres mettent en doute cette fécondité: «Il y a eu des travaux faits ici et là, surtout par des anciens membres de l'équipe de Selye, qui sont plus ou moins des suites des travaux du Dr Selye. Mais dans l'ensemble, les applications qui découlent directement du syndrome général d'adaptation concernent le stress dans un sens large: la tension de la vie, les difficultés auxquelles on a à faire face et qui peuvent nous affecter sur le plan psychique ou physique. C'est assez flou, et en tout cas n'a pas directement à voir avec ce que Selye décrivait dans le syndrome général d'adaptation[63].»

«Je vois de temps en temps qu'on fait référence à ses travaux. Parfois c'est opportun, mais dans certains cas, non. Ce pour quoi l'auteur renvoie à Selye n'est pas vraiment ce que Selye voulait dire. Il y a là une question d'interprétation[1].»

Pour d'autres enfin, le concept de stress lui-même pose problème: «Ce que Selye a vu, tout le monde a pu le répéter, c'est une vérité. Mais l'interprétation de cette vérité, qui pour lui était très convaincante, n'est pas acceptée par tous. Et quand elle l'est, tous les chercheurs ne lui accordent pas le même degré de valeur. Certains jugent que le stress est extrêmement important et que c'est sur l'interaction des diverses hormones impliquées que nous devrions travailler pendant le prochain siècle. D'autres considèrent que c'est une infime partie de l'ensemble des phénomènes qui conduisent à des maladies, et qu'il ne faut pas donner à ces découvertes plus de conséquence qu'elles n'en ont en réalité. Donc, l'importance de Selye en biologie n'est pas aussi évidente que celle de Watson et Crick par exemple qui, en découvrant la structure de l'ADN, ont apporté un concept directement efficace et accepté, qui a ouvert les portes à un nouveau chapitre de la science, soit la biologie moléculaire. Et je ne crois pas qu'il soit devenu classique au point qu'on n'ait pas besoin de le mentionner. On ne cite plus Edison chaque fois que l'on tourne un bouton pour allumer la lumière, on l'a oublié, il faut aller dans les livres d'histoire pour retrouver son nom. Mais ce n'est pas le cas de Selye. Lui, il n'est pas établi[31].»

«Je vois mal comment on peut intégrer ce concept à l'intérieur de l'enseignement de la médecine. Il est trop large. Il dépasse les frontières de disciplines comme la biochimie et l'anatomie. On pourrait le rattacher à la physiologie, mais le stress traite-t-il de physiologie normale ou de physiologie anormale? Est-ce que le concept est trop pathologique pour la physiologie? Il est sûrement trop physiologique pour la pathologie. De plus, doit-il être enseigné pendant les années cliniques, et en quelle spécialité? Sûrement pas en chimie, malgré le fait que c'est très important pour la survie des patients en chirurgie. Sûrement pas en maladies infectieuses, bien qu'il soit très important pour les patients infectés. Et puis finalement, le stress est-il une maladie? Toutes ces questions peuvent peut-être permettre de comprendre pourquoi l'idée générale est acceptée tandis que le concept, lui, n'a pas été adopté dans une discipline spécifique de la médecine[51].»

En résumé, un concept flou, mal modélisable, difficile à cerner, trop large — mais un concept tout de même? Peut-on considérer que Selye aura apporté cette pierre au temple de la science? Que sa contribution aura pris, plutôt que d'une nouvelle substance, la forme d'un concept, celui de stress?

L'invention conceptuelle tient sa place dans l'avancement du savoir, à condition d'entrer dans le circuit intellectuel et d'être communiquée. «Le modèle proposé doit gagner l'attention et l'assentiment de son audience[73].» Si le concept de stress n'a pas tout à fait gagné l'assentiment, il a plus que retenu l'attention. Sa banalisation lexicale en témoigne — et c'est bien là que le bât blesse. Chemin faisant, le terme a fini par ne plus désigner que la moitié à peine de ce qu'il signifiait au départ. «L'emploi du mot *stress* est souvent limité aux stimulations émouvantes dont l'intensité ou le caractère répétitif entraîne des effets pathologiques pour le sujet qui s'y trouve soumis[74].» Et à tant se répandre, il est devenu simple vocable, voire coquille vide, et a rejoint tous les mots du vocabulaire courant.

Il devient alors difficile de parler d'un concept — d'une idée susceptible de généralisation et de théorisation — et a fortiori de révolution conceptuelle. On n'a plus à expliquer le stress, le stress explique tout.

«C'est la difficulté du concept. Par exemple, j'ai fait une revue de la littérature et j'ai inventorié plus d'une centaine de symptômes du stress — depuis les maux de tête jusqu'au cancer. Ça devient un fourre-tout[75].»

«Le concept de stress existait plus ou moins déjà, c'est-à-dire qu'on savait très bien que les gens sous tension souffraient. Selye a commencé à donner une explication biologique de ce qui arrivait: sécrétion de l'hypophyse, des surrénales et de l'estomac. Une fois arrivé là, il a pensé que les travailleurs des champs continueraient l'ouvrage. Mais cela ne s'est pas produit[16].»

Ainsi donc, le «stress» reste un mot en attente d'une conceptualisation. Peut-être moins encore, «un concept complètement dépassé et non opérant[52]». Le discours social sur le stress est si abondant qu'un anthropologue a pu, en en étudiant le contenu idéologique, montrer qu'il existe «une relation entre les croyances populaires concernant le stress et celles concernant la nature et la légitimité de l'ordre social[76].»

D'autres concepts de Selye auraient-ils fait école? Selye est très conscient de la nécessité de respecter le vocabulaire établi, mais aussi de créer des termes nouveaux lorsqu'un *matériel nouveau*, lorsqu'une *entité conceptuelle nouvelle doivent être nommés*, à condition qu'ils soient *indispensables* et qu'ils soient forgés *conformément à certains principes linguistiques éprouvés*. Lui-même ne s'est pas fait faute d'en créer. Certains *ont été très rapidement adoptés*: «corticoïdes» (et leurs deux catégories «gluco» et «minéralo»), d'autres n'ont pas réussi à s'imposer; ainsi, «folliculoïde», «lutéoïde» et «testoïde» ne sont pas arrivés à déloger ce qu'on nomme «œstrogénique», «progestatif» et «androgénique». Suit la liste des vingt-six autres néologismes qu'il a, avec plus ou moins de bonheur, introduits[77].

«Il a découvert l'hypertension hormonale, qui s'observe à la suite de la dégénérescence des surrénales, et le rôle du rein dans cette hypertension — tout le chapitre dit du rein endocrine, un concept très important. On a pu montrer, après lui, que cela existait aussi chez l'homme, que l'angiotensine 2 stimulait la sécrétion d'endostérones, et qu'il y avait en clinique des états caractérisés par une augmentation des minéralocorticoïdes et accompagnés d'hypertension, exactement comme chez le rat. Il ne faut pas oublier que Selye a fait sa réputation comme pionnier de l'endocrinologie; dans le fond, c'était un endocrinologue et pas un stressologue; l'analyse qu'il a faite des stéroïdes est toujours valable[19].»

Selye a indubitablement sa place comme endocrinologue, et je pense que personne ne la conteste. Ce qui est contestable, par contre, c'est sa prétention à une compréhension globale de la physiologie et, par contrecoup, de la pathologie humaines, sur la base du syndrome général d'adaptation.

Si les deux surrénales sont bien «au cœur des mécanismes adaptatifs», comme l'écrit Jean-Didier Vincent, la médullo-surrénale, «glande de l'agression, du combat ou de la fuite», libérant de l'adrénaline et de la noradrénaline, la corticosurrénale, «glande de la soumission et de la résignation» (souvent «le moyen le plus adapté de survivre devant l'évidence de la perte ou de l'échec»), libérant du cortisol (et abondamment en cas de stress), il reste que le système d'adaptation comprend tout un ensemble de mécanismes de rétroaction étagés selon ce qu'on appelle l'axe hypothalamo-hypophyso-surrénalien. L'opposition entre cortex et médulla de chaque surrénale se retrouve, subtilement régulée, à tous les niveaux, mettant en jeu un ensemble complexe qui, tout en haut de la hiérarchie, c'est-à-dire dans le cerveau, s'adjoint des neuro-hormones variées (entre autres, le CRF ou corticolibérine, sécrété par l'hypothalamus). Gardons-nous toutefois, par cet exposé trop rapide, de laisser croire à un modèle manichéen. «Il n'est probablement pas une sécrétion hormonale qui ne participe de près ou de loin à l'ensemble des fonctions adaptatives.»

S'inspirant de ceux de Cannon (initiateur en la matière) sur la médullo-surrénale, les travaux de Selye ont porté sur l'axe hypophyso-surrénalien. Ces deux auteurs, dit Dantzer, sont importants, car ils ont montré que nos émotions débordent la sphère psychique et retentissent sur notre organisme. Mais alors que Cannon articulait directement émotion et réaction, Selye, lui, «a voulu donner du sens aux réactions du corps sans prêter attention au psychisme. Il a semé la confusion et celle-ci est encore présente dans de nombreux esprits[45]». Son schème d'explication se sera donc révélé non seulement rudimentaire et passe-partout mais partiel et ambigu. D'autant que «l'opinion classique selon laquelle l'activation de l'axe neuro-hypophyso-corticosurrénalien a pour corollaire une mise en repos des autres systèmes endocriniens n'est presque jamais vérifiée[58]». Une autre pierre dans le jardin de Selye.

La théorie du stress de Selye est une théorie unitaire, qui repose essentiellement sur la non-spécificité. Selon elle, la symptomatologie observée est due davantage à la lutte contre les agents stressants qu'aux facteurs nocifs eux-mêmes. *D'aussi loin que je me souvienne, les réactions non spécifiques ont toujours exercé sur moi une fascination singulière parce qu'on les a généralement négligées et gardées en dehors des centres d'intérêt.* Tiendrions-nous dans cette notion de non-spécificité une contribution originale du père du stress?

Dans leur histoire de la médecine, Maurice Bariéty et Charles Coury regroupent un certain nombre de découvertes, soit l'anaphylaxie (Richet et Portier, 1902), l'allergie (Von Pirquet sur l'allergie, 1907), les maladies du collagène (Klemperer, 1942) et le syndrome d'adaptation de Selye sous le chapeau: «Une brèche dans le dogme de la spécificité», montrant le changement d'attitude générale dont témoignent ces découvertes à une époque où la bactériologie semblait maîtresse de la scène pathologique.

«Je ne suis pas sûr que Selye a fait une contribution dans ce domaine. Il est évident que, sous l'impact de Pasteur, de Koch et des microbiologistes du XIXe siècle, on était venu à considérer que chaque maladie était causée par un agent. À un certain moment, au XXe siècle, on a commencé à se rendre compte que certaines maladies comme l'athérosclérose n'étaient pas dues à un agent, que les germes infectieux étaient partout mais que tout le monde ne tombait pas malade. Donc, lorsque Selye a commencé, le paradigme était déjà changé; on se disait qu'il n'y avait pas un mais des agents en cause. Plutôt que d'apporter de l'eau au moulin de ce paradigme qui existait déjà, je pense que Selye a fourni une alternative en disant que l'agent de l'athérosclérose, il fallait le chercher dans les altérations de la sécrétion surrénale dues au stress. Par conséquent, je verrais plutôt ce changement d'orientation aller de la spécificité vers quelque chose que j'hésite à qualifier d'aspécificité parce qu'il s'agit de plusieurs agents causaux au lieu d'un [multispécificité?]. Selye a offert une solution au problème, mais il n'a pas changé la façon de voir le problème. Et sa solution, pour le moment du moins, semble n'être pas vraie[16].»

«L'aspécificité de la réponse biologique est très contestée parce que chaque agent stressant a des cheminements qui sont spécifiques. C'est-à-dire que selon l'individu, on peut avoir des réactions biologiques tout à fait différentes, donc pas aussi uni-fiées que le concept qu'il a développé[22].»

«Il est difficile de faire une division stricte entre spécificité et non-spécificité. La typhoïde a une grande spécificité clinique, c'est une maladie très individualisée cliniquement mais, dans ses réactions sur l'intestin, le bacille n'agit pas de façon spécifique. Spécificité et non-spécificité se chevauchent, il y a toujours quelque part soit une susceptibilité individuelle soit une spécificité qui jouent[57].»

Ainsi, l'aspécificité invoquée par Selye ne tient plus. «Il est devenu nécessaire de postuler l'existence de plusieurs modules réactionnels[45].»

Je pense, pour ma part, que la découverte de Selye et la théorie qu'il en a tirée se sont vite dégradées en ce que Canguil-hem appelle, en l'opposant à la rationalité, «une idéologie scienti-fique», à savoir «un certain type de discours, à la fois parallèle à une science en cours de constitution et pressé d'anticiper, sous l'effet d'exigences d'ordre pratique [ou d'ambitions sociales pour Selye], l'achèvement de la recherche. En sorte qu'une construc-tion discursive est, par rapport à la science qui la fera qualifier d'idéologie, à la fois présomptueuse et déplacée. Présomptueuse parce qu'elle se croit à la fin dès les commencements. Déplacée, parce que la promesse de l'idéologie, quand elle est réalisée par la science, l'est autrement et sur un autre terrain».

Ce qui expliquerait d'une part qu'il ait fait, comme le dit Dantzer, obstacle à un certain travail théorique, mais aussi qu'il ait pu inspirer des travaux qui aujourd'hui se réclament de lui.

Nous avons parlé des symposiums Hans Selye et des travaux de neuroendocrinologie qui y sont présentés. J'ai pu par ailleurs retracer d'autres pistes. C'est ainsi qu'à la Faculté de médecine Xavier Bichat (Paris), au sein de l'Institut national de la santé et de la recherche médicale (INSERM), le professeur Emmanuel A. Nunez et son équipe poursuivent des recherches sur les «modifi-cations hormonales stéroïdiennes consécutives au choc septique, à l'infarctus du myocarde, mais aussi à l'infection par le virus VIH» et au diabète insulino-dépendant chez la souris NOD obèse. Les travaux réalisés «dans une perspective «selyenne» portent surtout sur «l'hormonologie du choc septique», les variations des hormones sexuelles semblant présenter un intérêt comparable à celui des glucocorticoïdes. «Au-delà de ces modifications hormonales, il semblerait que le système immunitaire puisse être influencé par ces modifications hormonales» (travaux de Névéna Christeff[78]).

Dans le domaine des relations industrielles, c'est Selye lui-même qui a suggéré «l'ingénieuse idée de faire des transpositions du concept du stress dans le domaine de la gestion», signant avec Pierre R. Turcotte un premier article qui concluait à la participation comme remède au stress organisationnel, improductif. Le Dr Hubert Wallot critiqua la position des auteurs, jugeant qu'ils avaient «sous-évalué la richesse de l'application du concept de stress aux organisations», et faisant valoir que «le concept le plus utile des recherches de Selye [était] celui d'adaptation». Il semble toutefois que la petite polémique ainsi engendrée se soit révélée féconde pour la recherche en organisation du travail[79]. À l'Université de Montréal, S. Dolan et A. Arsenault approfondissent «une approche systémique psycho-médicale du stress au travail» sur la base de différents modèles dont celui de Selye[80].

Pour intéressant qu'ait été l'apport de Selye, il n'aura donc pas été déterminant, et encore moins révolutionnaire. «À l'exception de ses premières et élégantes études sur la neuroendocrinologie de la montée laiteuse, très classique d'approche, la phénoménologie descriptive de Selye, comme je l'ai appelée, résultait de décisions expérimentales si extrêmes qu'on en vient à se demander quelle peut être leur pertinence non seulement pour la physiologie mais aussi pour les causes des maladies chez l'homme[52].» Selye n'a pas amené la communauté scientifique à réévaluer les convictions sur lesquelles elle se fondait, il n'a pas introduit un nouveau paradigme.

Alors, faut-il voir en lui «un faux grand homme[81]»? Peut-être, mais avec des réserves toutefois: celles de l'avenir.

«Il y a toujours une période de latence [purgatoire] après la mort de quelqu'un, et c'est le fait autant des artistes que des scientifiques. Il faut se dire aussi que ce sont les étudiants de Selye qui sont eux-mêmes la référence, influencés qu'ils ont été par son travail; ils ont pris en partie ses méthodes mais sans pour autant le citer chaque fois, ce qui fait que cela reste pour le moment muet. Mais à un moment donné, le tout va se dégager, comme on en a des milliers d'exemples[55].»

«Selye est beaucoup plus populaire en Europe qu'en Amérique; il est néanmoins quelque peu oublié ici aussi, pour le moment du moins. Je suis toutefois convaincu qu'on assistera sous peu à une renaissance de ses travaux[20].» «Selye est totalement oublié. Mais il n'est pas certain que cela demeure ainsi car, à la suite de la mort de quelqu'un, il y a parfois une période d'oubli. Je dirais même que plus la personne était connue, plus le vide se fait sur sa mémoire. Il est possible qu'il y ait une résurgence[19].»

«La biologie moléculaire a fait oublier son existence, et encore plus ses travaux. On ne fait plus d'expériences à la Selye, ceux qui en font, on les dénonce comme ne sachant pas expérimenter. C'est la principale raison pour laquelle on ne parle plus de lui dans les milieux scientifiques. C'est un phénomène de mode — une mode en grande partie justifiée mais qui ne devrait pas être exclusive, or elle l'est. C'est le danger. On va redécouvrir Selye, mais il faudra des années parce que le puits de la biologie moléculaire est loin d'être tari[31].»

ÉPILOGUE

Que nous restera-t-il de Selye? De ses cinquante années de travail acharné? De son génie, de ses dons exceptionnels? Des mille cinq cents articles et des quarante ouvrages qu'il a publiés? De cette liste d'une centaine de médailles, de prix, de distinctions honorifiques et de sociétés savantes dont il ne manque pas de parer son curriculum vitæ?

Le grand œuvre dont s'honore Selye est sa description du syndrome général d'adaptation — soit le *schéma des méthodes générales non spécifiques qu'utilise l'organisme pour lutter contre la maladie.* L'acuité de son sens de l'observation, le parti que son intelligence, voire son génie savait tirer et du hasard et, sur le plan du raisonnement, de la juxtaposition d'éléments en apparence désunis, combinés à une grande dextérité manuelle et à l'utilisation de doses démesurées, antiphysiologiques, l'ont amené à mettre au point des techniques et à faire une série de découvertes toutes plus curieuses que fécondes. De par sa volonté têtue d'explorer le seul champ macroscopique au détriment de l'infracellulaire, de préférer l'étendue à la profondeur, de refuser des techniques plus complexes et pourtant indispensables à une époque où la biologie moléculaire faisait ses premiers pas, il s'est mis à considérer, au gré de son caprice, des points de plus en plus éloignés de ses observations originales, qu'il justifiait en agrandissant d'autant le domaine du stress et dont le moins qu'on puisse dire est que, s'étant montrés inapplicables à la clinique humaine et inaptes à un développement expérimental ultérieur, ils ont été des culs-de-sac. Point de départ et point d'arrivée confondus, Selye aura tourné en rond dans la cage dorée du stress, tel un écureuil manœuvrant indéfiniment sa roue.

À tel point que l'on peut se demander s'il avait une réelle vocation de médecin expérimental. Chercheur, oui, mais peut-être comme un praticien: «Il a passé sa vie dans un laboratoire, mais il était beaucoup plus clinicien que véritable homme de laboratoire[1].» Comme si la tradition familiale, restée la plus forte, l'avait marqué au sceau d'une conception phénoménique, dépassée, de la recherche.

J'ai tenté de présenter le plus objectivement possible un premier dossier du cas Selye. Appuyé sur les propres écrits de Selye d'une part, sur les évaluations émanant de ceux et celles qui l'ont connu d'autre part, mon travail se trouve en quelque sorte fondé de l'intérieur. Or:

1. Selye n'a laissé ni carnets ou notes de laboratoire ni journal de bord. Tout était détruit à mesure parce que publié. Il faudra donc, dans un deuxième temps (qui revient aux historiens et aux philosophes des sciences) procéder à la comparaison systématique des articles scientifiques, qui eux rendent chronologiquement compte des expériences menées, avec la matière des ouvrages dans lesquels, incontestablement, est reconstruite après coup l'histoire de ce qu'il dit avoir découvert et du cheminement de sa pensée;

2. Les chercheurs que j'ai interviewés ne représentent pas, par la force des choses, la communauté scientifique internationale. Une évaluation externe et représentative serait nécessaire pour confirmer, infirmer ou nuancer le jugement ici porté sur l'œuvre de Selye.

Quant à moi, je doute qu'il soit le grand scientifique qu'il a prétendu être: *J'ai consacré toute ma vie à la recherche sur le stress. Ce fut, comme je le dis souvent, la construction de ma cathédrale personnelle.* En fait, Selye aura triplement échoué à édifier sa cathédrale: d'abord, parce que les fondements de son édifice étaient loin d'avoir la solidité qu'il leur prêtait; ensuite, parce que sous sa direction n'ont jamais pu se réaliser le travail d'équipe et la coopération soutenue que suppose une telle entreprise; enfin, parce qu'il aura fait justement ce qu'il dénonçait: *Ne pas éparpiller son talent. Ne pas faire cent petites choses. Construire une seule grande cathédrale plutôt que cent maisonnettes.*

Une cathédrale? «Un château de cartes[52]» plutôt. Sans doute Collip n'avait-il pas tout à fait tort quand il reprochait à son jeune collègue de faire «la pharmacologie de la saleté» et quand il voulait le ramener dans le droit chemin de l'endocrinologie.

Il est fascinant de voir comment un travailleur aussi acharné, comment un chercheur dont les premiers essais ont été de ceux qui annoncent des coups de maître, a pu très vite se complaire dans un discours pseudo-scientifique. Comment un homme aussi doué, aussi intelligent, a pu se satisfaire d'un travail aussi superficiel (ironie du sort: «selye» en hongrois veut dire «peu profond», «en surface»). Il est peut-être moins étonnant de constater qu'il est arrivé, pendant des années, à obtenir des subventions importantes pour des recherches dont le bien-fondé était de moins en moins évident. Les contrôles internes par les pairs dont se targuent les scientifiques sont parfois illusoires, souvent grossiers, et de toute façon entachés, comme tout autre comportement humain, de partialité et de subjectivité. «Si vous appartenez à l'élite, vos articles seront relus moins attentivement, vos demandes de subventions seront moins attentivement examinées, et vous arriverez plus facilement à récolter des distinctions, la direction de collections chez les éditeurs, des postes de maîtres assistants, et tous les autres titres honorifiques qui encombrent la science», disent William Broad et Nicholas Wade dans la passionnante étude qu'ils consacrent aux «mécanismes réels de la science[82]».

Selye, homme de science: «insaisissable, et en fin de compte associé uniquement à des mots.» Pour tranchant qu'il soit, ce jugement de Roger Guillemin me paraît fort bien résumer la situation. Insaisissable, le chercheur, et indécidable son apport à ce qu'il est convenu d'appeler la science.

Outremont
hiver 1990 — printemps 1991

NOTES

J'ai déposé le manuscrit original et ses mille cinq cent soixante-treize notes aux archives de l'Université de Montréal, où les chercheurs intéressés pourront à leur aise les consulter.

PREMIÈRE PARTIE

L'ENFANCE

1. Parente un peu éloignée, Anne-Marie avait été adoptée par Bruno, frère de la mère de Hans; elle changera plus tard son nom en Byloff, sous la pression des événements. Une photo nous montre le jeune Hans, âgé d'une dizaine d'années, et Anne-Marie qui, le corsage orné pour l'occasion d'une fleur, s'appuie sur lui — ils viennent d'échanger une «promesse de mariage».
2. Les données et citations sont extraites de l'ouvrage collectif dirigé par J. Goimard, *Vienne au temps de François-Joseph,* Paris, Hachette et Société d'études et de publications économiques, 1970. Voir aussi V. L. Tapié, *Monarchie et peuples du Danube*, Paris, Fayard, 1969; E. Zöllner, *Histoire de l'Autriche, des origines à nos jours*, Paris, Éditions Horvath, 1965, traduit de l'allemand par MM. Berger et Flecher et préfacé par Victor-Lucien Tapié; E. Crankshaw, *La chute des Habsbourg*, Paris, NRF/Gallimard, 1966, traduit de l'anglais par Jeanne Collin-Lemercier.
3. Gabrielle Selye, 6 février 1990.
4. Ces paragraphes, à l'exception de la remarque de Karl Popper (*Unended Quest,* The Library of Living Philosophers, 1974, traduit par Renée Bouveresse sous le titre *La quête inachevée*, Paris, Calmann-Lévy, 1981), s'inspirent également de J. Goimard, *op. cit.* Pour plus de détails, voir M. Pollak, *Vienne 1900*, Paris, Gallimard/Julliard, coll. «Archives», 1984, et C. E. Schorske, *Vienne fin de siècle — politique et culture*, Paris, Seuil, 1983, traduit de l'américain par Yves Thoraval.
5. Gabrielle Selye, 6 février 1990.
6. *Idem.*
7. *Idem.*
8. *Idem.*
9. *Idem.*
10. Conversation du 12 octobre 1990.
11. Les combats sont tels dans les rues de Budapest et ailleurs que la Russie retire ses troupes le 28 octobre; le soulèvement semble triompher. Mais le

1er novembre, les hostilités reprennent, et le 4 la situation s'inverse — en dépit de la persistance de poches de résistance. Le 12, les Russes sont maîtres de la situation, et des négociations sont entamées le 13. *Le Devoir*, du 28 octobre au 14 novembre 1956.

12. Gabrielle Selye, 6 février 1990.

13. *Idem.*

14. *Idem.*

15. Frances Love, qui tenait les comptes de la maison, ne se souvient pas avoir jamais fait de chèques au nom du père Bognar — ni même d'ailleurs avoir jamais entendu parler de cet homme. Concernant Mme Totier, elle atteste la grande affection que lui portait Hans, ainsi qu'à son fils René, et si elle n'a personnellement jamais libellé de chèques à son nom, il n'est pas exclu que Hans les ait aidés d'une façon ou d'une autre (présents, etc.). Quoi qu'il en soit, fait-elle remarquer, elle-même ayant quitté son mari en 1948, elle ne saurait parler de ce qui s'est passé après.

16. Le Dr Rohan a écrit pour Selye beaucoup de textes officiels, de correspondance et même de discours non médicaux en tchèque, parfois en allemand.

17. O. Sacks, *Awakenings*, London, Gerald Duckworth & Co., 1973. Traduction française, *Cinquante ans de sommeil*, par Christian Clerc, Paris, Seuil, 1973.

18. K. Popper, *op. cit.*

19. La situation de minoritaire n'est jamais confortable. De tous les pays européens toutefois, la Tchécoslovaquie, si elle n'est pas le seul à avoir une population hétérogène, est alors celui qui traite le mieux ses minorités (leur reconnaissance et leur protection, du quadruple point de vue politique, économique, légal et administratif, sont inscrites dans la Constitution). Ce qui n'ôte pas pour autant leur légitimité aux revendications de la minorité hongroise: comme nous l'avons vu, les Hongrois avaient perdu le tiers de leur territoire et de leurs compatriotes. Les deux minorités quantitativement les plus importantes sont (après les traités de paix) les Allemands: 3 400 000, et les Hongrois: 800 000. Viennent ensuite les Ruthènes (Ukrainiens religieusement rattachés à Rome, contrairement aux autres Ukrainiens): 550 000; les Juifs, 180 000, et les Polonais, 100 000. Toutes ces minorités représentent trente-trois pour cent de la population tchécoslovaque. Voir l'ouvrage collectif *La Tchécoslovaquie devant notre conscience et devant l'histoire*, Paris, Éditions de l'Aube, 1938.

20. Gabrielle Selye, 6 février 1990.

21. «Mach es wie die Sonnenuhr,
Zähl die heiter'n Stunden nur!»

LES ANNÉES DE PRÉPARATION

1. Les renseignements concernant l'Université Charles, ainsi que plus bas ceux qui se rapportent à Prague, ont été puisés dans E. Frynt, *Kafka et Prague*, texte français de P. A. Gruénais, Paris, Hachette, 1964. Les étudiants allemands furent expulsés de l'université en 1409. Le décret royal stipulait: «Ayant été informés par des personnes dignes de foi que la nation allemande, qui n'a aucun droit de cité dans le royaume de Bohême, s'est approprié trois voix dans toutes les choses relatives à l'Université, tandis

que la nation tchèque, qui est la véritable héritière de ce pays, ne dispose que d'une seule, nous trouvons injuste et très inconvenant que des étrangers et des émigrés puissent jouir copieusement des biens destinés aux habitants du pays et que ceux-ci se sentent opprimés par une indigence nuisible.» Extrait de l'ouvrage collectif *La Tchécoslovaquie devant notre conscience et devant l'histoire*, Paris, Éditions de l'Aube, 1938.

2. Les fiches d'inscription donneront successivement comme adresse: 10 Trebického (2e trimestre, 30 juin 1925); 64 Manesgasse, 3e étage (3e et 4e semestre, 3 octobre 1925 et 12 février 1926); 3 Libicka, 4e étage (5e et 6e semestre, 4 octobre 1926 et 12 février 1927); 10 Reznicka, 3e étage (7e, 8e, 9e et 10e semestre, 15 février 1928, 20 février 1928, 10 octobre 1928 et 19 février 1929). À la fondation Rockefeller, il indiquera 3 Salmgasse (aujourd'hui Salmonka, ruelle du Saumon).

3. Selye semble donc bien, d'après les dates d'inscription, avoir bénéficié du privilège de bloquer trois semestres sur une année.

4. Toutes les recherches pour trouver les fiches d'inscription, tant à Paris qu'à Rome, sont demeurées vaines. Si l'on se réfère aux dates données par Prague, on peut imaginer qu'il aura été à l'étranger (Paris et Rome) à l'automne de 1927, soit entre la troisième et la quatrième année de médecine.

5. Ce sont deux physiologistes anglais, William Maddock Bayliss et Ernest Henry Starling, qui introduisent «la dénomination d'«hormone» après consultation d'un linguiste». Voir C. Sinding, *Une utopie médicale*, Arles/Paris, Actes Sud/INSERM. Selon M. Bariéty et C. Coury (*Histoire de la médecine*, Paris, Fayard, 1963), le terme est introduit en 1905 par W. B. Hardy (un biochimiste américain) et sera adopté en français en 1911.

6. *The Gazette*, «Doctor Collip Honored by Medical Men — Tributes Paid to McGill Professor by Drs. Banting and Best», 1er mars 1930.

LE RÊVE DE LA DÉCOUVERTE

1. Les citations et la matière de cette section sont extraites de l'ouvrage de P. A. Linteau, R. Durocher, J. C. Robert et F. Ricard, *Histoire du Québec contemporain — Le Québec depuis 1930*, Montréal, Boréal, 1986.

2. *Ibid.*

3. S. B. Frost, *McGill University — For the Advancement of Learning*, Montreal, McGill-Queen's University Press, 1980.

4. L. Chartrand, R. Duchesne et Y. Gingras, *Histoire des sciences au Québec*, Montréal, Boréal, 1987.

5. *Ibid.*

6. W. Penfield, *No Man Alone: A Neurosurgeon's Life*, Boston/Toronto, Little Brown, 1977. En français, *Mémoires*, Montréal, Éditions internationales Stanké, traduit par Danielle Debbas, 1978.

7. *Ibid.*

8. C. Sinding, *Une utopie médicale*, Le Méjan/Paris, Actes Sud/INSERM, 1989; J. D Vincent, *Biologie des passions*, Paris, Odile Jacob, 1986.

9. G. Canguilhem, *Idéologie et rationalité dans l'histoire des sciences de la vie*, Paris, Librairie philosophique Vrin, 1988.

10. P. Rey, *Les hormones*, Paris, PUF, coll. «Que sais-je?», 1962.

11. *The Star*, 4 octobre 1933: «McGill Scientist Finds Rejuvenation Substance — Dr. J. Bertram Collip's "Master Molecule" Controls Profound Experiences

of Life — Rat Tests Successful»; *The Gazette*, 13 juin 1934: «Collip Find Is Reported — New Blood Substances Reported by Montrealer — Discovery Promises to Open New Field in Medicine, Physicians Say», par Howard W. Blakeslee; *The Gazette*, 14 juin 1934: «Collip Discovery Hailed at McGill as Epochal Event — Woman and Three Men Aided Biochemist in Work on Hormones — New Field Opened up — Far Reaching Results Expected in Field of Medicine Because of New Developments».

12. Françoise Lachance «John S. L. Browne», *Forum*, 30 mai 1974.

13. Contrairement à ce que dit Libbie Park *in* W. MacLeod, L. Park et S. Ryerson, *Bethune, The Montreal Years — An Informal Portrait*, Toronto, James Lorimer & Co., 1978.

14. *The Star*, 27 juin 1935: «McGill Professors Will Go to Moscow — Physiological Congress Will Be Held», et *The Star*, 14 août 1935: «Dr. Collip Astounds McGill Colleagues — Scientist in City and not in Moscow».

15. *The Star*, 13 août 1935, «Dr. J. B. Collip Advances New Theory in Leningrad». L'article précise bien que sa communication a été lue — et non qu'il l'a lue.

16. *La Presse médicale*, n° 66, 22 octobre 1949, p. 978.

17. S. Gordon et T. Allan, *The Scalpel, the Sword: The Story of Doctor Norman Bethune*, Toronto, McClelland and Stewart, 1971. En français, *Docteur Bethune*, Montréal, L'Étincelle, 1973, traduit par Jean Paré.

18. R. Stewart, *The Mind of Norman Bethune*, Toronto/Montréal, Fitzberry and Whiteside, 1973.

19. *The Star*, «Dr David Slight goes to Chicago — McGill Professor named Psychiatry Division head of University», 16 mai 1936.

20. S. Gordon et T. Allan, *op. cit.*

21. R. Stewart, *op. cit.*

22. Le divorce sera prononcé le 21 juin 1949 par une cour de Pennsylvanie. Document 3471934, enregistré à Montréal le 9 mai 1984.

23. *The Canadian Encyclopedia*, Edmonton (Canada), Hurtig Publ., 1985. Successivement articles de Keith Richardson et d'Anne McDougall. Gabrielle Selye possède une toile de Bethune représentant des sœurs de la Providence — celles-là même avec qui travaillait à l'hôpital du Sacré-Cœur.

24. *The Gazette*, «Soviet Toleration Compared to Nazi — Treatment of Scientist Pavlov Praised by Dr S. Dworkin», 21 mars 1936.

25. On trouvera dans L. Chartrand, R. Duchesne et Y. Gingras, *op. cit.*, un aperçu des sociétés qui, au Québec, ont ainsi contribué à divulguer l'esprit de la science et à nourrir ceux et celles qui se consacraient à la connaissance ou à la recherche.

26. J. Heagerty, *Four Centuries of Medical History in Canada*, Toronto, The Macmillan Co., 1928.

27. Il a déjà présenté ce film en d'autres circonstances. Voir *The Gazette*, «Zonta Club Holds Anniversary Fete — Dr Hans Selye Lectures on Trip to South America — Shows Movies», 12 novembre 1941.

28. «La "Montreal Neurological Society"» par le Dr Jean Saucier.

29. Voir à ce sujet l'intéressant article de Michael Farley, Peter Keating et Othmar Keel, «La vaccination à Montréal dans la seconde moitié du 19e siècle: pratiques, obstacles et résistances», *in* M. Fournier, Y. Gingras et O. Keel, *Sciences et médecine au Québec*, Québec, IQRC, 1987.

30. M. C. Béland et D. Tremblay, *Répertoire détaillé du fonds de la Société médicale de Montréal*, 1982, SAUM.
31. «Louis de Lotbinière-Harwood», par le Dr Léon Gérin-Lajoie.
32. *Répertoire numérique simple du fonds de la Société de Biologie de Montréal*, par Francine Pilote. Historique établi par Gilles Janson, avril 1983.
33. Dr L. C. Simard, «Le professeur Pierre Masson, médecin honoraire à l'Hôpital Notre-Dame (de Montréal)», *L'Union médicale*, vol. 83, n⁰ 194, 1954.
34. *La Presse, La Patrie, Le Canada*, 1er septembre 1953.
35. T. Majeau, *Bio-bibliographie du Dr Eugène Robillard*, Montréal, École de Bibliothécaires, 1957. Mes remerciements à Denis Plante.
36. F. Grégoire, «L'Institut Lavoisier (de Montréal)», *L'Union médicale*, vol. 82, n⁰ 965, 1953.
37. J. Bryden, *Deadly Allies — Canada Secret War 1937-1947*, Toronto, McLelland and Stewart, 1989. Merci à Pierre Maisonneuve, journaliste (Radio-Canada).
38. Voir, à titre d'exemple, W. B. Cannon et Z. M. Bacq, «Sur le passage dans le sang d'une substance active au cours de la stimulation sympathique des muscles lisses», *Annales de Physiologie*, vol. 7, n⁰ 173, 1931. Également W. B. Cannon, «Recent studies on chemical Mediations of Nerve Impulses», *Endocrinology*, vol. 15, n⁰ 473, 1931. Également Z. M. Bacq, *Les transmissions chimiques de l'influx nerveux*, Paris, Gauthier-Villars, 1974.
39. J. Laplanche et J.-B. Pontalis, *Vocabulaire de la psychanalyse*, 5e éd., Paris, PUF, 1976.
40. Successivement J. O. Whittaker, *Introduction to Psychology*, 2e éd., Philadelphie/Londres/Toronto, W. B. Saunders Co., 1970; et R. Brown, *Social Psychology*, New York, The Free Press, 1965.
41. A. P. Spence et E. B. Mason, *Anatomie et physiologie, une approche intégrée*, Montréal, Renouveau Pédagogique, 1983. Version française, par Andrée Borthayre, Louise Guilbert, Diane Ouellet et Claude Roy, de *Human Anatomy and Physiology*, 2e éd., The Benjamin/Cummings Publishing Co., 1983.
42. *A History of Human Responses to Death — Mythologies, Rituals, and Ethics*, Lewiston, USA/Queenston, Canada/Lampeter, England, The Edwin Mellen Press, 1990.
43. L. Chartrand et R. Duchesne, *op. cit.*
44. D'après la Ville de Montréal, cette maison est située dans le quartier Saint-Antoine, cadastre 12, lot 1827, subdivision 4. Le contrat devant notaire a été passé le 1er mai et la vente de la maison a été effective le 12 mai 1942.

LA CONQUÊTE DU MARCHÉ

1. O. Maurault, *L'Université de Montréal*, Montréal, Les éditions des Dix, 1952. Également le document «Fédération des universités catholiques», 4 décembre 1925.
2. R. Linteau, R. Durocher et J. J. Robert, *Histoire du Québec contemporain*, Montréal, Boréal Express, 1979.
3. O. Maurault, «Fédération ... », *op. cit.*
4. R. Linteau, R. Durocher et J. J. Robert, *op. cit.*

5. A. Robert, «My years with Selye», *Experientia* (Barel), vol. 41, n° 563, 1985.

6. L. D. Mignault, «Histoire de l'École de médecine et de chirurgie de Montréal», *Union médicale du Canada*, vol. 55, n° 444, 1926 — première tranche d'un mémoire, extrêmement documenté et fort intéressant à lire, que ce journal publiera tout au long, numéro après numéro. On consultera aussi avec profit R. Dufresne, «L'école de médecine et de chirurgie de Montréal (1843-1891)», *Un. méd. Can.*, vol. 75, n° 1314, 1946.

7. Pour plus de renseignements sur les rapports entre l'École de médecine et de chirurgie, l'Université Victoria de Cobourg et l'Université de Toronto, voir J. G. Hodgins, *A Documentary History of Education in Upper Canada — 1791-1876*, Toronto, L. K. Cameron, 1907.

8. L. C. Simard, «Le professeur Pierre Masson, médecin honoraire à l'Hôpital Notre-Dame (de Montréal)», *L'Union médicale*, vol. 83, n° 194, 1954. Et J. L. Riopelle, «Éloge du professeur Pierre Masson», *Un. méd. Can.*, vol. 88, n° 1590, 1959.

9. R. Nahmet, M. Odesse et L. Tanguay, *Répertoire numérique détaillé du Fonds Armand-Frappier*, Montréal, Institut Armand-Frappier, 1988. Voir aussi *Notice sur les études et travaux scientifiques d'Armand Frappier*, vol. 17, œuvres du Dr A. Frappier.

10. R. Amyot, «Vœux et hommage», *Un. méd. Can.*, vol. 73, n° 873, 1944; E. Desjardins, «In Memoriam», *Un. méd. Can.*, vol. 89, n° 553, 1960. E. Desjardins, «In Memoriam», *Un. méd. Can.*, vol. 74, n° 1505, 1945.

11. A. Frappier, «À la mémoire de mon cher maître et ancien protecteur, le Docteur Georges-Hermile Baril», *Un. méd. Can.*, vol. 82, n° 1331, 1953; P. Masson, «Nécrologie», *Un. méd. Can.*, vol. 83, n° 329, 1954.

12. A. Robert, *op. cit.*

13. Lettre de Yolande Côté, secrétaire du Dr Selye, à Jean Cloutier, attaché de presse, Université de Montréal, 9 mars 1966.

14. Sous la direction de R. Taton, *Histoire générale des sciences*, t. III («La science contemporaine»), vol. 2 («Le XXe siècle»), Paris, PUF, 1964.

15. J. D. Ratcliff, «Le Dr Hans Selye à la recherche d'une nouvelle fontaine de Jouvence», *Sélection du Reader's Digest*, décembre 1963.

16. Martin Pronovost, *La Presse*, 21 février 1962. Également Ken Lefolii, «After a Book Burning: Will Hans Selye's Library Live?», *Maclean's*, vol. 75, n° 7, 7 avril 1962.

17. Le mariage du 28 juin 1949 a été annulé le 1er juin 1978. N° d'enregistrement du jugement: 45-022955-78. Bien que la demande ait été introduite par sa femme Gabrielle, il écrit: *[J]'ai réussi — après vingt-huit ans — à déclarer mon indépendance vis-à-vis de ma seconde femme aussi* (dans *The Stress of My Life*, p. 1).

18. «Selye: la diminution des bourses américaines plonge la recherche médicale au Canada dans une situation critique», *Le Devoir*, 28 février 1964.

19. «The cortisone shortage», *Fortune*, mai 1951.

20. Successivement: «Montreal Doctor's Theory Said "Greatest Concept Since Pasteur" — Dr Hans Selye, University of Montreal, Credited with Basic Research Leading to New Hope for Victims of Arthritis, Similar "Adaptation Ills"», par Betty Davidson, *The Gazette, 27 septembre 1949*. C'est à la remarque d'un chercheur de l'IMCE qu'est emprunté le titre de l'article. «Dette de millions de malades envers le docteur Hans Selye — son travail de base sur la cortisone ainsi que sur le produit ACTH lui mériterait le prix Nobel, déclare

le Dr Fishbein», *Le Canada*, 24 janvier 1950. «Le produit ACTH, une découverte du siècle. Le Dr Fishbein déclare qu'on en doit les prémisses au professeur Sellye (*sic*)», par Roger Champoux, *La Presse*, 23 janvier 1950. «1951 Nobel prize mooted for Selye — Dr Fishbein Says Several Scientists Believe Montrealer Deserves Award», *The Gazette*, 24 janvier 1950.

21. Lucien Godin, «Aussi formidable que la bombe atomique — la plus grande découverte depuis Pasteur — Montréal point de départ de cette trouvaille», *La Patrie*, 18 décembre 1949. Par ailleurs, contrairement à ce qu'indique le journaliste, je n'ai pas retrouvé, dans *La Presse médicale*, la mention que les travaux originaux de Selye auraient permis la découverte de Hench et Kendall.

22. Voir H. Laborit, *La vie antérieure*, Paris, Grasset, 1989. L'auteur signale également qu'il a, avec Pierre Deniker, reçu en 1957 cette «plus haute récompense américaine en médecine et biologie».

23. M. D. Grmek, *Les maladies à l'aube de la civilisation occidentale*, Paris, Payot, 1983.

24. Le 1er octobre 1978. Document 3471934, enregistré à Montréal le 9 mai 1984, et testament du Dr Hans Selye, fait le 1er novembre 1979, devant Me Richard Doucet, notaire à Berthierville. Le mariage sera célébré à Plattsburg (New York), le 5 octobre 1978.

25. Gilles Provost, «La bibliothèque du Dr Selye est à vendre... au Québec de préférence», *Le Devoir*, 5 août 1974.

26. Il a, dit-il, arrêté *net* de fumer quand il l'a fallu. *Cela m'a été très difficile au début, parce que je fumais depuis trente ans.* Selon sa femme Gabrielle, il a commencé par fumer moins, par supprimer le cigare du repas de midi (1963), et n'a totalement arrêté qu'en 1970.

LA CATHÉDRALE ENGLOUTIE

1. J'ai pu repérer les préfaces à: B. B. Brown, *Stress et biofeedback — théorie et pratique de la rétroaction biologique*, traduit de l'américain par Jean-Pierre Schetagne, Montréal, L'Étincelle, 1978; S. Dolan et A. Arsenault, *Stress, santé et rendement au travail*, Monographie 5, Montréal, École de relations industrielles (Université de Montréal), 1980; P. R. Turcotte, *Qualité de vie au travail: santé, stress et créativité*, Montréal/Paris, Les Éd. Agence d'ARC/Les éd. d'Organisation, 1982 — sans doute le dernier texte écrit de Selye.

2. «Par exemple, la société médicale californienne International Health Resorts Inc., qui finance le congrès de Monaco, demande 2700 dollars [...] pour quinze jours de soins sans hospitalisaton. Son programme, appelé Kronos, comporte des injections de produits (vitamines et éléments minéraux, paraît-il, pour lesquels il n'a pas été nécessaire d'obtenir le visa de la FDA (Food and Drug Administration) [...] Les promoteurs de la méthode Kronos coiffent leur programme du nom de Hans Selye qu'ils se sont assuré comme consultant, moyennant 24 000 dollars par an. Or, gêné, celui-ci avoue: «Ils ne m'ont jamais consulté. Je ne sais rien de leur traite«ment», écrit Madeleine Franck dans «Le marché du stress», *Le Point* (Paris), 19-25 novembre 1979.

3. Sandy Rovner, «The Prophet of Pressure — Hans Selye's Stressful Stratagem», *The Washington Post*, 11 avril 1980.

4. Testament signé le 1er novembre 1979 en l'étude de Me Richard Doucet, notaire à Berthierville (Québec).

DEUXIÈME PARTIE

1. Dr Pierre Bois.
2. Dr Rosemonde Mandeville.
3. Dr Charles Solymoss.
4. Louise Clermont Brosseau.
5. Madeleine Barath Bouverot.
6. Irène Mècs.
7. Sophie Kaden.
8. Paulette Blaizel.
9. Beatriz Tuchweber.
10. Christina Szachanska.
11. Yolande Côté.
12. Dr Paola S. Timiras.
13. Thérèse Peternell.
14. Louise Dubé Laquerre.
15. René Veilleux.
16. Dr Plinio Prioreschi.
17. Françoise Chatel Gabbiani.
18. Dr Paul Dontigny.
19. Dr Marc Cantin.
20. Dr Hans Georg Classen.
21. Roger Gaudry.
22. Yvette Taché.
23. Dr Gunnar Heuser.
24. Dr Giulio Gabbiani.
25. Bernard Messier.
26. Dr Sandor Szabo.
27. Paulette Letarte.
28. Serge Charles Renaud.
29. Mary Mackay Prioreschi.
30. Elfriede Staub.
31. Dr André Robert.
32. Dr Jean-Paul DuRuisseau.
33. Dr Georges Masson.
34. Dr René Jean Girerd.
35. Dr Charles-Philippe Leblond.
36. Pierre DuRuisseau.
37. Dr Martin Lis.
38. Dr Pavel Rohan. Dans *The Stress of My Life* (p. 182 de la première édition, p. 179 de la seconde), Selye parle de ses rapports avec Rohan.
39. Dr Lucien L. Coutu.
40. Dr Otto Kuchel.
41. Dr Claude-Lise Richer.
42. Dr Henri Laborit. Pour plus de détails, voir son livre *La vie antérieure*, Montréal, Éditions de l'Homme, 1989; Paris, Grasset, 1989.
43. Dr Joaquim Ventura.
44. Denise Doucet Payette.
45. R. Dantzer, *L'illusion psychosomatique*, Paris, Odile Jacob, 1989.

46. A. Jaubert et J.-M. Lévy-Leblond, *(Auto)critique de la science*, Paris, Seuil, 1975.
47. A. Roe, «The Psychology of Scientists», *Science,* vol. 134, n° 458, 1961. Cité par G. Holton, *L'imagination scientifique*, traduit de l'anglais par Jean-François Roberts, Paris, NRF/Gallimard, 1981.
48. R. Chauvin, *Des savants, pour quoi faire?*, Paris, Payot, 1971.
49. A. Lwoff et A. Ullmann (dir.), *Les origines de la biologie moléculaire*, Paris/Montréal, Études Vivantes, 1980. (En hommage à Jacques Lucien Monod, 9 février 1910 — 31 mai 1976.)
50. Voir la très intéressante étude de G. Holton, *op. cit*, sur «Le groupe de Fermi et le rétablissement des positions de l'Italie en physique».
51. Kenneth Savard.
52. Dr Roger Guillemin. J'ai également utilisé R. Guillemin, J. Meites, B. T. Donovan et S. M. McCann (dir.), *in Pioneers in Neuroendocrinoloy II*, New York, Plenum Publishing Corporation, 1978; ainsi que R. Guillemin, «A Personal Reminiscence of Hans Selye», *Laboratory Investigation*, vol. 48, n° 4, 1983.
53. Dr Pierre Jean.
54. Dr Kalman Kovacs.
55. Dr Gaétan Jasmin.
56. Dr Vincent V. Adamkiewicz.
57. Dr Armand Frappier. Sur sa vie et son œuvre, on peut lire A. Stanké et J. L. Morgan, *Ce combat qui n'en finit plus...*, Montréal, Éditions de l'Homme, 1970. À l'heure où nous mettons sous presse paraît son autobiographie (posthume): *Un rêve, une lutte*, Québec, PUQ, mai 1992.
58. J. D. Vincent, *Biologie des passions*, Paris, Odile Jacob, 1986.
59. Roland Prévost, «Sur la voie de la prévention des crises cardiaques», *La Presse*, 14 février 1958.
60. M. Duquette, *Hurlements — un homme qui aime chez les bêtes qui souffrent*, Montréal, Michel Quintin, 1989, p. 282-283.
61. Albert Daveluy, «Stress avec détresse», *La Presse*, 26 janvier 1990.
62. «Manif contre l'utilisation des animaux dans les expériences de laboratoire devant l'U. de M.», Carole Thibaudeau, *La Presse*, 16 octobre 1990. H. Ruesch, *Slaughter of the Innocents*, 3e éd., New York, Civitas Publication USA, 1986, p. 110-114 (mes remerciements à M. Albert Daveluy). Traduction française: *Ces bêtes qu'on torture*, Lausanne, Pierre-Marcel Favre, 1980. La Société québécoise pour la défense des animaux avait également fait savoir plus tôt, par la plume de son président Joseph F. Beaubien et de son vice-président Frédéric Back, «son étonnement auprès de l'Université de Montréal qui a choisi de donner à sa nouvelle chaire de biologie moléculaire le nom du Dr Hans Selye» (*Le Devoir*, 8 février 1990).
63. Paul Lemonde.
64. Louise Drevet Selye.
65. Dr Marvin Mitchell.
66. H. Cuny, *Nobel de la dynamite*, Paris, Les Éditeurs Français Réunis, 1970.
67. Dr Takeo Tamura.
68. Frank C. MacIntosh.
69. Dr André Pasternac.

70. Ovid Da Silva.

71. D̲ͬ Claude Fortier, «Un géant de la biologie», *Le Devoir,* 28 octobre 1982.

72. Cité *in* A. Maurois, *La vie de sir Alexander Fleming,* Paris/Montréal, Hachette/Le Cercle du livre de France, 1959.

73. I. Stengers et J. Schlanger, *Les concepts scientifiques,* Paris, La Découverte/Strasbourg, Conseil de l'Europe/Unesco, 1988.

74. M. Reuchlin, *Psychologie,* Paris, PUF, 1977. Ainsi que H. Selye, «Stress et environnement», *De toute urgence,* vol. 5, n⁰ 3, décembre 1974.

75. Pierre R. Turcotte.

76. A. Young, «The Discourse on Stress and the Reproduction of Conventional Knowledge», *Soc. Sci. & Med.,* vol. 14B, n⁰ 133, 1980. Mes remerciements à Louise Raymond (Normandeau), qui a attiré mon attention sur cet article.

77. *Réaction d'alarme; Anacalciphylaxie; Inflammation anaphylactoïde; Calcergie; Adjuvant, provocateur et sensibilisateur calciphylaxiques; Calciphylaxie; DHT; Calcifiants ou calcergènes directs; Syndrome d'ECC; Cardiopathie stéroïde électrolyte avec calcification (ESCC); Cardiopathie stéroïde électrolyte avec nécrose (ESCN); Môle endoutérine* (à distinguer de la môle hydatiforme); *Syndrome général d'adaptation (GAS); Syndrome de hyalinose; Mastotaxie; Glande utérine; Neurolathyrisme; Calciphylaxie neurotrope; Ostéolathyrisme; Pseudogrossesse de la lactation; Sidérocalciphylaxie; Stade d'épuisement; Stade de résistance; Anesthésie stéroïde; Réflexe de tétée; Vasotaxie.* Voir *Du rêve à la découverte,* p. 366-370.

78. Entre autres N. Christeff, C. Benassayag, C. Carli-Vielle, A. Carli et E. A. Nunez, «Elevated Oestrogen and Reduced Testosterone Levels in the Serum of Male Septic Schock Patients», *J. Steroid Biochem.,* vol. 29, n⁰ 435, 1988. Ainsi que N. Christeff, C. Michon, G. Goertz, J. Hassid, S. Matheron, P. M. Girard, J. P. Coulaud et E. A. Nunez, «Abnormal Free Fatty Acids and Cortisol Concentrations in the Serum of AIDS Patients». *Eur., J. Cancer Clin. Oncol.,* vol. 24, n⁰ 1179, 1988. Documentation adressée à l'auteur par le professeur Nunez (6 mars 1991).

79. H. Wallot, «La participation comme remède au stress: un commentaire», *Relations industrielles,* vol. 33, n⁰ 532, 1978. L'auteur fait allusion à H. Selye et P. Turcotte, «La gestion du stress», *Relations industrielles,* vol. 31, n⁰ 609, 1976. Lui répliquera P. Turcotte, «La participation comme remède au stress: une réponse», *Relations industrielles,* vol. 33, n⁰ 540, 1978.

80. S. Dolan et A. Arsenault, *Stress, santé et rendement au travail,* Monographie 5, Montréal, École de relations industrielles (Université de Montréal), 1980.

81. Dʳ Paul Dumas.

82. W. Broad et N. Wade, *Betrayers of the Truth,* New York, Simon and Schuster, 1982. En français, *La souris truquée,* traduit de l'américain par Christian Jeanmougin, Paris, Seuil, 1987.

Sources et documentation

1. PERSONNES INTERVIEWÉES

Dr ADAMKIEWICZ, Vincent W. (27 avril 1988)
BARATH BOUVEROT, Madeleine (2 novembre 1988)
Dr BENSABAT, Soly (10 novembre 1989)
BLAIZEL, Paulette (19 octobre 1988)
Dr BOIS, Pierre (29 août 1988)
Dr CANTIN, Marc (11 mai 1988 et 13 juin 1988)
CHATEL GABBIANI, Françoise (3 novembre 1988)
Dr CLASSEN, Hans Georg (lettre du 7 janvier 1991)*
CLERMONT BROSSEAU, Louise (29 avril 1991)
CÔTÉ Yolande, (27 juin 1988)
Dr COUTU, Lucien L. (15 septembre 1988)
DA SILVA, Ovid (19 juillet 1988)
Dr DONTIGNY, Paul (22 juin 1988)
DOUCET PAYETTE, Denyse (23 juillet 1987)
DREVET SELYE, Louise (6 septembre 1990)
DUBÉ LAQUERRE, Louise (19 octobre 1988)
Dr DUMAS, Paul (19 juin 1990)
Dr DURUISSEAU, Jean-Paul (8 décembre 1988)
DURUISSEAU, Pierre (Ph.D.) (27 décembre 1988)
Dr ENTIN, Martin (18 juin 1990)*
Dr FRAPPIER, Armand (2 septembre 1987)
Dr GABBIANI, Giulio (3 novembre 1988)
GAUDRY, Roger (12 septembre 1988)
Dr GIRERD, René Jean (lettre du 21 décembre 1988)
GRANT SELYE, Gabrielle (7 mars 1988)

---

* L'astérisque indique que l'échange s'est déroulé en anglais.

Dr GUILLEMIN, Roger (29 mai 1988)

Dr HEUSER, Gunnar (lettre du 27 juillet 1989)*

Dr JASMIN, Gaétan (9 mai 1988)

Dr JEAN, Pierre (23 septembre 1988)

KADEN, Sophie (11 mai 1988)

Dr KALZ, Frederick (30 avril 1990)*

KONTRA, Sara (26 septembre 1986)**

Dr KOVACS, Kalman (lettres des 19 octobre et 11 novembre 1988)*

Dr KRAJNY, Milos (16 juillet 1990)*

Dr KUCHEL, Otto (5 novembre 1990)

Dr LABORIT, Henri (24 octobre 1988)

Dr LEBLOND, Charles-Philippe (5 octobre 1988)

LEMONDE, Paul (Ph.D.) (15 août 1988)

Dr LETARTE, Paulette (9 novembre 1989)

D^r LIS, Martin (15 juillet 1988)

Dr LOVE DREW, Frances (lettres des 21 décembre 1989, 5 juin et 8 août 1990)*

MACINTOSH, Frank Campbell (Ph.D.) (7 novembre 1988)*

MACKAY PRIORESCHI, Mary (12 mai 1990)*

Dr MANDEVILLE, Rosemonde (30 juin 1988)

MASSON, Georges (lettres des 4 avril 1989 et 7 mai 1990)

MÈCS, Irène (1 juin 1988)

MESSIER, Bernard (Ph.D.) (21 septembre 1988)

Dr MITCHELL, Marvin (lettre du 12 juin 1989)*

Dr PASTERNAC, André (10 décembre 1988)

PETERNELL, Thérèse (5 juin 1988)

Dr PRIORESCHI, Plinio (11 mai 1990)

RENAUD, Serge Charles (Ph.D.) (30 octobre 1989)

Dr RICHER, Claude-Lise (29 juin 1988)

Dr RIVEST, Pierre (13 février 1990)

Dr ROBERT, André (23 novembre 1988)   ✝

Dr ROHAN, Pavel (28 septembre 1988)

Dr ROSCH, Paul J. (lettre du 2 mars 1989)*

SAVARD, Kenneth (Ph.D.) (21 mars 1989)

SCOTT, Marian (29 juin 1990)*

---

* L'astérisque indique que l'échange s'est déroulé en anglais.
** Entrevue réalisée par les soins et en présence d'André Selye.

Dr SOLYMOSS, Bela Charles (23 août 1988)
STAUB, Elfriede (entrevue non datée, réalisée par André Selye)*
Dr SZABO, Sandor (27 juillet 1988)
SZACHANSKA, Christina (28 novembre 1988)
TACHÉ, Yvette (Ph.D.) (27 décembre 1988)
Dr TAMURA, Takeo (lettre du 14 janvier 1991)*
Dr TIMIRAS, Paola S. (lettre du 17 mars 1990)
TUCHWEBER, Beatriz (Ph.D.) (18 août 1988)
TURCOTTE, Pierre R. (4 octobre 1989)
VEILLEUX, René (Ph.D.) (30 mai 1988)
Dr VENTURA, Joaquim (26 août 1988)

2. ARCHIVES CONSULTÉES

Archives de France
Archives de Johns Hopkins University
Archives de la fondation Rockefeller
Archives de l'Institut Armand-Frappier
Archives de l'Université de Montréal
 Collection Édouard-Desjardins: P/22/N666, 667 et 1098
 Faculté de médecine de l'Université de Montréal
 Fonds du secrétariat général D/35:
  337, 345, 364, 365, 647, 648, 721, 722, 918, 984,
   1464, 1465, 1511, 1567 à 1579
  690 à 709
  A1/44
  A2/65, 66
  B1/30, 94, 149, 153, 161 à 163, 173
  B5/39
  C4/30, 135, 161, 205 à 237, 243, 273, 274, 366,
   371 à 374, 376 à 394
  C5/39
  C14/49 et 50
  C16/24
  D1/1
  E2/1 à 22

---

* L'astérisque indique que l'échange s'est déroulé en anglais.

E5/4
F1/39
F3/1
P22N, 1105
P134/C5, G18, 2E/67
Répertoire numérique détaillé du fonds de la Société médicale de Montréal, par Marie Claude-Béland et Diane Tremblay.
Fonds de la Société médicale de Montréal:
P134/A à H
Archives de l'Université du Québec à Montréal
Répertoire numérique simple du fonds de la Société de biologie de Montréal, par Francine Pilote.
Introduction historique, par Gilles Janson.
Fonds de la Société de biologie:
18/P1/1
18/P3/A2, B5, E1
18/P5/2, 11
18/P8/1
18/P7/10
18/P7/11
Répertoire numérique détaillé du fonds Armand-Frappier, par Robert Nahnet, Maryse Odesse et Lisa Tanguay.
Archives de McGill University
Calendar for the session
Scrapbook
McGill News
McGill University Annual Reports (adressés par le principal de McGill au gouverneur général du Canada) [AR]
Fonds 38/30/81
Archives nationales du Canada
Archives nationales du Québec
Archiv Univerzity Karlovy (Prague)
Association des médecins de langue française du Canada
Documents personnels de Gabrielle Selye
Montreal Physiological Society

Osler Library
  Minutes de la Société médico-chirurgicale de Montréal:
  vol. 13 (1932-1940), vol. 14 (1941-1957), vol. 15
  (1957-1964).
Penfield Archives
Service canadien du Renseignement de sécurité

3. BIBLIOGRAPHIE GÉNÉRALE COMPLÉMENTAIRE

BARIÉTY, M. et C. COURY, *Histoire de la médecine*, Paris, Fayard, 1963.

BATESON, G. et J. RUESCH, *Communication. The Social Matrix of Psychiatry*, New York, W. W. Norton and Co., 1951. Traduit de l'américain par Gérald Dupuis sous le titre *Communication et société*, Paris, Seuil, 1988.

BLISS, M., *The Discovery of Insulin*, Toronto, McClelland and Stewart/Chicago, University of Chicago Press, 1982. En français, *La découverte de l'insuline*, traduit par Jean Chapdelaine Gagnon, Montréal, Trécarré/Paris, Payot, 1988.

CANGUILHEM, G., *Études d'histoire et de philosophie des sciences*, 5e éd. augm., Paris, Librairie philosophique J. Vrin, 1983 (1968).

CANGUILHEM, G., *Idéologie et rationalité dans l'histoire des sciences de la vie*, 2e éd. rev. et corr., Paris, Librairie philosophique J. Vrin, 1988.

CANGUILHEM, G., *La connaissance de la vie*, 2e éd. rev. et augm., Paris, Librairie philosophique J. Vrin, 1989 (1952).

CANNON, W. B., *Bodily Changes in Pain, Hunger, Fear and Rage*, New York, Appleton-Century-Crofts, 1929.

CANNON, W. B., *The Wisdom of the Body*, New York, W. W. Norton and Co., 1932. Traduction française par le Dr Z. M. Back, à partir d'une nouvelle édition revue et augmentée, de 1939, sous le titre *La sagesse du corps*, Paris, Éditions de la Nouvelle Revue Critique, 1946. L'essentiel de l'ouvrage, dit Cannon dans sa préface, a déjà été présenté dans son article: «Organization for Physiological Homeostasis», *Physiological Review*, vol. 9, no 399, 1929.

CANNON, W. B., *The Way of an Investigator — A Scientifist's Experiences in Medical Research*, New York/London, Hafner Publishing Co., 1945.

CASTIGLIONI, A., *A History of Medicine*, 2ᵉ éd. rev. et augm., traduit de l'italien par E. B. Krumbhaar, New York, Alfred A. Knopf, 1947 (1941).

GARRISON, F. H., *An Introduction to the History of Medicine*, 4ᵉ éd., Philadelphie/Londres, W. B. Saunders Co., 1929 (1913).

HOLTON, G., *L'imagination scientifique*, traduit de l'anglais par Jean François Roberts, Paris, Gallimard, 1981.

JAMES, W., *Memories and Studies*, New York, Longmans, Green, 1911.

KUHN, T. S. *The Structure of Scientific Revolutions*, Chicago, University of Chicago Press, 1962 et 1970. Traduit de l'américain par Laure Meyer sous le titre *La structure des révolutions scientifiques*, Paris, Flammarion, 1983.

KUHN, T. S., *La tension essentielle — tradition et changement dans les sciences*, traduit de l'anglais par Michel Biezunski, Pierre Jacob, Andrée Lyotard-May et Gilbert Voyat, Paris, Gallimard, 1990.

MAJOR, R. H., *A History of Medicine*, Springfield (Ill.), Charles C. Thomas, 1954.

MEDVEI, V. C., *A History of Endocrinology*, Lancaster/Boston/The Hague, MTP Press, 1982.

SELYE, H., Discours prononcé au dîner des Mérites, 13 mai 1963.

SELYE, H., «De Budapest à Montréal, l'itinéraire d'un scientifique canadien», *Le Médecin du Québec*, vol. 15, nᵒ 88, 1980.

SELYE, H., «Subsidizing Discoveries — Grants for Career Investigators in Science Advocated», *The New York Times*, 27 octobre 1957.

SELYE, H., «What Makes Basic Research Basic?», *Saturday Evening Post*, 24 janvier 1959 (repris dans Thruelsen et Kobler, *Adventures of the Mind*, vol. V-109, nᵒ 145, New York, Vintage Books, 1960) et «Le chercheur expérimental, élément essentiel au sein de la communauté», *La Presse*, 20 mars 1959.

SINGER, C. et E. A. UNDERWOOD, *A Short History of Medicine*, 2e éd., Oxford University Press, 1962.

TACHÉ, Y., J. E. MORLEY et M. R. BROWN (dir.), *Neuropeptides and Stress*, New York, Springer-Verlag, 1989.

UNIVERSITÉ DE MONTRÉAL, Brochure de l'Institut de médecine et de chirurgie expérimentales, 1970. (Comprend entre autres la liste complète des articles de Selye jusqu'en 1970.)

4. OUVRAGES PARTIELLEMENT CONSACRÉS AU Dr HANS SELYE*

ROBINSON, Donald B., *100 Most Important People*, New York, Little, Brown and Co., 1952, p. 295-298 (avec portrait).

THRUELSEN, Richard et John KOBLER (dir.), *Adventures of the Mind*, New York, Vintage Books, 1960, p. 145-157. Repris du *Saturday Evening Post*, «What Makes Basic Research Basic?», vol. 231, no 30, 1959. Réimprimé par Random House/Toronto, Random House of Canada, 1958, 1959.

ROBINSON, Donald B., *Miracle Finders*, New York, McKay, 1976, p. 307-308.

KARSCH, Yousuf, *Karsch Canadians*, Toronto, University of Toronto Press, 1978, p. 152-153.

CHABOT, Claire, *Une passion: la science* (Portraits de pionniers québécois), Saint-Nicholas (Québec), Éditions Multimondes, 1990, p. 65-67.

5. BIBLIOGRAPHIE DE HANS SELYE*

ENCYCLOPEDIA OF ENDOCRINOLOGY, Section I: CLASSIFIED INDEX OF THE STEROID HORMONES AND RELATED COMPOUNDS (4 vol.), Montréal, A. W. T. Franks, 1943.

ENCYCLOPEDIA OF ENDOCRINOLOGY, Section IV: THE OVARY (2 vol.), Montréal, Richardson, Bond Wright, 1946.

TEXTBOOK OF ENDOCRINOLOGY, Montréal, Acta Inc., 1947.

«On the Experimental Morphology of the Adrenal Cortex», *in American Lectures in Endocrinology* (en collaboration avec Helen Stone), Springfield, Charles C. Thomas, 1950.

STRESS, Montréal, Acta Inc., 1950.

---

* Par ordre chronologique.

ANNUAL REPORT ON STRESS, Montréal, Acta Inc., 1951 — la série prendra fin avec le quatrième volume, 1955-1956, écrit en collaboration avec Gunnar Heuser.

THE STORY OF THE ADAPTATION SYNDROME, Montréal, Acta Inc., 1952.

THE STRESS OF LIFE, New York, McGraw-Hill, 1956. Traduction française de P. Verdun et M. Barath, *Le stress de la vie*, Paris, Gallimard, 1962. Nouvelle édition française mise à jour, Montréal/Paris, Lacombe/Gallimard, 1975.

SYMBOLIC SHORTHAND SYSTEM FOR PHYSIOLOGY AND MEDICINE (avec la collaboration de M. Nadasdi et P. Prioreschi), Montréal, Acta Inc., 1956; 2e éd., 1958; 3e éd., 1960; 4e éd. (avec la collaboration de G. Ember), Montréal, IMCE, Université de Montréal, 1964.

THE CHEMICAL PREVENTION OF CARDIAC NECROSES, New York, The Ronald Press, 1958.

THE PLURICAUSAL CARDIOPATHIES, Springfield, Charles C. Thomas, 1961.

CALCIPHYLAXIS, Chicago, University of Chicago Press, 1962.

FROM DREAM TO DISCOVERY, New York, McGraw-Hill, 1964. En français, *Du rêve à la découverte*, Montréal, La Presse, 1973.

THE MAST CELLS, Washington, Butterworths, 1965.

THROMBOHEMORRHAGIC PHENOMENA, Springfield, Charles C. Thomas, 1966.

IN VIVO — THE CASE FOR SUPRAMOLECULAR BIOLOGY, New York, Liverright, 1967.

ANAPHYLACTOID EDEMA, Saint-Louis, Warren H. Green, 1968.

EXPERIMENTAL CARDIOVASCULAR DISEASES, Berlin/Heidelberg/New York, Springer-Verlag, 1970.

HORMONES AND RESISTANCE, New York, Springer-Verlag, 1971, 2 vol.

STRESS WITHOUT DISTRESS, New York, J. B. Lippincott, 1974. En français, *Stress sans détresse*, Montréal, La Presse, 1974.

STRESS, HEALTH AND DISEASE, Boston, Butterworths, 1976.

LE STRESS DE MA VIE, Montréal, Éditions internationales Stanké, 1976.

CANCER, STRESS AND DEATH, New York, Plenum Medical Book, 1979.

THE STRESS OF MY LIFE — A SCIENTIST'S MEMOIRS (première édition, canadienne), Toronto, McLelland and Stewart, 1977; (seconde édition, revue et corrigée, américaine) New York, Van Nostrand Reinhold Co., 1979.

SELYE'S GUIDE TO STRESS RESEARCH, New York, Van Nostrand Reinhold, vol. I, 1980, vol. II et III, 1983.

6. AUTOUR DE HANS SELYE*
(à titre indicatif)

GABBIANI, G. (dir.), *Reflections on Biologic Research*, Saint-Louis, W. H. Green, 1967 (dédié à Hans Selye, pour son soixantième anniversaire).

BENSABAT, S. avec la collaboration du Pr Hans SELYE, *Stress*, Paris, Hachette, 1980.

GOUPIL, G., *La sagesse du stress*, Montréal, Nouvelle Optique, 1981.

SZABO, S. (dir.), «Half a Century of Stress Research: A Tribute to Hans Selye by his Students and Associates», *Experientia*, vol. 41, no 559, 1985.

JASMIN, Gaétan et Marc CANTIN (dir.), *Stress Revisited*, séries «Methods and Achievements in Experimental Pathology», nos 14 et 15, Bâle/New York/Montréal, F. Karger, 1991, 2 vol.

7. DOCUMENTS AUDIO-VISUELS*
(à titre indicatif)

— (Titre?) 16mm, couleur, son, réalisé par Norman P. Schenker et Leo L. Leveridge, 1956. Durée: 35 minutes. Produit par les laboratoires Pfizer à l'intention des médecins.

— Apparition en vedette dans la série *Exploring minds*, Radio-Canada, 5 février 1956.

— Apparition en vedette dans la série télévisée de Radio-Canada *Aux frontières de la science*, réalisée par Fernand Seguin et Leroux (Niagara Films Inc.). Tourné le 5 novembre 1960.

---

* Par ordre chronologique.

— Medical News, Ciba Pharm. Products, Inc. pour la série télévisée réseau national USA «This week in Medicine», *Stress and Hormones*. Réalisé par R. W. Foster. (Date?)

— *A Personal Challenge*, Healthline, St. Louis (Missouri), 1986. Durée: 17 minutes.

— *Pour l'amour du stress*, réalisé par Jacques Godbout, Office national du film du Canada, 1991. Durée: 58 minutes 43 secondes.

INDEX

Table des matières

 **LES ÉDITIONS DE L'HOMME**

Ouvrages parus aux
Éditions de l'Homme

Affaires publiques, vie culturelle, histoire

Animaux

Cuisine et nutrition

Plein air, sports, loisirs

Les règles du golf, Yves Bergeron
* Rivières et lacs canotables du Québec, Fédération québécoise du canot-camping
S'améliorer au tennis, Richard Chevalier
Le saumon, Jean-Paul Dubé
* Le scrabble, Daniel Gallez
Les secrets du baseball, Jacques Doucet et Claude Raymond
Le solfège sans professeur, Roger Evans
La technique du ski alpin, Stu Campbell et Max Lundberg
Techniques du billard, Robert Pouliot
Le tennis, Denis Roch
* Le tissage, Germaine Galerneau et Jeanne Grisé-Allard
Tous les secrets du golf selon Arnold Palmer, Arnold Palmer
La trompette sans professeur, Digby Fairweather
Le violon sans professeur, Max Jaffa
* Le vitrail, Claude Bettinger
Voir plus clair aux échecs, Henri Tranquille et Louis Morin
Le volley-ball, Fédération de volley-ball

Psychologie, vie affective, vie professionnelle, sexualité

* 30 jours pour redevenir un couple heureux, Patricia K. Nida et Kevin Cooney
* 30 jours pour un plus grand épanouissement sexuel, Alan Schneider et
    Deidre Laiken
* Adieu Québec, André Bureau
À dix kilos du bonheur, Danielle Bourque
Aider mon patron à m'aider, Eugène Houde
* Aider son enfant en maternelle et en première année, Louise Pedneault-Pontbriand
À la découverte de mon corps — Guide pour les adolescentes, Lynda Madaras
À la découverte de mon corps — Guide pour les adolescents, Lynda Madaras
L'amour comme solution, Susan Jeffers
L'amour, de l'exigence à la préférence, Lucien Auger
Les années clés de mon enfant, Frank et Theresa Caplan
Apprivoiser l'ennemi intérieur, Dr George R. Bach et Laura Torbet
L'approche émotivo-rationnelle, Albert Ellis et Robert A. Harper
L'art d'aider, Robert R. Carkhuff
L'art de l'allaitement maternel, Ligue internationale La Leche
L'art de parler en public, Ed Woblmuth
L'art d'être parents, Dr Benjamin Spock
L'autodéveloppement, Jean Garneau et Michelle Larivey
Avoir un enfant après 35 ans, Isabelle Robert
Bientôt maman, Janet Whalley, Penny Simkin et Ann Keppler
* Le bonheur au travail, Alan Carson et Robert Dunlop
Le bonheur possible, Robert Blondin
Ces hommes qui méprisent les femmes... et les femmes qui les aiment,
    Dr Susan Forward et Joan Torres
Ces hommes qui ne peuvent être fidèles, Carol Botwin
Ces visages qui en disent long, Jeanne-Élise Alazard
Changer ensemble — Les étapes du couple, Susan M. Campbell
Chère solitude, Jeffrey Kottler
Le cœur en écharpe, Stephen Gullo et Connie Church
Comment communiquer avec votre adolescent, E. Weinhaus et K. Friedman
Comment déborder d'énergie, Jean-Paul Simard
Comment garder son homme, Alexandra Penney
La communication... c'est tout!, Henri Bergeron
Le complexe de Casanova, Peter Trachtenberg

Santé, beauté

le jour, éditeur

Ouvrages parus au Jour

Affaires, loisirs, vie pratique

L'affrontement, Henri Lamoureux
Les bains flottants, Michael Hutchison
* La bibliothèque des enfants, Dominique Demers
Bien s'assurer, Carole Boudreault et André Lafrance
Le bridge, Denis Lesage
Le cœur de la baleine bleue, Jacques Poulin
Conte pour buveurs attardés, Michel Tremblay
* La France à la québécoise, André Bergeron et Émile Roberge
* Le guide du répondeur bien branché, Robert Blondin et Lucie Dumoulin
J'avais oublié que l'amour fût si beau, Évette Doré-Joyal
Jean-Paul ou les hasards de la vie, Marcel Bellier
Oslovik fait la bombe, Oslovik

Ésotérisme, santé, spiritualité

L'astrologie pratique, Wofgang Reinicke
Couper du bois, porter de l'eau — Comment donner une dimension spirituelle à la
    vie de tous les jours, Collectif
Le grand livre de la cartomancie, Gerhard von Lentner
Grand livre des horoscopes chinois, Theodora Lau
Grossesses à risque et infertilité — Les solutions possibles, Diana Raab
Les hormones dans la vie des femmes, Dr Lois Javanovic et Genell J. Subak-Sharpe
Les maladies mentales, John M. Cleghorn et Betty Lou Lee
Pour en finir avec l'hystérectomie, Dr Vicki Hufnagel et Susan K. Golant
Pouvoir analyser ses rêves, Robert Bosnak
Le tao de longue vie, Chee Soo
Traité d'astrologie, Huguette Hirsig

Essais et documents

* 1759 La bataille du Canada, Laurier L. LaPierre
17 tableaux d'enfant, Pierre Vadeboncoeur
* L'accord, Georges Mathews
L'administration et le développement coopératif, Marcel Laflamme et André Roy
À la recherche d'un monde oublié, N. Laurin, D. Juteau et L. Duchesne
* Les années Trudeau — La recherche d'une société juste, T. S. Axworthy et
    P. E. Trudeau
* Le Canada aux enchères, Linda McQuaid
Carmen Quintana te parle de liberté, André Jacob
Le Dragon d'eau, R. F. Holland
* Élise Chapdelaine, Marielle Denis
* Elle sera poète, elle aussi! Liliane Blanc
En première ligne, Jocelyn Coulon

Expériences de démocratie industrielle — Vers un nouveau contrat social, Marcel Laflamme
* Femmes de parole, Yolande Cohen
* Femmes et politique, Yolande Cohen, Andrée Yanacopoulo et Nicole Brossard
Le français, langue du Québec, Camille Laurin
* Goodbye... et bonne chance!, David J. Bercuson et Barry Cooper
Hiérarchie ethnique dans la grande entreprise, Jean-Marie Rainville
L'histoire des femmes au Québec, Le collectif Clio
Jacques Cartier - L'odyssée intime, Georges Cartier
La maison de mon père, Sylvia Fraser
Les mémoires de Nestor, Serge Provencher
Merci pour mon cancer, Michelle de Villemarie

Psychologie, vie affective, vie professionnelle, sexualité

Adieu, Dr Howard M. Halpern
Adieu la rancune, James L. Creighton
L'agressivité créatrice, Dr George R. Bach et Dr Herb Goldberg
Aimer, c'est choisir d'être heureux, Barry Neil Kaufman
Aimer son prochain comme soi-même, Joseph Murphy
L'amour lucide, Gay Hendricks et Kathlyn Hendricks
Apprendre à vivre et à aimer, Léo Buscaglia
Arrête! tu m'exaspères — Protéger son territoire, Dr George Bach et Ronald Deutsch
L'art d'engager la conversation et de se faire des amis, Don Gabor
L'art d'être égoïste, Josef Kirschner
Au centre de soi, Dr Eugene T. Gendlin
Augmentez la puissance de votre cerveau, A. Winter et R. Winter
Le burnout, Collectif
La célébration sexuelle, Ma Premo et M. Geet Éthier
Ces hommes qui ne communiquent pas, Steven Naifeh et Gregory White Smith
Ces vérités vont changer votre vie, Joseph Murphy
Comment aimer vivre seul, Lynn Shanan
Comment apprendre l'autodiscipline aux enfants, Thomas Gordon
Comment décrocher, Barbara Mackoff
Comment faire l'amour à la même personne pour le reste de votre vie, Dagmar O'Connor
Comment faire l'amour à une femme, Michael Morgenstern
Comment faire l'amour à un homme, Alexandra Penney
Comment faire l'amour ensemble, Alexandra Penney
Contacts en or avec votre clientèle, Carol Sapin Gold
Dire oui à l'amour, Léo Buscaglia
La dynamique mentale, Christian H. Godefroy
Ennemis intimes, Dr George R. Bach et Peter Wyden
Exit final — Pour une mort dans la dignité, Derek Humphry
Faire l'amour avec amour, Dagmar O'Connor
La famille moderne et son avenir, Lyn Richards
La fille de son père, Linda Schierse Leonard
La Gestalt, Erving et Miriam Polster
Le guide du succès, Tom Hopkins
L'homme sans masque, Herb Goldberg
L'influence de la couleur, Betty Wood
Le jeu de la vie, Carl Frederick
Maîtriser son destin, Josef Kirschner

Manifester son affection — De la solitude à l'amour, Dr George R. Bach et
  Laura Torbet
La mémoire à tout âge, Ladislaus S. Dereskey
Le miracle de votre esprit, Dr Joseph Murphy
Négocier — entre vaincre et convaincre, Dr Tessa Albert Warschaw
Nos crimes imaginaires, Lewis Engel et Tom Ferguson
Nouvelles relations entre hommes et femmes, Herb Goldberg
On n'a rien pour rien, Raymond Vincent
Option vérité, Will Schutz
L'oracle de votre subconscient, Dr Joseph Murphy
Parents gagnants, Luree Nicholson et Laura Torbet
Parlez pour qu'on vous écoute, Michèle Brien
* La personnalité, Léo Buscaglia
Le pouvoir de la motivation intérieure, Shad Helmstetter
Le pouvoir de votre cerveau, Barbara B. Brown
Le principe de la projection, George Weinberg et Dianne Rowe
La psychologie de la maternité, Jane Price
La puissance de la pensée positive, Norman Vincent Peale
La puissance de votre subconscient, Dr Joseph Murphy
Réfléchissez et devenez riche, Napoleon Hill
Retrouver l'enfant en soi, John Bradshaw
S'affirmer — Savoir prendre sa place, R. E. Alberti et M. L. Emmons
S'aimer ou le défi des relations humaines, Léo Buscaglia
Savoir quand quitter, Jack Barranger
Les secrets de la communication, Richard Bandler et John Grinder
Seuls ensemble, Dan Kiley
La sexualité expliquée aux adolescents, Yves Boudreau
Le succès par la pensée constructive, Napoleon Hill
La survie du couple, John Wright
Tous les hommes le font, Michel Dorais
Triomphez de vous-même et des autres, Dr Joseph Murphy
Trop peu de sexe... trop peu d'amour, Jonathan Kramer et Diane Dunaway
Un homme au dessert, Sonya Friedman
Uniques au monde!, Jeanette Biondi
Vivre avec les imperfections de l'autre, Dr Louis H. Janda
Vivre avec passion, David Gershon et Gail Straub
Vivre avec son anxiété, Isaac M. Marks
Volez de vos propres ailes, Howard M. Halpern
Votre corps vous parle, écoutez-le, Henry G. Tietze
Votre talon d'Achille, Dr Harold Bloomfield

---

* Pour l'Amérique du Nord seulement

Achevé   Imprimerie
d'imprimer Gagné Ltée
au Canada Louiseville